Ирвинг Стоун

Ирвинг Стоун

Жажда жизни

Биографический роман
о Винсенте Ван Гоге

Астрель
МОСКВА
ВКТ Владимир

УДК 821.111(73)
ББК 84(7Сое)
С81

Irving Stone
LUST FOR LIFE

Перевод с английского Н.В. Банникова

Стоун, И.

С81 **Жажда жизни: биографический роман о Винсенте Ван Гоге / Ирвинг Стоун; пер. с англ. И.В. Банникова. – М.: АСТ: Астрель; Владимир: ВКТ, 2011. – 509, [3] с.**

ISBN 978-5-17-058602-8 (ООО «Изд-во АСТ»)(С.: Зарубежная классика)
ISBN 978-5-271-28842-5 (ООО «Изд-во Астрель»)
ISBN 978-5-226-02309-5 (ВКТ)
Компьютерный дизайн Ю.М. Мардановой

ISBN 978-5-17-058570-0 (ООО «Изд-во АСТ»)(С.: Биографии)
ISBN 978-5-271-28843-2 (ООО «Изд-во Астрель»)
ISBN 978-5-226-01979-1 (ВКТ)
Компьютерный дизайн Г.В. Смирновой

Винсент Ван Гог.

Один из величайших мастеров импрессионизма.

Человек трагической судьбы, при жизни испытавший и презрение «официальных» критиков живописи, и полное непонимание собратьев по кисти, а после смерти признанный великим художником.

Его гений стал проклятием, ибо его новаторская манера писать казалась неприемлемой даже для привыкших к творческим экспериментам обитателей Монмартра. Его не любили и либо равнодушно отвергали, либо цинично использовали женщины. Над ним посмеивались друзья. Его жалели родные...

Жизнь Ван Гога должна была окончиться трагически, это было очевидно всем, кто его знал.

Вопрос лишь в том, когда и при каких обстоятельствах наступит эта развязка...

О «гениальном безумце» французской живописи написано многое, однако никому из его биографов не дано было создать ничего равного легендарному биографическому роману Ирвинга Стоуна «Жажда жизни».

УДК 821.111(73)
ББК 84(7Сое)

Пролог

ЛОНДОН

1

— Господин Ван Гог! Пора вставать!

Еще не проснувшись, Винсент уже ждал, когда раздастся голос Урсулы.

— Я встал, мадемуазель Урсула, — ответил он.

— Нет, вы не встали, вы только встаете, — засмеялась девушка.

Винсент слушал, как она спускается по лестнице и идет на кухню.

Опершись на ладони, он резким движением спрыгнул с кровати. Плечи и грудь были у него массивные, руки большие и сильные. Он наскоро оделся, плеснул из кувшина холодной воды и стал править бритву.

Винсент любил ежедневный ритуал бритья — взмах лезвия вдоль правой щеки, от бакенбарда до уголка чувственного рта, затем верхняя губа, сначала справа, от крыла носа, потом слева, потом крупный, словно скатанный кусок теплого гранита, подбородок.

Он приник всем лицом к душистой охапке брабантских трав и дубовых листьев, лежавших на шифоньерке. Его брат Тео собрал эти листья и травы близ Зюндерта и прислал сюда, в Лондон. Лишь вдохнув запах Голландии, Винсент почувствовал, что день начался.

— Господин Ван Гог! — крикнула Урсула, снова постучавшись в дверь. — Почтальон принес вам письмо.

Разорвав конверт, он узнал почерк матери. «Дорогой Винсент, — читал он, — мне захотелось сказать тебе словечко хотя бы на бумаге».

Вспомнив, что у него еще не вытерто лицо, он сунул письмо в карман брюк — его можно будет прочесть потом, в свободное время у Гупиля. Он откинул назад и расчесал свои длинные густые изжелта-рыжие волосы, надел тугую белую сорочку, низкий воротничок, завязал черный галстук с двумя длинными концами и сошел вниз, где его ждал завтрак и улыбка Урсулы.

Урсула Луайе вместе с матерью, вдовой провансальского викария, содержала во флигеле, на заднем дворе, детский сад для мальчиков. Ей минуло девятнадцать, это была улыбчивая большеглазая девушка, с тонким, словно пастелью тронутым овальным лицом и стройной фигуркой. Винсент упивался, глядя, как она смеется и сияет, будто какой-то яркий цветной зонт под лучами солнца бросал свой отсвет на ее обольстительное личико.

Пока он ел, Урсула быстро и изящно пододвигала ему тарелки и оживленно разговаривала. Винсенту был двадцать один год, и он впервые влюбился. Жизнь как бы раскрылась перед ним во всей полноте. Ему казалось, что он будет счастливейшим человеком, если до конца своих дней сможет завтракать, сидя за одним столом с Урсулой.

Урсула принесла Винсенту ломтик ветчины, яйцо и чашку крепкого черного чая. Она присела на стул, пригладила на затылке свои вьющиеся каштановые волосы и, все улыбаясь, глядела на него, проворно подавая ему соль, перец, масло и поджаренный хлеб.

— Ваша резеда уже прорастает, — сказала она, облизывая губы. — Вы не взглянете на нее, перед тем как идти в галерею?

— Непременно, — ответил он. — А вы не проводите меня? Я хочу сказать... вы не покажете, где она?

— Чудак этот Винсент, право, чудак! Сам посадил резеду и сам не знает, где она растет. — У нее была привычка говорить с людьми так, как будто их и нет рядом.

Винсент поперхнулся. Манеры у него, под стать его грузному телу, были неловкие, и он никак не мог найти нужных слов в разговоре с Урсулой. Они вышли во двор. Было холодное апрельское утро, но яблони стояли уже в цвету. Между домом Луайе и флигелем был небольшой фруктовый сад. Несколько дней назад Винсент посадил здесь мак и душистый горошек. Всходы резеды уже пробивались из земли. Винсент и Урсула присели на корточки лицом друг к другу, их головы почти соприкасались. От волос Урсулы исходил сильный, волнующий запах.

— Мадемуазель Урсула, — произнес Винсент.

— Да? — Она слегка отстранила от него голову и вопросительно улыбнулась.

— Я... я...

— Боже мой, да говорите же наконец! — Она проворно вскочила на ноги.

Он прошел с нею до двери флигеля.

— Скоро сюда придут мои малыши, — заговорила Урсула. — А вы не опоздаете в галерею?

— Нет, я успею. Я дохожу до Стрэнда за сорок пять минут.

Она не знала, что еще сказать, и, ничего не придумав, закинула руки и стала ловить у себя на затылке выбившуюся прядь волос. Грудь у нее, при ее тонкой фигуре, была удивительно полная.

— Где же та брабантская картина, которую вы обещали мне для детского сада? — спросила она.

— Я послал репродукцию одной картины Сезара де Кока в Париж. Он хочет сделать на ней надпись специально для вас.

— Ах, как это мило! — Она захлопала в ладоши и начала кружиться на месте, потом снова повернулась к нему. — Иногда вы, господин Ван Гог, бываете просто очаровательны, но только иногда!

Она улыбнулась ему прямо в лицо и хотела уйти. Он схватил ее за руку:

— Ночью я придумал вам имя. Я буду звать вас l'ange aux poupons*.

Урсула откинула голову и громко расхохоталась.

* Ангел малышей *(фр.)*.

— L'ange aux poupons! — воскликнула она. — Пойду скажу маме!

Она вырвала у него свою руку, расхохоталась, взглянув на него через плечо, и побежала к дому.

2

Винсент надел цилиндр, взял перчатки и вышел на Клэпхем-роуд. Здесь, вдалеке от центра Лондона, дома стояли привольно, вразброс. Во всех садах цвела сирень, боярышник и ракитник.

Было четверть девятого, а к Гупилю надо было поспеть к девяти. Ходил он быстро, и по мере того как дома теснились друг к другу плотнее, все больше людей, спешивших на службу, попадалось ему навстречу. Ко всем этим прохожим он испытывал необычайно дружелюбное чувство: они ведь тоже знали, как это чудесно — быть влюбленным.

Он шел по набережной Темзы, потом через Вестминстерский мост, потом миновал Вестминстерское аббатство и здание парламента и, выйдя на Стрэнд, свернул к дому номер семнадцать на Саутгемптон-стрит, где помещался лондонский филиал фирмы «Гупиль и компания» — торговля картинами и эстампами.

Проходя через главный салон, застланный толстыми коврами и затененный пышными занавесями, он увидел полотно, на котором было изображено нечто вроде длинной, в шесть ярдов, рыбины или дракона; над чудищем парил какой-то человечек. Картина называлась «Архангел Михаил, поражающий сатану».

— На литографском столе лежит для вас посылка, — сказал Винсенту один из приказчиков в салоне.

За салоном, где висели полотна Милле, Боутона и Тёрнера, была комната с офортами и литографиями. Сделки же обычно совершались в третьей комнате — она и выглядела иначе, чем две первые, гораздо более напоминая деловую контору. Вспомнив, как одна женщина покупала вчера уже перед закрытием последнюю в этот день картину, Винсент расхохотался.

— Мне эта картина, Гарри, совсем не нравится, а тебе? — спрашивала она мужа. — Собака тут точь-в-точь такая, как та, что укусила меня прошлым летом в Брайтоне.

— Послушай, любезный, — сказал Гарри, — на что нам собака? Моя хозяйка из-за собак и так вечно лается.

Винсент понимал, что он продает сущую дрянь. Большинство клиентов не имели и понятия о том, что они покупают. Они платили огромные деньги за дешевку, за ерунду, но какое до этого дело ему? От него требовалось лишь одно — чтобы торговля эстампами приносила доход.

Он вскрыл посылку от Гупиля, из Парижа. Там была картина Сезара де Кока с собственноручной его надписью: «Винсенту Ван Гогу и Урсуле Луайе — Les amis de mes amis sont mes amis»*.

— Я поговорю с Урсулой сегодня вечером, когда буду отдавать картину, — пробормотал он. — Через несколько дней мне исполнится двадцать два, я зарабатываю пять фунтов в месяц. Дольше ждать нет смысла.

В тихой маленькой комнатке у Гупиля время летело быстро. За день Винсент продавал в среднем пятьдесят репродукций, и, хотя он предпочел бы торговать картинами маслом и офортами, ему было все же приятно, что он зарабатывает для фирмы такие деньги. Он отлично ладил с товарищами по работе, немало приятных часов провели они вместе, обсуждая события в Европе.

С детства он был немного угрюм и сторонился товарищей. Окружающим он казался странным, даже чудаковатым. Но встреча с Урсулой перевернула все его существо. Теперь ему хотелось, чтобы он всем нравился, чтобы все любили его; раньше он был целиком погружен в себя, Урсула же помогла ему по-новому взглянуть на мир, оценить красоту и радость повседневной жизни.

В шесть часов вечера магазин закрывался. У выхода Винсента остановил господин Обах. Он сказал:

— Я получил письмо от вашего дяди Винсента Ван Гога. Он интересуется, как идут у вас дела. Я был рад написать ему, что вы один из лучших служащих магазина.

---

* Друзья моих друзей — мои друзья *(фр.)*.

— Благодарю, с вашей стороны это очень любезно, сэр.

— Не стоит благодарности. Когда вернетесь из летнего отпуска, получите повышение, — я хочу доверить вам офорты и литографии.

— Ах, сэр, для меня это сейчас так важно... Вы знаете, я... я собираюсь жениться!

— В самом деле? Вот это новость! Когда же у вас свадьба?

— Видимо, этим летом. — До сих пор он о свадьбе и не думал.

— Превосходно, молодой человек, превосходно. Вы служите всего год и уже получили повышение, а когда вернетесь из свадебного путешествия, тогда — смею надеяться — мы придумаем для вас что-нибудь еще.

3

— Мадемуазель Урсула, картину я получил, — сказал Винсент после обеда, отставив стул.

Урсула была в модном вышитом платье из зеленого шелка.

— Художник сделал для меня какую-нибудь приятную надпись? — спросила она.

— О да. Если вы мне посветите, я повешу картину у вас в детском саду.

Она чмокнула губами, изобразив поцелуй, и, искоса взглянув на Винсента, сказала:

— Мне надо помочь маме. Может, займемся этим через полчаса?

Уйдя к себе, Винсент облокотился о шифоньерку и долго смотрел в зеркало. Он редко задумывался о своей внешности, в Голландии это не имело для него значения. Здесь же, присматриваясь к англичанам, он убедился, что весь его облик и тяжеловесен и груб. Глаза сидели в орбитах глубоко, словно в трещинах каменной глыбы, покатый лоб был высок, нос выпирал вперед, широкий и прямой, словно берцовая кость, — он едва втиснулся между его густыми бровями и чувственным ртом, скулы широки и мощны, шея толста и коротка, а массивный подбородок был живым олицетворением голландского упорства и воли.

Он отвернулся от зеркала и присел, задумавшись, на край кровати. Он вырос в строгой, суровой семье. До сих пор он ни разу не любил, никогда не заглядывался на девушек и не заигрывал с ними. В его любви к Урсуле не было ни страсти, ни желания. Он был молод, он был наивен, он любил впервые в жизни.

Он взглянул на часы. Прошло всего-навсего пять минут. Те двадцать пять минут, которые еще оставалось ждать, казались бесконечными. Он вынул из конверта с письмом матери записку от брата Тео и перечитал ее еще раз. Тео был на четыре года моложе Винсента и занимал теперь его место у Гупиля в Гааге. Тео и Винсент, подобно их отцу Теодору и дяде Винсенту, смолоду крепко дружили.

Винсент взял книжку, положил на нее листок бумаги и написал ответ Тео. Из верхнего ящика шифоньерки он вынул несколько своих рисунков набережной Темзы, взял репродукцию «Девушки с мечом» Жаке и запечатал все в конверт, куда положил и письмо.

— Бог мой, — спохватился он, — я и забыл об Урсуле!

Он снова взглянул на часы и увидел, что опаздывает на четверть часа. Схватив гребень, он с трудом расчесал копну своих волнистых рыжих волос, взял со стола картину Сезара де Кока и выбежал из комнаты.

— А я думала, вы обо мне совсем забыли, — сказала Урсула, когда Винсент вошел в гостиную. Она клеила бумажные игрушки для своих малышей. — Принесли картину? Дайте-ка я взгляну.

— Лучше я ее сначала повешу. А где лампа?

— Она у мамы.

Когда он принес лампу из кухни, она сунула ему в руки яркий голубой шарф и попросила набросить его ей на плечи. От одного прикосновения к этому шарфу его бросило в дрожь. На дворе пахло яблонным цветом. Было совсем темно; своими тонкими пальчиками Урсула касалась рукава его грубошерстного черного пальто. Споткнувшись, она крепко схватила его за руку и весело засмеялась над собственной неловкостью. Винсент не мог понять, что веселого в том, что она споткнулась, но ему было приятно слышать ее смех. Он распахнул дверь флигеля, давая ей дорогу, а она, проходя, почти коснулась своим точеным лицом его лица и, пристально поглядев ему в глаза, будто ответила на вопрос, который он ей еще не задал.

Винсент поставил лампу на стол.

— Где вы хотели бы повесить картину? — спросил он.

— Пожалуй, вот здесь, над моим столом.

В комнате было не меньше пятнадцати низких стульев и столиков; прежде семейство Луайе переселялось сюда на лето. В одном углу, на небольшом возвышении, стоял стол Урсулы. Касаясь плечами друг друга, они прикидывали, где лучше поместить картину. Винсент нервничал, кнопки, когда он пытался вогнать их в стену, то и дело падали на пол. Она тихо и дружелюбно подсмеивалась над ним:

— Ах, какой вы медведь, дайте-ка лучше я.

Подняв руки над головой, она ловко принялась за дело — двигался каждый ее мускул. Работала она умело, проворно, грациозно. Винсенту хотелось тут же, при тусклом свете лампы, схватить ее на руки и решить все сразу одним крепким объятием. Но она все как-то увертывалась, ускользала, хотя и часто прикасалась к нему. Он поднял лампу, и Урсула прочла надпись на картине. От удовольствия она захлопала в ладоши и стала притопывать каблучками. Она так суетилась и прыгала, что Винсент опять не смог улучить момент, чтобы обнять ее.

— Значит, он и мой друг, ведь правда? — допытывалась она. — Мне всегда хотелось подружиться с художником.

Винсент подыскивал слова, ему хотелось сказать ей что-то нежное, что-то такое, с чего он мог бы начать объяснение. Она следила глазами за ним, стоя в темноте. В ее глазах, отражавших пламя лампы, мерцали крошечные искорки света. Полумрак оттенял овал ее лица, и когда взгляд Винсента скользнул по ее красным влажным губам, четко рисовавшимся на гладком бледном лице, в его душе шевельнулось что-то такое, чего он сам не мог бы объяснить.

Наступила многозначительная пауза. Ему казалось, что Урсула тянется к нему, ждет и боится его признания. Он несколько раз облизнул губы. Урсула отвернулась, взглянула на него через чуть вздернутое плечо и выбежала в сад.

В ужасе от того, что он теряет возможность поговорить с ней, Винсент бросился следом. Она остановилась под яблоней.

— Урсула, послушайте...

Она обернулась и, поежившись, взглянула на него. В небе горели холодные звезды. Кругом было темным-темно. Лампу Винсент оставил во флигеле. Тускло светилось только окно кухни. Винсент все еще ощущал запах волос Урсулы. Она плотно стянула на плечах свой шелковый шарф и скрестила на груди руки.

— Вы замерзли, — сказал он.

— Да. Пойдемте лучше в дом.

— Нет, ни за что! Я... — Он преградил ей дорогу.

Она уткнула подбородок в шарф и глядела на него широко раскрытыми, удивленными глазами.

— Но, господин Ван Гог, боюсь, что я вас не понимаю.

— Я только хотел сказать вам... Видите ли... Я... я...

— Поговорим потом, прошу вас. Я вся дрожу.

— Мне кажется, я должен сказать вам это. Сегодня я получил повышение. Меня переводят в отдел офортов... Это уже второе повышение за год.

Урсула отступила на несколько шагов, сняла шарф и резко остановилась, забыв о холоде.

— Так что же вы хотите сказать мне, господин Ван Гог?

Тон у нее был ледяной, и Винсент проклинал себя за неловкость. Вся сумятица чувств, которая его обуревала, вдруг улеглась — он сразу овладел собой. Он помолчал, обдумывая, как заговорить с ней, и наконец решился:

— Я хочу сказать вам, Урсула, то, что вы, собственно, уже знаете. Я люблю вас всем сердцем и буду счастлив лишь тогда, когда вы станете моей женой.

Он почувствовал, что его спокойствие и самообладание ее удивили. Может быть, сейчас самое время обнять ее?

— Вашей женой? — Голос Урсулы стал звонче. — Нет, господин Ван Гог, это невозможно.

Он посмотрел на нее из-под своих крутых, бугристых надбровий, и она ясно увидела во тьме его глаза.

— Боюсь, что я... я не...

— Странно, что вы ничего не знаете. Я уже больше года помолвлена.

Винсент не мог бы сказать, долго ли он простоял не двигаясь, о чем он думал и что чувствовал.

— Кто же ваш жених? — угрюмо спросил он.

— Ах да, вы же его ни разу не видели! Он раньше жил в вашей комнате. Я думала, вы знаете.

— Откуда мне было знать?

Она привстала на цыпочки и поглядела в сторону кухни.

— Я думала... я думала, вам кто-нибудь говорил.

— Зачем же вы целый год скрывали это от меня? Ведь вы знали, что я люблю вас. — В его голосе не было теперь и следа растерянности и волнения.

— Я не виновата, что вы влюбились. Я хотела, чтобы мы были только друзьями.

— А он приезжал к вам за то время, что я у вас?

— Нет. Он живет в Уэльсе. Он приедет к нам летом, в отпуск.

— И вы не видели его больше года? Да ведь вы позабыли его! Теперь вы любите *меня*!

Уже не думая ни о благоразумии, ни об осторожности, он грубо схватил ее и силой поцеловал в губы. Он ощутил влажность и сладость этих губ, опять уловил запах ее волос, и весь жар любви вспыхнул в нем снова.

— Не надо любить его, Урсула! Я не позволю. Вы будете моей женой. Иначе мне конец. Я не отступлюсь, пока вы не забудете его и не выйдете за меня замуж!

— Замуж за вас? — воскликнула она. — Разве я обязана выходить за каждого, кто в меня влюбится? Оставьте меня! Слышите! Не то я позову на помощь.

Она вырвалась и, тяжело дыша, бросилась по дорожке в темноту. Взбежав на крыльцо, она обернулась и тихонько, почти шепотом, произнесла два слова, которые хлестнули его, словно это был яростный крик:

— *Рыжий дурак!*

4

Наутро его уже никто не будил. Он нехотя встал с постели, вялый и хмурый. Брился небрежно, кое-как, на подбородке остались кустики щетины. Урсула к завтраку не вышла. Когда он брел к Гупилю, те же встречные, которых он видел только вчера, казались ему теперь совсем другими. Это были грустные, одинокие люди, торопливо шагающие на свою постылую работу.

Он не замечал ни цветущего ракитника, ни выстроившихся вдоль дороги каштанов. Солнце сияло даже ярче вчерашнего, но он будто и не чувствовал этого.

За день он продал двадцать цветных гравюрных оттисков «Венеры Анадиомены» Энгра. Для Гупиля это было весьма выгодно, но Винсент уже утратил всякий интерес к обогащению фирмы. С покупателями он был крайне нетерпелив. Они не только не видели разницы между плохими и хорошими вещами — у них был прямо-таки дар выбирать все напыщенное, банальное, пустое.

Продавцы никогда не считали Винсента веселым человеком, хотя он и старался быть с ними как можно любезнее.

— Что это так расстроило отпрыска славного рода Ван Гогов? — спрашивал один продавец другого.

— Видно, он встал сегодня с левой ноги.

— Ну, ему есть о чем волноваться. Его дядя, Винсент Ван Гог, — совладелец Гупиля, ему принадлежит половина магазинов в Париже, Берлине, Брюсселе, Гааге и Амстердаме. Старик болеет, а детей у него нет, все говорят, что он оставил свои богатства этому парню.

— Везет же людям!

— Но это еще не все. Другой его дядя, Хендрик Ван Гог, — владелец больших художественных магазинов в Брюсселе и Амстердаме, а третий дядя, Корнелис Ван Гог, — глава крупнейшей голландской фирмы. Да что там говорить! Среди торговцев картинами во всей Европе не сыщешь такого богатого семейства, как Ван Гоги. В один прекрасный день наш рыжий приятель станет повелевать всем европейским искусством!

Когда вечером Винсент появился в столовой Луайе, Урсула и ее мать о чем-то разговаривали вполголоса. Винсент остановился на пороге, и они замолчали — незаконченная фраза оборвалась на полуслове.

Урсула вышла на кухню.

— Добрый вечер, — сказала мадам Луайе, и в глазах ее блеснуло любопытство.

Винсент пообедал за большим столом в полном одиночестве. Удар, нанесенный ему Урсулой, оглушил, но не обескуражил его. Нет, он не примет ее отказа. Он заставит Урсулу забыть этого человека.

Прошла почти целая неделя, прежде чем он улучил момент, чтобы поговорить с ней. Все эти дни он ел и спал очень мало, апатию сменило внезапное возбуждение. В галерее он продавал теперь куда меньше эстампов, чем бывало. Его зеленоватые глаза стали страдальчески-голубыми. Подбирать слова, когда надо было что-то сказать, ему казалось теперь еще труднее.

В воскресенье, после праздничного обеда, он вышел за Урсулой в сад.

— Мадемуазель Урсула, — сказал он, — простите, если я напугал вас в тот вечер.

Она подняла на него свои большие холодные глаза, словно удивившись тому, что он идет за ней.

— О, пустяки, не стоит извиняться. Давайте забудем это.

— Я охотно забуду, что был груб с вами. Но каждое мое слово было истинной правдой.

Он подошел к ней ближе. Она отшатнулась.

— Зачем вы говорите об этом снова? Я уже все давно позабыла. — Она повернулась к нему спиной и пошла по дорожке. Он нагнал ее.

— Я должен говорить об этом, Урсула. Вы не понимаете, как я люблю вас! Вы не знаете, как я страдал всю эту неделю. Почему вы убегаете от меня?

— Пойдемте лучше в дом. Мама ждет гостей.

— Не может быть, чтобы вы любили того человека. Я прочел бы это в ваших глазах.

— Простите, но мне пора идти. Так когда же вы едете в отпуск на родину?

— В июле, — с трудом вымолвил он.

— Подумайте, как удачно! В июле ко мне приедет жених, ему понадобится комната.

— Я ни за что не отдам вас этому человеку, Урсула!

— Выбросьте это из головы. Иначе мама предложит вам съехать с квартиры.

Он уговаривал ее еще два месяца. Он снова стал замкнутым, как в детстве; раз ему нельзя быть с Урсулой, он хотел быть наедине с собой, чтобы никто не мешал ему думать о ней. С товарищами в магазине он держался холодно. Свет, который зажгла в нем любовь к Урсуле, снова померк: теперь он был тем же угрюмым подростком, каким его привыкли видеть родители в Зюндерте.

Наступил июль, Винсент получил отпуск. Ему не хотелось уезжать из Лондона на целых две недели. У него было такое чувство, что Урсула не сможет любить другого, пока он, Винсент, живет с ней под одной крышей.

Он сошел в гостиную, где сидели Урсула и ее мать. Они многозначительно переглянулись.

— Я беру с собой только один саквояж, мадам Луайе, — сказал он. — Все остальные вещи я оставляю в комнате. Вот вам деньги за две недели, пока я буду в отъезде.

— Мне кажется, вам лучше бы забрать все ваши вещи, господин Ван Гог, — отозвалась мадам Луайе.

— Почему?

— Я сдала вашу комнату с будущего понедельника. Мы считаем, что будет лучше, если вы снимете квартиру в другом месте.

— Мы?

Он повернулся и взглянул на Урсулу из-под своих тяжелых бровей. Его взгляд был полон недоумения.

— Да, мы, — ответила за нее мать. — Жених моей дочери пишет, что не желает видеть вас в доме. Я склонна думать, господин Ван Гог, что будет лучше, если вы навсегда забудете дорогу к нам.

5

Теодор Ван Гог приехал на станцию Бреда встречать сына. На нем был тяжелый черный пасторский сюртук, жилет с широкими отворотами, белая накрахмаленная рубашка и огромный черный галстук в виде банта, из-под которого виднелась лишь узенькая полоска высокого воротничка. Винсент быстро взглянул в лицо отца и снова увидел в нем две знакомые особенности: веко правого глаза было опущено гораздо ниже левого, закрывая его почти до половины, а левая сторона рта была тонкая и сухая, тогда как правая — полная и чувственная. Глаза у него были смиренные, они, казалось, говорили: «Это всего-навсего я».

Жители Зюндерта нередко видели, как пастор Теодор, надев шелковый цилиндр, ходил навещать бедных.

До конца своих дней он не мог понять, почему судьба не проявила к нему большей благосклонности. Он считал, что ему давно уже должны бы дать крупный приход в Амстердаме или в Гааге. Прихожане в Зюндерте называли его «дорогим учителем», он был образован, имел доброе сердце, выдающиеся духовные достоинства, в служении Богу не знал усталости. И однако, вот уже двадцать пять лет он прозябал в безвестности в маленькой деревеньке Зюндерт. Из шести братьев Ван Гог он один не занял в своей стране достойного места.

Деревянный пасторский дом в Зюндерте, где родился Винсент, стоял напротив рыночной площади и здания управы. За кухней был разбит сад, там росли акации, среди заботливо взлелеянных цветов бежали тропинки. Церковь — легкое деревянное сооружение — пряталась за деревьями, тут же, поблизости от сада. В церкви было два маленьких готических окна из простого стекла, дюжина грубых скамей, расставленных на деревянном полу, в стены было вделано несколько жаровен. Ступени у задней стены вели к старенькому орга́ну. Все здесь было сурово, просто, все пропитано духом Кальвина, духом его учения.

Мать Винсента, Анна-Корнелия, ждала их, глядя в окно, — повозка не успела еще остановиться, как она уже отворила дверь. В первую же минуту, когда она с нежностью обняла сына, прижав его к своей тучной груди, Анна-Корнелия почувствовала, что с ее мальчиком творится что-то неладное.

— Myn liev zoon*, — шептала она. — Мой Винсент.

Ее глаза, порой голубые, порой зеленые, всегда были широко открыты; ласковые и проницательные, они видели все и никого не осуждали слишком сурово. Вниз от ноздрей к уголкам губ пролегли легкие морщинки, и чем глубже становились они с годами, тем больше казалось, что она постоянно чуть-чуть улыбается.

Анна-Корнелия Карбентус родилась в Гааге, где отец ее носил почетный титул «королевского переплетчика». Дела у Виллема Карбентуса шли прекрасно, а когда ему поручили переплести первую конституцию Голландии, он прославился на всю страну. Дочери его, старшая из которых вышла за дядю Винсента Ван Гога, а младшая за достопочтенного пастора Стриккера из Амстердама, были, что называется, bien élevées**.

Анна-Корнелия была доброй женщиной. Она не видела в мире зла и не знала его. Она знала лишь слабость, искушение, невзгоды и горести. Теодор Ван Гог тоже был добрый человек, но зло он видел прекрасно и проклинал малейшие его проявления.

Центром дома Ван Гогов была столовая, где вокруг широкого стола, когда с него убирали после ужина посуду, сосредоточивалась жизнь всего семейства. При уютном свете керосиновой лампы оно собиралось здесь в полном составе и коротало вечера. Анна-Корнелия беспокоилась за Винсента: он похудел, и манеры его стали какими-то резкими, порывистыми.

— Что-нибудь случилось, Винсент? — спросила она его после ужина. — Ты плохо выглядишь.

Винсент окинул взглядом стол, где сидели Анна, Елизавета и Виллемина, три совершенно чужие девушки, которые приходились ему сестрами.

— Нет, — сказал он, — все хорошо.

— Понравился ли тебе Лондон? — спросил, в свою очередь, Теодор. — Если нет, то я поговорю с дядей Винсентом. Он может перевести тебя в один из парижских магазинов.

---

* Мой дорогой сын *(гол.)*.

** Воспитаны по всем правилам *(фр.)*.

Винсент не на шутку взволновался.

— Нет, нет, не надо! — воскликнул он. — Я не хочу уезжать из Лондона. Я... — Тут он взял себя в руки: — Если дядя Винсент захочет перевести меня в другое место, он позаботится об этом сам.

— Ну, как хочешь, — согласился Теодор.

«А все из-за той девушки, — подумала Анна-Корнелия. — Теперь понятно, почему он писал такие письма».

На вересковых пустошах вокруг Зюндерта местами рос сосняк, высились купы дубов. Винсент проводил целые дни в поле, мечтательно всматриваясь в водную гладь прудов — их было здесь множество. Иногда он рисовал — это было единственное его развлечение; он сделал несколько набросков в саду, в полдень из окна нарисовал субботний рынок, изобразил на листке бумаги парадную дверь родительского дома. Только рисуя, он забывал об Урсуле.

Теодор всегда сокрушался по поводу того, что его старший сын не пошел по стопам отца. Однажды вечером, возвращаясь от больного крестьянина, оба они слезли с повозки и пошли пешком. За соснами садилось красное солнце, вечернее небо отражалось в лужах, сизый вереск и желтый песок чудесно оттеняли друг друга.

— Мой отец был священником, Винсент, и я всегда считал, что ты тоже пойдешь по этому пути.

— Ты, кажется, думаешь, что я хочу бросить свое теперешнее занятие?

— Я говорю это на тот случай, если ты все же решишься... Ведь ты мог бы жить в Амстердаме у дяди Яна и учиться в университете. А преподобный Стриккер готов руководить твоим образованием.

— Ты советуешь мне уйти от Гупиля?

— Нет. Конечно, нет. Но если тебе там плохо... Ведь все меняется...

— Само собой. Но я не собираюсь уходить от Гупиля.

Провожать его на станцию Бреда поехали оба — отец и мать.

— Тебе писать по тому же адресу, Винсент? — спросила Анна-Корнелия.

— Нет. Я переезжаю.

— Я очень рад, что ты не будешь жить у Луайе, — вставил отец. — Эта семейка мне никогда не нравилась. Слишком много у них всяких секретов.

Винсент помрачнел. Мать положила свою теплую ладонь на его руку и ласково сказала, так чтобы не слышал Теодор:

— Не печалься, мой дорогой. С хорошей голландской девушкой тебе будет лучше, — надо только подождать, пока ты как следует устроишься. Она не принесет тебе счастья, эта Урсула. Это не твоего поля ягода.

«И откуда только мать все знает?» — удивился он.

6

Приехав в Лондон, он снял меблированную комнату на Кенсингтон-Нью-роуд. Хозяйка — маленькая старушка — ложилась спать в восемь часов. В доме царила мертвая тишина. И каждый вечер, борясь с собой, он жестоко страдал, его мучительно тянуло к Луайе. Он запирал дверь и решительно говорил себе, что будет спать. А через пятнадцать минут он непостижимым образом оказывался на улице и торопливо шагал к Урсуле.

Подходя к ее дому, он уже как бы ощущал ее присутствие. Это была истинная пытка — чувствовать, что она тут, рядом, и все же недосягаема, но еще хуже было сидеть дома и не коснуться хотя бы ее тени, не ощутить ее незримого присутствия.

Оттого что он страдал, с ним происходили странные вещи. Он сделался чувствительным к страданиям других. Он стал нетерпим ко всему тому, что было фальшиво, крикливо-аляповато и что находило широкий сбыт. В магазине от него уже не было пользы. Когда покупатели спрашивали, что он думает о той или другой гравюре, он без обиняков говорил, что это просто ужасно, и покупатели уходили, ничего не взяв. Жизненность и эмоциональную глубину он находил лишь там, где художник изображал страдание.

В октябре в магазин явилась дородная дама в высоком кружевном воротничке, с пышной грудью, в соболях, в круглой бархатной шляпе с голубым пером. Дама попросила показать ей какие-нибудь картины — она хотела украсить ими свой новый городской дом. Обслуживал ее Винсент.

— Мне надо самое лучшее, что только у вас есть, — заявила она. — За ценой я не постою. Размеры такие: в гостиной есть две широкие сплошные стены по пятьдесят футов, есть стена с двумя окнами, промежуток между ними...

Он убил почти полдня, стараясь продать ей несколько офортов Рембрандта, превосходную репродукцию картины Тёрнера, где были изображены каналы Венеции, литографские оттиски кое-каких произведений Тейса Мариса, репродукции музейных полотен Коро и Добиньи. Покупательница безошибочно выбирала самое скверное из того, что показывал ей Винсент, и так же безошибочно, с первого взгляда, отвергала все, что он считал подлинным искусством. Шли часы, и эта чванливо-простодушная толстая женщина стала в его глазах истинным олицетворением того самодовольства и скудоумия, которое присуще среднему буржуа и вообще всем торговцам.

— Ну вот! — воскликнула она не без гордости. — Кажется, я выбрала картины на совесть!

— Если бы вы закрыли глаза и наугад ткнули пальцем, — сказал Винсент, — вы бы и то не выбрали хуже.

Женщина грузно поднялась, подобрав свою широкую бархатную юбку. Винсент видел, как она залилась краской от туго затянутого бюста до шеи, прикрытой кружевным воротничком.

— Вы!.. — завопила она. — Вы... просто дубина и деревенщина!

Вне себя она хлопнула дверью, высокое перо на ее бархатной шляпе сердито колыхалось.

Господин Обах был в ярости.

— Дорогой Винсент, — начал он, — что с вами такое? Вы упустили самую крупную покупательницу за всю неделю и вдобавок оскорбили ее!

— Господин Обах, разрешите задать вам один вопрос.

— Ну, что еще за вопрос? Кой-какие вопросы есть и у меня к вам.

Винсент отодвинул в сторону выбранные дамой гравюры и положил руки на край стола.

— Человек живет на свете только один раз. Скажите, как оправдать то, что он попусту тратит свою жизнь, продавая дуракам дрянные картины?

Обах и не подумал ответить.

— Если дела и дальше пойдут так, как теперь, — сказал он, — мне придется написать вашему дяде и просить его перевести вас в другой филиал. Я не могу терпеть из-за вас убытки.

Движением руки Винсент отстранил от себя тяжело дышавшего Обаха.

— И как только мы можем наживать такие деньги, продавая один хлам, господин Обах? И почему это люди, у которых есть средства, чтобы покупать картины, терпеть не могут ничего подлинно художественного? Или именно деньги сделали их тупыми? Почему же у бедняков, умеющих по-настоящему ценить искусство, нет ни фартинга за душой, чтобы украсить свое жилье гравюрой?

Обах пристально посмотрел на него:

— Что это, социализм?

Придя домой, Винсент взял со стола томик Ренана и раскрыл его на заложенной странице. «Чтобы идти в этом мире верным путем, — читал он, — надо жертвовать собой до конца. Назначение человека состоит не в том только, чтобы быть счастливым, он приходит в мир не за тем только, чтобы быть честным, — он должен открыть для человечества что-то великое, утвердить благородство и преодолеть пошлость, среди которой влачат свою жизнь большинство людей».

Незадолго до Рождества Луайе поставили у окна великолепную елку. Через два дня Винсент, прогуливаясь около их дома, увидел, что он ярко освещен и что к парадной двери сходятся соседи. Изнутри доносился говор и смех. Луайе праздновали Рождество. Винсент бросился домой, торопливо побрился, переменил рубашку и галстук и поспешил обратно в Клэпхем. У крыльца он должен был минуту-другую постоять, чтобы перевести дыхание.

Было Рождество, всюду витал дух любви и всепрощения. Винсент поднялся на крыльцо и постучал молотком в дверь. Он услышал знакомые шаги в прихожей, услышал, как знакомый голос кого-то позвал из гостиной. Дверь отворилась. Свет лампы упал на его лицо. Он посмотрел на Урсулу. Она стояла перед ним с обнаженными руками, в пышном зеленом платье; крупные банты и целый каскад кружев дополняли ее туалет. Никогда она не казалась ему такой прекрасной.

— Урсула, — сказал он.

По ее лицу пробежала какая-то тень, которая будто повторила все то, что сказала ему Урсула тогда ночью в саду. Он ясно вспомнил каждое ее слово.

— Уходите, — бросила Урсула.

Она захлопнула перед ним дверь.

Утром он отплыл в Голландию.

На Рождество у Гупиля торговля шла особенно бойко. Господин Обах написал дяде Винсенту письмо, извещая, что его племянник отлучился со службы, не испросив отпуска. Дядя Винсент решил устроить племянника в главный художественный салон на улице Шапталь в Париже.

Винсент хладнокровно ответил, что торговать картинами он не будет — с этим покончено навсегда. Дядя Винсент был уязвлен до глубины души. Он заявил, что умывает руки и за судьбу Винсента отныне не несет никакой ответственности. Однако после Рождества он смягчился и устроил своего тезку приказчиком в книжную лавку Блюссэ и Браама в Дордрехте. С тех пор оба Винсента больше не имели друг с другом никаких дел.

Винсент-младший прожил в Дордрехте около четырех месяцев.

Ему было там ни сладко, ни горько, ни хорошо, ни плохо. Он как бы и не жил там. Однажды в субботу он сел на ночной поезд и уехал из Дордрехта в Ауденбос, а оттуда пешком отправился в Зюндерт. Как чудесно было вдыхать холодный ночной воздух, пронизанный острым запахом вереска. Хотя уже давно стемнело, он различал и сосновые рощи вокруг, и уходящие вдаль болота. Это напоминало ему гравюру Бодмера, которая висела в кабинете отца. Небо было совсем черное, но кое-где сквозь облака сияли звезды. Рассвет еле брезжил, когда он добрался до церковного двора в Зюндерте, — откуда-то издалека, с темных полей, покрытых молодыми всходами, доносилось пение жаворонков.

Родители понимали, что сын переживает черные дни. Летом все семейство переехало в Эттен, маленький городок в нескольких километрах от Зюндерта. Теодор получил там вновь место священника. В Эттене была обширная площадь, обсаженная вязами, на паровике можно было поехать в Бреду — довольно большой, оживленный город. Для Теодора назначение в Эттен было все-таки шагом вперед.

Близилась осень, Винсенту надо было снова устраивать свою судьбу. Урсула все еще была не замужем.

— Ты не на месте там, в этих магазинах, Винсент, — говорил отец. — Сердце твое внушает тебе служить Богу.

— Да, ты прав, отец.

— Так почему бы тебе не поехать в Амстердам и не начать учиться?

— Я поехал бы, но...

— Неужели ты в душе все еще колеблешься?

— Нет, отец. Мне трудно объяснить это сейчас. Дай мне время подумать.

В Эттене проездом побывал дядя Ян, живший в Амстердаме.

— Комната в моем доме ждет тебя, Винсент, — сказал он племяннику.

— Досточтимый Стриккер пишет, что он подыщет тебе хороших наставников, — добавила мать.

В те дни, когда Урсула одарила его страданием, он стал самым обездоленным из всех обездоленных на земле. И он знал, что лучшего образования, чем в Амстердамском университете, он нигде не получит. Ван Гоги и Стриккеры примут его с распростертыми объятиями, ободрят, согреют, поддержат деньгами, снабдят книгами. Но он никак не мог решиться. Урсула была еще в Англии, не замужем. Разузнать о ней что-либо в Голландии не было никакой возможности. Он раздобыл английские газеты, написал по нескольким объявлениям и в конце концов устроился учителем в Рамсгейте — приморском городе в четырех с половиной часах езды по железной дороге от Лондона.

7

Школа мистера Стокса стояла на площади, посреди которой был большой сквер, обнесенный железной оградой. В школе училось двадцать четыре мальчика от десяти до четырнадцати лет. Винсент должен был преподавать французский, немецкий и голландский языки, присматривать за мальчиками после уроков и помогать им мыться по субботам. За это он получал стол, квартиру и ни гроша деньгами.

Рамсгейт был унылым городком, но Винсенту в его состоянии он даже нравился. Сам не сознавая того, Винсент в конце концов полюбил свои муки и лелеял их, как любят и лелеют дорогого друга, — непрестанная боль давала ощущение того, что Урсула всегда тут, рядом. Раз ему нельзя быть с той, которую он любит, ему все равно, где жить. Он хотел лишь одного — чтобы никто не мешал ему нести ту тяжесть, которую взвалила на него Урсула.

— Вы не могли бы дать мне немножко денег, мистер Стокс? — спросил Винсент. — Хотя бы на табак и одежду...

— Ну нет, с какой же стати, — отвечал Стокс. — Ведь я в любое время найду учителя только за стол и квартиру.

В ближайшую субботу Винсент с утра пешком пошел в Лондон. Путь был долгий, а жара не спадала до самого вечера. Наконец он добрался до Кентербери. Здесь он немного отдохнул в тени деревьев, окружавших старинный собор. Затем побрел дальше и заночевал на песчаном берегу небольшого пруда, под буками и вязами. Проснулся он в четыре часа утра — на заре защебетали птицы и разбудили его. К полудню он был близ Чатама, и вдали за низкими затопленными лугами уже виднелась Темза и густой лес мачт. Вечером Винсент вошел в знакомые предместья Лондона и, несмотря на усталость, поспешил к дому Луайе.

Желание быть ближе к Урсуле, заставившее его вновь приехать в Англию, властно захватило все его существо, как только он подошел к ее дому. Здесь, в Англии, Урсула еще принадлежала ему, ибо он мог ощутить ее присутствие.

Сердце громко стучало, Винсент был не в силах успокоиться. Он прислонился к дереву, чувствуя тупую боль, описать которую слова были бессильны. Но вот лампа в гостиной погасла, затем погас свет и в ее спальне. Дом погрузился в темноту. Усилием воли Винсент сдвинулся с места и, спотыкаясь, поплелся по Клэпхем-роуд. Когда дом Урсулы остался позади, он понял, что потерял ее вновь.

Рисуя себе женитьбу на Урсуле, он уже не мыслил ее в роли жены преуспевающего торговца картинами. Он видел ее терпеливой, верной женой проповедника — рука об руку с ним она работает в трущобах, они посвятили себя служению беднякам.

Почти каждую субботу он ходил в Лондон, но возвращаться в понедельник к началу уроков ему было трудно. Иногда он отправлялся в пятницу с вечера, шел ночь, день и еще ночь — и все лишь для того, чтобы поглядеть, как воскресным утром Урсула выходит из дома, торопясь в церковь. У него не было денег ни на хлеб, ни на теплый угол под крышей, и, когда наступила зима, он жестоко мерз. Возвращаясь на рассвете в Рамсгейт по понедельникам, он дрожал от озноба, усталости и голода. Только к концу недели ему удавалось оправиться и восстановить силы.

Через несколько месяцев Винсент подыскал себе службу получше — в методистской школе в Айлворте. Школа принадлежала мистеру Джонсу, священнику большого прихода. Он нанял Винсента учителем, но скоро сделал его своим помощником в церкви.

И снова в воображении Винсента переменилась вся картина будущего. Урсула уже не была более женой бродячего проповедника и не трудилась в трущобах, она была женой сельского священника, она помогала своему мужу во всех приходских делах, как помогала его мать отцу. Он уже видел, как счастлива Урсула, с каким одобрением она отнеслась к тому, что он покинул мир узколобых коммерсантов, покинул Гупиля и теперь трудится на благо человечества.

О том, что день свадьбы Урсулы все приближается, он старался не думать. Того, другого, ее жениха, он ни на минуту не представлял себе живым человеком. Ему всегда казалось, что отказ Урсулы — это следствие некоего изъяна в нем самом и что от этого изъяна он должен каким-то путем избавиться. А какой же путь вернее, чем путь служения Богу?

У Джонса учились дети лондонских бедняков. Однажды Джонс дал Винсенту адреса и отправил его пешком в Лондон собирать с родителей плату за учение. Так Винсент оказался в трущобах Уайтчепела. Здесь били в нос отвратительные запахи, многодетные семьи ютились в холодных, убогих жилищах, голод и недуг так и сквозили в каждом взгляде унылых глаз. Многие отцы семейств тайком продавали здесь тухлое мясо, торговать которым было запрещено. Винсент видел целые семьи, дрожавшие в своих лохмотьях от холода, питавшиеся похожей на помои похлебкой, сухими корками и вонючим мясом. До самого вечера Винсент слушал их рассказы о нищете и лишениях.

Он рад был случаю побывать в Лондоне, потому что на обратном пути мог взглянуть на дом Урсулы. Но трущобы Уайтчепела вытеснили из его сознания всякую мысль о ней, и в Клэпхем он так и не пошел. В Айлворт он возвратился, не принеся мистеру Джонсу ни фартинга.

В четверг вечером во время службы Джонс сделал вид, что ему стало плохо, и оперся на плечо своего помощника.

— Сегодня я страшно устал, Винсент. Ведь вы уже писали проповеди, не правда ли? Прочтите одну из них. Посмотрим, какой из вас получится священник.

Винсент с трепетом поднялся на кафедру. Он весь покраснел и не знал, куда девать руки. Голос у него сразу осип, он говорил запинаясь. С огромным усилием он вспоминал те закругленные фразы, которые столь искусно писал на бумаге. Но он чувствовал, что его ликующий дух парит, прорываясь сквозь неловкие слова и неуклюжие жесты.

— Вы говорили великолепно, — сказал мистер Джонс. — На будущей неделе я пошлю вас в Ричмонд.

Стоял погожий осенний денек, и идти вдоль Темзы из Айлворта в Ричмонд было восхитительно. В воде, словно в зеркале, отражалось синее небо и высокие каштаны с неопавшей желтой листвой. Из Ричмонда мистеру Джонсу написали, что молодой проповедник-голландец там понравился, и добрый Джонс решил дать Винсенту возможность выдвинуться. У Джонса был большой приход в Тэрнхем-Грин — многочисленная паства была настроена там весьма скептически. Если Винсент с успехом произнесет проповедь в Тэрнхем-Грин, ему можно будет доверить кафедру где угодно.

Для своей проповеди Винсент выбрал псалом сто восемнадцатый, стих девятнадцатый: «Странник я на земле; не скрывай от меня заповедей Твоих». Он говорил просто и горячо. Его молодость, огонь, его тяжеловесная сила, массивная голова и пронзительные глаза — все это произвело на прихожан огромное впечатление.

Многие подходили к Винсенту и благодарили его за проповедь. Он пожимал им руки и недоуменно улыбался. Когда из церкви вышел последний прихожанин, он тихонько выскользнул в заднюю дверь и зашагал к Лондону.

Разразилась гроза. Винсент не захватил с собой ни шляпы, ни пальто. Вода в Темзе, особенно у берегов, пожелтела. На горизонте вспыхивали молнии, плыли огромные серые тучи, из которых косыми струями хлестал дождь. Винсент вымок до нитки, но только прибавил шагу.

Наконец он добился успеха! Он нашел себя. Он положит свою удачу к ногам Урсулы, разделит ее с нею.

Дождь барабанил по узенькой белой тропинке и раскачивал кусты боярышника. В стороне виднелся какой-то городок — его башни, мельницы, черепичные крыши и домики в готическом стиле словно встали с гравюры Дюрера.

Винсент упорно шагал к Лондону, вода хлестала ему в лицо, хлюпала в башмаках. Лишь на исходе дня добрался он до дома Луайе. Над городом сгущались пепельно-серые сумерки. Еще не дойдя до дома, он уловил звуки музыки, голоса скрипок. Это удивило его, он не мог понять, что здесь случилось. Весь дом был ярко освещен. Около крыльца, в пелене дождя, вереницей стояли кареты. Винсент увидел, что в гостиной танцуют. Старик возница сидел на козлах, укрывшись от дождя под большущим зонтом.

— Что тут происходит? — спросил Винсент.

— Надо полагать, свадьбу справляют.

Винсент прислонился к карете, вода струйками стекала с его рыжих волос на лицо. Шло время, и наконец открылась парадная дверь. В ее проеме показалась Урсула с высоким, стройным мужчиной. Из дома хлынула шумная толпа гостей, они хохотали и пригоршнями разбрасывали рис.

Винсент отступил в тень за карету. Туда уже усаживались Урсула и ее муж. Кучер стегнул лошадей. Лошади тронули. Винсент, пригибаясь, побежал рядом и приник лицом к мокрому окну кареты. Мужчина крепко, обеими руками обхватил Урсулу и взасос целовал ее. Карета укатила.

Что-то тонкое оборвалось в груди Винсента, оборвалось без возврата. Чары рассеялись. Он и не знал, что это может произойти так легко.

Под проливным дождем он потащился обратно в Айлворт, собрал свои пожитки и уехал из Англии навсегда.

Книга первая
БОРИНАЖ

1

Морской офицер высшего ранга, вице-адмирал голландского флота Иоганнес Ван Гог стоял в глубине адмиралтейского двора на крыльце своей обширной резиденции, предоставленной ему безвозмездно. В честь приезда племянника он надел парадную форму — на плечах красовались золотые эполеты. Над массивным ван-гоговским подбородком выдавался крупный, с резко очерченной острой спинкой нос, над которым сходились крутые бугристые надбровья.

— Рад видеть тебя, — приветствовал Винсента дядя. — С тех пор как мои дети переженились и уехали, дом совсем опустел.

Они поднялись по широкой внушительной лестнице, дядя Ян распахнул двери. Винсент шагнул в комнату и поставил там свой чемодан. Большое окно выходило прямо на Адмиралтейство. Дядя Ян присел на край кровати, стараясь держаться как можно проще, насколько ему позволял расшитый золотом мундир.

— Мне было приятно услышать, что ты решил учиться и стать священником, — сказал он. — Из семейства Ван Гогов кто-нибудь всегда служил Богу.

Винсент вытащил трубку и старательно набил ее табаком — он делал это всякий раз, когда хотел выиграть минутку, чтобы поразмыслить.

— Видите ли, я хотел бы стать проповедником и сразу приняться за дело.

— Прошу тебя, Винсент, не вздумай идти в проповедники. Это невежественные люди, и бог знает, какую чепуху они проповедуют. Нет, мой мальчик, Ван Гоги всегда учились в университете и были священниками. А теперь тебе надо разобрать свои вещи. Обед в восемь.

Как только широкая спина вице-адмирала скрылась за дверью, Винсент почувствовал легкую грусть. Он оглядел комнату. Кровать была широкая и удобная, шкаф вместительный, а низкий и гладкий письменный стол словно манил к себе. Но Винсент испытывал какую-то неловкость, — такое чувство всегда бывало у него в присутствии незнакомых людей. Он схватил свою кепку и выбежал на площадь Дам. Перейдя ее, он наткнулся на еврея-букиниста, который выставил на продажу чудесные гравюры. Винсент долго рылся в них, купил тринадцать листов, зажал их под мышкой и не торопясь берегом канала пошел домой, вдыхая крепкий запах дегтя.

Когда Винсент осторожно, чтобы не испортить стены, пришпиливал офорты, в дверь постучали. Вошел преподобный Стриккер. Он, хотя и не был Ван Гогом, тоже доводился Винсенту дядей: он был женат на сестре его матери. Стриккера как духовного пастыря хорошо знали в Амстердаме и считали умным человеком. Одет он был в добротный черный костюм изящного покроя.

После первых приветствий священник сказал:

— Я договорился с Мендесом да Коста, это известный знаток классических языков, он будет учить тебя латыни и греческому. Живет он в еврейском квартале, в понедельник в три часа ты пойдешь туда на первый урок. Но зашел я не из-за этого, а чтобы пригласить тебя на завтрашний воскресный обед. Твоя тетка Виллемина и кузина Кэй непременно хотят тебя видеть.

— Я очень рад. К какому часу мне прийти?

— В полдень, после поздней заутрени.

— Пожалуйста, передайте от меня привет всему вашему семейству, — попросил Винсент, когда преподобный Стриккер взял свою черную шляпу и увесистый требник.

— До завтра, — сказал дядя и вышел.

2

Бульвар Кейзерсграхт, где жили Стриккеры, принадлежал к числу самых аристократических в Амстердаме. Это был один из тех бульваров, что идут вдоль четырех главных амстердамских каналов, которые начинаются в южной части гавани и, подковой обогнув центр города, вновь упираются в нее с севера.

Все здесь было аккуратно, все сияло чистотой, нигде не увидишь и следа «кроса» — таинственного зеленого мха, уже столетия покрывающего воду каналов в других, более скромных районах.

Дома на бульваре были чисто фламандского стиля: узкие, крепкие, плотно прижатые друг к другу, словно строгие шеренги пуританского войска, вытянувшиеся по команде «смирно».

На следующий день, прослушав проповедь дяди Стриккера, Винсент направился к его дому. Яркое солнышко разогнало пепельно-серые облака, вечно плывущие по голландскому небу, воздух в эти редкостные минуты сверкал и лучился. Винсент шел не торопясь, у него было много времени. Он задумчиво смотрел, как борются с течением поднимающиеся по каналу лодки.

Это были почерневшие от воды, длинные плоскодонные лодки, с острым носом и такой же острой кормой, с небольшими трюмами для груза. От носа к корме были протянуты веревки, на которых сушилось белье. Отец семейства упирал шест в дно, изогнувшись в мучительном напряжении, налегал на него плечом и делал несколько шагов, а лодка скользила вперед из-под его ног. Жена, полная, коренастая, краснощекая, неизменно сидела на корме и правила неуклюжим деревянным рулем. Дети играли с собакой и через каждые пять минут заползали в дощатую будку, служившую им жилищем.

Дом преподобного Стриккера был построен, как все дома фламандской архитектуры, — узкий, трехэтажный, с продолговатой башенкой, украшенной пышными арабесками; в башенке было прорезано окно. Над окном торчал брус с железным крюком на конце.

2-1648и

Тетя Виллемина поздоровалась с Винсентом и провела его в столовую. Здесь висел портрет Кальвина работы Ари Шеффера, на буфете сиял серебряный сервиз. Стены были отделаны темными деревянными панелями.

Глаза Винсента не успели еще приноровиться к сумраку комнаты, как откуда-то из тени выступила высокая, стройная молодая женщина и сердечно поздоровалась с ним.

— Вы, конечно, меня не знаете, — голос ее звучал очень мягко, — я ваша двоюродная сестра Кэй.

Пожимая ей руку, Винсент впервые за много месяцев ощутил нежность и теплоту женского тела.

— Мы никогда не встречались, — говорила Кэй тем же сердечным тоном. — Как это странно, ведь мне уже двадцать шесть лет, а вам... сколько же вам?..

Винсент молчал, разглядывая ее. Прошло несколько секунд, прежде чем он сообразил, что необходимо ответить. Чтобы как-нибудь выйти из глупого положения, он громко выпалил:

— Двадцать четыре. Меньше, чем вам.

— О да. И, говоря по правде, все это не так уж удивительно. Вы никогда не бывали в Амстердаме, а я не бывала в Брабанте. Но боюсь, что я плохая хозяйка. Садитесь, прошу вас.

Он присел на краешек стула. И тут с ним произошло что-то странное — из неотесанного мужлана он превратился в учтивого светского человека. Он сказал:

— Мама не раз выражала желание, чтобы вы к нам приехали. Брабант, надо думать, вам бы понравился. Там очень красиво.

— Я знаю. Тетя Анна писала и приглашала меня несколько раз. Я собираюсь туда в самое ближайшее время.

— Да, непременно приезжайте, — сказал Винсент.

Он почти не слушал Кэй и машинально отвечал на ее вопросы. Всем своим существом он впивал ее красоту с неутомимой жаждой мужчины, слишком долго томившегося у студеного родника одиночества. Черты лица у Кэй были, как у большинства голландок, крупные, но отточенные и отшлифованные до изящества. Волосы ее не были ни пшенично-желтые, ни красно-рыжие, как у других ее соотечественниц, нежно-золотистый цвет причудливо сочетался в них с ярко-огненным блеском, рождая теплое, мягкое сияние. Она оберегала свое лицо от солнца и ветра; белизна ее подбородка незаметно переходила в румянец щек, как на полотнах старых голландских мастеров. Глаза у нее были темно-синие, радость жизни так и искрилась в них, а полные губы были чуть-чуть приоткрыты, словно для поцелуя.

Видя, что Винсент молчит, она спросила:

— О чем вы думаете, кузен? Вы чем-то озабочены?

— Я думаю, что Рембрандт, наверное, захотел бы писать вас.

Кэй негромко рассмеялась, смех у нее был грудной и сочный.

— Рембрандт, кажется, любил писать только безобразных старух?

— Нет, — возразил Винсент, — он писал красивых старух, бедных и несчастных, тех, которые в печали и горе обрели свою истинную душу.

Кэй в первый раз внимательно всмотрелась в Винсента. Когда он вошел в комнату, она лишь бегло скользнула по нему взглядом, отметив копну ярко-рыжих волос и крупное, грубоватое лицо. Теперь она разглядела полные губы, глубоко посаженные горящие глаза, высокий ван-гоговский лоб и могучий подбородок, направленный прямо на нее.

— Простите меня, я сказала глупость, — тихо, почти шепотом извинилась она. — Я понимаю, что вы хотели сказать о Рембрандте. Рисуя этих согбенных старцев, чьи лица избороздили безнадежность и страдания, он проникает в самую сущность красоты.

— О чем это вы так серьезно толкуете, дети? — спросил достопочтимый Стриккер, появляясь в дверях.

— Мы знакомились, — ответила Кэй. — Почему ты не сказал мне, что у меня есть такой милый кузен?

В столовую вошел еще один мужчина, высокий и стройный, с открытой, обаятельной улыбкой. Кэй встала и нежно поцеловала его.

— Кузен Винсент, — сказала она, — это мой муж, минхер Вос.

Она вышла и через несколько минут возвратилась с двухлетним кудрявым мальчиком; у него было задумчивое лицо и синие материнские глаза. Кэй взяла его на руки. Вос обнял и ее и ребенка.

— Садись вот здесь, возле меня, Винсент, — сказала тетя Виллемина.

Кэй сидела напротив Винсента, а по обе стороны от нее — Вос и дядя Ян. Теперь, когда ее муж был рядом, она забыла о Винсенте. Румянец на ее щеках заиграл ярче. Однажды, когда ее муж тихо, сдержанным тоном сказал что-то остроумное, она быстро наклонилась и поцеловала его.

Трепетные волны их любви захлестывали Винсента. Впервые после того рокового воскресенья прежняя боль, причиненная Урсулой, поднялась в нем из каких-то таинственных глубин и властно охватила его душу и тело. Когда он увидел это маленькое семейство, где царили радостное единение и привязанность, ему стало ясно, что все эти тоскливые месяцы он жаждал, отчаянно жаждал любви и что совладать с этой жаждой не так-то просто.

3

Каждое утро Винсент вставал до рассвета и садился читать Библию. Около пяти часов он выглядывал в окно, выходившее на двор Адмиралтейства, и смотрел на рабочих — длинной неровной вереницей их черные фигуры вливались в ворота. По Зёйдер-Зее сновали пароходики, а вдали, у деревушки, на другом берегу залива Эй, он различал плывущие мимо бурые паруса.

Когда солнце поднималось высоко и под его лучами таял туман, стоявший над штабелями леса, Винсент отходил от окна, завтракал куском сухого хлеба, выпивал стакан пива и садился на семь часов штурмовать латынь и греческий.

После четырех или пяти часов сосредоточенной работы голова становилась тяжелой; нередко Винсента бросало в жар, мысли у него путались. Он не знал, как после всех этих лет, полных душевной смуты, заставить себя регулярно и упорно заниматься. Он зубрил грамматику до тех пор, пока солнце не начинало клониться к закату — тогда наступал час урока у Мендеса да Коста. Винсент обычно ходил к нему по Бёйтенкант, огибал часовню Аудезейдс, Старую и Южную церкви и выходил на извилистые улички, где были разбросаны кузницы, бондарные и литографские мастерские.

Глядя на Мендеса, Винсент всякий раз вспоминал «Подражание Иисусу Христу» Рейпереса. Это был классический тип еврея с мудрыми, глубоко запавшими глазами, сухим, тонким, одухотворенным лицом и мягкой остроконечной бородкой стародавних раввинов. В еврейском квартале в этот поздний час было душно. Винсенту, просидевшему семь часов над греческим и латынью и еще несколько часов убившему на голландскую историю и грамматику, хотелось поболтать с Мендесом о картинах. Однажды он принес своему учителю «Крещение» Мариса.

Подставляя лист под пыльный сноп солнечных лучей, падавших из высокого окна, Мендес держал «Крещение» в своих тонких, костлявых пальцах.

— Это хорошо, — сказал он с гортанным еврейским акцентом. — Тут схвачен всеобщий дух религий.

Усталость Винсента как рукой сняло. Он начал с воодушевлением рассказывать о творчестве Мариса. Мендес тихонько покачивал головой. Ведь преподобный Стриккер платил ему большие деньги за то, чтобы он учил Винсента латыни и греческому.

— Винсент, — сказал он спокойно, — Марис — чудесный художник, но время идет, не лучше ли нам приняться за дело? Как вы считаете?

Винсент вынужден был согласиться. По пути домой, после двухчасового урока, он часто останавливался и заглядывал в окна домов, где работали столяры, плотники и корабельные поставщики. Двери винного погреба были распахнуты настежь, и люди с фонарями то и дело входили и выходили оттуда, исчезая в темноте.

Дядя Ян уехал на неделю в Хелвойрт. Как-то вечером, зная, что Винсент остался один в большом доме на адмиралтейском дворе, к нему пришли Кэй и Вос и пригласили его обедать.

— Заходите к нам каждый вечер, пока не вернется дядя Ян, — сказала Кэй. — Мама просит вас обедать с нами каждое воскресенье после церковной службы.

После обеда все садились играть в карты, но так как Винсент играть не умел, он устраивался в тихом уголке и читал книгу Огюста Грюзона «История крестовых походов». Отсюда он мог видеть Кэй, смотреть, как она улыбается своей быстрой многозначительной улыбкой. Она встала из-за стола и подошла к нему.

— Что вы читаете, кузен Винсент?

Он назвал книгу и добавил:

— Это чудная книжка, я сказал бы, что она написана в духе Тейса Мариса.

Кэй улыбнулась. Он всегда приплетает эти странные литературные аналогии.

— Почему же Тейса Мариса? — спросила она.

— Прочтите — и вы увидите, как это похоже на полотна Мариса, когда автор описывает древний замок на скале, сумерки осенних лесов, а вдали — темные поля и пахаря, идущего за белой лошадью.

Пока Кэй читала страницу, Винсент принес ей кресло. Она взглянула на Винсента, ее синие глаза потемнели в задумчивости.

— Да, — сказала она, — это похоже на Мариса. Писатель и художник пользуются разными средствами, но выражают одну и ту же мысль.

Винсент взял книгу и быстро провел пальцами по странице.

— А вот эту строчку можно найти у Мишле или Карлейля!

— Знаете, кузен Винсент, для человека, который так мало учился, вы удивительно образованны. Вы и сейчас много читаете?

— Нет, и хотел бы, да не могу. По правде сказать, это теперь мне уже не нужно, все можно найти в Писании, которое совершеннее и прекраснее любой книги.

— Ох, Винсент, — воскликнула Кэй, быстро вставая, — это так не похоже на вас!

Винсент удивленно уставился на нее.

— Вы мне гораздо больше нравитесь, когда ищете Тейса Мариса в «Истории крестовых походов», хотя отец и говорит, что вам надо быть сосредоточенней и не думать о подобных вещах. А сейчас вы толкуете как заплесневелый деревенский священник.

Вос подошел к ним и сказал:

— Карты сданы, Кэй.

Кэй посмотрела секунду в глаза Винсента, сверкавшие под низко нависшими бровями, как раскаленные угли, потом взяла мужа за руку, и они снова сели за карты.

4

Мендес да Коста, видя, что Винсенту нравится говорить с ним на общие темы, несколько раз в неделю находил предлог провожать своего ученика после урока.

Однажды он завел Винсента в самую интересную часть города — это была окраина, тянувшаяся от Лейденской гавани близ парка Вондела и до вокзала. Тут было множество лесопилен и домиков рабочих с крохотными садиками — люди здесь жили очень тесно. Узенькие каналы то и дело пересекали улицы.

— Как это, должно быть, замечательно — служить священником в таком месте, — произнес Винсент.

— Да, — отозвался Мендес, набивая трубку и протягивая треугольный кисет Винсенту, — этим людям Бог и религия гораздо нужнее, чем нашим друзьям из богатых кварталов.

Они шли по легкому деревянному мостику, до странности похожему на мостики в Японии. Винсент остановился и спросил:

— Что вы хотите сказать этим, минхер?

— У этих рабочих, — ответил Мендес, плавно проведя рукой в воздухе, — трудная жизнь. Если они болеют, у них нет денег на доктора. Если сегодня они не работают, завтра у них не будет хлеба, а работа их тяжела. Жилища у них, как вы сами видите, тесные и убогие. Нужда и несчастье всегда на пороге. Жизнь обделила их своими благами — им нужен Бог для утешения.

Винсент зажег трубку и бросил спичку в канал.

— Ну а люди в других кварталах? — спросил он.

— Они хорошо одеваются, живут в достатке, у них всегда есть деньги на черный день. Бог, по их представлениям, — богатый старик, весьма довольный тем, как он устроил дела на земле.

— Одним словом, — заметил Винсент, — они малость заплесневели.

— Что вы! — воскликнул Мендес. — Я этого не говорю.

— Но это говорю я.

В тот вечер Винсент разложил перед собой свои греческие книги и долго сидел, уставившись глазами в стену. В памяти его всплывали лондонские трущобы, грязь и нищета, он вспомнил о своем желании стать проповедником и помогать беднякам. Затем он представил себе прихожан в церкви дяди Стриккера. Это были состоятельные, образованные люди, они знали толк в благах жизни и умели ими пользоваться. Проповеди дяди Стриккера были прекрасны, они воистину утешали, но кто из его прихожан нуждался в утешении?

С тех пор как Винсент поселился в Амстердаме, прошло полгода. Он уже начал осознавать, что прилежный труд едва ли заменит ему природные способности. Отодвинув словари и грамматику, он взялся за алгебру. В полночь приехал дядя Ян.

— Я увидел, что в твоей комнате свет, — сказал вице-адмирал. — А сторож говорит, что ты утром в четыре часа уже разгуливал по Адмиралтейству. Сколько же часов в день ты работаешь?

— Как когда. От одиннадцати до двенадцати.

— До двенадцати! — Дядя Ян покачал головой. Лицо у него становилось все огорченнее. Вице-адмиралу было трудно примириться с мыслью, что в роду Ван Гогов есть тупица и неудачник. — Почему же так много?

— Надо сделать все, что положено, дядя Ян.

Мохнатые брови дяди Яна поползли вверх.

— Ну, как бы то ни было, — сказал он, — а я обещал твоим родителям позаботиться о тебе. Поэтому будь любезен лечь спать и никогда не засиживайся так поздно.

Винсент отодвинул тетради. Ему не нужен был сон, не нужны были ни любовь, ни сочувствие, ни развлечения. Ему нужно было одно — вызубрить эту латынь и греческий, алгебру и грамматику, чтобы выдержать экзамен, поступить в университет, получить сан священника и начать на деле служить Богу.

5

К началу мая, прожив в Амстердаме ровно год, Винсент почувствовал, что ему не суждено одолеть науки. Пока это было не признание факта, а лишь мысль о возможности неудачи, и всякий раз, как ему приходила такая мысль, он, стараясь отделаться от нее, задавал своему мозгу как можно более тяжкую работу.

Он ничуть бы не беспокоился, если бы речь шла только о трудностях и о его явной неспособности справиться с ними. Но его днем и ночью мучил другой вопрос: хочет ли он быть таким же умным, благовоспитанным духовным пастырем, как дядя Стриккер? Что будет с его мечтой о служении нищим, страждущим и угнетенным, если ему еще целых пять лет придется думать об одних склонениях и алгебраических формулах?

Как-то, в последних числах мая, под вечер, когда урок уже кончился, Винсент сказал Мендесу:

— Минхер да Коста, у вас не найдется времени погулять со мной?

Мендес догадывался, какое смятение переживает Винсент, он знал, что юноша вот-вот должен на что-то решиться.

— Ну конечно. Я все равно хотел прогуляться. Воздух после дождя такой чистый. С удовольствием пройдусь с вами.

Мендес обмотал шею шерстяным шарфом и надел черное пальто с высоким воротником. Они шли, минуя синагогу, в которой три с лишним столетия назад был отлучен Барух Спиноза, а через несколько кварталов увидели старый дом Рембрандта на Зеестраат.

— Он умер нищим и отверженным, — сказал, не повышая голоса, Мендес, когда старый дом остался позади.

Винсент быстро взглянул на него. Мендес умел проникать в сущность дела раньше, чем о нем заходила речь. У этого человека был необыкновенно гибкий ум: все, что он слышал, видимо, проникало в самые сокровенные глубины его сознания. Дядя Ян и дядя Стриккер — те совсем другие, от них, что им ни скажи, все отскакивает, как от стенки, — или «да», или «нет». А вот Мендес непременно прежде окунет твою мысль в глубокий колодец своей древней мудрости, а потом уже отзовется на нее.

— Но все же он умер счастливым, — сказал Винсент.

— О да, — согласился Мендес, — он выразил себя во всей полноте и знал цену тому, что создал. Он — единственный из всех людей своего времени, кому это удалось.

— Что с того, если он знал себе цену? А вдруг он заблуждался? Вдруг мир был прав, отвергая его?

— Это не имело значения. Не писать Рембрандт не мог. Хорошо он писал или плохо — не важно, но только живопись делала его человеком. Искусство тем и дорого, Винсент, что оно дает художнику возможность выразить себя. Рембрандт сделал то, что считал целью своей жизни, и в этом его оправдание. Даже если бы его искусство ничего не стоило, то и тогда он прожил бы свою жизнь в тысячу раз плодотворнее, чем если бы подавил свой порыв и стал богатейшим купцом Амстердама.

— Да, конечно.

— И если произведения Рембрандта сегодня дают радость всему миру, — продолжал Мендес развивать свою мысль, — то это уже не имеет никакого отношения к Рембрандту. Он прожил свою жизнь сполна, он сделал свое дело, хотя его продолжали травить, даже когда он был уже в могиле. Книга его жизни закрылась, и какая чудесная это была книга! Его упорство, его приверженность идее — вот что важно, а отнюдь не достоинства его картин.

У залива Эй они остановились, глядя, как рабочие грузят песком телеги, а потом долго шли по узеньким улицам, мимо увитых плющом садовых решеток.

— Ну а как молодому человеку узнать, правильную ли он избрал дорогу? Предположим, он считает какое-то дело делом своей жизни, а потом убеждается, что он совсем не подходит для этого?

Мендес высвободил подбородок из воротника пальто, его черные глаза заблестели.

— Глядите, Винсент, какой красный отсвет падает от солнца вон на те серые облака! — воскликнул он.

Они вышли к гавани. В Зёйдер-Зее, на фоне заката, отражались и мачты кораблей, и дома на набережной, и деревья. Мендес набил трубку и протянул кисет Винсенту.

— Я уже курю, минхер, — заметил Винсент.

— Ах да, в самом деле. А не пройти ли нам вдоль дамбы до Зеебурга? Там еврейское кладбище, и мы посидим немного у могил моих родных.

Они молча шагали вперед, и ветер относил в сторону дым их трубок.

— Ни в чем нельзя быть уверенным твердо, Винсент, — сказал Мендес. — Можно лишь найти в себе мужество и силы делать то, что вы считаете правильным. Может статься, что вы и ошибались, но по крайней мере вы сделали что хотели, а это самое главное. Вы должны поступать так, как велит вам разум, и пусть судит Бог, что из этого выйдет. Если вы сейчас уверены в том, что призваны так или иначе служить Создателю, то эта ваша уверенность должна стать для вас единственной путеводной нитью. Верьте себе и не робейте.

— А если я недостаточно подготовлен?

— Недостаточно подготовлены служить Господу? — переспросил Мендес, еле заметно улыбаясь.

— Нет, недостаточно подготовлен, чтобы стать таким ученым служителем церкви, какие выходят из университета.

Мендес отнюдь не собирался давать Винсенту советы, он хотел лишь побеседовать с ним в самой общей форме, а потом пусть юноша сам решает свою судьбу. Вот они и дошли до еврейского кладбища. Тут все было просто, кругом стояли каменные надгробия с древнееврейскими надписями, росли кусты бузины, кое-где пятнами темнела высокая густая трава. Мендес и Винсент подошли к каменной скамье на участке, отведенном для семьи да Коста, и присели на нее. Винсент спрятал трубку в карман. На кладбище в этот вечерний час было безлюдно, ни один звук не нарушал тишины.

— У каждого есть нечто свое, свой неповторимый характер, Винсент, — промолвил Мендес, глядя на могилы, в которых покоились его родители. — И если человек считается с этим, то, что бы он ни делал, в конце концов все бывает хорошо. Если бы вы продолжали служить продавцом картин, целостность вашего характера делала бы вас хорошим продавцом. Так и с вашим служением Богу. Настанет срок, и вы выразите себя во всей полноте, какой бы путь вы для себя ни избрали.

— А что, если я брошу Амстердам и не стану профессиональным священником?

— Это не имеет значения. Вы можете уехать в Лондон и стать там проповедником, или служить в магазине, или крестьянствовать в Брабанте. Чем бы вы ни занялись, вы все будете делать на совесть. Я чувствую в вашей натуре что-то очень хорошее, вы станете настоящим человеком. Вероятно, вы не раз будете считать себя неудачником, но в конце концов выразите себя, и это будет оправданием вашей жизни.

— Спасибо вам, минхер да Коста. Как помог мне этот разговор!

Мендес зябко поежился. Каменная скамья, на которой они сидели, была холодна, и солнце уже скрылось за морем. Они встали.

— Пойдем, Винсент, — сказал Мендес.

6

На другой день, когда город уже окутывали вечерние сумерки, Винсент стоял у окна, глядя на Адмиралтейство. На фоне бледного неба нежно рисовалась вереница тополей, высоких и стройных. «Раз я не в ладах со школьной наукой, — рассуждал Винсент сам с собой, — значит ли это, что я совсем бесполезный человек? В конце концов, разве латынь и греческий непосредственно связаны с любовью к ближнему?»

Внизу по двору Адмиралтейства прогуливался дядя Ян. Вдали можно было различить мачты судов, стоявших в доках, а рядом совершенно черного «Атье» в окружении красных и серых мониторов.

«Я хочу всегда, всю жизнь служить Богу, а не чертить треугольники и окружности. Я никогда не мечтал о большом приходе и о блестящих проповедях. Я хочу быть с униженными и страждущими — и хочу быть *сейчас, сейчас, а не через пять лет*!»

Зазвонил колокол, и со двора Адмиралтейства через ворота хлынула толпа рабочих. Фонарщик начал зажигать фонари. Винсент отошел от окна.

Он прекрасно понимал, что за этот год и отец, и дядя Ян, и дядя Стриккер потратили на него много времени и средств. Если он бросит учение, они будут считать свои деньги пропавшими даром.

Что ж, он старался на совесть, изо всех сил. Работать больше двенадцати часов в сутки он не в силах. Очевидно, ученые занятия не для него. Он начал слишком поздно. Если он, неся людям слово Божье, завтра же станет проповедником, будет ли это означать, что он потерпел неудачу? Если он исцелит болящего, ободрит уставшего, утешит грешника, обратит неверующего — неужели и тогда он будет неудачник? Родные, конечно, так и скажут. Они скажут, что он вечный неудачник, пустой и неблагодарный человек, паршивая овца в роду Ван Гогов.

«Чем бы вы ни занялись, — сказал Мендес, — вы все будете делать на совесть. В конце концов вы выразите себя, и это будет оправданием вашей жизни».

Проницательная Кэй с удивлением уже разглядела в нем задатки узколобого захолустного священника. Да, таким он и будет, если останется в Амстердаме, где его истинные порывы глохнут с каждым днем. Он знает, где его место, а Мендес вселил в него мужество занять это место. Пусть близкие проклянут его, теперь ему уже все равно. Разве можно думать о самом себе, когда речь идет о Боге?

Он быстро уложил свой чемодан и вышел из дома, ни с кем не простившись.

7

Бельгийский евангелический комитет, куда входили преподобный ван ден Бринк, де Йонг и Питерсен, предполагал открыть в Брюсселе новую бесплатную школу, где ученики должны будут вносить лишь небольшую сумму за питание и квартиру. Винсент обратился в комитет, и его приняли в школу.

— Через три месяца, — заявил преподобный Питерсен, — вы получите назначение где-нибудь в Бельгии.

— Если он будет достаточно подготовлен, — угрюмо бросил преподобный де Йонг, обернувшись к Питерсену.

Де Йонг в молодости, работая мельником, потерял большой палец, и это толкнуло его на путь богословия.

— От проповедника, господин Ван Гог, прежде всего требуется умение говорить с людьми и доступно и красиво, — предупредил преподобный ван ден Бринк.

Из церкви, где происходила эта беседа, преподобный Питерсен вышел вместе с Винсентом; когда они оказались под ослепительным брюссельским солнцем, Питерсен взял его под руку.

— Я очень рад, что вы поступаете к нам, мой мальчик, — сказал он. — В Бельгии столь многое предстоит сделать, и вы с вашим молодым пылом, думается мне, очень здесь пригодитесь.

Винсент не знал, что греет его сильнее, теплое ли солнышко или неожиданная благосклонность священника. Они шагали по узенькой улице, которую с обеих сторон, словно утесы, обступали шестиэтажные каменные здания. Винсент не находил слов, чтобы ответить Питерсену. Наконец Питерсен остановился.

— Ну, мне в эту сторону, — сказал он. — Вот моя визитная карточка, и когда у вас выдастся свободный вечер, загляните ко мне. Буду рад потолковать с вами.

В евангелической школе оказалось всего три ученика, включая Винсента. Их препоручили учителю Бокме — низенькому жилистому человечку, с лицом, которое было словно вогнуто внутрь: если бы от его бровей к подбородку провести отвесную линию, она не коснулась бы ни носа, ни губ.

Товарищи Винсента были девятнадцатилетние деревенские парни. Быстро подружившись между собой, они принялись издеваться над Винсентом.

— Я хотел бы стать в душе как можно смиреннее, mourir à moi-même*, — сказал как-то Винсент, еще не подозревая ничего дурного, одному из них. И вот, видя, как он зубрит лекцию на французском или потеет над каким-нибудь ученым фолиантом, они всякий раз допытывались:

— Ты что, Ван Гог, снова умираешь в себе?

Но самые жестокие стычки разгорались у Винсента с учителем Бокмой. Бокма хотел сделать из своих учеников хороших ораторов — вечером на дому каждый должен был подготовить проповедь и прочесть ее на другой день на уроке. Одноклассники Винсента сочиняли бойкие, примитивные речи и уверенно произносили их наизусть. Винсент же писал свои проповеди с трудом, вкладывая душу в каждую строчку. То, что ему хотелось сказать, он чувствовал всем своим существом, но когда он отвечал в классе, язык у него будто отнимался.

— Ну какой из вас проповедник, Ван Гог, — распекал его Бокма, — если вы даже двух слов связать не можете? Кто вас будет слушать?

Бокма просто рассвирепел, когда Винсент наотрез отказался говорить экспромтом. Винсент сидел над своей проповедью до глубокой ночи, стараясь сделать ее как можно содержательнее, тщательно выискивая во французском языке слово поточнее. А назавтра в классе оба его соученика без малейшего затруднения рассказали о спасении и об Иисусе Христе, заглянув в свои тетрадки всего раз или два, и Бокма одобрительно кивал головой. Затем наступила очередь Винсента. Он развернул свою рукопись и начал читать ее. Бокма не стал даже слушать.

— Так вот чему научили тебя в Амстердаме? Знай же, Ван Гог, что я еще не выпустил ни одного ученика, который бы не умел говорить экспромтом в любую минуту, да так, чтобы люди плакали.

---

* Умереть в себе *(фр.)*.

Винсент попробовал говорить экспромтом, но тут же сбился, потеряв последовательность мыслей. Ученики без всякого стеснения хохотали над его потугами, Бокма им вторил. После мучительного года в Амстердаме нервы у Винсента сильно сдали.

— Послушайте, господин учитель, — заявил он, — я буду произносить проповеди так, как считаю нужным. Я пишу их хорошо и издеваться над собой не позволю.

Бокма пришел в бешенство.

— Ты будешь делать так, как я приказываю, — заорал он, — или я выставлю тебя вон отсюда!

С тех пор между ними началась открытая война. Винсент сочинял проповедь за проповедью, вчетверо больше, чем требовалось, — он совсем потерял сон, и ложиться вечерами в постель все равно не имело смысла. Он лишился аппетита, похудел, стал раздражителен.

В ноябре его вызвали в церковь, где собрался комитет, чтобы дать выпускникам назначение. Все трудности были наконец позади, и, несмотря на усталость, он испытывал чувство удовлетворения. Когда он вошел в церковь, два его соученика были уже там. Досточтимый Питерсен даже не взглянул на него, зато в глазах Бокмы светилось злорадство.

Преподобный де Йонг поздравил соучеников Винсента с успешным окончанием школы и вручил им назначения — одному в Хохстраатен, другому в Этьехове. Они вышли, взявшись под руку.

— Господин Ван Гог, — сказал де Йонг, — комитет не уверен в том, что вы подготовлены для проповедования слова Божья. Мне очень жаль, но мы не можем дать вам назначения.

После паузы, которая казалась бесконечной, Винсент спросил:

— Разве я плохо учился?

— Вы отказывались подчиняться старшему. Первая заповедь нашей церкви — это беспрекословное повиновение. Далее, вы не научились говорить экспромтом. Ваш учитель считает, что вы не подготовлены для миссии проповедника.

Винсент посмотрел на преподобного Питерсена, но тот уставился куда-то в окно.

— Что же мне теперь делать? — спросил Винсент, не обращаясь ни к кому в отдельности.

— Вы можете остаться в школе еще на полгода, — ответил ван ден Бринк. — Может быть, после этого...

Винсент, опустив глаза, поглядел на свои грубые тупоносые башмаки и увидел, что они порваны во многих местах. Затем, не найдя, что сказать, он повернулся и вышел при общем молчании.

Быстрым шагом он прошел через весь город и очутился в Лакене. Не думая о том, куда он идет, Винсент вышел на берег — сюда долетал шум многочисленных мастерских. Вот уже дома и постройки остались позади, Винсент был в открытом поле. Тут бродила старая белая лошадь, худая, изнуренная, едва живая. Вокруг было тихо и пустынно. На земле валялся конский череп, а чуть подальше, рядом с хижиной живодера, белел целый скелет.

Оцепенение, владевшее Винсентом, стало понемногу проходить, и он неторопливо потянулся за трубкой. Дым табака показался ему непривычно горьким. Он присел на валявшееся поблизости бревно. Старая белая лошадь подошла и потерлась мордой о его плечо. Он обернулся и погладил ее по тощей шее.

Скоро он вспомнил о Боге, и эта мысль его утешила. «Иисус сохранял спокойствие и в бурю, — сказал он себе. — Я не одинок, ибо Бог не покинул меня. Когда-нибудь так или иначе я найду свой путь к служению Господу».

Когда он вернулся в свою комнату, там ждал его преподобный Питерсен.

— Я зашел пригласить вас к обеду, Винсент, — сказал он.

Они шли по улицам, запруженным рабочим людом, который спешил по домам. Питерсен говорил о том о сем, как будто бы ничего не случилось. Винсент слушал его, воспринимая каждое слово с необыкновенной ясностью. Питерсен повел Винсента в переднюю, превращенную в художественную студию. На стене висело несколько акварелей, в углу стоял мольберт.

— Вот как, значит, вы рисуете! — воскликнул Винсент. — А я не знал.

Питерсен смутился.

— Я всего-навсего любитель, — сказал он. — Немного рисую в свободное время ради развлечения. Только, пожалуйста, не говорите об этом моим коллегам.

Они сели обедать. У Питерсена была дочка, робкая пятнадцатилетняя девочка — во время обеда она ни разу не подняла глаз от тарелки. Питерсен говорил о посторонних делах, Винсент из вежливости принуждал себя хоть немного есть. И вдруг он с интересом стал слушать Питерсена; он даже не заметил, когда и как тот заговорил на эту тему.

— Боринаж, — говорил хозяин, — это район каменноугольных шахт. Там буквально все добывают уголь. Углекопы работают, рискуя жизнью каждую минуту, а заработка им едва хватает на то, чтобы свести концы с концами. Живут они в полуразвалившихся лачугах, их жены и ребятишки страдают от холода и голода.

Винсент недоумевал, зачем Питерсен говорит все это.

— Где это — Боринаж? — спросил он.

— На юге Бельгии, близ Монса. Я недавно побывал там и скажу вам, Винсент, если где-нибудь люди нуждаются в человеке, который бы нес им слово Божье и утешал их, так это в Боринаже.

У Винсента перехватило дыхание, кусок застрял у него в горле. Он положил вилку. Зачем Питерсен мучит его?

— Винсент, — сказал священник, — почему бы вам не поехать в Боринаж? С вашей молодостью и пылом вы сделали бы там много добра.

— Но как же мне быть? Комитет...

— Да, я знаю. Я написал недавно вашему отцу и объяснил положение вещей. Сегодня я получил ответ. Он пишет, что на первых порах готов помогать вам, а потом я добьюсь для вас формального назначения в Боринаж.

Винсент вскочил:

— Вы добьетесь для меня назначения!

— Да, но на это потребуется время. Когда комитет увидит, как хорошо вы работаете, он, без сомнения, смягчится. А если даже и нет... Де Йонг и ван ден Бринк скоро будут вынуждены обратиться ко мне за содействием, и взамен... Беднякам в тех местах нужен такой человек, как вы, Винсент, и, Бог свидетель, все пути хороши, только бы вы туда попали!

8

Когда поезд уже приближался к южной границе, на горизонте показались горы. Винсент всматривался в них, испытывая чувство облегчения и радости, — однообразная равнина Фландрии его утомила. Скоро он понял, что в этих горах есть что-то необыкновенное. Каждая из них стояла отдельно от другой, вырастая словно из-под земли на совершенно ровном месте.

— Черный Египет, — шептал Винсент, приникая к окну и разглядывая вереницу фантастических пирамид. Он повернулся к соседу и спросил: — Вы не знаете, откуда взялись здесь эти горы?

— Как не знать, — отозвался пассажир. — Они состоят из терриля — так тут называется порода, которую добывают вместе с углем. Видите, вон там, на вершине, маленькую вагонетку? Поглядите, что она будет делать.

Не успел он договорить, как вагонетка опрокинулась на бок, и по склону, застилая пирамидальную гору, поползло черное облако.

— Так эти горы и растут, — продолжал собеседник Винсента. — Вот уже пятьдесят лет я каждый день смотрю, как они помаленьку поднимаются все выше и выше.

В Ваме поезд остановился, и Винсент спрыгнул с подножки. Город раскинулся в унылой долине, и при бледном свете солнца, бросавшего на него свои косые лучи, Винсент увидел, что в воздухе висит густая пелена угольной пыли. Два ряда закопченных кирпичных строений тянулись вверх по склону холма. Там, у вершины, кирпичные дома кончались — это был уже Малый Вам.

Шагая вверх по холму, Винсент удивлялся, почему вокруг так малолюдно и тихо. Мужчин он не встретил ни одного, кое-где у порога стояли женщины, лица у них были бледные, застывшие.

Малый Вам был шахтерским поселком. В нем оказался один-единственный каменный дом, стоявший на самом гребне холма, — он принадлежал булочнику Жану Батисту Дени. К этому-то каменному дому и шел Винсент: преподобный Питерсен получил в свое время от Дени письмо, в котором булочник предлагал пустить к себе нового проповедника, которого пришлют в Боринаж.

Мадам Дени встретила Винсента очень приветливо, провела его через пекарню, где пахло опарой, и показала отведенную ему комнату, наверху, под самой крышей; из окна открывался вид на единственную в Малом Ваме улицу, а по задней стене круто шли вниз стропила. Все тут было вымыто до блеска большими умелыми руками мадам Дени. Эта женщина понравилась Винсенту с первого взгляда. Он был так взволнован, что даже не распаковал свои вещи, а сбежал по грубым деревянным ступенькам вниз, в кухню, и сказал мадам Дени, что выйдет прогуляться.

— Только не опаздывайте к ужину, — предупредила она. — Мы садимся за стол в пять.

Мадам Дени нравилась Винсенту все больше. Он чувствовал, что она принадлежит к тем людям, которые понимают все, не вдаваясь в рассуждения.

— Я скоро вернусь, мадам, — ответил он. — Только погляжу, что тут за место.

— Сегодня к нам придет один приятель, с которым вам не мешает познакомиться. Он работает мастером в Маркассе и может рассказать многое такое, что будет полезно для вашего дела.

Поселок был весь засыпан снегом. Винсент шагал по дороге, глядя на изгороди, окружавшие сады и поля, черные от дыма, которым постоянно чадили шахты. К востоку от дома Дени был глубокий овраг, по склону которого лепилось большинство шахтерских хижин; по другую сторону тянулось широкое поле, а посреди него виднелась гора из терриля и чернели трубы Маркасской шахты, там работали жители Малого Вама. Узкой ложбинкой по полю шла дорога, вся прошитая корнями узловатых деревьев и окаймленная колючим кустарником.

Маркасская шахта вместе с другими семью шахтами принадлежала компании «Шарбонаж бельжик» — она была самой старой и самой опасной во всем Боринаже. Про нее шла дурная слава — немало углекопов погибло в ней то при спуске клети, то при подъеме, то отравившись газом, то захлебнувшись в воде, случались там и взрывы и обвалы. В двух низких кирпичных строениях работали подъемники, на поверхности уголь сортировали и грузили в вагоны. Высокие трубы, кирпичная кладка которых когда-то была желтоватой, все двадцать четыре часа в сутки изрыгали тяжелый черный дым, оседавший далеко окрест. Вокруг Маркасса были разбросаны жалкие жилища углекопов, тут же росли реденькие, чахлые деревья, темные от копоти, тянулись изгороди, высились кучи золы, мусора, бросового угля, и над всей местностью торжествующе вздымалась черная пирамидальная гора терриля. Это было унылое место, и все тут с первого взгляда показалось Винсенту мрачным и заброшенным.

— Неудивительно, что этот край прозвали черной страной, — пробормотал он.

Не успел Винсент повернуть обратно, как из ворот шахты начали выходить углекопы. На них была грубая, рваная одежда, на головах кожаные фуражки; женщины были одеты точно так же, как и мужчины. Все они были черны, как трубочисты, на закопченных лицах резко выделялись сверкающие белки глаз. Чернорожие — так называли их, и называли не без основания. Этим людям, спускавшимся во мрак подземелья еще до рассвета, бледные лучи вечернего солнца резали глаза. Полуослепшие, они ковыляли по дороге и переговаривались между собой на быстром грубом наречии. Это был все узкогрудый, сутулый народ с костлявыми руками и ногами.

Винсент понял теперь, почему поселок показался ему таким пустынным и заброшенным: Малый Вам — это отнюдь не та горстка лачуг, которые лепятся по оврагу, а город-лабиринт, раскинувшийся под землей на глубине семисот метров; в этом лабиринте и проводит большую часть суток почти все здешнее население.

9

— Жак Верней вышел в люди собственным умом, — говорила мадам Дени Винсенту за ужином, — и как был, так и остался другом углекопов.

— А разве не все, кто выходит в люди, остаются друзьями рабочих?

— Нет, господин Ван Гог, не все. Как только кто-нибудь выберется из Малого Вама в Вам, он уже на все смотрит по-иному. Ради денег он держится хозяев и забывает, что когда-то сам надрывался в шахте как каторжный. Но Жак правдивый и честный человек. Когда у нас бывает стачка, рабочие его одного только и слушают. Ничьих советов не признают, кроме его. Вот только жить ему, бедняге, осталось недолго.

— Что же с ним такое? — спросил Винсент.

— Обыкновенное дело — чахотка. Ни одному шахтеру не миновать этого. Уж не знаю, протянет ли он до весны.

Скоро пришел и сам Жак Верней. Это был низкорослый, сгорбленный мужчина с ввалившимися и печальными, как у всех боринажцев, глазами. Из ноздрей и ушей у него торчали волосы, брови были лохматые, голова давно облысела. Услышав, что Винсент — проповедник, присланный облегчить долю углекопов, он горестно вздохнул.

— Ах Господи, — сказал он Винсенту, — столько людей уже старались нам помочь. Но все идет по-прежнему. Ничуть не лучше, чем было.

— Значит, в Боринаже живется тяжко? — спросил Винсент.

Жак помолчал, потом ответил:

— Мне-то самому живется неплохо. Мать выучила меня читать, и поэтому я стал мастером. У меня маленький кирпичный домик у дороги в Вам, да и на еду нам всегда хватает. Мне жаловаться не на что...

Жак оборвал разговор — его начал душить приступ сильнейшего кашля; Винсенту казалось, что его плоская грудь вот-вот лопнет от натуги. Несколько раз Жак выходил за дверь и отхаркивался, потом снова уселся на свое место в теплой кухне и стал тихонько теребить вылезавшие из ушей и носа волосы и пощипывать брови.

— Видите ли, господин, мастером я стал только в двадцать девять лет. Легкие у меня к тому времени были уже попорчены. Но все-таки последние годы я жил не так уж плохо. А вот углекопы... — Он покосился на мадам Дени и спросил: — Как вы думаете, не свести ли мне его к Анри Декруку?

— Конечно, сведи. Ему не вредно будет узнать всю правду, как есть.

Жак Верней повернулся к Винсенту и сказал, словно бы извиняясь:

— Как-никак, господин, я все же мастер и должен оказывать *им* уважение. Ну, а Анри, он вам порасскажет!

Винсент и Жак вышли на улицу и, вдыхая холодный ночной воздух, направились к оврагу. Домишки были тут совсем жалкие, все деревянные, в одну комнату. Их понастроили безо всякого плана, они беспорядочно лепились по склону оврага, образуя самые причудливые закоулки; в этой грязи и путанице мог найти дорогу только свой человек. Шагая вслед за Жаком, Винсент то и дело натыкался на какие-то камни, бревна и кучи мусора. Не доходя до дна оврага, они остановились у жилища Декрука. В заднем оконце лачуги был свет. Они постучали, на стук выглянула жена Декрука.

Хижина Декруков ничем не отличалась от всех остальных. Пол в ней был земляной, крыша из мха, щели между стенными плахами законопачены от ветра рогожей. По углам разместились кровати, на одной из них спали трое ребятишек. Вся обстановка состояла из круглой печки, деревянного стола, скамеек, стула и прибитого к стене ящика с несколькими горшками и мисками. Декруки, чтобы хоть изредка есть мясо, держали, как и все жители Боринажа, козу и кроликов. Коза спала под детской кроватью, а кролики примостились на охапке соломы за печкой.

Жена Декрука откинула верхнюю створку двери и посмотрела, кто пришел, затем впустила Жака и Винсента в дом. Она работала в тех же забоях, что и ее муж, еще задолго до того, как они поженились, — откатывала вагонетки с углем к контрольному посту. Это была уже надорванная женщина, бледная и состарившаяся, хотя ей не исполнилось еще и двадцати шести лет.

Когда Жак и Винсент вошли, Декрук, сидевший у холодной печки, вскочил со стула.

— Вот хорошо-то, — сказал он Жаку, распрямляя спину. — Давненько ты ко мне не заглядывал. Рад тебя видеть. Добро пожаловать вместе с твоим другом.

Декрук хвастался тем, что из всех жителей Боринажа он один никогда и ни за что не погибнет в шахте. «Я умру стариком на своей кровати, — говаривал он нередко, — шахте меня не прихлопнуть, я ей не поддамся». На голове у него, с правой стороны, меж густых волос краснела большая квадратная проплешина. Это была память о том дне, когда клеть, в которой он спускался в шахту, сорвавшись, камнем пролетела добрую сотню метров, и в ней погибло двадцать девять его товарищей. Одну ногу Декрук заметно волочил, она была сломана в четырех местах: как-то в забое рухнули крепления и замуровали Декрука на пять суток. На правом боку, под черной, заскорузлой рубахой, бугрился заметный нарост: это выступали три сломанных и не вправленных толком ребра, — однажды, при взрыве рудничного газа, его швырнуло о вагонетку. Но Декрук был боевым, задиристым человеком, он был неукротим, несмотря ни на что. Он, не сдерживаясь, постоянно говорил о шахтовладельцах что-нибудь резкое, и за это его посылали в самые гиблые забои, где уголь доставался ценой неимоверных усилий. Чем тяжелее приходилось Декруку, тем яростнее он воспламенялся против *них* — против неведомых, невидимых и все же вездесущих врагов. Из-за ямочки, сидевшей на круглом подбородке чуть-чуть сбоку, его небольшое, плотное лицо казалось кривоватым.

— Да, господин Ван Гог, — заявил он, — приехав сюда, вы не ошиблись. Здесь, в Боринаже, мы даже не рабы, мы животные. Мы спускаемся в Маркасскую шахту в три утра, отдыхаем мы за смену пятнадцать минут, когда обедаем, а потом снова работаем до четырех часов дня. Там темно и жарко, как в пекле. Мы работаем нагишом, воздух полон угольной пыли и ядовитого газа, — не продохнешь! Рубишь уголь в забое, а самому нельзя и выпрямиться, всё на коленях или согнувшись в три погибели. А ребятишки наши, мальчики и девочки, идут в шахту с восьми или девяти лет. К двенадцати у всех у них лихорадка и чахотка. Если нас не удушит рудничный газ или не прихлопнет клеть, — он дотронулся пальцами до своей красной проплешины, — мы доживаем до сорока, а потом околеваем от чахотки. Скажи-ка, Верней, правда это или нет?

Говорил он на местном наречии и с такой горячностью, что Винсент с трудом понимал его. Ямка, сидевшая сбоку на подбородке, придавала его лицу забавное выражение, хотя глаза у него потемнели от гнева.

— Истинная правда, — подтвердил Жак.

Жена Декрука отошла в дальний угол и села на кровать. Тусклый свет керосиновой лампы еле освещал ее лицо. Она внимательно слушала мужа, хотя слышала все это уже тысячу раз. Бесконечные вагонетки с углем, которые она откатывала из года в год, трое детей, холодные зимы в проконопаченной рогожей хижине — все это сделало ее покорной и равнодушной.

Волоча свою искалеченную ногу, Декрук подошел вплотную к Винсенту.

— А что мы за это получаем? Лачугу в одну комнату и еду — ровно столько, чтобы хватило сил держать в руках кирку. А какая наша еда? Хлеб, тощий творог да черный кофе. Мясо видим раз или два в год! Если они срежут нам пятьдесят сантимов в день, мы начнем дохнуть с голоду. У нас уже не будет сил добывать им уголь — только поэтому они и не снижают нам заработки. Мы все время смотрим в глаза смерти, каждый божий день! Стоит нам заболеть, и нас гонят в шею без единого франка в кармане, и мы подыхаем, как собаки, а наших вдов и сирот приходится кормить соседям. С восьми лет и до сорока — тридцать два года под землей, не видя белого света, а потом могила где-нибудь здесь же рядом, и тогда уж все кончено, никаких страданий.

10

Винсент убедился, что углекопы невежественны — большинство их не умели читать, — но смелы, прямодушны, отзывчивы и в своей работе проявляют немало сообразительности и ума. Это были худые, бледные от лихорадки, усталые, изнуренные люди. Их серые, болезненные лица (солнце углекопы видели только по воскресеньям) были усеяны крошечными черными крапинками. Запавшие печальные глаза — глаза угнетенных — смотрели с безнадежной покорностью. У Винсента эти люди вызывали теплое чувство. Он находил в них большое сходство с брабантцами, с жителями Зюндерта и Эттена — такими же простыми и добродушными. Даже здешние места уже не казались ему тоскливыми, он понял, что у Боринажа есть свое лицо, свой характер, — он это чувствовал теперь всей душой.

Прошло несколько дней, и в ветхом сарае, позади булочной Дени, состоялось первое молитвенное собрание. Винсент старательно подмел пол и расставил скамейки. Углекопы собрались к пяти часам, они привели с собой жен и детей, на шеях у всех были шарфы, на головах — кепки. При тусклом свете керосиновой лампы, которую Винсент взял на время у своих хозяев, они рассаживались по местам, смотрели, как Винсент листает свою Библию, и сосредоточенно слушали его, скрестив руки на груди и засунув ладони под мышки, чтобы было теплее.

Винсент долго раздумывал, какой текст взять для первой проповеди. В конце концов он остановился на «Деяниях апостолов» — глава шестнадцатая, стих девятый: «И было ночью видение Павлу: предстал некий муж, македонянин, прося его и говоря: приди в Македонию и помоги нам».

— Под македонянином, друзья мои, мы должны понимать труженика, лицо которого избороздили и печаль, и страдания, и усталость. Но и в нем есть красота и благородство, ибо у него бессмертная душа и он нуждается в пище, которая нетленна вовеки, — в слове Божьем. Господь хочет, чтобы по примеру Иисуса Христа человек жил смиренно и не стремился к возвышенным целям, довольствуясь малым и укрощая, как того требует

Писание, сердце свое, чтобы в назначенный день войти в царство небесное и обрести мир.

В поселке было множество больных, и каждый день Винсент обходил их, словно доктор; он приносил им, когда мог, молоко или хлеб, теплые носки или одеяло. Брюшняк и злокачественная лихорадка, которую углекопы называли la sotte fièvre*, властвовали в каждой хижине, больные бредили и метались во сне. Людей, прикованных к постели, вконец истощенных и изнуренных, становилось с каждым днем все больше.

Весь Малый Вам называл проповедника «господин Винсент», в этих словах была и любовь к нему и вместе с тем некая сдержанность. Не было лачуги, куда не заходил бы Винсент, принося хлеб и слово утешения, где он не ухаживал бы за больными, не молился вместе с несчастными, не склонял к раскаянию грешников. Незадолго перед Рождеством он набрел на заброшенную конюшню близ Маркасса — здесь могла поместиться добрая сотня верующих. В конюшне было холодно и неуютно, но углекопы Малого Вама заполнили ее всю, до самых дверей. Винсент говорил им о Вифлееме и о мире на земле. Он прожил в Боринаже уже шесть недель и видел, что условия жизни углекопов становятся день ото дня все более тяжкими, но здесь, в этой холодной конюшне, при свете дымных ламп, он чувствовал, что ему удалось запечатлеть образ Христа в сердцах этих чернолицых, дрожащих от непогоды людей, что надеждой на грядущее царство Божье он согрел им души.

Теперь только одно омрачало жизнь Винсента и постоянно тревожило его — он все еще жил на средства отца. Каждый вечер он молился, чтобы скорей наступило время, когда он сможет зарабатывать несколько франков на свои скромные нужды.

Погода портилась. Небо заволокли черные тучи. Хлынули неистовые дожди, дороги покрылись грязью, грязь хлюпала и на земляном полу шахтерских хижин. В первый день Нового года Жан Батист сходил в Вам и принес оттуда Винсенту письмо. На конверте в левом верхнем углу значилось имя преподобного Питерсена. Дрожа от волнения, Винсент побежал наверх в свою

* Дурацкая лихорадка *(фр.)*.

комнатку. Дождь громко барабанил по крыше, но он не слышал этого. Негнущимися пальцами он разорвал конверт и прочитал письмо.

Дорогой Винсент!

Евангелическому комитету стало известно о Вашей самоотверженной работе, и он с первого января временно, на шесть месяцев, назначает Вас проповедником в Малом Ваме.

Если к концу июня все будет благополучно, Вы получите постоянное назначение. До того времени Вам решено выплачивать пятьдесят франков в месяц.

Пишите мне почаще и не теряйте веры в будущее.

Преданный Вам Питерсен.

Винсент, стиснув письмо в руке, бросился на кровать. Он ликовал. Наконец-то он достиг успеха! Нашел свой путь в жизни, нашел свое дело! Он стремился к этому давным-давно, у него только не хватало сил и отваги идти без оглядки, напролом. Он будет получать пятьдесят франков в месяц, этого более чем достаточно, чтобы прокормиться и оплатить квартиру. Теперь ему уже никогда не придется жить на чужой счет, теперь он независим.

Он уселся за стол и написал взволнованное, торжествующее письмо отцу, в котором сообщал, что больше не нуждается в его помощи и надеется, что сам сможет помогать родным. Когда он закончил письмо, свет в окнах померк, над Маркассом гремел гром и сверкала молния. Винсент ринулся вниз по лестнице и, вне себя от радости, через кухню выбежал под дождь. Вслед за ним на пороге показалась мадам Дени.

— Господин Винсент, куда вы? Вы позабыли надеть пальто и шляпу!

Винсент даже не ответил. Он добежал до ближайшего пригорка, взобрался на него и увидел перед собой почти весь Боринаж, его трубы и терриконы, его шахтерские хибарки. Всюду, как муравьи, сновали черные фигурки людей, только что выбравшихся из шахт. Вдали темнел сосновый лес, на фоне его вырисовывались маленькие белые домики, а еще дальше виднелся шпиль церкви и старая ветряная мельница. Все вокруг было окутано легкой дымкой. Бегущие по небу облака рождали на земле причудливую игру света и тени. Впервые за все свое пребывание в Боринаже Винсент увидел, что раскинувшийся перед ним ландшафт напоминает картины Мишеля и Рейсдаля.

11

Теперь, когда Винсент получил официальное назначение, ему было нужно какое-нибудь постоянное место для молитвенных собраний. После долгих поисков он наткнулся на довольно большой дом, стоявший на самом дне оврага, у тропинки, шедшей через сосновый лес; дом этот назывался Детским Залом, потому что когда-то тут учили детей танцам. Винсент украсил дом всеми репродукциями и гравюрами, какие у него были, и там стало очень уютно. По вечерам Винсент собирал здесь маленьких — от четырех до восьми лет — ребятишек, учил их читать, рассказывал им как можно проще и понятнее что-нибудь из Библии. Больше они никогда и ничему уже не учились.

— Где бы нам достать угля? — спрашивал Винсент у Жака Вернея, который помог ему получить Детский Зал. — Дети не должны мерзнуть, да и верующие могут посидеть здесь по вечерам подольше, если топится печка.

Жак подумал минутку и сказал:

— Приходите сюда завтра в полдень, и я научу вас доставать уголь.

Назавтра в Детском Зале Винсента ждала целая толпа шахтерских жен и дочерей. На всех были черные кофты и юбки, на головах синие платки, и каждая принесла с собой по пустому мешку.

— Господин Винсент, вот мешок и для вас, — громко сказала молоденькая дочка Вернея. — Вы тоже должны набить его дополна.

Они поднялись вверх по склону, пробираясь по лабиринту тропинок меж лачуг, миновали булочную Дени на гребне холма, пересекли поле, посреди которого находилась Маркасская шахта, обогнули ее и добрались до черного террикона. Тут все разбежались в разные стороны и полезли на гору, усеяв ее, как усеивают гнилую колоду муравьи.

— Лезьте наверх, господин Винсент, уголь там, — сказала дочка Вернея. — Внизу за много лет мы уже выбрали все начисто. Идемте, я покажу вам, как искать уголь.

Сама она взбиралась на гору легко, словно козочка, а Винсент почти все время карабкался на четвереньках — терриль то и дело осыпался под ним. Дочка Вернея, обогнав Винсента, садилась и шаловливо кидала в него сверху комочками спекшейся глины. Это была хорошенькая, розовощекая, живая девушка; ее отец стал мастером, когда ей было семь лет, и спускаться в шахту ей не пришлось ни разу.

— Живее, господин Винсент, живее, — кричала она, — а то ваш мешок так и останется пустым!

Для нее это была лишь веселая прогулка: компания шахтовладельцев отпускала Вернею уголь по сниженной цене.

Но ни девушка, ни Винсент не добрались до верхушки пирамиды, так как то с одной, то с другой стороны через одинаковые промежутки времени подходили вагонетки и сваливали пустую породу. Собирать уголь было не так-то просто. Дочка Вернея показала Винсенту, как это делается: надо было набирать в руки терриль и отсеивать сквозь пальцы все ненужное — песок, камни, глину. Угля было мало: компания на ветер ничего не выбрасывала. Жены шахтеров могли собирать лишь такой уголь, который нельзя было продать. От снега и дождя терриль был мокрый, руки Винсента скоро покрылись царапинами и ссадинами, но он все же наполнил на четверть свой мешок, полагая, что там у него один уголь, — у женщин к тому времени мешки были набиты почти доверху.

Мешки женщины оставили в Детском Зале, а сами спешно разошлись по домам — готовить ужин. Но все они обещали прийти вечером на проповедь и привести своих мужей. Дочка Вернея позвала Винсента к ужину, и он охотно согласился. Жилище

Вернея делилось на две половины: в одной была печь, кухонная утварь и столовая посуда, в другой стояли кровати. Хотя Жак далеко не бедствовал, в доме не было мыла: Винсент уже знал, что для жителей Боринажа мыло — немыслимая роскошь. С того дня, когда мальчики отправлялись в шахту, а девочки шли копаться в терриле, и до самой смерти боринажцы никогда дочиста не отмывали свои лица от угольной пыли.

Дочь Вернея вынесла для Винсента на улицу таз холодной воды. Он старательно вымыл лицо и руки. Он, конечно, не знал, удалось ли ему отмыться как следует, но, сев за стол напротив девушки и увидев на ее лице черные полосы от угольной пыли и копоти, понял, что и сам он ничуть не чище ее. Девушка весело болтала весь вечер.

— Видите ли, господин Винсент, — сказал Жак, — вы живете в Малом Ваме уже почти два месяца, а что такое Боринаж по-настоящему не знаете.

— Это правда, — покорно согласился Винсент, — но мне кажется, я начинаю понимать здешних людей все лучше и лучше.

— Я говорю о другом, — возразил Жак, вырывая из ноздри длинную волосину и с интересом ее разглядывая. — Я хочу сказать, что вы знаете нашу жизнь только на поверхности. А это далеко не самое главное. Ведь мы только спим на земле. Если хотите понять нашу жизнь, вы должны спуститься в шахту и поглядеть, как мы работаем — работаем с трех утра до четырех вечера.

— Мне очень хочется попасть в шахту, — сказал Винсент, — но разрешит ли компания?

— Я уже справлялся об этом, — ответил Жак, прихлебывая тепловатый черный, как смола, кофе и держа во рту кусок сахара. — Завтра я спускаюсь в Маркасскую шахту проверить, как поставлена там охрана труда. Ждите меня около дома Дени без четверти три утром, я возьму вас с собой.

Вместе с Винсентом в Детский Зал отправилось все семейство Вернея; очутившись там, Жак, казавшийся дома, в тепле, здоровым и оживленным, стал страшно кашлять и вынужден был уйти. Анри Декрук уже ждал Винсента; волоча искалеченную ногу, он возился около печки.

— А, господин Винсент, добрый вечер! — встретил он Винсента, и улыбка оживила все его маленькое морщинистое лицо. — Эту печку, кроме меня, никому не растопить во всем Малом Ваме. Я ее знаю давно, с тех самых пор, как здесь устраивались танцы. Эта печка коварная, но мне-то известны ее фокусы.

Уголь в мешках оказался сырым, к тому же большей частью это был совсем не уголь, но Декрук умудрился разжечь в печке огонь, и от нее пошло приятное тепло. Декрук не переставал хлопотать и суетиться, проплешина на его голове налилась кровью и стала багровой.

Послушать первую проповедь Винсента в Детском Зале пришли почти все углекопы Малого Вама. Когда свободных мест на скамьях уже не осталось, из соседних домов притащили ящики и стулья. Собралось больше трехсот человек. Винсент, чувствуя горячую благодарность к женщинам, ходившим за углем, и радуясь, что наконец проповедует в собственном храме, говорил с такой силой и убежденностью, что угрюмые лица боринажцев просветлели.

— Давно, очень давно сказано, — говорил Винсент своим чернолицым прихожанам, — что мы на земле только гости. И это воистину так. Но мы не одиноки, ибо с нами Господь, наш отец. Мы странники, жизнь наша — это долгий путь в царство небесное.

Лучше печаль, чем радость, ибо сердце печально даже в радости. Лучше идти в дом, где скорбь и слезы, чем в дом, где пир и веселье, ибо сердце смягчается только от горя.

Того, кто верует в Иисуса Христа, печаль не посещает одна, она приходит вместе с надеждой. Каждый миг мы рождаемся вновь, каждый миг шествуем от тьмы к свету.

Отврати нас от зла, Создатель! Не бедность и не богатство дай нам, а лишь хлеб наш насущный.

Аминь.

Первой к Винсенту подошла жена Декрука. Глаза ее затуманились, губы дрожали.

— Господин Винсент, — сказала она, — у меня была такая тяжкая жизнь, что я потеряла Бога. Но вы вновь вернули его мне. Спасибо вам за это.

Когда все разошлись, Винсент запер дверь и задумчиво побрел к дому Дени. По тому, как его приняли сегодня вечером, он чувствовал, что углекопы ему верят и что прежний холодок в их отношении к нему исчез. «Чернорожие» окончательно признали его теперь своим духовным наставником! Чем же вызвана эта перемена? Дело, конечно, не в том, что он нашел помещение для проповедей, этому углекопы не придавали значения. Они не знали и того, что Винсент теперь официально утвержден в должности — ведь он, когда приехал, никому не рассказывал о своих делах. Правда, сегодня он говорил очень горячо и вдохновенно, но прежние его проповеди в хижинах или заброшенной конюшне были ничуть не хуже.

В доме Дени вся семья улеглась спать в своей уютной комнатке, но в булочной, как днем, аппетитно пахло свежим хлебом. Винсент достал воды из глубокого колодца, вырытого прямо под кухней, вылил ее в таз и сходил наверх за мылом и зеркалом. Он приставил зеркало к стенке и стал разглядывать в нем свое отражение. Да, он не ошибся: отмыться как следует у Вернея ему не удалось. На веках и на скулах осталась угольная пыль. Он улыбнулся, представив себе, как он освящал свой новый храм с перепачканным углем лицом и как ужаснулись бы его отец и дядя Стриккер, если бы они могли его видеть.

Он погрузил руки в холодную воду, взбил пену — мыло он привез еще из Брюсселя — и хотел хорошенько намылить лицо, как вдруг ему пришла в голову неожиданная мысль. Держа на весу мокрые руки, он еще раз пристально вгляделся в зеркало: угольная пыль чернела у него в морщинах лба, на веках, на скулах, на крупном, выпуклом подбородке.

— Ну конечно, — сказал он вслух. — Вот почему они хорошо меня приняли. Я стал наконец таким же, как они.

Так и не умыв лица, он сполоснул руки и пошел спать. С тех пор, живя в Боринаже, он нарочно натирал лицо угольной пылью, чтобы не отличаться от шахтеров.

3-1648и

12

Винсент проснулся в половине третьего утра, съел на кухне всухомятку кусок хлеба и без четверти три вышел на улицу, где встретился с Жаком.

За ночь выпало много снега. Снег толстым слоем покрывал дорогу, ведущую к шахте. Идя с Жаком через поле к черным трубам и терриконам, Винсент видел, как отовсюду по снегу спешили черные фигурки углекопов — издали казалось, будто это бегут к своей норе какие-то маленькие черные зверьки. Было очень морозно, рабочие ежились и прятали подбородки в воротники своих легких пальто.

Сначала Жак привел Винсента в помещение, где на крюках висело множество керосиновых ламп, каждая под особым номером.

— Когда под землей что-нибудь случается, — объяснил Жак, — по номеру узнают, кто попал в беду: если лампы на месте нет, значит, человек в шахте.

Углекопы торопливо брали свои лампы и через заснеженный двор бежали к кирпичному зданию, где работал подъемник. Винсент и Жак присоединились к ним. Клеть состояла из шести отделений, расположенных одно над другим, в каждом таком отделении можно было поднять вагонетку с углем. В нем едва хватало места для двоих, но туда втискивали пятерых шахтеров.

Поскольку Жак был мастером, в верхнем отделении клети спускался только он с одним из своих помощников и Винсент. Упершись в стенку носками башмаков, они низко присели на корточки, и все же головы их касались проволочного потолка.

— Прижмите руки к груди, господин Винсент, — сказал Жак. — Если коснетесь стены — останетесь без руки.

Раздался звонок, и клеть, висевшая на двух стальных тросах, полетела вниз. Она заполняла почти весь шахтный ствол, между ней и стеной оставалась лишь ничтожная доля дюйма. Когда Винсент представил себе, что под ним разверзлась черная пропасть в полмили глубиной и при малейшей неисправности механизма он разобьется насмерть, его охватила невольная дрожь.

То было жуткое ощущение, какого он прежде никогда не знал, — этот стремительный полет вниз, во мрак преисподней. Он успокаивал себя мыслью, что опасности нет, что за последние два месяца подъемник не отказывал ни разу, но жуткая темень, в которой тускло мерцали керосиновые лампы, парализовала все доводы рассудка.

Он признался в своем страхе Жаку, тот сочувственно улыбнулся.

— Всякий шахтер испытывает то же, что и вы, — сказал он.

— Но углекопы, конечно, привыкают к спуску?

— Нет, никогда! Страх перед клетью не проходит. Они боятся ее до своего последнего дня.

— Ну а вы сами?

— И я боюсь точно так же, как вы, хотя и спускаюсь в шахту вот уже тридцать три года!

На полпути, на глубине трехсот пятидесяти метров, клеть на мгновение остановилась, затем снова полетела вниз. Винсент заметил, что из стен шахты сочится вода, и опять содрогнулся. Он посмотрел вверх и увидел там маленькое, словно звездочка, пятно дневного света. Спустившись на шестьсот пятьдесят метров, Жак и Винсент вышли из клети, а углекопы продолжали спуск. Винсент увидел широкую выработку с рельсовыми путями. Он ожидал адской жары, но, к его удивлению, тут было довольно прохладно.

— Господин Верней, а ведь здесь совсем не так плохо! — воскликнул он.

— Но тут никто не работает. Угольные пласты на этом горизонте давно истощены. Мы устроили здесь вентиляцию, но шахтерам внизу от этого ничуть не легче.

Они прошли по выработке, может быть, с четверть мили, и тут Жак свернул в сторону.

— Не отставайте от меня, господин Винсент. Только осторожней, как можно осторожней. Если вы поскользнетесь — не миновать беды.

Он тут же нырнул куда-то, словно провалился. Винсент шагнул вперед и, обнаружив под ногами колодец, нащупал лестницу. Колодец был узкий — едва впору пролезть худощавому человеку. Первые пять метров Винсент спускался легко, но потом ему пришлось повернуться лицом к лестнице. Всюду сочилась вода, и ступени покрывала склизкая грязь. Винсент чувствовал, как на него падают холодные капли.

Когда Винсент и Жак наконец достигли дна, им пришлось ползти на четвереньках по длинному штреку, ведущему к дальним забоям. Перед ними, словно отсеки в трюме, рядами тянулись выемки, укрепленные нетесаными деревянными стойками. В каждом забое трудились пятеро шахтеров — двое рубили кирками уголь, третий отгребал его, четвертый грузил в маленькие вагонетки, пятый откатывал их по узкому рельсовому пути.

На рабочих была полотняная одежда, вся пропитанная пылью и грязью. Грузил уголь обыкновенно мальчишка, весь черный и совершенно голый, если не считать холщовой повязки на бедрах, а откатывали вагонетки, как правило, девушки, в грубых рубахах, такие же черные, как и все углекопы. С кровли постоянно сочилась вода, образуя сталактитовые наросты. Забои освещались маленькими лампами; чтобы сберечь керосин, углекопы прикручивали фитили до предела. Вентиляции не было никакой. В воздухе столбом стояла угольная пыль. От глубинного жара с людей черными струйками стекал пот. В первых забоях углекопы работали стоя, но по мере того как Винсент шел дальше, кровля нависала все ниже, и люди уже работали лежа, орудуя киркой с локтя. От разогретых тел углекопов в забоях становилось все жарче, а горячая угольная пыль сгущалась в воздухе и набивалась в рот.

— Эти люди зарабатывают два с половиной франка в день, — сказал Жак Винсенту, — да и то лишь в случае, если инспектор на контрольном пункте одобрит качество угля. Пять лет назад они получали три франка, но с тех пор плату снижали каждый год.

Жак осмотрел крепление в забое — единственную преграду, стоящую между шахтером и смертью, — и сказал рабочим:

— Крепление у вас скверное. Стойки забиты слабо. Спохватитесь, когда рухнет кровля, — да будет поздно.

Один из углекопов, старший в артели, в ответ разразился ругательствами, которые сыпались так быстро, что Винсент разобрал лишь несколько слов.

— Вот когда нам будут платить за то, что мы крепим, — шумел он, — начнем крепить как следует. А если мы станем тратить на это время, то когда же рубить уголь? Что погибнуть под землей, что сдохнуть дома от голода — все едино!

В конце штрека оказался новый колодец. Здесь даже не было лестницы. Чтобы порода не обрушилась и не засыпала углекопов, поперек колодца на некотором расстоянии друг от друга были укреплены бревна. Жак взял лампу Винсента и повесил ее на пояс.

— Осторожнее, господин Винсент, — сказал он. — Не наступите мне на голову, иначе я полечу вниз!

С трудом нащупывая ногами бревна и цепляясь руками за грязные стены, они спустились по темному колодцу метров на пять.

Внизу был еще один угольный пласт, но здесь шахтеры не могли сделать даже обычной выемки. Людям приходилось рубить тут уголь непосредственно в узком, тесном штреке, стоя на коленях и упираясь согнутой спиной в кровлю. Только теперь Винсент понял, что в верхних забоях было сравнительно просторно и прохладно; здесь же стояла жара, как в раскаленной печи, а воздух был такой спертый, что, казалось, его можно резать ножом. Люди дышали с трудом, словно загнанные звери, они работали с открытыми ртами, высунув сухие распухшие языки, тела их были покрыты сплошным слоем сажи и грязи. Попав в эту страшную жару, Винсент подумал, что, даже оставаясь праздным зрителем, он не выдержит здесь и минуты. Углекопы же занимались тяжкой физической работой и страдали в тысячу раз сильнее Винсента, но им нельзя было передохнуть ни секунды. Если остановить работу, они не выдадут положенное количество вагонеток с углем и не получат свои два с половиной франка.

Винсент и Жак на четвереньках поползли по узкому штреку, то и дело прижимаясь к стене, чтобы пропустить вагонетку. Штрек этот был еще теснее, чем наверху. Девочки, откатывавшие вагонетки, были здесь совсем маленькие, не старше десяти лет. Чтобы толкать тяжелые вагонетки, им приходилось напрягать все свои слабые силы.

В конце штрека находился скат с металлическим настилом, по которому вагонетки спускали на тросах.

— Пошли, господин Винсент, — сказал Жак. — Спустимся в самый низ, на семьсот метров, и вы увидите такое, чего не найти больше нигде в целом свете.

Они съехали по скату метров на тридцать и оказались в широкой выработке с двумя рельсовыми колеями. С полмили они шли по ней, а потом, когда выработка кончилась, протиснулись через узкий лаз и очутились у недавно вырубленного колодца.

— Это вот и есть новый пласт, — объяснил Жак. — Самая жуткая дыра, такого ада не сыскать ни на одной шахте в мире.

От того места, где стояли Жак и Винсент, расходились двенадцать узких выработок. Жак нырнул в одну из них и крикнул Винсенту: «Лезьте за мной!» Винсент еле протиснул в эту нору плечи и, как змея, пополз на животе, отталкиваясь руками и ногами. Ног Жака он не видел, хотя полз всего лишь дюймах в трех позади него. Выработка имела всего-навсего около полуметра в высоту и три четверти метра в ширину. Воздуха не хватало уже и там, где начиналась эта выработка, а здесь было настоящее пекло.

Наконец они очутились в сводчатой пещере, в которой человек мог стоять почти во весь рост. Тут было совсем темно, лишь через некоторое время Винсент разглядел у стены четыре голубоватых пятна. Он был весь мокрый, едкий пот, смешанный с угольной пылью, стекая со лба, заливал ему глаза. С чувством огромного облегчения Винсент встал на ноги и выпрямился. Он едва не задохнулся, пока полз, и теперь жадно хватал ртом воздух, но в его легкие, мучительно обжигая их, врывался не воздух, а огонь, жидкий огонь. Винсент был теперь в самом страшном подземелье Маркасса, в чудовищной камере пыток, достойной Средневековья.

— Tiens, tiens! — услышал Винсент знакомый голос. — C'est monsieur Vincent*. Пришли поглядеть, как нам достаются наши два с половиной франка?

* Ну и ну! Да ведь это господин Винсент *(фр.)*.

Жак тут же принялся осматривать шахтерские лампы. Язычки пламени в них окружала голубая кайма.

— Ему нельзя спускаться сюда, — говорил о Жаке Декрук на ухо Винсенту, сверкая белками глаз. — У него может пойти кровь горлом, и тогда тащи его наверх на блоках.

— Декрук! — сказал Жак. — У вас лампы горят вот так с самого утра?

— Да, именно так, — беззаботно отозвался Декрук. — Рудничного газа накапливается все больше день ото дня. Когда-нибудь будет взрыв, и всем нашим несчастьям разом придет конец.

— Но в этих забоях газ выкачивали в прошлое воскресенье, — заметил Жак.

— А он, видишь ли, опять накопился, — сказал Декрук, с видимым удовольствием почесывая свою проплешину.

— Раз так, нужно на один день остановить работу и снова откачать газ.

Углекопы возмущенно зашумели.

— У нас и так не хватает на хлеб, чтобы прокормить ребятишек!

— Заработок и без того маленький, а тут еще пропадет целый день!

— Пусть откачивают газ, когда нас нет в шахте; мы тоже люди, нам надо кормиться!

— Ладно, ладно, Верней! — рассмеялся Декрук. — Не бойся, шахта меня не прихлопнет. Пробовала, но ничего не вышло. Я умру в своей постели на старости лет. А кстати, раз уж заговорили о еде, скажи-ка, который теперь час?

Жак поднес свои часы к голубому пламени лампы.

— Девять.

— Отлично. Самое время пообедать.

Черные, залитые потом люди, со сверкающими белками глаз, побросали инструмент, сели, привалившись спинами к стене, и стали развязывать свои сумки. Они не решались отползти туда, где прохладнее, потому что на это ушло бы минут пятнадцать, а больше пятнадцати минут на отдых шахтеры не могли себе позволить. В невыносимой жаре они стали с жадностью есть ломти хлеба с творогом, и угольная пыль, покрывавшая их руки, оставляла на хлебе жирные черные полосы. Свой обед углекопы запивали тепловатым кофе, которое принесли с собой в пивных бутылках. Кофе, хлеб и творог — вот все, ради чего они работали по тринадцати часов в сутки.

Винсент пробыл под землей уже шесть часов. Он задыхался от недостатка воздуха, изнемогал от жары и пыли. Он чувствовал, что больше не выдержит и десяти минут, и очень обрадовался, когда Жак сказал, что пора идти.

— Следи за газом, Декрук, — предупредил Жак на прощание. — Если станет плохо, лучше вывести артель наверх.

Декрук хрипло захохотал:

— А они заплатят нам по два с половиной франка, если мы не выдадим на-гора уголь?

На этот вопрос нечего было ответить, Декрук знал это не хуже самого Вернея. Жак пожал плечами и на животе пополз по штреку. Винсент, почти ослепший от едкого пота, который заливал ему глаза, последовал за ним.

Через полчаса они были уже на рудничном дворе, откуда клеть поднимала на поверхность людей и уголь. Жак завернул в загон, где держали лошадей, и долго кашлял, выплевывая черную мокроту.

В клети, которая поднималась из шахты, словно ведро из колодца, Винсент сказал:

— Не понимаю, Верней, почему эти люди не бросят шахту? Почему не переберутся куда-нибудь еще, не поищут другой работы?

— Ах, дорогой Винсент, другой работы нигде нет. И перебраться в другое место мы не можем, потому что у нас нет денег. Во всем Боринаже не найти такой семьи, у которой было бы отложено хоть десять франков. Да если бы мы и могли уехать куда-нибудь, все равно мы бы этого не сделали. Вот моряк, к примеру, знает, что на корабле ему грозят всяческие опасности, а как попадет на сушу — начинает скучать по морю. Так и мы, господин Винсент. Мы любим свои шахты, под землей нам лучше, чем наверху. Все, что нам нужно, — это такая плата, чтобы хватало на жизнь, рабочий день покороче и хорошая охрана труда.

Клеть дошла доверху и остановилась. Винсент, ослепленный тусклым светом зимнего дня, пересек заснеженный двор. В умывальной, взглянув в зеркало, он увидел, что он черен, как печная заслонка. Но умываться Винсент не стал. Он быстро вышел в поле, почти не сознавая, что с ним происходит, полной грудью вдыхая холодный воздух. Уж не болен ли он лихорадкой, не пригрезилось ли ему все это в кошмарном сне? Ведь не может же Господь Бог допустить, чтобы его чада несли это рабское иго! Нет, все, что он только что видел, — это лишь чудовищный сон!

Он прошел мимо дома Дени и, сам того не замечая, углубился в грязный лабиринт шахтерского поселка, направляясь к хижине Декрука. Сначала на его стук никто не откликнулся. Потом на пороге показался шестилетний, не по годам малорослый мальчик. Но в этом бледном, слабеньком заморыше странным образом чувствовался знакомый боевой задор Декрука. Через два года этот малыш будет каждое утро в три часа спускаться в Маркасскую шахту и нагружать углем вагонетки.

— Мама ушла на террилевую гору, — сказал мальчик тоненьким голоском. — А я присматриваю за малышами. Вам придется подождать, господин Винсент.

Два малыша, сидя на полу, играли какими-то деревяшками и веревками; на детях были одни рубашонки, и они посинели от холода. Старший мальчик подбросил в топку угля, но печь грела плохо. Глядя на детей, Винсент содрогнулся. Он уложил малышей в кровать и укрыл их до подбородка. Винсент и сам не знал, зачем он пришел в это жалкое жилище. У него было только одно чувство: он должен что-то сделать, что-то сказать этим людям, как-то помочь им. Он должен дать им почувствовать, что по крайней мере понимает весь ужас их нищеты.

Жена Декрука вернулась домой, руки и лицо ее были черны. Она не сразу узнала Винсента — так он был перепачкан. Из маленького ящика, в котором хранилась еда, она достала кофе и поставила его подогреть на печку. Чтобы сделать приятное доброй женщине, Винсент пил этот тепловатый, жидкий, отдававший горечью кофе.

— Терриль нынче никуда не годится, господин Винсент, — пожаловалась жена Декрука. — Компания ничего нам не оставляет, ни крошки угля. Ну чем я согрею своих ребят? Одежонки у них никакой, только эти рубашки да вот кое-что сшили из мешковины. Эта дерюга натирает им тело до красноты. А если их держать все время в кровати, как же они будут расти?

Винсент проглотил подступившие к горлу слезы и не мог сказать ни слова. Такой страшной нищеты он еще не видал. Что могут дать этой женщине молитвы и Священное Писание, когда ее дети замерзают? И куда смотрит Господь Бог? Эта мысль пришла Винсенту впервые. В кармане у него было несколько франков, он протянул их жене Декрука.

— Купите, пожалуйста, детям шерстяные штанишки, — сказал он.

Винсент сознавал, что это ничего не изменит: в Боринаже коченели от холода сотни малышей. И дети Декрука будут снова жестоко мерзнуть, как только износят эти штанишки.

Он медленно поднялся на холм, к дому Дени. На кухне было тепло и уютно. Мадам Дени согрела ему воды, чтобы он вымылся, и подала на завтрак чудесного тушеного кролика, оставшегося со вчерашнего дня. Видя, что Винсент устал и расстроен, она намазала ему на хлеб немного масла.

Винсент поднялся к себе наверх. После еды по его телу разлилась приятная теплота. Кровать у него была широкая и удобная, наволочка на подушке белоснежная. На стенах висели гравюры с картин великих мастеров. Он открыл шифоньерку и оглядел сложенные в ней рубашки, белье, носки, жилеты. Подошел к платяному шкафу и посмотрел на две пары башмаков, теплое пальто и костюмы. Теперь он понял, что он обманщик и трус. Он внушал углекопам, что бедность — это добродетель, а сам жил в комфорте и достатке. Да, он лишь лицемерный пустослов. Его вера, его убеждения не меняют дела, от них нет никакого прока. Углекопы должны презирать его, они должны бы выгнать его из Боринажа. Он делал вид, будто разделяет их участь, а у самого красивая, теплая одежда, удобная, покойная постель, и съедает он зараз столько, сколько шахтер не видит и за неделю. И за всю эту роскошь, все эти удобства он даже не платит работой. Он только болтает языком и разыгрывает из себя хорошего человека. Боринажцы не должны верить ни единому его слову, не должны ходить на его проповеди и считать его своим духовным пастырем. Вся эта беззаботная, легкая жизнь делает его слова лживыми. И значит, он вновь потерпел крах, еще более страшный, чем раньше!

Теперь ему оставалось одно из двух: либо бежать из Боринажа, бежать тайком, ночью, и как можно скорее, пока углекопы еще не поняли, какой он лживый, трусливый пес, либо сделать вывод из всего того, что сегодня открылось его глазам, и стать воистину Божьим человеком.

Он вынул все свои вещи из шифоньерки и торопливо уложил их в чемодан. Туда же он сунул свои костюмы, башмаки, книги и гравюры. Бросив чемодан на стул, он опрометью выбежал на улицу.

По дну оврага протекал ручей. За ручьем, на другом склоне, зеленел сосновый лесок. В этом сосняке было разбросано несколько шахтерских лачуг. Побродив с полчаса, Винсент нашел там пустующую дощатую хибарку без окон. Она стояла над оврагом, на самой круче. Пол в ней был земляной, плотно утрамбованный ногами прежних обитателей, под ветхую крышу, державшуюся на грубых брусьях, проникал талый снег. Зимой в хибарке никто не жил, поэтому в дыры и щели между досками свободно задувал ледяной ветер.

— Чья это хижина? — спросил Винсент у женщины, которую встретил по дороге.

— Одного торговца из Вама.

— Не знаете, какая за нее плата?

— Пять франков в месяц.

— Прекрасно. Я снимаю ее.

— Но, господин Винсент, вы не сможете здесь жить!

— Это почему же?

— Да ведь... ведь она совсем развалилась. Она даже хуже моей. Хуже ее не найти во всем Малом Ваме.

— Именно такую мне и надо.

Винсент вернулся в дом Дени. На душе у него было теперь спокойно и ясно. Пока он ходил в овраг, мадам Дени заглянула случайно в его комнату и увидела уложенный чемодан.

— Господин Винсент! — воскликнула она, бросаясь ему навстречу. — Что случилось? Почему вы так спешно собрались ехать в Голландию?

— Я не еду в Голландию, мадам Дени. Я остаюсь в Боринаже.

— Тогда в чем же дело?.. — И лицо ее вытянулось от удивления.

Когда Винсент все объяснил ей, она сказала мягко:

— Поверьте, Винсент, вы не сможете там жить, вы не привыкли к этому. Со времени Иисуса Христа многое переменилось, нынче всякий стремится жить получше. А люди по вашим делам знают, что вы хороший человек.

Но Винсент был непоколебим. Он разыскал торговца в Ваме, снял хижину и перебрался в нее. Когда через несколько дней ему прислали чек на пятьдесят франков — его первое жалованье, — он купил узенькую деревянную кровать и подержанную печку. После этого у него еще хватило денег, чтобы обеспечить себя до конца месяца хлебом, творогом и кофе. Он натаскал земли на чердак, чтобы уберечься от сырости, а щели законопатил дерюгой. Теперь он жил в такой же лачуге, как все углекопы, ел ту же пищу, что и они, спал на такой же, как у них, кровати. Он ничем от них не отличался. Теперь он имел право проповедовать им слово Божье.

13

Директор компании «Шарбонаж бельжик», которой принадлежали четыре шахты в окрестностях Вама, оказался совсем не такой жадной скотиной, как представлял его себе Винсент. Правда, он был немного толстоват, но у него были добрые, ласковые глаза и несколько виноватые манеры.

Внимательно выслушав горячую речь Винсента о тяжкой жизни углекопов, он сказал:

— Я знаю, господин Ван Гог. Это старая история. Люди думают, что мы нарочно морим их голодом, чтобы загрести побольше барышей. Но поверьте мне, все это далеко не так. Позвольте, я покажу вам диаграммы, выпущенные международным горнопромышленным бюро в Париже.

Он развернул на столе большой лист бумаги и указал пальцем на синюю линию внизу.

— Глядите, господин Ван Гог, бельгийские угольные копи — самые бедные в мире. Добыча угля у нас настолько затруднена, что продать его при нынешней конкуренции с выгодой почти немыслимо. Производственные расходы у нас самые высокие во всей Европе, а прибыли — самые низкие! Вы понимаете, мы вынуждены продавать уголь по той же цене, что и те шахты, которым тонна угля обходится гораздо дешевле. Мы все время стоим на грани банкротства. Вы меня понимаете?

— Кажется, да.

— Если мы увеличим плату шахтерам на один франк в сутки, наши расходы будут выше рыночной цены на уголь. Тогда нам придется закрыть копи. И тут уж рабочие в самом деле будут умирать с голоду.

— А не могут ли владельцы получать чуть поменьше дохода? Тогда бы больше оставалось для рабочих.

Директор печально покачал головой:

— Нет, господин Ван Гог. Вы знаете, благодаря чему существует шахта? Благодаря капиталу, как и всякое другое дело. А капитал должен давать прибыль, иначе он утечет в другое место. В настоящее время акции «Шарбонаж бельжик» приносят всего-навсего три процента дохода. Если дивиденды снизятся хотя бы на полпроцента, владельцы акций изымут свои капиталы и наши шахты закроются, потому что без денег работать нельзя. И опять-таки углекопы окажутся без куска хлеба. Как видите, господин Ван Гог, не акционеры и не директора компании несут ответственность за ужасные условия труда в Боринаже.

Все дело в неблагоприятном залегании пластов. А за это, мне кажется, надо винить только Господа Бога!

В другое время Винсент содрогнулся бы от такого богохульства, но теперь он пропустил это мимо ушей. Он раздумывал над тем, что сказал ему директор.

— Сократите по крайней мере рабочий день. Тринадцать часов работы — ведь это убийство. Скоро у вас не останется ни одного рабочего.

— Господин Ван Гог, мы не можем сократить рабочий день, это равносильно повышению платы. Ведь рабочий за два с половиной франка в день будет выдавать гораздо меньше угля и расходы на тонну угля возрастут.

— Но все же у вас есть одна возможность облегчить участь шахтеров.

— Вы говорите об охране труда?

— Вот именно. Уменьшить количество несчастных случаев вы, конечно, можете.

Директор снова без всякого раздражения покачал головой:

— Нет, господин Ван Гог, не можем. Мы не можем выпустить новые акции, потому что дивиденды у нас низкие. Откуда же взять дополнительную прибыль на всякие усовершенствования? Ах, господин Ван Гог, получается воистину порочный круг. Это безнадежное дело. Я думал о нем тысячу раз. В результате из убежденного католика я превратился в отъявленного атеиста. Я не могу понять, как это всемогущий Бог намеренно создал такие условия жизни и обрек целые поколения людей на вечное рабство и нищету, без единого проблеска надежды.

Винсенту больше нечего было сказать. Глубоко потрясенный, он поплелся в свою хижину.

14

Февраль в эту зиму выдался необыкновенно холодный. В долину врывался свирепый ветер, валивший людей с ног. Чтобы отапливать хижины, шахтерам теперь нужно было гораздо больше терриля, но стужа и ветры так лютовали, что женщины не могли ходить на терриконы. Им не во что было одеться — у них были лишь грубые юбки, кофты, бумажные чулки и платки.

Чтобы не окоченеть от холода, дети по целым суткам не вылезали из постелей. Горячей пищи они и не видели: нечем было топить печки. Когда рабочие выбирались из своих пышущих жаром подземных нор, их сразу охватывала пронизывающая стужа, а в открытом заснеженном поле ветер резал лицо, как нож. Каждый день кто-нибудь умирал от чахотки или воспаления легких. Много раз пришлось Винсенту читать заупокойную в этот месяц.

Учить грамоте посиневших от холода ребятишек Винсент не мог, он целыми днями собирал на Маркасской горе уголь и делил свою жалкую добычу между теми семьями, которые бедствовали больше других. Теперь у него не было нужды натирать себе лицо угольной пылью, и это клеймо углекопа уже не сходило с него. Какой-нибудь путешественник, заехав в Малый Вам и встретив здесь Винсента, не отличил бы его от остальных «чернорожих».

Винсент трудился на террилевой горе уже в течение многих часов, набрав лишь полмешка топлива. Руки у него посинели и были исцарапаны обледеневшими кусками породы. Около четырех часов он решил отнести в поселок то, что собрал: пусть хоть несколько женщин к приходу мужей вскипятят кофе. К воротам Маркасской шахты он подошел в тот самый момент, когда оттуда выходили рабочие. Кое-кто узнавал его и бормотал «bojou»*, остальные шли, тупо опустив глаза в землю, ссутулив плечи и засунув руки в карманы.

Последним из ворот вышел невысокий старик. Он так тяжело закашлялся, что все его тело ходило ходуном, а когда с поля налетел порыв ветра, он пошатнулся, как от удара. Он чуть было не упал лицом на обледенелую землю. Отдышавшись, он собрался с силами и пошел через поле, все время отворачиваясь от ветра. На плечи у него был накинут кусок мешковины, видимо, добытой в какой-нибудь лавке в Ваме. Винсент заметил, что на меш-

* Добрый день (испорч. *фр. bonjour)*.

ковине что-то написано крупными буквами. Приглядевшись, он разобрал надпись: *«Стекло. Не бросать»*.

Разнеся уголь по шахтерским хижинам, Винсент пошел к себе, вынул из чемодана всю одежду и разложил ее на кровати. Тут было пять рубашек, три смены нижнего белья, четыре пары носков, две пары башмаков, два костюма и второе его пальто, похожее на солдатскую шинель. Одну рубашку, пару носков и смену белья он оставил на кровати, а остальное снова уложил в чемодан.

Скоро один из костюмов Винсента перекочевал к старику, который носил на спине надпись «Стекло».

Белье и рубашки были раскроены и пошли на платьица для детишек. Носки были поделены между чахоточными, работавшими в шахте. Теплое пальто Винсент отдал одной беременной женщине; ее муж недавно погиб при обвале, и, чтобы прокормить двух детей, она должна была занять его место в шахте.

Детский Зал пришлось закрыть, так как Винсент не хотел лишать хозяек хотя бы горсти терриля. Кроме того, боринажцы без особой необходимости редко выходили на улицу в слякоть, чтобы не промочить ноги. Винсент ходил по домам и наспех читал молитву. Но скоро он убедился, что ему надо заниматься только практическими делами — лечить и умывать больных, готовить горячее питье и лекарства. Отправляясь в обход, он уже не брал с собой Библию, потому что все равно ее некогда было и раскрыть. Слово Божье стало роскошью, которую углекопы уже не могли себе позволить.

В марте холода смягчились, зато начала свирепствовать лихорадка. Из февральского жалованья у Винсента сорок франков ушло на еду и лекарства для больных, себя же он посадил буквально на голодный паек. От недоедания он сильно похудел, стал еще более нервным и порывистым. Стужа так истощила его силы, что он и сам заболел лихорадкой. Глаза у него ввалились и горели мрачным огнем, а массивный ван-гоговский лоб словно усох. На щеках появились глубокие впадины, и только крутой подбородок, как всегда, гордо выступал вперед.

Старший сын Декрука заболел брюшным тифом, и другим детям стало негде спать. Кроватей было всего две: на одной спали родители, на другой — трое детей. Если малыши останутся в одной кровати с больным мальчиком, они могут заразиться. Если положить их на полу, они заболеют воспалением легких.

Если же на полу будут спать родители, у них назавтра не хватит сил работать. Винсент сразу сообразил, как быть.

— Декрук, — сказал он шахтеру, когда тот вернулся с работы, — вы мне не поможете сделать до ужина одно дело?

Декрук дьявольски устал, к тому же его мучила головная боль, но он, волоча искалеченную ногу, последовал за Винсентом в его лачугу, не задав ни единого вопроса. Когда они пришли, Винсент снял с кровати одно одеяло — их у него было два — и сказал Декруку:

— Берите-ка кровать с той стороны; мы отнесем ее к вам для мальчика.

Декрук яростно скрипнул зубами.

— У нас трое детей, — сказал он, — и если Богу угодно, мы можем с одним расстаться. Но господин Винсент, который заботится обо всех и лечит весь поселок, у нас только один, и я не позволю ему убивать себя!

Прихрамывая, он вышел из лачуги. Винсент отодвинул кровать от стены, взвалил ее себе на спину и дотащил до хижины Декрука. Декрук и его жена, ужинавшие черствым хлебом и кофе, удивленно подняли головы. Винсент перенес больного ребенка на свою кровать и укрыл его одеялом.

В тот же вечер Винсент пошел к Дени и попросил соломы, чтобы устроить себе постель. Мадам Дени была поражена, услышав, зачем ему солома.

— Господин Винсент, — сказала она, — ваша комната еще не занята. Вы должны снова поселиться в ней.

— Вы очень добры, мадам Дени, но я не могу.

— Я знаю, вы беспокоитесь насчет платы. Но право, об этом не стоит говорить. Мы с Жаном Батистом зарабатываем вполне достаточно. Можете жить у нас бесплатно, как брат. Ведь вы не раз говорили нам, что все чада Господа Бога — братья!

Винсент чувствовал, что он прозяб, прозяб до мозга костей. К тому же он был голоден. Его трепала лихорадка, которая не отпускала его вот уже несколько недель. Он ослабел от недоедания и бессонницы. От бед и страданий, терзавших весь поселок, он почти обезумел. Здесь, наверху, его ждала теплая, уютная, чистая постель. Мадам Дени накормит его ужином, и мучительное, сосущее чувство голода исчезнет; мадам Дени будет лечить его от лихорадки, даст ему крепкого подогретого вина, озноб пройдет, и ему вновь станет тепло. Винсента трясло, ему было дурно, и он чуть не упал на красный кафельный пол булочной. Но он преодолел слабость и взял себя в руки.

Бог хочет испытать его в последний раз. Если сейчас он ослабеет духом и отступит, все, что он сделал, окажется тщетным. Неужто в эти дни, когда в поселке царит самая вопиющая нужда и черное горе, он дрогнет и свернет с пути, станет подлецом и трусом, при первой же возможности польстится на уют и достаток?

— Бог видит вашу доброту, мадам Дени, и вознаградит вас, — сказал Винсент. — Но вы не должны искушать меня и отвращать от исполнения моего долга. Если у вас не найдется охапки соломы, боюсь, мне придется спать на голой земле. Но прошу вас, не предлагайте мне ничего, кроме соломы, я все равно не возьму.

Он разостлал солому в углу своей лачуги, на сырой земле, и закутался в тонкое одеяло. Он не мог заснуть всю ночь, а когда наступило утро, его стал мучить кашель, и глаза у него ввалились глубже прежнего. Лихорадка все усиливалась, он уже плохо понимал, что делает. Терриля у него не было: он считал, что не имеет права в ущерб шахтерам взять себе хоть пригоршню того топлива, которое ему удавалось собрать на черной горе. Заставив себя проглотить два-три куска черствого хлеба, он вышел из хижины и принялся за свои обычные дела.

15

Март наконец уступил место апрелю, и жить стало легче. Злые ветры утихли, солнце пригревало все теплее, и снег начал подтаивать. Обнажились черные поля, запели жаворонки, в лесу на деревьях набухли почки. Лихорадка в поселке исчезла, и с наступлением теплой погоды женщины вновь пошли на Маркасский террикон за углем. Скоро в круглых печках весело запылал огонь, и детям уже не надо было целыми днями лежать в кровати. Винсент снова открыл Детский Зал. На первую проповедь собрался весь поселок. Печальные глаза углекопов вновь лучились улыбками, люди немного приободрились. Декрук, добровольно взявший на себя обязанности постоянного истопника и привратника Зала, отпускал шутки и остроты насчет печки и энергично потирал свою проплешину.

— Грядут добрые времена, — радостным голосом говорил Винсент с кафедры. — Господь Бог послал вам испытание, и вы доказали свою веру. Самые горькие наши беды и страдания позади. В полях скоро заколосятся хлеба, солнце будет согревать вас, когда вы присядете отдохнуть перед своими домами после трудового дня. Дети будут слушать песню жаворонка и пойдут в лес по ягоды. Обратите ваш взор к Господу, ибо он готовит вам радости в жизни. Господь Бог милостив. Господь Бог справедлив. Он воздаст вам за веру и терпение. Возблагодарим же Господа, ибо добрые времена не за горами. Грядут добрые времена!

Углекопы горячо молились, благодаря Господа. Зазвучали радостные голоса, все говорили друг другу:

— Господин Винсент прав. Наши страдания позади. Зима прошла. Грядут добрые времена!

Спустя несколько дней, когда Винсент с целой ватагой детей рылся на горе в терриле, он увидел, как от здания, где помещался подъемник, метнулись прочь маленькие черные фигурки людей и рассыпались по полю во все стороны.

— Что такое? — удивленно сказал Винсент. — Неужто уже три часа? По солнышку еще нет и полудня.

— Случилось несчастье! — крикнул старший из ребят. — Я уже раз видел, как они бежали от шахты. Что-то неладно под землей!

Вместе с детьми Винсент бросился вниз с горы, — камни царапали им руки, рвали одежду. Все поле вокруг Маркасской шахты, как муравейник, кишело черными фигурками, — люди спасались от опасности. К тому времени, когда Винсент оказался близ шахты, сюда уже хлынул людской поток из поселка: в поле со всех ног бежали женщины, детей они несли на руках или тащили за собой.

Добежав до ворот шахты, Винсент услышал, как кругом кричали: «Газ! Газ! В новой штольне! Они пропали! Они в западне!»

Жак Верней, который во время холодов слег в постель, теперь несся по полю что было духу. Он страшно исхудал, грудь его впала еще больше. Поравнявшись с ним, Винсент спросил:

— Скажите, что происходит?

— Штрек Декрука! Помните голубое пламя? Я знал, что это кончится взрывом!

— Сколько там людей? Сколько? Как их спасти?

— Вы ведь видели, там двенадцать забоев. По пять человек в каждом.

— Можем ли мы что-нибудь сделать?

— Не знаю. Сейчас соберу спасательную команду из добровольцев.

— Возьмите меня. Я тоже хочу помочь.

— Нет, нет. Мне нужны опытные люди. — Жак кинулся через двор к подъемной клети.

К воротам шахты подкатила телега, запряженная белой лошадью. Сколько уж раз отвозили с шахты в поселок мертвецов и калек на этой телеге с белой лошадью! Углекопы, разбежавшиеся по полю, стали разыскивать в толпе свои семьи. Одни женщины истерически кричали, другие, глядя прямо перед собой широко раскрытыми глазами, шагали молча, ребятишки плакали. Надсадными голосами кого-то выкликали десятники, собирая спасательные команды.

Вдруг шум и крики смолкли. Несколько человек, медленно спускаясь по лестнице, вышли на двор, неся на руках что-то завернутое в одеяло. Минуту стояла жуткая тишина. Потом толпа закричала и завыла.

— Кого это понесли? Живы ли они? Или умерли? Ради Бога, покажите их нам! Назовите имена! Под землей мой муж! Мои дети! В тех забоях было двое моих детей!

Люди, вышедшие из подъемника, остановились у телеги с белой лошадью. Один из них, обращаясь к толпе, сказал:

— Трое откатчиков, которые со своими вагонетками оказались в стороне от взрыва, спасены. Но их здорово обожгло.

— Кого спасли? Бога ради, скажите, кого спасли? Покажите их! Покажите! Мой сын под землей! Мой сын, мой сын!

Спасатель, откинув одеяло, открыл обожженные лица двух девочек — им было лет по девять — и десятилетнего мальчугана. Все трое были без сознания. С криком, в котором звучали одновременно ужас и радость, к ним бросились родные. Затем их уложили на телегу с белой лошадью и по тряской дороге повезли через поле. Винсент и родственники пострадавших, тяжело дыша, бежали рядом с телегой. Винсент слышал, как толпа сзади выла и причитала все громче и громче. Он оглянулся и увидел позади, на горизонте, вереницу террилевых пирамид.

— Черный Египет! — воскликнул он, давая выход своему горю и отчаянию. — Черный Египет, в котором снова томится в рабстве избранный Богом народ! О Господи, как мог ты это допустить? Как ты только мог?

Спасенные девочки и мальчик едва не умерли от ожогов, на головах у них не осталось ни единого волоса, с лица и рук слезла кожа. Винсент зашел в хижину, куда перенесли с телеги одну девочку. Мать плакала и ломала руки. Винсент раздел ребенка и крикнул:

— Растительного масла, живо!

У женщины нашлось немного масла. Винсент смазал ожоги.

— Теперь повязку!

Женщина с ужасом смотрела на него и молчала.

— Повязку! — сердито повторил Винсент. — Или вы хотите, чтобы ребенок умер?

— У нас ничего нет, — рыдая, проговорила женщина. — В доме не найти ни одной белой тряпки. С самой осени!

Девочка металась и стонала. Винсент скинул пальто и обе рубашки, верхнюю и нижнюю. Пальто он снова надел прямо на голое тело, а рубашки разорвал на длинные лоскуты и перевязал ими девочку с головы до ног. Прихватив банку с растительным маслом, он побежал ко второй девочке и тоже перевязал ее. Мальчугана перевязать было уже нечем. Он был при смерти. Винсент перевязал его, разорвав свои шерстяные кальсоны.

Плотно запахнув пальто на голой груди, он пошел через поле к Маркассу. Еще издали до него донеслись вопли и плач матерей и жен.

Углекопы толпились у ворот шахты. Под землю можно было спустить только одну спасательную команду — слишком узок был проход к месту катастрофы. Спасатели стояли без дела, ожидая своей очереди. Винсент заговорил с одним из десятников:

— Есть ли надежда на спасение?

— Боюсь, что они там уже умерли.

— Можно ли до них добраться?

— Их завалило породой.

— Сколько же потребуется времени, чтобы разобрать завал?

— Не одна неделя. А может быть, и не один месяц.

— Но почему? Почему же?

— Быстрее нельзя.

— Тогда они наверняка погибнут!

— Их там пятьдесят семь мужчин и девушек!

— Все погибнут, все до одного!

— Да, мы их уж больше не увидим!

Спасательные команды, сменяя друг друга, работали тридцать шесть часов без перерыва. Отогнать от шахты женщин, у которых под землей были мужья и дети, так и не удалось. Им говорили, что всех шахтеров непременно спасут, но женщины хорошо знали, что это неправда. Те, кого беда не коснулась, несли своим несчастным соседкам горячий кофе и хлеб, но никто не притрагивался к пище. В полночь из шахты вытащили Жака Вернея, завернутого в одеяло. У него было сильное кровотечение. К утру он скончался.

Когда минуло двое суток, Винсент уговорил жену Декрука уйти с детьми домой. Спасатели двенадцать дней не прекращали работу. Добыча остановилась. Поскольку уголь на-гора не выдавался, денег никому не платили. Те скудные франки, которые были отложены у шахтеров на черный день, быстро иссякли. Мадам Дени продолжала печь хлеб и раздавала его хозяйкам в кредит. Средства у нее кончились, и ей грозило полное разорение. Компания углекопам ничем не помогала. На тринадцатый день было приказано прекратить спасательные работы и возобновить добычу угля. К тому времени во всем Малом Ваме не осталось ни одного сантима.

Углекопы объявили забастовку.

Винсент получил жалованье за апрель. Он сходил в Вам, купил на пятьдесят франков провизии и разделил ее между шахтерами. Этого хватило углекопам на шесть дней. Потом им пришлось бродить по лесам и собирать в лесу ягоды и коренья. Люди охотились за любой живностью — за крысами, сусликами, улитками, лягушками, ящерицами, кошками и собаками, только бы чем-нибудь набить желудок и заглушить постоянный мучительный голод. Скоро во всей округе не осталось ни кошек, ни крыс. Винсент написал в Брюссель, моля о помощи. Ответа не последовало. Углекопы вынуждены были сидеть сложа руки и смотреть, как их жены и дети умирают с голоду.

Однажды они попросили Винсента отслужить службу за упокой пятидесяти семи душ, погибших во время катастрофы. Около ста мужчин, женщин и детей толпились в его маленькой хижине и у дверей. Винсент уже несколько суток жил на одном кофе. Со дня взрыва он почти ничего не ел. Он уже не мог стоять на ногах. Его трясла лихорадка, в душе царили мрак и отчаяние. Глаза у него сузились, чернея в орбитах, словно булавочные острия, скулы торчали, все лицо заросло грязной рыжей бородой. Он кутался в грубую мешковину, заменявшую ему и белье и верхнюю одежду. Лачугу тускло освещал фонарь, подвешенный на сломанной балке. Положив голову на руку, Винсент лежал в углу на соломе. На стенах трепетали причудливые тени, на измученные, исстрадавшиеся лица углекопов падал мерцающий отблеск.

Винсент начал говорить слабым, сиплым голосом, но в тишине было слышно каждое его слово. Чернолицые, худые, изнуренные голодом и невзгодами люди смотрели на него, как на самого Бога. Увы, Бог был слишком далек от них.

Вдруг откуда-то снаружи донеслись чужие взволнованные голоса. Дверь отворилась, и детский голосок крикнул:

— Господин Винсент здесь!

Винсент оборвал свою речь. Все повернули головы к двери. В хижину вошли два хорошо одетых человека. Фонарь на мгновение ярко вспыхнул, и Винсент уловил на лицах вошедших выражение испуга и ужаса.

— Привет вам, преподобный де Йонг и преподобный ван ден Бринк, — сказал он, не вставая с места. — Мы служим заупокойную по пятидесяти семи углекопам, которые заживо погребены в шахте. Может быть, вы скажете людям слово утешения?

Прошло довольно много времени, прежде чем ошеломленные священники обрели дар речи.

— Позор! Какой позор! — воскликнул де Йонг, звонко хлопнув себя по толстому брюху.

— Можно подумать, что мы в африканских джунглях! — злобно сказал ван ден Бринк. — Один Бог знает, сколько вреда он тут натворил!

— Понадобятся годы, чтобы вернуть этих людей в лоно христианской церкви! — Де Йонг скрестил руки на животе и добавил: — Я говорил вам, что не надо было давать ему назначения!

— Да, конечно... но Питерсен... Кто бы мог подумать?.. Этот человек воистину сошел с ума.

— Я с самого начала заподозрил, что он помешанный. Мне он никогда не внушал доверия.

Священники изъяснялись на чистейшем французском языке и говорили быстро, так что боринажцы не поняли ни слова. Винсент же был слишком слаб и болен, чтобы уяснить себе все значение их разговора.

Де Йонг, расталкивая людей своим толстым брюхом, подошел вплотную к Винсенту и злобно прошипел:

— Гоните этих грязных собак по домам!

— А заупокойная?.. Мы еще не кончили...

— Плевать на заупокойную. Гоните их в шею, я вам говорю!

Углекопы, не понимая, в чем дело, начали медленно расходиться.

— Боже, до чего вы себя довели! — напустились на Винсента преподобные. — И что вы только думаете, совершая богослужения в таком вертепе? Ведь это же варварство! Какой-то новый языческий культ! Есть ли у вас хоть малейшее чувство приличия? Разве мыслимо так вести себя христианскому проповеднику? Или вы совсем спятили? Вы, наверно, хотите опозорить нашу церковь?

Преподобный де Йонг умолк на минуту и оглядел убогую, темную хижину Винсента, его соломенное ложе, мешковину, в которую он кутался, и его воспаленные, ввалившиеся глаза.

— Счастье для нашей церкви, господин Ван Гог, — сказал он, — что мы вам дали лишь временное назначение. Можете считать себя свободным. И нового назначения от нас уже не ждите. Вы вели себя постыдно и возмутительно. Жалованья вы больше не получите, а ваше место сейчас же займет другой. Если бы я не считал вас сумасшедшим, достойным жалости, я сказал бы, что вы злейший враг христианства, какого только знала евангелистская церковь Бельгии!

В хижине воцарилась тишина.

— Ну, господин Ван Гог, что можете вы сказать в свое оправдание?

Винсент вспомнил тот день в Брюсселе, когда эти священники отказались дать ему место проповедника. На душе у него стало так пусто, что он не мог вымолвить ни единого слова.

— Что ж, пойдемте, брат де Йонг, — сказал ван ден Бринк после долгого молчания. — Нам здесь нечего делать. Случай безнадежный, тут ничем не поможешь. Если в Ваме мы не найдем приличной гостиницы, то сегодня же придется ехать в Монс.

16

Наутро к Винсенту пришла группа пожилых углекопов.

— Теперь, когда не стало Жака Вернея, — сказали они, — мы можем довериться только вам, господин Ван Гог. Скажите, что нам делать? Мы не хотим подыхать с голоду. Может быть, вы убедите *их* посчитаться с нашими требованиями. Поговорите с ними, и если вы потом скажете, что нам надо выйти на работу, мы выйдем. А если скажете, что надо подыхать, то мы подохнем. Мы послушаемся только вас, господин Ван Гог, и никого другого.

В конторе «Шарбонаж бельжик» было мрачно и пусто. Директор охотно принял Винсента и выслушал его с самым сочувственным видом.

— Я знаю, господин Ван Гог, шахтеры возмущены тем, что мы не откопали мертвых. Но что толку, если бы мы их откопали? Компания решила не разрабатывать больше этот пласт, он не окупает расходов. Нам пришлось бы копать, может, целый месяц, а каков результат? Выкопали бы людей из одной могилы, чтобы зарыть их в другую. Только и всего.

— Ну, а как насчет живых? Неужели вы не можете ничего сделать, чтобы улучшить условия труда в шахте? Неужели они должны работать всю жизнь под непрестанной угрозой смерти?

— Да, господин Ван Гог, должны. К сожалению, должны. У компании нет средств на усовершенствование техники безопасности. Рабочие это дело неизбежно проиграют, им ничего не добиться, ибо против них железные законы экономики. И хуже всего то, что, если они не выйдут на работу еще неделю, Маркасская шахта вообще закроется. Один Бог знает, как тогда будут жить рабочие.

Винсент шел по извилистой дороге к Малому Ваму в полном отчаянии. «Да, может быть, Бог и знает, — с горечью говорил он себе, — а что, если и он не знает, — как же тогда?»

Ему было ясно, что углекопам он больше не нужен. Он должен сказать им, чтобы они снова спустились в эту преисподнюю и работали там по тринадцать часов в сутки за голодный паек. Снова они окажутся лицом к лицу со смертью, которая постоянно подстерегает их. А те, кто избежит гибели под землей, будут медленно угасать, став жертвой чахотки. Он не сумел помочь им, как ни старался. Даже Господь Бог не мог им помочь. Он приехал в Боринаж, чтобы вложить им в сердца слово Божье, но что сказать им теперь, когда он увидел, что извечный враг углекопов — не шахтовладельцы, а сам Всемогущий?

В тот час, когда Винсент сказал углекопам, чтобы они шли на работу и снова надели на себя ярмо рабства, в тот самый час он потерял в их глазах все, он стал для них бесполезен. Он уже не мог больше выступить с проповедью, даже если бы евангелический комитет и разрешил ему это, ибо какой толк был теперь рабочим в Писании? Господь был неумолимо глух к ним, а Винсент оказался не в состоянии смягчить его.

И внезапно Винсент понял нечто такое, что он, по существу, знал уже давным-давно. Все эти разговоры о Боге — детская увертка, заведомая ложь, которой в отчаянии и страхе утешает себя смертный, одиноко блуждая во мраке этой холодной вечной ночи. Бога нет. Ведь это проще простого. Бога нет, есть только хаос, нелепый и жестокий, мучительный, слепой, беспросветный, извечный хаос.

17

Углекопы вышли на работу. Теодор Ван Гог, которому обо всем сообщил евангелический комитет, прислал Винсенту деньги и письмо, прося его возвратиться в Эттен. Вместо этого Винсент перебрался из своей лачуги обратно к Дени. Он сходил в Детский Зал, попрощался с ним, снял со стены все гравюры и перенес их в свою комнатку наверху.

Вновь он пережил банкротство, и теперь надо было подвести итог. Но итог был неутешительный. У него не было ничего — ни работы, ни денег, ни здоровья, ни сил, ни мыслей, ни желаний, ни душевного пыла, ни честолюбивых устремлений и, самое главное, не стало опоры, на которой держалась бы его жизнь. Ему было двадцать шесть лет, в пятый раз он потерпел неудачу и уже не чувствовал в себе мужества начать все сначала.

Он поглядел на себя в зеркало. Лицо обросло чуть вьющейся рыжей бородой. Волосы поредели, сочные губы высохли и сузились, вытянувшись в ниточку, а глаза ушли глубоко-глубоко, словно спрятались в темные пещеры. Все, что когда-то было

Винсентом Ван Гогом, как бы сжалось, застыло, оцепенело, почти умерло.

Он попросил у мадам Дени кусочек мыла и, стоя в тазу, тщательно вымылся с головы до ног. Какой он худой и изможденный, как истаяло его большое, могучее тело! Он аккуратно выбрился и пришел в изумление, увидев, как неожиданно и нелепо выступили у него на лице кости. Впервые за много месяцев он причесал волосы так, как причесывал когда-то. Мадам Дени подала ему верхнюю рубашку своего мужа и смену белья. Винсент оделся и сошел в уютную кухню. Вместе с супругами Дени он сел обедать: горячей домашней пищи он не пробовал со времени взрыва на шахте. Самая мысль о еде вызывала у него удивление. Ему казалось, что он жует горячую кашицу из древесных опилок.

Хотя он ни слова не сказал углекопам о том, что ему запрещено выступать с проповедями, никто и не просил его об этом; видимо, теперь они не нуждались в проповедях. Винсент редко разговаривал с ними. Он теперь вообще редко разговаривал с людьми. Разве что скажет при встрече «добрый день», вот и все. Он не заходил больше в хижины углекопов и не интересовался их жизнью. Рабочие, о чем-то безотчетно догадываясь, по молчаливому уговору даже не упоминали его имени. Они видели, что он чуждается их, но никогда не осуждали его за это. В душе они понимали, что с ним творится. И жизнь в Боринаже шла своим чередом.

Винсент получил из дома известие, что скоропостижно скончался муж Кэй Вос. Но он был в таком душевном упадке, что известие это затерялось где-то в самой глубине его сознания.

Проходили недели. Винсент жил в каком-то оцепенении — ел, спал, сидел, уставясь глазами в пространство. Лихорадка беспокоила его теперь все реже и реже. Он начал набираться сил, прибавлять в весе. Но глаза у него были по-прежнему остекленевшие, как у трупа. Наступило лето — черные поля, трубы, терриконы заблестели под ярким солнцем. Винсент часто выходил на прогулку. Он шел не для того, чтобы проветриться, не ради удовольствия. Он шел, сам не сознавая куда и ничего не замечая вокруг. Шел лишь потому, что уставал лежать, сидеть, стоять на месте. А когда он уставал от ходьбы, то опять сидел, или лежал, или стоял.

Вскоре после того, как у него вышли все деньги, он получил письмо из Парижа от Тео; брат уговаривал его не тратить попусту время в Боринаже, а воспользоваться той суммой, которую он прилагал к письму, и предпринять решительные шаги, чтобы вновь найти свое место в жизни. Винсент отдал деньги мадам Дени. Он остался в Боринаже не потому, что ему нравилось здесь, а потому, что ехать было некуда; кроме того, чтобы сдвинуться с места, требовалось слишком большое усилие.

Он потерял Бога и потерял себя. А теперь он потерял и самое дорогое на земле, единственного человека, который всегда был дорог и близок ему, который понимал его так, как Винсент мечтал, чтобы его понимали. Тео забыл своего брата. Всю зиму от него приходили письма, одно или два в неделю, пространные, живые, бодрые письма, в которых сквозил интерес к Винсенту. Теперь писем больше не было. Тео тоже потерял веру в него, он не питал больше никаких надежд. Винсент был одинок, бесконечно одинок, у него не осталось теперь даже Господа Бога — он бродил как мертвец, один во всем мире, недоумевая, почему он все еще здесь.

18

Вслед за летом незаметно наступила осень. Умерла скудная боринажская зелень, но в душе Винсента что-то ожило. Он не мог еще трезво взглянуть на свою собственную жизнь, но чужая жизнь уже начала его интересовать. Он взялся за книги. Чтение всегда доставляло ему чудесную радость, а теперь, читая рассказы о чужих победах и поражениях, чужих страданиях и радостях, он забывал о собственной катастрофе.

Когда позволяла погода, он шел в поле и читал там целыми днями; в дождь он читал у себя, лежа в постели или сидя в кресле на кухне Дени, читал по многу часов не отрываясь. Так вникал он в жизнь сотен таких же, как он, обыкновенных людей, которые боролись, одерживая маленькие победы и терпя большие поражения, и мало-помалу перед ним самим начала маячить какая-то цель. Он уже не твердил себе постоянно одно и то же: «Я неудачник! Неудачник! Неудачник!» — он спрашивал себя: «Что мне делать сейчас? К чему я больше всего пригоден? Где мое истинное место в этом мире?» В каждой книге, которая попадала ему в руки, он искал ответа, как ему дальше быть, к чему стремиться.

Из дома ему писали, что та жизнь, которую он ведет, ужасна; по словам отца, он, Винсент, стал праздным бродягой, бросил вызов общепризнанным приличиям и морали. Когда же он снова возьмется за дело, начнет работать и добывать свой хлеб, станет полезным членом общества и внесет свою лепту в общий труд на земле?

Увы, Винсент сам бы хотел получить ответ на этот вопрос.

В конце концов он пресытился чтением и уже не мог взять книгу в руки. В первые недели после своего поражения он был слишком подавлен, слишком разбит, в его душе не осталось места ни для каких чувств. Потом он заглушал свои чувства и мысли чтением. Он уже почти выздоровел, и поток страданий, как бы запруженный в нем на целые месяцы, вырвался на волю и, бушуя, захлестнул все его существо горем и отчаянием. Доводы ума уже не успокаивали его.

Он пережил самую тяжкую пору в своей жизни и сам сознавал это.

Он чувствовал, что в нем есть что-то ценное, что он не последний глупец, не ничтожество, что и он может принести какую-то, пусть маленькую, пользу людям. Но как? Для обычной деловой карьеры он не годился, а все, к чему у него была склонность, он уже испробовал. Неужели он обречен на одни только неудачи и страдания? Неужели жизнь его уже кончена?

Эти вопросы напрашивались сами собой, но на них не было ответа. Винсент жил словно в полусне. Близилась зима. Отец время от времени приходил в негодование и переставал высылать деньги; тогда Винсент отказывался от обедов у Дени и садился на голодный паек. Тут просыпалась совесть у Тео, и он присылал небольшую сумму через Эттен. Потом терпение Тео лопалось, но подоспевала помощь от отца, внезапно проявлявшего родительскую заботу. В промежутки же Винсенту приходилось есть через день.

Однажды в ясный ноябрьский день Винсент бродил около Маркасской шахты, бродил праздно, без единой мысли в голове, а потом присел на ржавое железное колесо у кирпичной стены неподалеку от шахты. Из ворот вышел старый углекоп, черная кепка была у него низко надвинута на глаза, руки засунуты в карманы, плечи ссутулились, костлявые колени дрожали. Что-то в этом человеке безотчетно привлекло Винсента. Бездумно, без всякой цели, он опустил руку в карман, вытащил огрызок карандаша и письмо из дома и на обратной стороне конверта быстро набросал маленькую фигурку человека, бредущего по черному полю.

Потом он вынул из конверта отцовское письмо — одна сторона листа была чистая. Через несколько минут из ворот шахты вышел еще один углекоп, молодой парень лет семнадцати. Он был выше старика, держался прямее, и в очертании его плеч, когда он зашагал вдоль кирпичной стены к железнодорожным путям, чувствовалась какая-то бодрость. Винсент рисовал несколько минут, пока парень не скрылся из виду.

19

У Дени Винсент нашел пачку чистой бумаги и толстый карандаш. Он разложил на столе свои наброски и начал перерисовывать их. Пальцы не гнулись и не слушались его, он никак не мог нанести на бумагу такую линию, какую ему хотелось. Он пускал в ход резинку чаще, чем карандаш, но все-таки не бросал свою затею. Он был так увлечен, что не заметил, как наступили сумерки. Когда мадам Дени постучала в дверь, он изумился.

— Господин Винсент, ужин на столе, — сказала мадам Дени.

— Ужин! — отозвался Винсент. — Даже не верится, что уже так поздно!

За столом он оживленно разговаривал с супругами Дени, и в глазах его появился былой блеск. Дени многозначительно переглянулись. Быстро отужинав, Винсент извинился и тотчас ушел к себе в комнату. Там он зажег керосиновую лампу, приколол к стене свои рисунки и отошел подальше, чтобы взглянуть на них в перспективе.

— Плохо, — вполголоса сказал он, пристально вглядываясь в рисунки. — Очень плохо. Но может быть, завтра я сумею нарисовать лучше.

Винсент лег на кровать, поставив горящую лампу на полу у изголовья. Он все смотрел и смотрел на свои рисунки, ни о чем не думая, потом перевел взгляд на гравюры, висевшие тут же на стене. Он увидел эти гравюры, в сущности, в первый раз после того, как семь месяцев назад унес их из Детского Зала. И вдруг он понял, что тоскует по картинам. Было время, когда он знал, кто такие Рембрандт, Милле, Жюль Дюпре, Делакруа, Марис. Он припомнил все чудесные репродукции, которые когда-то принадлежали ему, все литографии и гравюры, которые он посылал Тео и родителям. Он представил себе все великолепные полотна, какие ему довелось видеть в музеях Лондона и Амстердама, и, размышляя об этих чудесах, уже не чувствовал себя несчастным и погрузился в глубокий, освежающий сон. Керосиновая лампа, потрескивая, горела все бледнее и наконец угасла.

Проснулся он рано, в половине третьего, свежий и бодрый. Легко спрыгнул с кровати, оделся, взял свой толстый карандаш и писчую бумагу, нашел в пекарне тонкую дощечку и поспешил к Маркасской шахте. Еще до рассвета он устроился на том же ржавом железном колесе и стал ждать, когда пойдут углекопы.

Рисовал он торопливо, начерно, стремясь лишь зафиксировать первое впечатление от каждого человека. Через час, когда все углекопы прошли, на его листах было пять фигур с совсем не прорисованными лицами. Винсент поспешно вернулся домой, выпил у себя наверху чашку кофе, а когда совсем рассвело, перерисовал свои наброски. Он пытался придать фигурам боринажцев тот несколько странный и причудливый характер, который он так хорошо чувствовал, но не мог схватить в темноте, когда углекопы быстро проходили мимо.

Анатомия в этих набросках была неверна, пропорции гротескны, а рисунок до смешного нелеп. И все же на бумаге получились именно боринажцы, их нельзя было спутать ни с кем другим. Сам дивясь своей беспомощности и неловкости, Винсент разорвал рисунки. Потом он присел на край кровати напротив гравюры Аллебе с изображением старушки, несущей по зимней улице горячую воду и угли, и стал ее копировать. Уловить характер старушки ему удалось, но передать соотношение фигуры и фона — улицы и домов — он не мог, как ни бился. Винсент скомкал листок, бросил его в угол и примостился на стуле напротив этюда Босбоома, изображающего одинокое дерево на фоне бегущих по небу облаков. Казалось, все тут просто: дерево, клочок глинистой земли, а сверху облака. Но Босбоом был необыкновенно точен и изящен, и Винсент убедился, что именно простые вещи, где требуется предельная сдержанность, обычно труднее всего воспроизвести.

Утро пролетело незаметно. Когда у Винсента совсем не осталось бумаги, он обшарил свои пожитки и подсчитал, сколько у него денег. У него было два франка, и, надеясь купить в Монсе хорошей бумаги и, может быть, угольный карандаш, он отправился в путь. До Монса было двенадцать километров. Спускаясь с высокого холма между Малым Вамом и Вамом, он увидел, что из дверей хижин на него смотрят шахтерские жены. К своему обычному «bonjour» он теперь машинально добавил: «Comment ça va?»* В Патюраже, крошечном городке, стоявшем на полпути к Монсу, в окне булочной он увидел красивую девушку. Он вошел в булочную и купил сдобную булочку за пять сантимов только для того, чтобы полюбоваться на девушку.

Поля между Патюражем и Кемом, омытые ливнем, ярко зеленели. Винсент решил еще раз прийти сюда и зарисовать их, когда у него будет зеленый карандаш. В Монсе он купил альбом гладкой желтоватой бумаги, угольные и свинцовые карандаши. Около магазина в ларьке торговали старинными гравюрами.

* Как поживаете? *(фр.)*

4-1648и

Винсент рылся в них битый час, хотя прекрасно знал, что ничего не купит. Торговец начал разглядывать гравюры вместе с Винсентом, и они долго любовались ими и разговаривали о каждой, словно два добрых приятеля, разгуливающих по музею.

— Я должен извиниться перед вами, — сказал под конец Винсент, вдоволь наглядевшись на гравюры. — У меня нет денег, я не могу купить у вас ни листа.

Торговец красноречивым галльским жестом вскинул над головой руки:

— О, это ровно ничего не значит! Приходите сюда еще, пусть даже без сантима в кармане.

Все двенадцать километров до Вама Винсент прошел так, словно совершал приятную прогулку. Солнце закатывалось за иззубренный угольными пирамидами горизонт и кое-где окрашивало края облаков в нежный перламутровый цвет. Винсент приметил, что каменные домики Кема, будто гравюры, созданные самой природой, так и просятся в раму, а поднявшись на холм, почувствовал, каким покоем дышит раскинувшаяся внизу зеленая долина. Сам не зная почему, он был счастлив.

На другой день он пошел к Маркасскому террикону и зарисовал девочек и женщин, которые взбирались на гору, выковыривая из ее боков крупинки черного золота. После обеда он сказал супругам Дени:

— Пожалуйста, посидите еще минутку за столом. Я хочу коечто сделать.

Он побежал в свою комнату, принес альбом и карандаш и мигом набросал очень похожий портрет своих друзей. Мадам Дени встала и заглянула в альбом через плечо Винсента.

— Ах, господин Винсент! — воскликнула она. — Да вы художник!

Винсент смутился.

— Что вы, — возразил он. — Это только ради забавы.

— Нет, это просто чудесно, — настаивала мадам Дени. — Я здесь почти как живая.

— Почти! — рассмеялся Винсент. — В том-то и дело, что почти, а не совсем.

Домой о своем новом занятии он не писал, прекрасно зная, как там к этому отнесутся. «Ох, Винсент снова чудит! Когда же он возьмется за ум и станет практичнее!»

Помимо всего, это новое увлечение имело любопытную особенность: оно как бы касалось его одного и никого более. Он не мог ни говорить, ни писать о своих рисунках. Никогда и ничего Винсент не скрывал так ревниво, как эти наброски; он и мысли не допускал о том, чтобы их увидели чужие глаза. Пусть все в них до последнего штриха лишь жалкое дилетантство — в каком-то смысле они были для него священны.

Винсент вновь стал заходить в хижины углекопов, но теперь вместо Библии в руках у него был альбом и карандаш. Однако углекопы были рады ему ничуть не меньше. Винсент рисовал, глядя, как на полу играют дети, как хозяйки, наклонясь, возятся у печек, как семья ужинает после трудового дня. Он зарисовывал в своем альбоме Маркасс с его высокими трубами, черные поля, сосновый лес по ту сторону оврага, крестьян, пахавших в окрестностях Патюража. В непогоду он сидел в своей комнате наверху, копируя висевшие на стене гравюры и свои черновые эскизы, сделанные накануне. Ложась вечером спать, он считал, что день не прошел даром, если одна или две вещи ему удались. А наутро, проспавшись после вчерашнего творческого опьянения, он убеждался, что рисунки плохи, безнадежно плохи. И он без колебания выбрасывал их вон.

Винсент избавился от мучительной тоски, он был счастлив потому, что уже не думал о своих несчастьях. Он знал, что стыдно жить на деньги отца и брата, не пытаясь прокормиться собственным трудом, но не слишком заботился об этом и весь отдался рисованию.

Через несколько недель, по многу раз перерисовав все свои гравюры, он понял, что, если он хочет совершенствоваться, ему надо побольше копировать, и непременно больших мастеров. Хотя от Тео не было писем вот уже целый год, Винсент, глядя на ворох своих неудачных рисунков, смирил гордость и сам написал брату:

Дорогой Тео!

Если я не ошибаюсь, у тебя когда-то были «Полевые работы» Милле.

Будь любезен, пришли их мне ненадолго по почте. Дело в том, что я копирую большие этюды Босбоома и Аллебе. Если бы ты взглянул на мои рисунки, то, может быть, остался бы доволен.

Пришли все, что у тебя есть, и не беспокойся обо мне. Если только у меня будет возможность продолжать работу, я так или иначе найду свое место.

Пишу тебе, оторвавшись от рисунка, очень тороплюсь его кончить. Итак, будь здоров и пришли мне гравюры как можно скорей.

Крепко жму твою руку.

Винсент.

Постепенно у Винсента родилось еще одно желание — ему захотелось поговорить о своей работе с каким-нибудь художником, уяснить себе, что он делает правильно, а что неправильно. Он знал, что его рисунки плохи, но они были слишком дороги ему, чтобы он мог увидеть, в чем их порок. Нужен был чужой, строгий глаз, не ослепленный авторской гордостью.

Но к кому он мог обратиться? Это было даже не желание, а настоящий голод, голод еще более сильный, чем тот, который его одолевал зимой, когда он по неделям сидел на одной воде и хлебе. Ему необходимо было постоянно чувствовать, что на свете есть другие художники, люди, похожие на него, — они бьются над теми же вопросами мастерства, думают о том же, о чем и он: серьезно относясь к работе художника, они по справедливости оценят его рисунки. Винсент знал, что такие люди, как Марис и Мауве, всю свою жизнь отдали живописи. Но здесь, в Боринаже, это казалось невероятным.

Однажды, в дождливый день, когда Винсент сидел дома и копировал гравюру, он вдруг припомнил, как преподобный Питерсен у себя в мастерской в Брюсселе предупредил его: «Только не говорите об этом моим коллегам». Вот кто ему нужен!

Винсент просмотрел свои рисунки, сделанные с натуры, выбрал углекопа, хозяйку у круглой печки и старуху, собирающую уголь на терриконе, и отправился в Брюссель.

В кармане у него было немногим более трех франков. Поэтому ехать поездом он не мог. Пешком до Брюсселя нужно было пройти около восьмидесяти километров. Винсент вышел в тот же день после полудня и шагал весь вечер, всю ночь и большую часть следующего дня. До Брюсселя оставалось еще тридцать километров. Он не останавливаясь пошел бы и дальше, но пришлось заночевать — его ветхие башмаки совсем развалились, из одного уже высовывались наружу пальцы. Пальто, которое он носил в Малом Ваме всю зиму, теперь покрылось густым слоем пыли. Винсент не взял с собою ни гребешка, ни запасной рубашки; поэтому, встав рано утром, он лишь сполоснул лицо холодной водой.

Подложив в башмаки картонные стельки, Винсент двинулся дальше. В том месте, где пальцы вылезали наружу, в них больно врезалась кожа башмака; скоро на них выступила кровь. Картон быстро истерся, на ногах вскочили сначала волдыри, потом кровавые мозоли, которые быстро лопнули. Винсенту хотелось есть, пить, он страшно устал, но был несказанно счастлив.

Ведь он шел повидаться с художником!

Еще засветло он, без единого сантима в кармане, вошел в предместье Брюсселя. Он хорошо помнил, где жил Питерсен, и торопливо шагал по улицам. Люди сторонились его и глядели ему вслед, покачивая головами. Но Винсент не замечал никого, он спешил, не щадя своих окровавленных ног.

На звонок вышла дочка Питерсена. Она с ужасом взглянула на грязное, потное лицо Винсента, его спутанные, лохматые волосы, грязное платье, измазанные глиной брюки, черные, стертые в кровь ноги и, взвизгнув, убежала из передней. Вслед за этим на пороге появился сам преподобный Питерсен, он вгляделся в Винсента и не сразу узнал его, затем лицо священника озарилось широкой, сердечной улыбкой.

— Винсент, сын мой! — воскликнул он. — Как я рад видеть вас снова! Входите же, входите!

Он провел Винсента в мастерскую и усадил в удобное мягкое кресло. Теперь, когда Винсент достиг своей цели, нервы у него вдруг сдали, и он сразу остро почувствовал, что прошел пешком восемьдесят километров, питаясь одним хлебом и сыром. Спина его сгорбилась, плечи поникли, он никак не мог перевести дух.

— У одного моего друга поблизости есть свободная комната, Винсент. Не хотите ли привести себя там в порядок и отдохнуть с дороги?

— Да, конечно. Я и не подозревал, что так утомился.

Питерсен взял шляпу и, не обращая внимания на любопытные взгляды соседей, вышел вместе с Винсентом на улицу.

— Сейчас вам, наверное, лучше всего в постель, — сказал он Винсенту на прощание. — А завтра в двенадцать приходите ко мне обедать. Нам о многом надо поговорить.

Винсент хорошенько вымылся, стоя в железном тазу, и хотя было всего шесть часов, лег спать голодный. Проспал он до десяти утра, да и то проснулся лишь потому, что в пустом желудке словно стучал какой-то железный молот. Он попросил у хозяина бритву, гребень, платяную щетку и старательно привел в порядок всю свою одежду, но с башмаками ничего поделать было нельзя.

За обедом Питерсен непринужденным тоном рассказывал брюссельские новости, а Винсент без стеснения набросился на еду. После обеда они перешли в мастерскую.

— О, вы, я вижу, немало поработали, не правда ли? На стенах много новых картин, — заметил Винсент.

— Да, теперь я нахожу в живописи гораздо больше удовольствия, чем в проповедях, — отозвался Питерсен.

— Скажите, вас не мучит порой совесть, что вы отрываете столько времени от своей настоящей работы? — спросил с улыбкой Винсент.

Питерсен засмеялся:

— А вы не слыхали анекдот о Рубенсе? Он был голландским послом в Испании и имел обыкновение проводить время после полудня в королевском саду за мольбертом. Идет однажды по саду разодетый в пух и прах придворный и говорит: «Я вижу, что наш дипломат иногда балуется живописью». А Рубенс ему в ответ: «Нет, это живописец иногда балуется дипломатией!»

Питерсен и Винсент понимающе взглянули друг на друга и расхохотались. Винсент развернул свой сверток.

— Я сам сделал несколько набросков, — сказал он, — и три рисунка принес показать вам. Не будете ли вы так любезны сказать мне, что вы о них думаете?

Питерсен поморщился, он хорошо знал, что разбирать работу начинающего — задача неблагодарная. Тем не менее он поставил рисунки на мольберт и, отойдя подальше, стал внимательно их разглядывать. Винсент мгновенно увидел свои рисунки глазами Питерсена и с горечью понял, как они беспомощны.

— Сразу видно, — сказал, помолчав, Питерсен, — что вы рисовали, стоя слишком близко к натуре. Ведь так?

— Да, я не мог иначе. Мне приходилось рисовать по большей части в тесных шахтерских хижинах.

— Понятно. Вот почему в ваших рисунках такие огрехи в перспективе. А вы не могли бы найти для работы такое место, где можно стоять подальше от натуры? Вы видели бы ее гораздо яснее, уверяю вас.

— Там есть и довольно большие хижины. Я мог бы недорого снять одну из них под мастерскую.

— Превосходная мысль. — Питерсен опять умолк, а потом спросил с некоторым усилием: — Вы когда-нибудь учились рисунку? Рисовали лицо по квадратам? Пропорции вы соблюдаете?

Винсент покраснел.

— Я ничего не умею. Видите ли, меня никто ничему не учил. Мне казалось, что надо только решиться и рисовать, вот и все.

— О нет, — грустно возразил Питерсен. — Вам прежде всего необходимо овладеть элементарной техникой, и тогда дело пойдет. Дайте, я покажу вам ваши ошибки вот на этом рисунке с женщиной.

Он взял линейку, разбил фигуру на квадраты и показал, как искажены у Винсента пропорции, а затем, все время давая пояснения, начал сам перерисовывать голову. Он работал почти целый час, а закончив, отступил на несколько шагов, оглядел рисунок и сказал:

— Ну вот, теперь мы, пожалуй, нарисовали фигуру правильно.

Винсент встал рядом с ним и всмотрелся в рисунок. Старуха была нарисована правильно, с соблюдением всех пропорций, в этом сомневаться не приходилось. Но это была уже не жена углекопа, не жительница Боринажа, собирающая терриль. Это была просто женщина, отлично нарисованная женщина, нагнувшаяся к земле. Не сказав ни слова, Винсент подошел к мольберту, поставил рядом с исправленным рисунком рисунок женщины у печки и снова встал за плечом Питерсена.

— Гм, — задумчиво хмыкнул тот. — Я понимаю, что вы хотите сказать. Я нарисовал ее по всем правилам, но она потеряла всякую характерность.

Они долго стояли рядом, глядя на мольберт.

— А вы знаете, Винсент, — внезапно вырвалось у Питерсена, — эта женщина у печки недурна. Право же, совсем недурна. Техника рисунка ужасная, пропорций никаких, с лицом бог знает что творится. Собственно, лица совсем нет. Но вы что-то уловили. Что-то такое, чего я не могу понять. А вы понимаете, Винсент?

— Нет, не понимаю. Я просто-напросто рисовал ее такой, какой видел.

Теперь к мольберту подошел Питерсен. Передвинув женщину у печки на середину, он снял с мольберта исправленный им рисунок и бросил его в корзинку.

— Вы не возражаете? — спросил он Винсента. — Ведь я его все равно испортил.

Питерсен и Винсент сели рядом. Питерсен много раз порывался что-то сказать, но не находил слов и замолкал.

— Винсент, — заговорил он наконец, — я удивляюсь самому себе, но должен признаться, что эта женщина мне почти нравится. Сначала она показалась мне ужасной, но есть в ней нечто такое, что западает в душу.

— Почему же вы удивляетесь себе?

— Да потому, что она не должна мне нравиться. Тут все неправильно, все до последнего штриха! Если бы вы хоть немного поучились в художественной школе, вы бы изорвали этот набросок и начали все снова. А все-таки женщина чем-то меня трогает. Я готов поклясться, что где-то ее видел.

— Может быть, вы видели ее в Боринаже? — простодушно спросил Винсент.

Питерсен бросил на него быстрый взгляд, чтобы удостовериться, всерьез он говорит или шутит.

— Да, пожалуй, так оно и есть. Она ведь у вас безликая. Это не какая-то определенная женщина, а жительница Боринажа вообще. Вы ухватили, Винсент, самый дух, самую душу шахтерских женщин, а это в тысячу раз важнее правильной техники рисунка. Да, мне нравится ваша женщина. Она мне что-то говорит.

Винсент ждал, дрожа от волнения. Ведь Питерсен опытный художник, профессионал... Вот если бы он попросил подарить этот рисунок, раз он ему действительно нравится!

— Вы не подарите мне его, Винсент? Я с удовольствием повесил бы его на стене. Мне кажется, мы будем с этой женщиной добрыми друзьями.

20

Когда Винсент собрался обратно в Малый Вам, преподобный Питерсен дал ему свои старые башмаки и денег на билет до Боринажа. Винсент принял эти деньги, как принимают помощь от друга, расквитаться с которым — лишь дело времени.

В поезде Винсент осознал две важные для себя вещи: преподобный Питерсен ни разу не заговорил о неудавшейся духовной карьере Винсента и принял его как своего собрата-художника. Ему так понравилась женщина у печки, что он захотел оставить рисунок у себя, а это — главная победа.

«Он указал мне путь, — подумал Винсент. — Если ему нравятся мои наброски, значит, они понравятся и другим».

Добравшись до дома Дени, Винсент нашел там «Полевые работы», присланные Тео, но при них не было никакого письма. Поездка к Питерсену так ободрила Винсента, что он рьяно принялся за старика Милле. Вместе с альбомом гравюр Тео прислал большие листы рисовальной бумаги, и Винсент за несколько дней скопировал десять страниц из «Полевых работ», покончив с первым томом. Затем, чувствуя, что ему необходимо рисовать обнаженную натуру, а в Боринаже не найти никого, кто согласился бы позировать в таком виде, он написал своему старому другу Терстеху, управляющему галереей Гупиля в Гааге, прося его прислать книгу Барга «Упражнения углем».

Тем временем, помня совет Питерсена, он снял за девять франков в месяц шахтерскую хижину на окраине Малого Вама. На этот раз он искал уже не самую худшую, а самую лучшую хижину. В ней был грубый дощатый пол, два больших окна, кровать, стол, стул и печка. Тут было достаточно просторно, чтобы отойти от модели, добиваясь нужной перспективы. Прошлой зимой Винсент так или иначе помог каждой хозяйке, каждому ребенку в Малом Ваме, и теперь никто не отказывался ему позировать. По воскресным дням углекопы заполняли его хижину, и он делал множество быстрых набросков. Углекопов все это очень забавляло. Они толпились за спиной Винсента и с любопытством смотрели, как он работает.

Из Гааги пришла книга «Упражнения углем», и целых две недели Винсент, трудясь с утра до ночи, копировал те шестьдесят этюдов, которые в ней были. Терстех прислал ему также «Курс рисования» Барга, на который Винсент набросился с необыкновенным жаром.

Все пять катастроф, пережитые Винсентом в прошлом, теперь были забыты. Творчество наполняло его душу таким восторгом и всегда приносило такое удовлетворение, какого он не знал, даже служа Богу. Когда одиннадцать дней у него не было в кармане ни сантима и он был вынужден брать в долг у мадам Дени краюху хлеба, ему и в голову не пришло хоть раз пожаловаться на голод. Не все ли равно, полон или пуст у тебя желудок, если перед тобой такое изобилие духовной пищи?

Целую неделю он каждое утро в половине третьего ходил к Маркасской шахте и на больших листах рисовал углекопов —

мужчин и женщин, шедших на работу по тропинке вдоль изгороди из колючего кустарника, — смутные тени, которые, показавшись на несколько минут, тонули в предрассветном сумраке. Фоном для этих фигур он брал огромные надшахтные строения и кучи шлака, едва видневшиеся на темном небе. Когда рисунок бывал закончен, Винсент делал с него копию и отсылал вместе с письмом Тео.

Так прошло два месяца. Винсент рисовал от зари до зари, а копировал уже при свете лампы. И вот его вновь охватило желание поговорить с каким-нибудь художником, уяснить себе, верным ли путем он идет; хотя ему и казалось, что он добился кое-каких успехов, развил гибкость руки и зоркость глаза, уверенности в этом у него не было. Теперь ему хотелось встретиться с настоящим мастером, который взял бы его под свое крыло и настойчиво, кропотливо учил бы начаткам высокого искусства. Ради этого он готов на все: он будет чистить своему наставнику башмаки и десять раз на день подметать мастерскую.

Художник Жюль Бретон, картинами которого Винсент восхищался с юности, жил в Курьере, в ста семидесяти километрах от Малого Вама. Винсент купил билет на все свои деньги, а когда билет кончился, шел пешком пять дней, ночуя в стогах сена и выменивая хлеб на свои рисунки. Когда Винсент очутился среди зеленых садов Курьера и увидел новую, только что выстроенную из красного кирпича великолепную мастерскую Бретона, вся его смелость мигом пропала. Два дня бродил он по городу, но преодолеть свою робость перед строгой, выглядевшей столь неприступной мастерской так и не смог. Измученный, зверски голодный, без сантима в кармане, в башмаках Питерсена, подошвы которых стали угрожающе тонкими, он прошел пешком все сто семьдесят километров до Боринажа.

Он добрался до своей хижины совсем больной и подавленный. Ни денег, ни писем не было. Он слег в постель. Отрывая скудные крохи у своих мужей и ребятишек, его выходили шахтерские жены.

За время своего путешествия он страшно исхудал, щеки опять провалились, бездонные темно-зеленые глаза горели лихорадочным огнем. Но во время болезни он сохранял ясность мыслей и знал, что снова наступило время на что-то решиться.

Что ему делать с собой? Как жить? Стать учителем или букинистом? Вновь вернуться к торговле, продавать картины? А где жить? В Эттене, с родителями? В Париже, с братом Тео? С дядьями в Амстердаме? Или без конца скитаться всюду, куда забросит случай, и делать все, что заставит судьба?

Однажды, когда ему стало лучше, он, опираясь на подушку, сидел в постели и срисовывал «Пекарню в ландах» Теодора Руссо, спрашивая себя, долго ли сможет он предаваться этому безобидному и милому занятию, как вдруг кто-то без стука открыл дверь и тихо вошел в хижину.

Это был Тео.

21

Время пошло Тео на пользу. В двадцать три года он уже был преуспевающим торговцем картинами в Париже, его уважали и коллеги и родные. Он постиг все светские тонкости, знал, как надо одеваться, как держать себя в обществе, о чем говорить. Одет он был в добротный, наглухо застегнутый черный сюртук с широкими отворотами, обшитыми шелковой тесьмой, подбородок упирался в высокий жесткий воротничок, шея была повязана пышным белым галстуком.

Лоб у него был огромный, ван-гоговский, волосы темно-каштановые, черты лица тонкие, почти женственные, глаза задумчиво-мечтательные, овал лица удивительно нежный.

Он прислонился к двери хижины и в ужасе смотрел на Винсента. Всего несколько часов назад он был у себя в Париже. Там у него была красивая мебель в стиле Луи-Филиппа, умывальник с полотенцами и мылом, занавеси на окнах, ковры на полу, письменный стол, книжные шкафы, приятные для глаз лампы, красивые обои на стенах. А Винсент лежал на голом грязном матраце, укрытый стареньким одеялом. Стены и пол были здесь из грубых досок, вся мебель состояла из ветхого стола и стула.

Он был неумыт, непричесан, его лицо и шея заросли жесткой рыжей бородой.

— Здравствуй, Тео! — сказал Винсент.

Тео бросился к кровати и заглянул брату в лицо.

— Винсент, что с тобой? Ради Бога, скажи, что случилось?

— Ничего. Теперь все в порядке. Я прихворнул немного.

— Но это... это логово! Ты, конечно, живешь не здесь... это не твоя квартира?

— Моя. А что особенного? У меня тут мастерская.

— О, Винсент! — Тео погладил брата по волосам, комок в горле мешал ему говорить.

— Как хорошо, что ты здесь, Тео.

— Винсент, скажи, что с тобой творится? Почему ты хворал? Что произошло?

Винсент рассказал ему о своем путешествии в Курьер.

— Вот оно что, значит, ты совсем обессилел. Ну а потом, когда ты вернулся из Курьера, ты не голодал? Берег себя?

— За мной ухаживали жены углекопов.

— Да, но что ты ел? — Тео окинул взглядом хижину. — Где твои запасы? Я их не вижу.

— Женщины приносят мне помаленьку каждый день. Несут все, что могут: хлеб, кофе, творог и даже кусочек крольчатины.

— Но, Винсент, ты сам знаешь, что на хлебе и кофе не поправишься! Почему ты не купишь яиц, овощей, мяса?

— Все это стоит в Боринаже денег, как, впрочем, и в любом другом месте.

Тео присел на кровать.

— Винсент, ради Бога, прости меня! Я не знал. Я и понятия не имел обо всем этом.

— Брось, старина, ты сделал для меня все, что мог. Я прекрасно себя чувствую. Через несколько дней я буду уже на ногах.

Тео провел рукою по глазам, словно хотел смахнуть с них паутину, мешавшую ему смотреть.

— Нет, нет, я не понимал. Я думал, ты... Я ничего не знал, Винсент, ничего не знал...

— Ах, пустяки. Все это не важно. Как дела в Париже? Куда теперь едешь? В Эттене был?

Тео вскочил на ноги.

— Есть в этом проклятом поселке магазины? Можно тут что-нибудь купить?

— Можно, только в Ваме, внизу за холмом. Но лучше ты возьми стул и сядь. Мне хочется поговорить с тобой. Боже мой, ведь все это длится уже почти два года!

Тео нежно погладил Винсента по лицу.

— Прежде всего я начиню тебя самой лучшей едой, какую только можно сыскать в Бельгии. Ты изголодался, Винсент, вот в чем беда. А потом я дам тебе хорошую дозу какого-нибудь лекарства от этой лихорадки и уложу спать на мягкой подушке. Слава Богу, что я приехал сюда. Если бы я только знал... Лежи смирно и не шевелись, пока я не приду.

Он вышел. Винсент взял карандаш и снова принялся срисовывать «Пекарню в ландах». Через полчаса Тео вернулся в сопровождении двух мальчишек. Он принес простыни, подушку, кучу банок и свертков со снедью. Он постелил на кровать прохладные, чистые простыни и заставил Винсента лечь.

— А теперь скажи, как растопить эту печку? — спросил он, сняв свой щегольской сюртук и засучивая рукава.

— Вон там бумага и сучья. Сначала разожги их, а потом подбрось угля.

— Угля! Ты называешь это углем? — возмутился Тео, с удивлением глядя на грязные комья, выбранные из терриля.

— Да, такое у нас топливо. Погоди-ка, я покажу тебе, как надо разжигать печку.

Винсент хотел было встать с кровати, но Тео подскочил к нему и закричал:

— Болван! Лежи смирно и не шевелись, или мне придется задать тебе хорошую трепку!

Винсент улыбнулся — впервые за много месяцев. Улыбка приглушила лихорадочный блеск его глаз. Тео положил пару яиц в один из горшков, насыпал бобов в другой, в третий налил парного молока и стал поджаривать белый хлеб на рашпере. Винсент глядел, как Тео, высоко закатав рукава, хлопочет у печки, и одно сознание, что брат снова около него, было ему дороже всякой еды.

Наконец Тео справился со стряпней. Он пододвинул к кровати стол, вынул из саквояжа белоснежное полотенце и разостлал его вместо скатерти. Затем он положил в бобы порядочный кусок масла, отправил туда же сваренные всмятку яйца и вооружился ложкой.

— Ну вот, старина, — сказал он, — разевай-ка рот. Один Бог знает, как давно ты не ел по-человечески.

— Оставь, Тео, — сопротивлялся Винсент. — Я вполне могу есть сам.

Тео поддел ложкой яичный желток, поднес его к носу Винсента и сказал:

— Открой рот, мальчик, или я залеплю тебе яйцом прямо в глаз!

Поев, Винсент откинулся на подушку и вздохнул с чувством глубокого удовлетворения.

— Ах, как вкусно! — сказал он. — Я совсем забыл, что на свете есть вкусные вещи.

— Теперь уже не забудешь, мой мальчик.

— Расскажи мне, Тео, обо всем. Как идут дела у Гупиля? Я изголодался по новостям.

— Придется тебе поголодать еще немного. У меня припасено для тебя кое-что, от чего ты сразу заснешь. Выпей и лежи спокойно, пусть еда хорошенько тебя подкрепит.

— Но я совсем не хочу спать, Тео. Мне хочется поболтать. Выспаться я могу и потом.

— Никто тебя не спрашивает, чего ты хочешь и чего нет. Тебе приказывают. Выпей это, будь умницей. А когда выспишься, я тебе приготовлю чудесный бифштекс с картошкой, и ты сразу выздоровеешь.

Винсент проспал до самого вечера и проснулся, чувствуя себя уже гораздо лучше. Тео сидел у окна и разглядывал рисунки брата. Винсент долго молча наблюдал за ним, на душе у него было легко и спокойно. Когда Тео заметил, что Винсент не спит, он встал и широко улыбнулся.

— Ну вот! Как ты себя чувствуешь? Лучше? Спал ты довольно крепко.

— Что скажешь о моих рисунках? Понравился тебе хоть один?

— Погоди, я сперва поджарю бифштекс. Картошку я уже почистил, остается только сварить ее.

Он повозился у печки, поднес к постели таз с горячей водой.

— Какую взять бритву, Винсент, мою или твою?

— Разве нельзя съесть бифштекс, не побрившись?

— Ну нет! И кроме того, к бифштексу нельзя и прикоснуться, если сначала не вымоешь шею и уши да не причешешься как следует. Засунь-ка это полотенце себе под подбородок.

Он тщательно выбрил Винсента, умыл его, причесал и одел в новую рубашку, которую тоже достал из саквояжа.

— Прекрасно! — воскликнул он, отойдя на несколько шагов и любуясь своей работой. — Теперь ты похож на Ван Гога!

— Живей, Тео! Бифштекс подгорает!

Тео опять пододвинул стол к кровати и поставил на него толстый, сочный бифштекс, вареную картошку с маслом и молоко.

— Черт возьми, Тео, неужели ты думаешь, что я съем весь этот бифштекс?

— Разумеется, нет. Половину я беру на себя. Ну, принимайся за дело. Нужно только покрепче зажмурить глаза, и все будет совсем как дома, в Эттене.

После обеда Тео набил трубку Винсента парижским табаком.

— Закуривай, — сказал он. — Не следовало бы разрешать тебе это, но мне кажется, что настоящий табак принесет скорей пользу, чем вред.

Винсент с наслаждением затягивался, потирая время от времени себе щеку теплым, чуть влажным чубуком трубки. А Тео, пуская облачко дыма, задумчиво глядел на шершавые доски стены и видел свое детство в Брабанте. Винсент всегда был для него самым близким человеком на свете, гораздо более близким, чем мать или отец. Благодаря Винсенту все его детство было светлым и чудесным. За этот год в Париже он забыл Винсента, но больше уже никогда его не забудет. Без Винсента ему все время чего-то недоставало. Он чувствовал, что оба они были как бы частью единого целого. Вместе они ясно видели свою жизненную цель, а порознь — заходили в тупик. Вместе они понимали смысл жизни и дорожили ею, а сам он, без Винсента, не раз спрашивал себя: к чему все его старания и все успехи? Надо, чтобы Винсент был рядом, тогда жизнь будет полной. И Винсенту он необходим, ведь Винсент настоящий ребенок. Надо его вытащить из этой дыры, поставить опять на ноги. Надо заставить его понять, что он впустую растрачивает себя, надо как-то встряхнуть его, чтобы он обрел новую цель, новые силы.

— Винсент, — сказал он, — подождем день или два, пока ты немного окрепнешь, а потом я заберу тебя домой, в Эттен.

Несколько минут Винсент дымил трубкой и не отзывался. Он хорошо понимал, что теперь надо все обсудить самым тщательным образом, и для этого, к несчастью, нет иного средства, кроме слов. Что ж, он постарается раскрыть Тео свою душу. И тогда все уладится.

— Тео, а есть ли смысл мне возвращаться домой? Сам того не желая, я стал в глазах семьи пропащим, подозрительным человеком, во всяком случае, на меня смотрят с опаской. Вот почему я думаю, что лучше мне держаться подальше от родных, чтобы я как бы перестал для них существовать. Меня часто обуревают страсти, я в любую минуту могу натворить глупостей. Я несдержан на язык и часто поступаю поспешно там, где нужно терпеливо ждать. Но должен ли я из-за этого считать себя человеком опасным и не способным ни на что толковое? Не думаю. Нужно только эту самую страстность обратить на хорошее дело. К примеру, у меня неудержимая страсть к картинам и книгам и я хочу всю жизнь учиться, — для меня это так же необходимо, как хлеб. Надеюсь, ты понимаешь меня.

— Понимаю, Винсент. Но любоваться картинами и читать книги — в твои годы всего лишь развлечение. Это не может стать делом твоей жизни. Вот уж пять лет ты не устроен, мечешься от одного к другому. За это время ты опускался все больше и больше.

Винсент взял щепоть табаку, растер его между ладонями, чтобы он стал влажным, и набил себе трубку. Но зажечь ее он позабыл.

— Это верно, — отвечал он. — Верно, что порой я зарабатывал себе кусок хлеба сам, а порой мне давали его друзья из милости. Это правда, что я потерял у многих людей всякое доверие и мои денежные дела в самом плачевном состоянии, а будущее темным-темно. Но разве это непременно значит, что я опустился? Я должен, Тео, идти дальше по той дорожке, которую выбрал. Если я брошу искать, брошу учиться, махну на это рукой — вот тогда я действительно пропал.

— Ты что-то стараешься мне втолковать, старина, но убей меня Бог, если я понимаю, в чем дело.

Плотно прижимая к табаку горящую спичку, Винсент раскурил трубку.

— Я помню те времена, — произнес он, — когда мы бродили вдвоем около старой мельницы в Рэйсвейке. Тогда мы на многое смотрели одинаковыми глазами.

— Но, Винсент, ты так изменился с тех пор.

— Это не совсем верно. Жизнь у меня была тогда гораздо легче, это правда, но что касается моих взглядов на жизнь — они остались прежними.

— Ради твоего же блага мне хочется верить в это.

— Ты не думай, Тео, что я отрицаю факты. Я верен себе в своей неверности, меня волнует только одно — как стать полезным людям. Неужели я не могу найти для себя полезного дела?

Тео встал со стула, повозился с керосиновой лампой и в конце концов зажег ее. Он налил стакан молока.

— Выпей. Я не хочу, чтобы ты опять ослабел.

Винсент пил быстро и чуть не захлебнулся. Еще не вытерев губы, он уже снова заговорил:

— Наши сокровенные мысли — находят ли они когда-нибудь свое выражение? У тебя в душе может пылать жаркий огонь, и никто не подойдет к нему, чтобы согреться. Прохожий видит лишь легкий дымок из трубы и шагает дальше своей дорогой. Скажи, что тут делать? Надо ли беречь этот внутренний огонь, лелеять его и терпеливо ждать часа, когда кто-нибудь подойдет погреться?

Тео пересел со стула на кровать.

— Знаешь, что мне сейчас представилось? — спросил он.

— Нет, не знаю.

— Старая мельница в Рэйсвейке.

— Она была чудесная, эта мельница... Правда?

— Правда.

— И детство у нас было чудесное.

— Ты сделал мое детство светлым, Винсент. Все мои первые воспоминания связаны с тобой.

Оба долго молчали.

— Винсент, надеюсь, ты понимаешь, — все, что я тут тебе говорил, исходит от родителей, а не от меня. Они уговорили меня поехать сюда и постараться убедить тебя вернуться в Голландию и найти службу. Велели тебя пристыдить.

— Да, Тео, все, что они говорят, — истинная правда. Только они не понимают, почему я так поступаю, и не видят, как важно то, что я сейчас делаю, для всей моей жизни. Но ведь если я опустился, зато преуспел ты. Если сейчас никто меня не любит, то зато любят тебя. И потому я счастлив. Я говорю тебе это от чистого сердца и буду так говорить всегда. Но мне бы очень хотелось, чтобы ты видел во мне не только неисправимого бездельника.

— Забудем об этом. Если я не писал тебе целый год, то это только по небрежности, а не в осуждение. Я верил в тебя, верил неизменно еще с тех дней, когда мы брались за руки и шли по высокой траве через луга Зюндерта. Я и сейчас верю в тебя не меньше. Мне только надо быть около тебя — и тогда, я знаю, что бы ты ни делал, все в конце концов будет хорошо.

Винсент улыбался широкой, счастливой улыбкой, как улыбался когда-то в Брабанте.

— Какой ты добрый, Тео.

Вдруг Тео загорелся жаждой действия.

— Послушай, Винсент, давай все решим сейчас же, на месте, без всяких отлагательств. Мне кажется, что за всеми твоими рассуждениями кроется желание чего-то добиться, сделать нечто такое, что принесет тебе счастье и успех. Скажи, старина, о чем же ты мечтаешь? За последние полтора года Гупиль и компания дважды повышали мне жалованье, у меня теперь столько денег, что я не знаю, куда их девать. Если ты хочешь чего-то достичь и нуждаешься в помощи, если ты нашел свое дело в жизни, — скажи прямо, и мы образуем своего рода товарищество. С твоей стороны будет труд, с моей — капитал. А когда дело начнет приносить доход, ты сможешь вернуть мне мой капитал с процентами. Признайся, разве у тебя нет каких-либо планов? Ведь ты, наверно, давно решил, чем ты станешь заниматься в будущем, всю свою жизнь!

Винсент взглянул на груду рисунков, которые Тео только что рассматривал у окна. На лице его появилась удивленная улыбка, затем мелькнуло недоверие, словно он еще не осознал, что происходит, потом вспыхнула нескрываемая радость. Изумленно вскинув глаза и открыв рот, он весь засиял, будто подсолнух под жаркими лучами солнца.

— Какое счастье! — тихо произнес он. — Именно это я и хотел сказать, но не мог...

Тео тоже взглянул на груду рисунков.

— Я давно знал, о чем ты мечтаешь, — сказал он.

Винсент трепетал от радости, у него было такое чувство, будто он вдруг пробудился от глубокого, долгого сна.

— Ты понял это, Тео, раньше меня! Я не смел и думать об этом. Я боялся. Ну конечно же, у меня есть свое дело, и я не отступлюсь от него. Я всю жизнь стремился к нему, хоть и сам того не подозревал. Когда я учился в Амстердаме и Брюсселе, мне страшно хотелось рисовать, изображать на бумаге все, что я видел. Но я не давал себе воли. Я боялся, что это помешает моему настоящему делу. Настоящее дело! Как я был слеп. Все последние годы во мне что-то шевелилось, стремясь вырваться наружу, но я противился, я подавлял в себе это. И вот мне уже двадцать семь, и я ничего не сделал, ровным счетом ничего. Какой же я был идиот и слепец!

— Не огорчайся, Винсент. С твоей энергией и решимостью ты сделаешь в тысячу раз больше, чем любой другой начинающий. У тебя впереди целая жизнь.

— Лет десять по крайней мере у меня еще есть. За это время я успею сделать кое-что стоящее.

— Конечно, успеешь! И можешь жить, где тебе угодно: в Париже, Брюсселе, Амстердаме, Гааге. Только реши где, и я буду высылать тебе деньги каждый месяц. Пускай на это потребуется много лет, я всегда буду верить и надеяться, пока будешь верить ты.

— Ох, Тео, все эти страшные месяцы я чего-то искал, я старался нащупать настоящую цель своей жизни, ее смысл и не знал этой цели. Но теперь, когда я ее знаю, я никогда больше не паду духом. Понимаешь ли ты, Тео, что это значит? После стольких бесплодных лет *я наконец нашел себя*! Я буду художником! Непременно буду художником. Я не могу не быть им. Вот почему раньше у меня ничего не выходило — я был не на своем месте. А теперь я нашел дело, которое мне никогда не изменит. О Тео, темница наконец отперта, и это ты, ты распахнул мне двери!

— Никто уже не разлучит нас, Винсент! Мы теперь снова вместе, правда?

— Да, Тео, на всю жизнь.

— А сейчас отдыхай и поправляйся. Через день-два, когда тебе станет лучше, я увезу тебя в Голландию, или в Париж, или куда ты захочешь.

Одним прыжком Винсент перемахнул с кровати на середину комнаты.

— К черту день-два! — кричал он. — Мы едем сейчас же! Поезд на Брюссель отходит в девять вечера.

И он яростно начал натягивать на себя одежду.

— Но ты не можешь ехать сегодня, Винсент. Ты болен.

— Болен, болен! С этим теперь покончено. В жизни я не чувствовал себя лучше. Живей, Тео, нам нужно добраться до станции за десять минут. Кинь в свой саквояж эти чудесные простыни — и в путь!

Книга вторая
ЭТТЕН

I

Тео провел один день в Брюсселе с Винсентом, а затем уехал в Париж. Наступила весна, брабантские просторы звали и манили к себе, родной дом казался небесным раем. Винсент купил костюм мастерового из грубого черного вельвета, который здесь называли велутином, купил небеленой энгровской бумаги для рисования и с первым же поездом отправился в Эттен, в родительское гнездо.

Анна-Корнелия осуждала образ жизни Винсента потому, что видела, как сын мучается и как он несчастен. Теодор осуждал сына совсем из других соображений; не будь Винсент его родным сыном, он попросту отмахнулся бы от него. Он знал, что грешная жизнь Винсента не угодна Богу, но в то же время опасался, что Богу будет еще более не угодно, если он пренебрежет своими отеческими обязанностями и бросит сына на произвол судьбы.

Винсент заметил, что отец сильно поседел и что веко правого глаза опустилось у него еще ниже. Годы как бы высушили все его черты; убыль эта ничем не восполнялась, так как бороды он не носил, а глаза его уже не говорили, как прежде: «Это я», — а, казалось, спрашивали: «Я ли это?»

Мать показалась Винсенту еще более бодрой и обаятельной, чем раньше. С возрастом она не высохла и не ссутулилась, а, напротив, словно распрямилась. Улыбка, затаившаяся в морщинах ее лица около ноздрей и губ, словно бы заранее прощала людям все ошибки и промахи, а большое, широкое, доброе лицо было всегда открыто навстречу красоте земли.

Несколько дней все семейство пичкало Винсента едой и всячески опекало его, невзирая на то что он приехал с пустым кошельком и без всяких видов на будущее. Винсент бродил по вересковым пустошам, среди которых были разбросаны крытые соломой домики, глядел на лесорубов, хлопотавших около поваленного сосняка, лениво прогуливался по дороге до Розендала, мимо Протестантского подворья, напротив которого на лугу стояла мельница и зеленели на кладбище густые вязы. Боринаж уходил все дальше в прошлое, здоровье Винсента крепло, силы возвращались, и вскоре его вновь потянуло к работе.

Однажды ранним дождливым утром Анна-Корнелия спустилась в кухню и увидела, что печь уже докрасна раскалилась, а около нее, поставив ноги на решетку, сидит Винсент — на коленях у него лежала почти готовая копия картины «В часы труда».

— А, это ты, сынок! Доброе утро, — с удивлением сказала Анна-Корнелия.

— Доброе утро, мама. — Винсент ласково поцеловал ее в щеку.

— Что ты встал сегодня так рано, Винсент?

— Мне захотелось поработать, мама.

— Поработать?

Анна-Корнелия поглядела сначала на рисунок, потом на горящую печь.

— Ты хочешь сказать, что решил растопить печь. Но тебе не стоило беспокоиться из-за этого.

— Нет, мама, мне надо рисовать.

Анна-Корнелия через плечо Винсента снова взглянула на его рисунок. Ей казалось, что это ребяческая забава; ведь срисовывают же дети картинки из журналов.

— Ты собираешься всю жизнь заниматься рисованием, Винсент?

— Да, мама.

Он рассказал ей о своих планах и о том, что Тео согласен ему помочь. Вопреки ожиданиям Анна-Корнелия была довольна. Она быстро вышла в свою комнату и вернулась с письмом в руке.

— Наш родственник Антон Мауве — художник и зарабатывает кучу денег. Это письмо от сестры пришло всего только позавчера, — Мауве, ты знаешь, женат на ее дочери Йет, — она пишет, что минхер Терстех у Гупиля продает всякую картину Антона за пять или шесть сотен гульденов.

— Да, Мауве становится одним из самых известных наших художников.

— А сколько надо времени, чтобы сделать одну такую картину, Винсент?

— По-разному бывает, мама. На одно полотно уходит несколько дней, а на другое целые годы.

— Целые годы! Бог мой!

Анна-Корнелия задумалась на минуту, затем спросила:

— Можешь ты нарисовать человека так, чтобы было похоже?

— Право, не знаю. Наверху у меня есть кое-какие рисунки. Я тебе их покажу.

Когда он вернулся, мать, уже в белом кухонном чепчике, ставила на печь чугуны с водой. Бело-голубой кафель, которым были облицованы стены кухни, наполнял ее веселым блеском.

— Я готовлю твой любимый творожный пудинг, — сказала Анна-Корнелия. — Помнишь?

— Ну как не помнить, мама!

Он неуклюже обнял ее за шею. Мать задумчиво улыбалась. Винсент был ее старшим сыном, ее любимцем; единственное, что омрачало ей жизнь, — это его неудачи.

— Хорошо жить дома, у матери? — спросила она.

— Замечательно, моя дорогая, — ответил Винсент, шутливо ущипнув ее свежую, хоть и морщинистую щеку.

Анна-Корнелия взяла в руки боринажские рисунки и стала внимательно рассматривать их.

— Винсент, что же получилось с лицами?

— Ничего. А в чем дело?

— Ведь у этих людей нет лиц!

— Ну да. Меня интересовали лишь фигуры.

— Но ты, конечно, можешь нарисовать лица? Я уверена, что здесь, в Эттене, найдется много женщин, которые захотят иметь свой портрет. И на это можно жить.

— Да, пожалуй. Но надо дождаться, пока я научусь как следует рисовать.

Мать разбила яйца на сковородку с творогом, который она вчера сама приготовила. Она замерла на мгновение, держа в каждой руке по половинке яичной скорлупы, потом повернулась к Винсенту.

— Ты хочешь сказать, что, когда начнешь рисовать как следует, твои портреты будут покупать?

— Не в этом дело, — отозвался Винсент, быстро водя карандашом по бумаге. — Я должен рисовать как следует, по-настоящему хорошо.

Анна-Корнелия некоторое время задумчиво обмазывала пудинг яичным желтком, затем сказала:

— Боюсь, что мне этого не понять, сынок.

— Да и мне тоже, но все-таки это так, — промолвил Винсент.

За завтраком, когда ели пышный золотистый пудинг, Анна-Корнелия передала этот разговор мужу. Она уже не раз тайком обсуждала с ним дела Винсента.

— Даст ли тебе это что-нибудь в будущем, Винсент? — спросил отец. — Сможешь ли ты заработать себе на хлеб?

— Не сразу, отец. Тео будет помогать мне, пока я не встану на ноги. Когда я научусь рисовать хорошо, я смогу этим прокормиться. Рисовальщики в Лондоне и Париже зарабатывают от десяти до пятнадцати франков в день, а те, которые делают иллюстрации для журналов, получают уйму денег.

Теодор испытывал чувство облегчения уже от одного того, что Винсент поставил перед собой хоть какую-то цель и не намерен праздно болтаться, как все эти годы.

— Надеюсь, Винсент, что если ты уж возьмешься за эту работу, то не бросишь ее и больше не будешь метаться от одного дела к другому.

— С этим покончено, отец. Теперь я не отступлюсь.

2

Дожди скоро прошли, и установилась ясная, теплая погода. Винсент брал свой мольберт и рисовальные принадлежности и бродил по округе. Больше всего ему нравилось работать на вересковой пустоши близ Сеппе, но нередко ходил он и к большому болоту у Пассьеварта рисовать водяные лилии. В Эттене, маленьком городке, где все хорошо знали друг друга, люди смотрели на него с подозрением. Здешние жители еще не видали, чтобы кто-нибудь носил черный вельветовый костюм, и приходили в недоумение, видя, как взрослый человек целыми днями бродит в поле с карандашом и бумагой в руках. При встречах с прихожанами отца Винсент, несмотря на свою угловатость и замкнутость, всегда был вежлив, но они упорно сторонились его. Здесь, в этом малолюдном и тихом городишке, его считали страшилищем и чудаком. Все в нем было странно, необычно: его платье, манеры, рыжая борода, слухи о его прошлом, его откровенное безделье и то, что он целыми днями сидит в поле и все время на что-то смотрит. Они не доверяли ему и боялись его уже потому, что он был не похож на них, хотя он не причинял им никакого вреда и желал лишь одного — чтобы они ему не мешали. Винсент и не подозревал, что жители Эттена так невзлюбили его.

Однажды он на большом листе рисовал рубку сосняка: на переднем плане он изобразил одинокое дерево, стоявшее на отшибе у ручья. Один из лесорубов время от времени подходил к нему, глядел через плечо на рисунок, бессмысленно улыбался, а потом громко захохотал. Винсент работал над этим рисунком несколько дней, и крестьянин смеялся над ним все более открыто. Винсент решил выяснить, что же его так забавляет.

— Вам смешно, что я рисую дерево? — вежливо осведомился он.

Лесоруб в ответ опять разразился хохотом и сказал:

— Ясное дело, смешно. А ты, должно быть, дурак.

Винсент задумался на минуту и спросил:

— А был бы я дураком, если бы посадил дерево?

Лицо крестьянина сразу стало серьезным.

— Нет, конечно, нет.

— А был бы я дураком, если бы стал ухаживать за этим деревом?

— Ясное дело, нет.

— А если бы я собрал с него плоды?

— Вы надо мной просто смеетесь!

— Ну а дурак я или нет, если я срублю дерево, как делают вот здесь?

— Почему же? Деревья надо рубить.

— Значит, сажать деревья можно, ухаживать за ними можно, снимать с них плоды можно, рубить можно, а если я их рисую, то я уже дурак. Правильно ли это?

Крестьянин снова ухмыльнулся:

— Конечно, ты дурак, коли тратишь время на такое дело. И все говорят, что ты дурак.

Вечером Винсент никуда не пошел, семья сидела в гостиной, вокруг большого деревянного стола. Один писал письмо, другой читал, женщины шили. Брат Кор был еще совсем ребенком и редко вмешивался в разговоры. Сестра Анна вышла замуж и жила у мужа. Елизавета относилась к Винсенту с таким пренебрежением, что делала вид, будто его совсем нет в доме. Только Виллемина сочувствовала брату, охотно позировала ему, не искала в нем никаких пороков. Но разделить его духовные интересы она не могла.

При ярком свете большой лампы с желтым абажуром, стоявшей посреди стола, Винсент перерисовывал свои наброски, которые сделал за день в поле. Теодор смотрел, как сын рисует одну и ту же фигуру десятки раз и с недовольным видом отбрасывает прочь рисунок за рисунком. Наконец пастор не вытерпел.

— Винсент, — сказал он сыну, наклоняясь к нему через стол, — а когда-нибудь у тебя получается как надо?

— Нет, — отозвался Винсент.

— Тогда боюсь, что ты делаешь большую ошибку.

— Я их делаю множество, отец. О какой именно ты говоришь?

— Мне кажется, что если бы у тебя был талант, если бы ты и впрямь родился художником, то все получалось бы как надо с первого раза.

Винсент взглянул на свой рисунок — крестьянина, который, стоя на коленях, собирал картофель в мешок. Линию руки крестьянина Винсент никак не мог найти, сколько ни бился.

— Да, отец, может быть, это и так.

— Вот я и говорю, что тебе нет смысла рисовать одно и то же по сто раз без всякого успеха. Если бы у тебя были природные способности, это удалось бы тебе сразу, без всякой мазни.

— На первых порах натура всегда оказывает художнику сопротивление, отец, — промолвил Винсент, не выпуская из рук карандаша. — Но если я взялся за это всерьез, то я должен одолеть сопротивление и не поддаваться натуре. Наоборот, надо еще упорнее биться и победить ее.

— Не думаю, — сказал Теодор. — Зло никогда не рождает добро, а плохая работа хорошую.

— В теологии это, может быть, и так. Но не в искусстве. У искусства свои законы.

— Сын мой, ты заблуждаешься. Работа художника может быть либо плохой, либо хорошей. И если она плоха — он не художник. Он должен понять это с самого начала и не тратить времени понапрасну.

— Ну а если художник счастлив, пусть даже работа удается плохо? Что тогда?

Теодор старательно перебрал в уме все богословские доводы, но ответа на этот вопрос не нашел.

— Нет, — сказал Винсент и стер на рисунке мешок с картошкой, отчего левая рука крестьянина неуклюже повисла в воздухе. — В самой сути природа и истинный художник всегда в согласии. Может быть, потребуются многие годы борьбы и стараний, прежде чем природа подчинится художнику, но в конце концов даже очень плохая работа станет хорошей, и труд оправдает себя.

— А если работа все-таки окажется плохой? Ты вот рисуешь этого парня с мешком уже сколько дней, и все без толку. Представь себе, вдруг ты будешь корпеть над ним год за годом, а лучше не сделаешь?

Винсент пожал плечами:

— Это игра, отец, и художник идет на риск.

— А стоит ли такого риска выигрыш?

— Выигрыш? Какой же именно?

— Деньги. Положение в обществе.

Впервые за весь разговор Винсент оторвал глаза от бумаги и вгляделся в лицо отца, вгляделся зорко и пристально, словно перед ним сидел чужой человек.

— Но мы, кажется, говорили не об этом, а об искусстве, — сказал он.

3

Овладевая мастерством, он работал днем и ночью. Если он и задумывался над своим будущим, то только затем, чтобы представить себе желанный миг, когда он перестанет сидеть на шее у Тео и работа его будет близка к совершенству. Если он уставал от рисования, то садился за книгу. А когда уставал и читать, ложился в постель.

Тео прислал Винсенту энгровской бумаги, анатомические рисунки лошади, коровы и овцы, изданные для ветеринарных училищ, несколько рисунков Гольбейна из книги «Образцы графики», карандашей, гусиных перьев, сепии, макет человеческого скелета, истратив на это все свои свободные деньги; вместе с тем он наказывал усердно работать и не быть посредственным художником. На это Винсент ответил: «Сделаю все, что могу, но я вовсе не презираю посредственность в широком смысле этого слова. И уж конечно, презрение к посредственности нисколько не возвышает художника над ее уровнем. А вот насчет усердной работы ты совершенно прав. «Ни одного дня без линии» — как советовал нам Гаварни».

Винсент все яснее сознавал, что рисование человеческих фигур приносит ему огромную пользу и косвенно помогает в работе над пейзажем. Если, рисуя иву, он смотрел на нее как на живое существо — а в конце концов ведь так оно и было, — ему удавалось хорошо передать и весь фон, — надо было только сосредоточить все внимание на этой иве и не отступаться, не бросать работы, пока дерево не оживет. Он очень любил пейзаж, но гораздо больше ему нравились те жанровые наброски, порой поражавшие своим реализмом, которые так мастерски делали Гаварни, Домье, Доре, Де Гру и Фелисьен Ропс. Изо дня в день рисуя с натуры, Винсент надеялся со временем научиться делать иллюстрации для журналов и газет; ему хотелось стать независимым и самому содержать себя в те трудные и долгие годы, пока он усовершенствует свою технику и добьется высших форм художественного выражения.

Думая, что сын читает для развлечения, Теодор однажды сказал ему:

— Винсент, ты все время твердишь, что тебе надо много работать. Так зачем же ты тратишь время на эти глупые французские книжонки?

Винсент сунул закладку между страницами «Отца Горио» и поднял глаза. Он не терял надежды, что когда-нибудь Теодор поймет, как его сын смотрит на серьезные вещи.

— Видишь ли, — заговорил он медленно, — чтобы рисовать людей и жанровые сцены, надо не только владеть техникой рисования, но и глубоко изучить литературу.

— Признаться, мне это непонятно. Если я хочу произнести хорошую проповедь, мне незачем идти на кухню и смотреть, как твоя мать коптит языки.

— Между прочим, — ввернула Анна-Корнелия, — те языки, которые я недавно закоптила, можно будет подать к завтраку.

Винсент не стал возражать против такой аналогии.

— Я не могу рисовать фигуру человека, не изучив тщательно все его кости, мускулы и сухожилия, — сказал он. — И лицо не могу рисовать, если я не знаю, что творится в людских душах. Чтобы изображать жизнь, надо разбираться не только в анатомии, надо постичь, что человек чувствует и что он думает о мире, в котором живет. Тот, кто знает только свое ремесло и ничего больше, способен быть лишь очень поверхностным художником.

— Ах, Винсент, — тяжко вздохнул Теодор. — Боюсь, что из тебя получится теоретик!

Винсент вновь взялся за «Отца Горио».

Пришла бандероль от Тео, которая привела Винсента в волнение, — там оказалось несколько книг Кассаня, которые должны были помочь ему как следует овладеть перспективой. Винсент с нежностью перелистал книги и показал их Виллемине.

— Лучшего лекарства от моей болезни и не придумаешь, — говорил он сестре. — Если я исцелюсь, то только благодаря этим книгам.

Виллемина улыбалась, ласково щуря свои ясные, как у матери, глаза.

— Уж не думаешь ли ты, Винсент, — спросил Теодор, подозрительно относившийся ко всему парижскому, — что можно научиться правильно рисовать, читая в книгах рассуждения об искусстве?

— Конечно.

— Чудеса, да и только.

— Точнее говоря, я должен суметь применить прочитанное на практике. Ну а практика — дело особое, ее вместе с книгами не купишь. Иначе эти книги шли бы нарасхват.

Счастливые, полные труда дни текли быстро, наступило лето, и теперь уже не дожди, а зной не давал Винсенту бродить по вересковым пустошам. Он нарисовал Виллемину за швейной машиной, в третий раз перерисовал этюды из книги Барга, пять раз в разных положениях набрасывал фигуру мужчины с лопатой, «Un Bêcheur»*, дважды нарисовал сеятеля и девушку с метлой. Затем из-под его карандаша появилась женщина в белом чепчике за чисткой картошки, пастух с длинным посохом и, наконец, старый больной крестьянин — обхватив руками голову и поставив локти на колени, он сидел на стуле у очага. Землекопы, сеятели, пахари, мужчины и женщины, — Винсент чувствовал, что их надо рисовать и рисовать без конца, надо при-

* «Землекопа» *(фр.)*.

стальнее вглядываться в сельскую жизнь и закреплять свои наблюдения на бумаге. Он уже не был, как прежде, беспомощен перед лицом природы, и это приносило ему такую радость, какой он дотоле никогда не испытывал.

Жители городка по-прежнему сторонились Винсента и смотрели на него как на чудака. Хотя и мать, и Виллемина, и по-своему даже отец выказывали ему свою любовь и всячески баловали сына, в тех тайниках его души, куда никто из обитателей Эттена не мог заглянуть, было пусто и одиноко.

А крестьяне со временем полюбили его и прониклись к нему доверием. Винсент находил в них что-то общее с землей, которую они обрабатывали. Именно это он и старался выразить в своих рисунках. Глядя на них, его родные часто не могли сказать, где кончается фигура крестьянина и где начинается земля: Винсент сам не отдавал себе отчета, как это у него выходит, но чувствовал, что рисунки правильны, и этого было достаточно.

— Четкой линии, разделяющей человека и землю, не нужно, — сказал он однажды вечером матери, которая вдруг заинтересовалась его работой. — Всё это земля в разных видах, которые переходят один в другой, они нераздельны; это две формы единой сущности, отличить их друг от друга почти невозможно.

Мать решила, что раз у Винсента нет жены, ей следует взять на себя все заботы о нем и устроить его судьбу.

— Винсент, — заявила она сыну как-то утром. — Прошу тебя к двум часам быть дома. Ты не откажешь мне в этом?

— Нет, мама. А в чем дело?

— Мы пойдем в гости.

Винсент был ошеломлен.

— Мама, я не могу терять время попусту!

— То есть как это попусту?

— Да ведь мне надо рисовать, а там рисовать нечего!

— Ты ошибаешься. Там будут все важные эттенские дамы.

Винсент искоса взглянул на дверь. Еще мгновение, и он бросился бы прочь из дому. Он с трудом взял себя в руки и стал объяснять матери, почему он не может пойти в гости; слова он подбирал с большим трудом.

— Как бы это сказать тебе, мама, — начал он. — У этих женщин, что бывают на званых вечерах, нет характерности, а мне необходимы характеры.

— Глупости! У них отличные характеры. Никогда не слыхала, чтобы кто-нибудь сказал про них дурное.

— Ну конечно, милая мама, конечно. Я хотел только сказать, что все они похожи друг на друга. Жизнь, которую они ведут, как бы вылепила их на один манер.

— Ну, положим, я-то их различаю безо всякого труда.

— Да, дорогая, но как бы тебе объяснить... У всех у них такая легкая жизнь, что на лицах не запечатлелось ничего интересного.

— Я тебя не понимаю, сынок. Ведь ты рисуешь всякого мастерового или крестьянина, какой только попадется тебе в поле.

— Ну да.

— А какая тебе от этого польза? Они бедняки, они ничего не купят. А городские дамы за свои портреты могут хорошо заплатить.

Винсент одной рукой обнял мать, а другой взял ее за подбородок. Голубые глаза матери были так ясны и ласковы, в них было столько нежности и любви. Почему же они не могут заглянуть в его душу?

— Милая, — сказал он тихо, — прошу, поверь в меня хоть немного. Я прекрасно знаю, что нужно делать, вот потерпи, я добьюсь успеха. Пусть сейчас тебе кажется, будто я корплю над бесполезным делом, — в конце концов я буду получать деньги за свои рисунки и стану прекрасно зарабатывать.

Анна-Корнелия стремилась понять сына так же горячо, как тот хотел, чтобы она его поняла. Она прикоснулась губами к жесткой рыжей щетине Винсента, и ей вспомнился тот тревожный день в Зюндерте, когда от ее плоти отделился трепетный комочек, превратившийся в этого сильного, грубоватого мужчину, которого она обнимала теперь. Первый ее ребенок родился мертвым, и долгий требовательный крик, которым Винсент возвестил о своем появлении на свет, наполнил ее счастьем и безграничной благодарностью. Любовь Анны-Корнелии к Винсенту всегда была окрашена печалью о ее первом ребенке, так никогда и не открывшем глаз, и радостью за других, которые родились вслед за Винсентом.

— Ты хороший мальчик, Винсент, — сказала она. — Делай как знаешь. Ты сам знаешь, что для тебя лучше. Я хочу лишь помочь тебе.

В тот день, вместо того чтобы идти рисовать в поле, Винсент попросил позировать садовника Пита Кауфмана. Пришлось его долго уговаривать, но в конце концов Пит согласился.

— После обеда в саду, — сказал он.

Когда Винсент вышел в сад, Пит ожидал его, вырядившись в свой воскресный костюм и старательно вымыв руки и лицо.

— Минуточку! — с волнением воскликнул он. — Я принесу стул. Тогда можете приступать.

Он вынес низенький стул и уселся, прямой, как жердь, будто позируя перед фотоаппаратом. Винсент невольно расхохотался.

— Ну, Пит, — сказал он, — я не могу рисовать тебя в таком наряде.

Пит с удивлением оглядел себя:

— А что, разве штаны не в порядке? Они совсем новые. Я надевал их всего несколько раз по воскресеньям.

— Знаю, — отвечал Винсент. — Но это-то и плохо. Мне хотелось нарисовать тебя в старой рабочей одежде, когда ты орудуешь граблями. Тогда становится ясной каждая линия. Мне надо видеть твои локти, колени, лопатки. А теперь я вижу только твой костюм.

Услышав о лопатках, Пит заупрямился.

— Мои старые штаны грязные и к тому же сплошная рвань. Если хочешь меня рисовать, рисуй как я есть сейчас.

Винсенту ничего не оставалось, как снова идти в поле и рисовать крестьян, которые не разгибая спины копали землю. Лето уже кончалось, и он понял, что исчерпал все, чему мог научиться самостоятельно. Он вновь почувствовал желание завязать дружбу с каким-нибудь художником и работать в хорошей мастерской. Да, ему было необходимо смотреть на полотна настоящих мастеров, видеть, как художники работают, — тогда он сможет понять свои недостатки и решить, как же быть дальше.

Тео в письмах звал его в Париж, но Винсент сознавал, что ему еще рано отваживаться на такой шаг. Слишком еще грубы, слишком неуклюжи и по-любительски беспомощны его работы. А Гаага всего в нескольких часах езды, там ему поможет друг, минхер Терстех, управляющий Гупиля, и родственник Антон Мауве. Может быть, следующую ступень своего долгого и мучительного ученичества ему лучше пройти в Гааге? Он спросил в письме совета у Тео, и тот в ответ выслал деньги на дорогу.

Прежде чем переселиться в Гаагу, Винсент решил разузнать, как отнесутся к нему Терстех и Мауве, согласятся ли они помочь; если нет, он поедет в какой-нибудь другой город. Он тщательно упаковал свои рисунки — на этот раз вместе со сменой белья — и отправился в столицу, что было вполне в духе традиций всех молодых провинциальных художников.

4

Минхер Герман Гейсберт Терстех был организатором гаагской школы живописи и самым крупным торговцем картинами во всей Голландии. Со всей страны люди, которым нужно было купить картину, приезжали к нему за советом: если минхер Терстех сказал, что полотно достойное, значит, так оно и есть.

В то время, когда минхер Терстех сменил дядю Винсента Ван Гога в должности управляющего у Гупиля, все молодые, подающие надежды голландские художники жили кто где, в разных концах страны. Антон Мауве и Иосеф были в Амстердаме, Якоб и Биллем Марисы обретались в провинции, а Иосеф Израэльс, Иоганнес Босбоом и Бломмерс странствовали из города в город, не имея постоянного пристанища. Терстех написал им всем такое письмо:

«Почему бы нам не объединить свои силы в Гааге и не сделать ее столицей голландского искусства? Мы сможем помогать друг другу, учиться друг у друга и общими усилиями постараемся возвратить голландской живописи мировую славу, которая по праву принадлежала ей во времена Франса Хальса и Рембрандта».

Художники откликнулись не сразу, но постепенно все живописцы, у которых Терстех находил талант, один за другим переезжали в Гаагу. В те годы они не могли продать ни одного полотна. И хотя их картины не пользовались спросом, Терстех опекал этих художников, видя, что у них есть задатки подлинного мастерства. Он начал приобретать произведения Израэльса, Мауве и Якоба Мариса за шесть лет до того, как ему удалось убедить публику, что они достойны внимания.

Шел год за годом, Терстех терпеливо скупал работы Босбоома, Мариса и Нейхёйса и складывал их у стены в задней комнате своего магазина. Он был убежден, что этих художников, пока они бьются, овладевая высотами искусства, нужно поддерживать; если голландское общество слишком близоруко, чтобы оценить свои национальные таланты, то он, критик и деловой человек, позаботится, чтобы эти замечательные молодые люди не погибли, задавленные нищетой, безвестностью и неудачами, и дали миру то, что способны дать. Он покупал их полотна, критиковал их работу, знакомил друг с другом и всячески ободрял их все эти тяжелые годы. Изо дня в день он старался развить у голландцев вкус, открыть им глаза, чтобы они наконец увидели всю красоту и силу дарований своих соотечественников.

К тому времени, когда Винсент собрался поехать в Гаагу, Терстех уже добился успеха. Мауве, Нейхёйс, Израэльс, Якоб и Виллем Марисы, Босбоом и Бломмерс не только продали через Гупиля за большие деньги все свои картины, но вскоре обещали стать классиками.

Минхер Терстех был красивый мужчина в староголландском духе: крупные, энергичные черты лица, высокий лоб, каштановые, зачесанные назад волосы, плоская, изящно подстриженная, растущая от самых ушей борода и ясные серо-голубые, как голландское небо, глаза. Он носил просторный черный сюртук в стиле принца Альберта, широкие, закрывавшие штиблеты брюки в полоску, высокий воротничок и черный галстук, который ему каждое утро завязывала жена.

Терстех любил Винсента, и когда юношу перевели в лондонское отделение фирмы Гупиля, он дал ему теплое рекомендательное письмо к тамошнему управляющему. Он выслал Винсенту в Боринаж книги «Упражнения углем» и «Курс рисования» Барга, так как знал, что это принесет молодому художнику пользу. Пока гаагское отделение фирмы Гупиля принадлежало дяде Винсенту Ван Гогу, Винсент мог не сомневаться в расположении Терстеха. Он был не такой человек, которого надо учить, как вести дело.

Галерея Гупиля помещалась на Плаатсе, самой аристократической площади Гааги, в доме 20. Отсюда было рукой подать до Гаагского замка, вокруг которого начала строиться Гаага, — тут был и средневековый дворик, и ров, превращенный теперь в прекрасное озеро, а на задах — Маурицхёйс, где висели картины Рубенса, Хальса, Рембрандта и малых голландских мастеров.

С вокзала Винсент пошел по узенькой, извилистой и многолюдной Вагенстраат, пересек Плейн и Бинненхоф у замка и оказался на Плаатсе. В последний раз он вышел из здания фирмы Гупиля восемь лет назад; волна горечи захлестнула душу и тело Винсента, оглушила его.

Восемь лет назад! Тогда все любили его, гордились им. Он был любимым племянником дяди Винсента. Никто не сомневался, что он не только заменит дядю в делах, но и станет его наследником. Он мог бы быть сейчас могущественным и богатым, всеми уважаемым человеком. А со временем он забрал бы в свои руки крупнейшие в Европе картинные галереи.

Что же случилось с ним?

Он не стал терять времени, раздумывая над этим вопросом, а пересек Плаатс и вошел в здание фирмы. Здесь на всем лежала печать роскоши и утонченности, о которых Винсент уже успел и забыть. В своем черном вельветовом костюме мастерового он сразу почувствовал себя нищим и жалким. Нижний этаж здания целиком занимал огромный салон, задрапированный тяжелыми кремовыми занавесями, над ним был другой салон, поменьше, со стеклянным потолком, а еще выше находилась особая маленькая галерея, только для посвященных. На втором этаже, куда вела широкая лестница, помещались контора Терстеха и его квартира. Стены над лестницей были сплошь увешаны картинами.

Все в галерее говорило о богатстве и высокой культуре. Приказчики были великолепно вымуштрованы и отличались изысканными манерами. Полотна висели в дорогих рамах, на фоне великолепной драпировки. Винсент ощутил под ногами мягкие роскошные ковры, и ему вспомнилось, что стулья, скромно расставленные по углам, — это ценнейшая старинная мебель. Он подумал о своих рисунках, где были изображены оборванные углекопы, выходящие из шахты, их жены, которые, согнувшись, собирают терриль, брабантские землекопы и пахари. Можно ли будет, подумал он, когда-нибудь выставить на продажу его скромные рисунки здесь, в этом пышном дворце искусства?

Пожалуй, что немыслимо.

Он замер на месте, с восхищением рассматривая голову овцы, написанную Мауве. Приказчики негромко разговаривали между собой у стола с эстампами, и никто из них, взглянув на платье Винсента, не дал себе труда спросить, что ему угодно. Терстех, распоряжавшийся развешиванием картин в маленькой галерее, спустился в главный зал. Винсент не заметил его.

Терстех остановился на нижней ступеньке и разглядывал своего бывшего служащего. Ему бросились в глаза коротко остриженные волосы, рыжая щетина на щеках, грубые крестьянские башмаки, одежда мастерового, отсутствие галстука и громоздкий узел, зажатый под мышкой. В Винсенте чувствовалось что-то неуклюжее, нескладное, и здесь, в изысканной обстановке салона, это было особенно заметно.

— Ну, Винсент, — сказал Терстех, бесшумно ступая по мягкому ковру, — я вижу, ты любуешься нашими полотнами.

Винсент быстро обернулся.

— Ах, они просто чудесны! Как поживаете, минхер Терстех? Мои старики просили вам кланяться.

И они пожали друг другу руки, протянув их через бездну восьми лет.

— Вы прекрасно выглядите, минхер Терстех. Даже лучше, чем в то время, когда я видел вас в последний раз.

— Да, годы идут мне на пользу, Винсент. Поэтому я не старею. Ну, пойдем ко мне в кабинет.

Винсент последовал за ним по широкой лестнице и все время спотыкался, потому что не мог оторвать глаз от полотен, висевших на стенах. После тех коротких часов, которые он провел вместе с Тео в Брюсселе, он впервые видел настоящую живопись. Он был ошеломлен. Терстех распахнул дверь своего кабинета и пригласил Винсента войти.

— Садись, пожалуйста, Винсент, — сказал он, видя, что Винсент не может оторвать глаз от картины Вейсенбруха, которого он до тех пор не знал. Винсент сел, уронив на пол свой узел, поднял его и положил на полированный письменный стол Терстеха.

— Я привез вам книги, которые вы так любезно одолжили мне, минхер Терстех.

Он развязал узел, отодвинул в сторону рубашку и носки, вынул книгу «Упражнения углем» и положил ее на стол.

— Я много работал над рисунком и очень благодарен вам за эту книгу.

— Покажи-ка мне твои копии, — сказал Терстех, приступая к главному.

Винсент разобрал стопку бумаг и достал те рисунки, которые он сделал в Боринаже. Терстех хранил молчание. Винсент быстро подсунул ему другую серию, сделанную уже в Эттене. Разглядывая ее, Терстех временами неопределенно хмыкал, но не говорил ни слова. Тогда Винсент вынул третью серию рисунков — их он сделал перед самым отъездом в Гаагу. Терстех заинтересовался.

— Вот хорошая линия, — сказал он об одном рисунке. — Мне нравится, как ты делаешь тени, — заметил он о другом. — Ты почти что добился того, что надо.

— Я и сам чувствую, что это неплохо, — сказал Винсент.

Он показал Терстеху уже все свои работы и ждал, что тот скажет.

— Да, Винсент, — заговорил Терстех, положив свои длинные, тонкие руки на стол и слегка барабаня по нему пальцами, — ты немного продвинулся вперед. Не слишком, но все же продвинулся. Я было испугался, глядя на твои первые рисунки... Но по ним видно, что ты по крайней мере стараешься.

— Стараюсь — и только? Одно старание? И никаких способностей?

Винсент знал, что этого вопроса задавать не следует, но он не мог удержаться.

— По-моему, о способностях говорить еще рано, Винсент.

— Что ж, быть может, это верно. Я привез еще несколько оригинальных рисунков. Не хотите ли посмотреть их?

— С удовольствием.

Винсент вынул несколько рисунков, изображавших углекопов и крестьян.

Воцарилось то жуткое, знаменитое по всей Голландии молчание, после которого молодые художники выслушивали неоспоримый приговор, гласивший, что их работа никуда не годится. Терстех просмотрел все рисунки, даже не издав свое обычное «хмм». У Винсента заныло под ложечкой. Терстех откинулся в кресле и поглядел в окно, где за Плаатсом в пруду плавали лебеди. Винсент по опыту знал, что, если он не заговорит первым, молчание никогда не кончится.

— Неужели я ничего не добился, минхер Терстех? — спросил он. — Вам не кажется, что мои брабантские наброски лучше тех, которые сделаны в Боринаже?

— Ты прав, — отвечал Терстех, отрываясь от окна, — они лучше. Но хорошими их не назовешь. Есть там что-то неверное в самой основе. А что именно — я сразу не могу и сказать. Мне кажется, тебе лучше какое-то время продолжать копировать. Для оригинальных рисунков ты еще зелен. Тебе надо хорошенько усвоить элементарные вещи, а уж потом обратиться к натуре.

— Мне хотелось бы пожить в Гааге и поучиться тут. Как по-вашему, это было бы полезно?

Терстех не хотел брать на себя никаких обязательств по отношению к Винсенту. Все это казалось ему очень странным.

— Гаага, конечно, чудесный город, — сказал он. — Тут и хорошие галереи, и много молодых живописцев. Но право, я не знаю, чем она лучше Антверпена, Парижа или Брюсселя.

Винсент вышел от Терстеха в довольно бодром настроении. Ведь Терстех все же признал некоторые его успехи, а во всей Голландии нет критика придирчивее его. Хорошо уже, что он, Винсент, не стоит на месте. Разумеется, он знает, что его рисунки с натуры далеки от совершенства, но если он будет работать долго и упорно, то, без сомнения, в конце концов добьется своего.

5

Гаага, пожалуй, самый опрятный и благопристойный город во всей Европе. Сохраняя истинно голландский дух, она проста, строга и прекрасна. Безукоризненно чистые улицы окаймлены цветущими деревьями, дома изящны и аккуратны, перед каждым домом разбит крошечный цветник с розами и геранями, за которыми любовно ухаживают. Там нет трущоб, нет бедняцких кварталов, ничего, что оскорбляло бы взор; все там проникнуто неумолимой голландской суровостью.

Уже с давних времен на официальном гербе Гааги изображался аист. И действительно, население ее с каждым годом росло и росло.

Дождавшись следующего утра, Винсент отправился к Мауве на улицу Эйлебоомен, 198. Теща Мауве была из семьи Карбентусов и приходилась сестрой Анне-Корнелии; поскольку родственные связи в этих кругах много значили, Винсента приняли очень ласково.

Мауве был крепкий, коренастый мужчина с покатыми плечами и широкой грудью. Как у Терстеха и почти у всех Ван Гогов, в его внешности прежде всего привлекал внимание огромный лоб, подчинявший себе все остальное. Глаза у него были светлые, чуть-чуть грустные, хрящеватый нос шел прямо от надбровья, уши плотно прилегали к черепу, а седеющая, словно солью посыпанная борода прикрывала правильный овал лица. Волосы у Мауве были зачесаны набок и пышной волной спадали к правой брови.

Мауве был полон энергии и не давал ей рассеяться попусту. Он все время что-нибудь писал; если его одолевала усталость, он бросал одну работу и хватался за другую. Скоро он чувствовал себя отдохнувшим и приступал к третьей.

— Йет нету дома, Винсент, — сказал Мауве. — Может быть, мы пройдем в мастерскую? Я думаю, там нам будет удобнее.

— Ну что ж, пойдемте, — согласился Винсент, которому очень хотелось посмотреть мастерскую.

Они вышли из дома и направились к мастерской Мауве — большой деревянной постройке в саду, рядом с домом. Живая изгородь окружала сад, и когда Мауве работал, ему не мешало ничто на свете.

Восхитительный запах табака, старинные трубки и лакированное дерево — все это окружило Винсента, едва он перешагнул порог. Мастерская была просторная, со множеством картин на мольбертах, стоявших на толстом девентерском ковре. Все стены были увешаны этюдами, один угол занимал старинный стол, перед ним был разостлан небольшой персидский коврик. На северной стороне было большое окно в полстены. Повсюду валялись книги, и на каждом шагу можно было наткнуться на какое-нибудь орудие художнического ремесла. Несмотря на множество предметов, наполнявших мастерскую, Винсент чувствовал, что здесь царит неукоснительный порядок, столь свойственный характеру Мауве и наложивший свою печать на всю комнату.

Разговоры о семейных делах заняли всего несколько минут; после этого Мауве и Винсент начали тот единственный разговор, который обоим был интересен. Мауве с некоторых пор избегал встреч с художниками (он всегда говорил, что можно либо заниматься живописью, либо разглагольствовать о ней, совместить же то и другое нельзя) и был увлечен своим новым замыслом — написать мглистый пейзаж в печальных сумеречных отсветах. Он не советовался с Винсентом, а просто обрушил на него этот проект, не допуская возражений.

Пришла жена Мауве и уговорила Винсента остаться ужинать. Плотно закусив, Винсент сидел у камина и болтал с детьми Мауве, думая о том, как было бы чудесно, если бы у него была своя, пусть маленькая, семья — жена, которая любила бы его и верила в его силы, и дети, которые, вместо того чтобы называть его «папой», называли бы его «императором» и «повелителем». Неужели эти счастливые дни никогда не наступят?

Вскоре Мауве и Винсент вновь пошли в мастерскую и уселись там, с удовольствием покуривая трубки. Винсент вынул и показал свои копии. Мауве быстро окинул их опытным взглядом профессионала.

— Это сделано неплохо, — заметил он. — Неплохо для копий. Но какой в них толк?

— Какой толк? Право, я не могу...

— Ты все копируешь, Винсент, будто школьник. Но ведь настоящую работу за тебя проделал другой.

— Я думал, что копирование научит меня лучше чувствовать натуру.

— Вздор! Если ты стремишься к творчеству, обращайся к жизни. Не трать время на подражание. Есть у тебя свои собственные наброски?

Винсент вспомнил, что сказал о его рисунках Терстех. Стоит ли показывать их Мауве? Он приехал в Гаагу с тем, чтобы просить Мауве взять его к себе в ученики. И вдруг все его опыты окажутся никуда не годными...

— Да, — ответил он, — я все время делал жанровые зарисовки.

— Прекрасно!

— У меня есть кое-какие наброски — я рисовал углекопов в Боринаже и брабантских крестьян. Это не очень удачные вещи, но...

— Это не важно, — перебил его Мауве. — Покажи-ка их. Ты должен был в какой-то мере схватить там истинный дух этих людей.

Подавая листы, Винсент чувствовал, как у него перехватило дыхание. Мауве склонился над рисунками и несколько раз провел рукою по своим пышным волосам, приглаживая их. Вдруг он рассмеялся мягким, как бы приглушенным его седой бородой смешком. Он снова потер голову, взъерошил шевелюру и метнул ревнивый взгляд на Винсента. Потом он взял рисунок, изображавший рабочего, вскочил и поставил его рядом с наброском человеческой фигуры на своем незаконченном полотне.

— Теперь я вижу, в чем у меня промах! — воскликнул он.

Он схватил карандаш, повернул мольберт к свету и провел несколько стремительных линий, не сводя глаз с рисунка Винсента.

— Вот теперь лучше, — сказал он, отступая от полотна. — Нищий как будто стал похож на живого человека.

Он подошел к Винсенту и положил ему руку на плечо.

— Не волнуйся, — сказал он. — Ты на верной дороге. Наброски у тебя топорные, но в них есть правда. В них есть жизненность и ритм, которого я часто не могу найти. Бросай к черту свои копии, Винсент, берись за кисть и палитру! Чем скорее ты начнешь работать красками, тем лучше. Рисунок у тебя пока неважный, тебе нужно будет еще потрудиться над ним.

Винсент решил, что наступило время рискнуть.

— Кузен Мауве, я собираюсь переехать в Гаагу и продолжить работу здесь, — сказал он. — Вы не откажетесь помочь мне? Мне необходима помощь такого человека, как вы. Хотя бы в мелочах, вроде тех, что вы показали мне на ваших этюдах сегодня. Каждому молодому художнику нужен учитель, кузен Мауве, и я был бы очень вам благодарен, если бы вы позволили мне работать под вашим руководством.

Мауве задумчиво оглядел все свои незаконченные полотна. Когда он отрывался от работы, пусть даже ненадолго, он любил быть дома, в кругу своей семьи. Теплоты и радушия, с которыми он встретил Винсента, вдруг словно не бывало. Вместо них появилась внезапная отчужденность. Винсент, который всегда хорошо улавливал перемену в отношении к себе, сразу же почувствовал это.

— Я занятой человек, Винсент, — сказал Мауве, — мне трудно помогать другим. Художник должен быть эгоистом, он должен беречь каждую секунду своего времени. Я сомневаюсь, что смогу оказать тебе серьезную помощь.

— Я и не прошу многого! — воскликнул Винсент. — Позвольте мне хоть иногда работать здесь с вами и смотреть, как вы пишете картину. Рассказывайте мне о вашей работе, как рассказывали сегодня, а я буду смотреть, как находит свое воплощение замысел. А иногда, когда вы будете отдыхать, вы могли бы взглянуть на мои рисунки и указать ошибки. Вот и все, чего я прошу.

— Тебе кажется, что ты просишь немного. Но поверь, взять ученика — для меня дело нешуточное.

— Право же, я не буду вам в тягость.

Мауве погрузился в долгое раздумье. Он не хотел иметь ученика, потому что не терпел подле себя посторонних во время работы. У него редко появлялось желание поговорить о своих картинах, а в ответ на советы, которые он давал начинающим, он слышал лишь оскорбления. Но Винсент его родственник, дядя Винсент Ван Гог и Гупиль покупали его картины, и, кроме того, в юноше есть какая-то грубая, неистовая страстность, которая чувствуется в его рисунках и располагает к нему.

— Ну хорошо, Винсент, — сказал Мауве, — давай попробуем.

— О, кузен Мауве!

— Имей в виду, мне трудно тебе что-либо обещать. Из этого может ровным счетом ничего не выйти. Когда устроишься здесь, приходи ко мне в мастерскую, и мы посмотрим, можем ли мы помочь друг другу. На осень я собираюсь уехать в Дренте, а ты приезжай в Гаагу, ну, скажем, в начале зимы.

— Как раз в это время я и думал приехать. Мне еще надо поработать несколько месяцев в Брабанте.

— Значит, договорились.

Пока Винсент ехал обратно, в душе его не умолкал какой-то ликующий голос: «У меня есть учитель. У меня есть учитель. Скоро я буду учиться у великого живописца, скоро начну писать сам. Я буду работать, о, как я буду работать тогда, и он увидит, чего я добьюсь».

Приехав в Эттен, он застал там Кэй Вос.

6

Горе, постигшее Кэй, сделало ее одухотвореннее. Она горячо любила мужа, и его смерть оборвала что-то в самом ее существе. Исчезла вся ее жизнерадостность, ее бодрость, энергия и веселость. Казалось, потускнел и потерял свою теплоту даже цвет ее пышных волос. Лицо заострилось, приобрело что-то аскетическое, в голубых глазах сквозили глубокие темные крапинки, восхитительный блеск кожи словно померк. Но если в ней уже не было прежней живости, которая поразила Винсента в Амстердаме, то красота ее стала более зрелой, а неизбывная печаль придала ее натуре глубину и значительность.

— Как чудесно, что вы наконец приехали к нам, Кэй, — сказал Винсент.

— Спасибо, Винсент.

Они назвали друг друга по имени, не добавляя слова «кузен» или «кузина», и сами не знали, как это произошло, даже не заметили этого.

— Яна вы, конечно, привезли с собой?

— Да, он в саду.

— Вы ведь впервые в Брабанте. Как хорошо, что я здесь и могу показать вам город. Мы вволю побродим по полям.

— С удовольствием, Винсент.

Она говорила ласково, но без всякого воодушевления. Винсент заметил, что голос у нее стал более глубоким и звучным. Он вспоминал, как тепло она отнеслась к нему там, в доме на Кейзерсграхт. Нужно ли говорить теперь о смерти ее мужа, стараться утешить ее? Конечно, полагалось бы что-то сказать по этому поводу, но он чувствовал, что будет деликатнее совсем не касаться ее горя.

Кэй оценила такт Винсента. Муж для нее был святыней, и она не могла разговаривать о нем. Как и Винсент, она тоже вспомнила те чудесные зимние вечера на Кейзерсграхт, когда она играла у камина в карты с Восом и родителями, а Винсент садился у лампы, где-нибудь в дальнем углу. Глухая боль стеснила ей грудь, а темные глаза словно заволокла дымка. Винсент мягко накрыл ладонью ее руки, и она взглянула на него с трепетом горячей благодарности. Он видел, как страдание обострило все ее чувства. Прежде она была лишь счастливой девочкой, теперь перед ним сидела много испытавшая женщина во всей красоте, которую только могут родить глубокие душевные муки. И снова ему вспомнилась старинная мудрость: «Красоту порождает страдание».

— Вам здесь понравится, Кэй, — сказал он тихо. — Я целыми днями брожу в поле и рисую; мы будем брать Яна и ходить вместе.

— Но ведь я вам только помешаю!

— О нет! Я люблю ходить не один. Я покажу вам много интересного.

— Ну, раз так, я охотно пойду с вами.

— И Яну это будет очень полезно. На воздухе он окрепнет.

Она слабо сжала ему руку:

— Мы будем друзьями, правда, Винсент?

— Да, Кэй.

Она выпустила его руку и устремила невидящий взгляд через дорогу на протестантскую церковь.

Винсент вышел в сад, поставил там скамейку для Кэй и помог Яну построить из песка домик. На время он совершенно забыл, какую важную новость он привез из Гааги.

За обедом он объявил, что Мауве согласился взять его в ученики. В другое время он не обмолвился бы и словом о тех похвалах, которые он слышал по своему адресу от Терстеха или Мауве, но сейчас ему хотелось предстать перед Кэй в самом лучшем свете. Анна-Корнелия была безмерно польщена.

— Ты должен во всем слушаться кузена Мауве, — наставляла она сына. — Кузен Мауве знает, как добиться успеха.

Рано утром Кэй, Ян и Винсент пошли в Лисбос, где Винсент собирался рисовать. Сам он никогда не заботился о том, чтобы взять с собой поесть, но мать сунула ему в руки корзинку с завтраком на всех троих. Она воображала, что они решили устроить нечто вроде пикника. Проходя через кладбище, они увидели высокую акацию с сорочьим гнездом; мальчик был взволнован этим, и Винсент обещал ему добыть яйцо сороки. Скоро они очутились в сосновом лесу, где под ногами сухо потрескивали иглы хвои, потом вышли на желтовато-серые пески пустошей. Там они наткнулись на брошенный плуг и повозку. Винсент установил свой маленький мольберт, усадил Яна на повозку и быстро сделал набросок. Кэй отошла в сторону, глядя, как играет Ян. Она была очень молчалива. Винсент же не хотел докучать ей, ему было довольно и того, что она с ним рядом. Раньше он и не подозревал, до чего хорошо работать, когда рядом сидит женщина.

Они прошли мимо нескольких домиков, крытых соломой, и вышли на дорогу к Розендалу. И только тут Кэй заговорила.

— Знаете, Винсент, — сказала она, — увидев вас за мольбертом, я вспомнила одну вещь, которая часто приходила мне в голову в Амстердаме.

— Что же это такое, Кэй?

— Даете слово, что не обидитесь?

— Конечно, даю!

— Ну, тогда я скажу. Я всегда была уверена, что вы не рождены быть духовным пастырем. И я знала, что вы понапрасну тратите на это время.

— Почему же вы мне не сказали этого тогда?

— У меня не было на это права, Винсент.

Она убрала несколько прядей своих рыже-золотых волос под черную шляпку; крутой поворот дороги заставил ее прижаться к плечу Винсента. Чтобы помочь ей удержать равновесие, он взял ее под локоть и забыл убрать свою руку.

— Я понимала, что вам надо дойти до всего самому, — продолжала она. — Разговоры не принесли бы никакой пользы.

— Теперь я вспоминаю, — сказал Винсент, — как вы предостерегали меня, чтобы я не сделался узколобым пастором! В устах дочери священника это прозвучало странно.

Он ласково улыбнулся, но глаза Кэй были грустны.

— Да, конечно, — сказала она. — Но видите ли, Винсент, Вос открыл мне многое такое, чего сама я никогда бы не поняла.

Рука Винсента, поддерживавшая локоть Кэй, мгновенно опустилась. Всякий раз, как он слышал имя Воса, между ним и Кэй вставала какая-то непреодолимая невидимая преграда.

Через час они вышли к Лисбосу, и Винсент установил свой мольберт для работы. Теперь он хотел нарисовать маленькое болотце. Ян принялся копаться в песке, а Кэй села позади на складной стул, который Винсент прихватил с собой. Она держала в руках книгу, но не читала ее. Винсент рисовал быстро, вдохновенно. Этюд рождался под его рукой с такой стремительностью, как никогда прежде. Винсент сам не знал, почему его карандаш обрел такую смелость и уверенность — то ли от похвал Мауве, то ли потому, что рядом сидит Кэй. Винсент сделал несколько рисунков, один вслед за другим. Он ни разу не оборачивался и не смотрел на Кэй, и она тоже не заговаривала с ним, но сознание того, что она рядом, наполняло его ощущением необыкновенной полноты жизни. Ему хотелось рисовать сегодня как можно лучше, так, чтобы Кэй восхищалась им.

Когда наступило время завтрака, они пошли в ближнюю дубовую рощицу, и в прохладной тени Кэй вынула еду из корзинки. День был безветренный. К еле ощутимому запаху дубовых листьев примешивался аромат водяных лилий, долетавший с болотца. Кэй и Ян сели по одну сторону корзинки, Винсент по другую. Кэй подавала ему бутерброды с сыром. Винсент вспомнил, что вот так же мирно сидела за обеденным столом семья Мауве.

Винсент глядел на Кэй и думал о том, что никогда не видал женщины прекраснее ее. Толстые ломти желтого сыра были очень аппетитны, вкусен был и хлеб, испеченный матерью, но есть Винсент не мог. В нем просыпался новый, неутолимый голод. Он как зачарованный смотрел на нежную кожу Кэй, ее точеное лицо, задумчивые, темные глаза, полные, свежие губы, которые теперь немного поблекли, но скоро, он знал это, расцветут снова.

Позавтракав, Ян заснул, положив головку на колени матери. Винсент смотрел, как Кэй гладит светлые волосы ребенка, вглядываясь в его безмятежное личико. Он знал, что в чертах сына она ищет другие черты, черты мужа, что теперь она там, в своем доме на Кейзерсграхт, с человеком, которого она любила, а не здесь, в брабантской глуши, со своим кузеном Винсентом.

Он рисовал до самого вечера, и Ян частенько сидел у него на коленях. Ребенок привязался к Винсенту. Винсент позволил ему разрисовать черными пятнами несколько листов энгровской бумаги. Мальчик громко смеялся, кричал и носился по пустошам, то и дело подбегая к Винсенту, о чем-то спрашивал, поднимал что-то с земли, показывал и требовал, чтобы его забавляли. Винсент не сердился; ему было приятно, что маленькое теплое существо льнет к нему с такой любовью.

Осень была уже не за горами, и солнце село очень рано. Возвращаясь домой, они часто останавливались у озер, чтобы полюбоваться отраженными в воде красками заката, яркими, словно крылья бабочки, — они медленно гасли и исчезали в сумерках. Винсент показал Кэй свои рисунки. Она едва скользнула по ним взглядом — то, что она увидела, показалось ей грубым и неуклюжим. Но Винсент был ласков с Яном, и к тому же она слишком хорошо знала, что такое боль.

— Мне нравятся рисунки, — сказала она.

— Правда, Кэй?

От этой похвалы все его чувства прорвались наружу. Кэй была так ласкова к нему в Амстердаме, она поймет все, к чему он стремится. Пожалуй, только она одна во всем мире может его понять. С родными бесполезно разговаривать — они толком не знают даже, о чем речь, а перед Терстехом и Мауве приходится держаться со смирением начинающего, которое он испытывает далеко не всегда.

Он раскрывал перед Кэй свою душу, бормоча торопливые, бессвязные фразы. В пылу увлечения он все ускорял шаг, и Кэй едва поспевала за ним. Когда Винсент бывал чем-то глубоко взволнован, от его сдержанности не оставалось и следа, он вновь становился нервным и порывистым. Благовоспитанного человека, каким он был весь день, словно подменили: этот неотесанный, грубый провинциал одновременно удивил и напугал Кэй. Его страстный порыв казался Кэй нелепым мальчишеством. Она и не подозревала, что Винсент оказывает ей редчайшую честь, какую только может оказать мужчина женщине.

Он излил перед ней все, что таилось в нем со дня отъезда Тео в Париж. Он рассказал ей о своих мечтах и планах, о том, что хочет он вложить в свои рисунки. Кэй не поняла его волнения. Она не прерывала его, но и не слушала. Она вся была в прошлом, только в прошлом, и ей было неприятно, что кто-то может с такой бодрой уверенностью заглядывать в будущее. А Винсент был слишком увлечен собой, чтобы почувствовать ее отчужденность. Размахивая руками, он все говорил, пока не произнес имя, которое привлекло внимание Кэй.

— Нейхёйс? Это художник, который живет в Амстердаме?

— Жил раньше. А сейчас он в Гааге.

— Да-да. Вос дружил с ним. Он приводил его к нам несколько раз.

Винсент сразу осекся.

Вос! Всегда и всюду Вос! Зачем? Ведь он умер. Умер вот уже более года. Пора забыть его. Вос принадлежал прошлому так же, как и Урсула. Почему же Кэй по всякому поводу вспоминает Воса? Еще в Амстердаме Винсент недолюбливал мужа Кэй.

Осень вступала в свои права. Хвойный ковер, устилавший землю в сосновых рощах, стал ржаво-коричневым. Кэй и Ян каждый день ходили вместе с Винсентом в поле. От долгих прогулок на щеках Кэй появился легкий румянец, а ее походка приобрела уверенность и твердость. Она брала теперь с собой свою рабочую корзинку, чтобы, как и Винсент, заниматься делом. Говорила она теперь больше и охотнее, рассказывала о своем детстве, о книгах, которые она прочла, об интересных людях, которых знала в Амстердаме.

Семейство Ван Гогов смотрело на эти прогулки с одобрением. Винсент развлекал Кэй, будил в ней интерес к жизни. А ее присутствие в доме смягчало характер Винсента. Анна-Корнелия и Теодор благодарили Бога и делали все возможное, чтобы молодые люди бывали вместе почаще.

Винсент обожал в Кэй буквально все — ее хрупкую, изящную фигуру, затянутую в строгое черное платье, ее красивую черную шляпку, которую она надевала, идя в поле, аромат ее тела, который он чувствовал всякий раз, как она наклонялась к нему, манеру двигать губами, когда она быстро говорила, испытующий взгляд ее темно-голубых глаз, прикосновение ее трепещущей руки, когда она брала у него Яна, ее грудной низкий голос, который потрясал все его существо и звучал у него в душе, когда он ложился спать, блестящую белизну ее кожи, рождавшую в нем нестерпимое желание жадно прильнуть к ней губами.

Он понял теперь, что много лет жил неполной жизнью, что в нем погибло столько нерастраченной нежности и его иссохшие уста не могли припасть к чистому студеному роднику любви. Он был счастлив только тогда, когда Кэй была рядом с ним; ее присутствие как бы окружало его лаской. Когда она шла с ним в поле, он рисовал быстро и легко, но стоило ей остаться дома, и каждая линия давалась ему с мучительным трудом. По вечерам он сидел напротив Кэй за большим деревянным столом в гостиной и, склонившись, перерисовывал свои этюды, но ее нежный облик неизменно стоял перед его взором. Время от времени он поднимал на нее глаза, а она, в тусклом свете большой желтой лампы, отвечала ему слабой, печальной и ласковой улыбкой. Порой он чувствовал, что не может выдержать больше ни минуты, что он сейчас вскочит с места и схватит, прижмет ее к себе что есть силы, припадет своими горячими губами к ее прохладному рту.

Он боготворил не одну только красоту Кэй, но все ее существо, каждое ее движение: ее спокойную поступь, ее удивительное самообладание, ее воспитанность, сквозившую в каждом жесте.

Он даже не подозревал, как одинок он был все эти семь долгих лет, утратив Урсулу. За всю жизнь ни одна женщина не подарила его ни единым нежным словом, ни единым ласковым, любящим взглядом, не дотронулась тихонько до его лица и не прижалась губами к его губам, которых только что коснулись ее ласковые пальцы.

Ни одна женщина не любила его. Такая жизнь равносильна смерти. Когда он любил Урсулу, это было еще не так ужасно, потому что в ту пору — пору юности — он стремился отдать самого себя, и его лишили только этого. А теперь, когда пришла зрелая мужская любовь, он хотел не только давать, но и брать в равной мере. Он знал, что, если Кэй не утолит охватившую его жажду, жизнь будет немыслима.

Как-то раз ночью он читал Мишле и наткнулся на такую фразу: «Il faut qu'une femme souffle sur toi pour que tu sois homme»*.

Мишле, как всегда, прав. Он, Винсент, не был мужчиной. Хотя ему двадцать восемь лет, он еще как бы не родился. Кэй дохнула на него всем благоуханием своей красоты и любви, и лишь теперь он стал наконец мужчиной.

Он желал теперь Кэй с неудержимой мужской страстью. Желал горячо, желал отчаянно. Он любил и Яна, так как мальчик был частицей женщины, которую он любил. Но он ненавидел Воса, ненавидел всеми силами души, потому что Кэй не могла и не хотела забыть его. Прежняя ее любовь к нему и ее замужество огорчали Винсента не больше, чем годы мучений, которые принесли ему любовь к Урсуле. Оба они закалились в горниле страданий, и любовь их будет от этого только чище.

Он чувствовал, что сумеет заставить Кэй забыть этого человека, который ушел в прошлое. Его любовь вспыхнет таким пламенем, что испепелит это прошлое без остатка. Скоро он поедет в Гаагу, станет учиться у Мауве. Он возьмет с собой Кэй, и у них будет семья вроде той, какую он видел на Эйлебоомен. Он хотел, чтобы Кэй стала его женой, чтобы она всегда была с ним. Ему хотелось иметь свой дом, детей, которые были бы похожи на него. Он стал мужчиной, бродяжничество пора было бросить. Ему была нужна любовь: любовь сгладит острые углы, смягчит грубость его рисунков, придаст им жизненность, которой им недостает. Он только теперь понял, что без любви многое в нем было мертво, знай он это раньше, он не рассуждая влюбился бы в первую встречную женщину. Любовь — главное в жизни, только в любви человек может почувствовать счастье бытия.

Теперь он был даже рад, что Урсула не любила его. Как мелка и поверхностна была любовь в то время и как глубока, как богата она теперь! Если бы он женился на Урсуле, ему никогда бы не довелось узнать меру истинной любви. Он никогда не полюбил бы Кэй! Впервые он отдал себе отчет в том, что Урсула была ветреным, легкомысленным ребенком, лишенным всякой

---

* «Чтобы стать мужчиной, нужно, чтобы на тебя дохнула женщина» *(фр.)*.

чуткости и духовных достоинств. Он убил целые годы, терзаясь любовью к poupon!* Один час, проведенный с Кэй, стоит целой жизни с Урсулой. Путь, лежащий за плечами, был тернист, но он привел его к Кэй, и в этом было оправдание всего перенесенного им. Жизнь отныне пойдет хорошо; он будет трудиться, будет любить, будет зарабатывать, продавая свои рисунки. Вместе они будут счастливы. Жизнь каждого человека имеет свою цель, свой идеал, и надо терпеливо трудиться, чтобы достичь его.

Вопреки своей пылкой натуре и любовному опьянению Винсент не давал себе воли. В полях, когда они с Кэй вели наедине разговоры о разных пустяках, ему часто хотелось воскликнуть: «Послушай, оставим все это притворство, всю эту мишуру! Я хочу подхватить тебя на руки и целовать твои губы, целовать, целовать без конца. Я хочу, чтобы ты стала моей женой и не покидала меня никогда! Мы принадлежим друг другу, мы одиноки и нужны друг другу, нужны бесконечно!»

Но каким-то чудом он брал себя в руки и сдерживался. Он не мог ни с того ни с сего заговорить о своей любви – это было бы слишком дерзко. Кэй никогда не давала ему никакого повода для этого. Она упорно избегала всяких разговоров о любви или замужестве. Как и когда ему открыться ей? Он понимал, что откладывать это надолго нельзя; скоро наступит зима, и ему надо будет ехать в Гаагу.

Наконец он не выдержал. Произошло это у дороги на Бреду. Целое утро Винсент рисовал землекопов за работой. Потом он вместе с Кэй сел у ручья под вязами завтракать. Ян спал на траве, Кэй сидела у корзинки с бутербродами. Стоя на коленях, Винсент стал показывать ей свои наброски. Вдруг он почувствовал, что потерял нить разговора: его обожгло теплое плечо Кэй, склонившейся над рисунком; Винсент уже не отдавал себе отчета в том, что он говорит; плечо Кэй жгло его, лишая рассудка. Рисунки выпали у него из рук, резким, порывистым движением он прижал к себе Кэй, и на нее хлынул поток слов, пылавших безудержной страстью.

---

* *Здесь:* крошке! *(фр.)*

— Кэй, я мучаюсь, я не могу больше молчать! Знайте, Кэй, — я люблю вас, люблю больше жизни! Я всегда любил вас, с первого дня, как увидел вас в Амстердаме! Я хочу, чтобы вы были со мной всегда! Кэй, скажите же, что вы любите меня хоть немного. Мы уедем в Гаагу и будем жить там вдвоем. У нас будет свой дом, мы будем счастливы. Вы ведь любите меня, Кэй? Скажите, что мы поженимся, Кэй, дорогая!

Кэй не пыталась высвободиться из его объятий. От ужаса и смятения у нее перекосилось лицо. Она будто и не слышала того, что он говорил, не поняла ни слова, но она угадала, что он хотел сказать, и задрожала от страха. В ее темно-голубых глазах появилось жестокое выражение, и, чтобы не закричать, она ладонью зажала себе рот.

— *Нет, никогда, никогда!* — со злобой прошептала она.

Она судорожно оттолкнула Винсента, схватила на руки спящего ребенка и опрометью бросилась бежать через поле. Винсент кинулся вслед за ней. Но страх придал ей проворства. Она оставила его далеко позади. Винсент не мог понять, что же произошло.

— Кэй! Кэй! — кричал он. — Постойте!

Услышав его крик, Кэй побежала еще быстрее. Винсент гнался за нею, размахивая руками, как сумасшедший, голова его неуклюже раскачивалась. Кэй споткнулась и упала в борозду. Ян расплакался. Винсент бросился на колени прямо в грязь и схватил Кэй за руку.

— Кэй, почему вы убегаете от меня? Ведь я вас так люблю! Разве вы не видите, без вас я не могу жить. Вы же любите, любите меня, Кэй! Не бойтесь, ведь я только сказал, что люблю вас. Мы забудем прошлое, Кэй, и начнем новую жизнь.

Глаза Кэй, минуту назад полные ужаса, теперь смотрели на Винсента с выражением жгучей ненависти. Она вырвала руку. Ян тем временем совсем проснулся. Безумное, горящее страстью лицо Винсента и его громкий, взволнованный голос испугали его. Он обхватил ручонками шею матери и заплакал.

— Кэй, дорогая, скажи же мне, что ты любишь меня хоть капельку!

— *Нет, никогда, никогда!*

И, вскочив на ноги, она опять побежала через поле к дороге. Винсент сидел на земле, ошеломленный. Кэй выскочила на дорогу и исчезла из глаз. Винсент собрался с силами и вновь ринулся вслед за ней, громко зовя ее. Когда он очутился на дороге, то увидел, что Кэй уже далеко и все еще бежит не останавливаясь, а мальчик прильнул к ее груди. Винсент замер на месте. Вот Кэй скрылась за поворотом дороги. Он долго стоял не двигаясь. Потом поплелся через поле назад и подобрал с земли свои этюды. Они были немного запачканы. Он сложил бутерброды в корзину, закинул за спину мольберт и устало потащился к дому.

А дома уже сгустились черные тучи; Винсент почувствовал это, как только переступил порог. Кэй заперлась в своей комнате вместе с Яном. Мать и отец сидели в гостиной. Они о чем-то говорили, но резко оборвали разговор, едва Винсент вошел. Он плотно закрыл за собой дверь. Отец, вероятно, был в страшном гневе, веко на правом глазу у него совсем закрылось.

— Винсент, и как ты только мог?.. — жалобным голосом начала мать.

— Что такое? — Он не совсем понимал, в чем его упрекают.

— Как мог ты так оскорбить свою кузину!

Винсент не знал, что ответить. Он снял со спины мольберт и поставил его в угол. Отец все еще был вне себя и словно лишился дара речи.

— Кэй объяснила вам, что именно произошло? — спросил Винсент.

Отец рванул высокий воротничок, врезавшийся в его багровую шею. Другой рукой он стиснул край стола.

— Она сказала, что ты чуть не задушил ее и орал как бешеный.

— Я говорил, что люблю ее, — спокойно возразил Винсент. — Не вижу, что тут могло ее оскорбить.

— И это все, что ты ей сказал? — Тон у отца был холодный как лед.

— Нет. Я просил ее быть моей женой.

— Твоей женой!

— Да. Что вас так удивляет?

— Ох, Винсент, Винсент, — сказала мать, — как ты только мог подумать об этом!

— Ты сама, должно быть, об этом подумывала...

— Но я не думала, что ты в нее влюбишься!

— Винсент, — вмешался отец, — знаешь ли ты, что Кэй доводится тебе двоюродной сестрой?

— Да, знаю. Ну и что из этого?

— Ты не можешь жениться на двоюродной сестре. Это было бы... было бы...

Пастор не мог заставить себя даже произнести роковое слово. Винсент подошел к окну и задумчиво глядел в сад.

— Что же это было бы?

— Грех!

Винсент с трудом сдержался. Как они смеют пачкать его любовь всякими затасканными словами?

— Ты говоришь бессмыслицу, недостойную тебя, отец.

— А я говорю тебе, что это грех! — вскричал пастор. — Я не допущу такого безобразия в роду Ван Гогов!

— Надеюсь, ты не воображаешь, что цитируешь Библию, отец! Двоюродным братьям и сестрам всегда разрешалось вступать в брак.

— Ох, Винсент, милый Винсент, — взмолилась мать, — если ты ее любишь, почему бы тебе не подождать? Муж ее умер всего год назад. Она все еще любит его всей душой. К тому же, ты сам знаешь, у тебя нет денег, чтобы содержать жену.

— То, что ты сделал, я считаю мальчишеством и бестактностью, — заявил отец.

Винсент содрогнулся от отвращения. Он нащупал в кармане трубку, вынул ее, подержал секунду в руке и сунул обратно.

— Отец, я решительно прошу тебя не употреблять таких выражений. Моя любовь к Кэй — самое светлое, что было у меня в жизни. Я не желаю, чтобы ты называл это мальчишеством и бестактностью.

Винсент схватил мольберт и ушел в свою комнату. Сидя на кровати, он спрашивал себя: «Что же произошло? Что я сделал?

Я сказал Кэй, что люблю ее, и она убежала. Почему? Неужели я ей противен?»

«Нет, никогда, никогда!»

Он терзался всю ночь напролет, снова и снова вспоминая происшедшее. И всегда его размышления кончались одним и тем же. Эти короткие слова звучали у него в ушах словно похоронный звон, словно приговор судьбы.

Утро было уже на исходе, когда он, насилуя себя, спустился вниз. Черные тучи в доме как бы рассеялись. Мать хлопотала на кухне. Увидев Винсента, она поцеловала его и любовно потрепала по щеке.

— Как ты спал, милый? — спросила она.

— Где Кэй?

— Отец повез ее в Бреду.

— Зачем?

— К поезду. Она уезжает домой.

— В Амстердам?

— Да.

— Понимаю...

— Она считает, что так будет лучше, Винсент.

— Она написала мне что-нибудь?

— Нет, дорогой. Садись-ка завтракать.

— Не написала ни слова? Насчет вчерашнего? Она рассердилась на меня?

— Нет-нет, она просто решила уехать домой к родителям.

Анна-Корнелия сочла за благо не повторять того, что сказала Кэй; она помолчала и, разбив яйцо, вылила его на сковородку.

— В котором часу поезд отходит из Бреды?

— В двадцать минут одиннадцатого.

Винсент взглянул на голубые кухонные ходики.

— Сейчас как раз двадцать минут одиннадцатого.

— Да.

— Значит, я ничего уже не могу поделать.

— Садись завтракать, сынок. Я приготовила вкусные копченые языки.

Она расчистила место на кухонном столе, постелила салфетку и поставила еду. Она не отходила от Винсента, уговаривая его поесть; ей почему-то казалось, что, если сын хорошенько набьет себе живот, все обойдется.

Винсент, чтобы сделать матери приятное, съел все до крошки. Но горечь слов, сказанных Кэй: «Нет, никогда, никогда!» — отравляла ему каждый кусок.

7

Он понимал, что любит свою работу куда больше, чем Кэй. Если бы ему пришлось выбирать, он не колебался бы ни минуты. Но теперь он вдруг утратил всякий вкус к рисованию. Работа его уже не занимала. Оглядывая брабантские рисунки, висевшие на стене, он убеждался, что с тех пор, как в нем проснулась любовь к Кэй, он шагнул в своем искусстве далеко вперед. Он чувствовал, что в его рисунках есть что-то грубое, суровое, но надеялся, что любовь Кэй сделает их мягче. Он любил Кэй так глубоко и страстно, что сколько бы она ни твердила: «Нет, никогда, никогда», — это не могло его остановить; ее отказ был для него подобен ледяной глыбе, которую он должен растопить, прижав к своему сердцу.

Однако в душе у него шевелилось сомнение, мешавшее приняться за работу. А вдруг ему не удастся поколебать ее решимость? Ведь она, пожалуй, считает за грех даже мысль о возможности новой любви. А он хотел исцелить ее от этого рокового недуга, оторвать от прошлого, за которое она так упорно цеплялась. Он хотел соединить свою большую руку рисовальщика с ее нежной рукой и трудиться, зарабатывая насущный хлеб и право на счастье.

Целыми днями он сидел у себя в комнате и писал Кэй письма, полные страсти и мольбы. Прошло несколько недель, прежде чем он понял, что она даже не читает этих писем. Почти ежедневно писал он и брату Тео, которому поверял все свои тайны, борясь против собственных сомнений и защищаясь от дружных нападок родителей и преподобного Стриккера. Он мучился, мучился жестоко и не всегда умел скрыть это. Мать с жалостливым лицом говорила ему утешительные слова.

— Винсент, — сказала она однажды, — ты бьешься головой о каменную стену. Дядя Стриккер говорит, что она отказала наотрез.

— Мне плевать на то, что говорит дядя.

— Милый мой, но она сама сказала это дяде.

— Сказала, что не любит меня?

— Да, таково ее последнее слово.

— Ну, насчет этого мы еще посмотрим.

— Но тебе не на что надеяться, Винсет. Дядя Стриккер говорит, что, если бы Кэй и любила тебя, она бы все равно не согласилась выйти за тебя, раз ты не зарабатываешь тысячу франков в год. А ты сам знаешь, до этого тебе далеко.

— Ах, мама, кто любит, тот живет, кто живет, тот работает, а кто работает, тот не остается без хлеба.

— Все это очень мило, золотой мой, но Кэй выросла в роскоши. У нее всегда все было самое лучшее.

— И тем не менее она сейчас не очень-то счастлива.

— Вы оба такие чувствительные, что, если бы вы поженились, было бы одно горе: бедность, голод, холод, болезни. Ты же знаешь, что отец не даст тебе ни франка.

— Я уже испытал все эти напасти, мама, меня они не пугают. При всем том нам гораздо лучше будет вместе, чем порознь.

— Но, дитя мое, ведь Кэй не любит тебя!

— Мне бы только поехать в Амстердам, и уверяю тебя, она согласится.

То, что он не может поехать к любимой женщине, не может заработать ни франка на билет, Винсент воспринимал как одну из petites misères de la vie humaine*. Собственное бессилие приводило его в ярость. Ему было двадцать восемь лет; вот уже двенадцать лет как он упорно трудился, отказывая себе во всем, кроме самого необходимого, и все же он никакими стараниями не мог

---

* Мелких горестей человеческой жизни *(фр.)*.

достать даже ту ничтожную сумму, которая нужна на билет до Амстердама.

Винсент подумывал о том, чтобы пройти пешком сто километров, но это значило, что он появится в Амстердаме грязный, голодный и оборванный. Его ничуть не смущали трудности, но войти в дом преподобного Стриккера в таком же виде, в каком он явился к Питерсену, — нет, это немыслимо! Хотя Винсент утром отправил Тео длинное письмо, он в тот же день написал ему вновь.

Дорогой Тео!

Мне очень нужны деньги на поездку в Амстердам. Пусть даже только на билет.

Посылаю тебе несколько рисунков, напиши, почему их не покупают и что надо сделать, чтобы их можно было продать. Я должен заработать денег, съездить к ней и дознаться, что значит это «Нет, никогда, никогда».

Через несколько дней Винсент почувствовал новый прилив сил. Любовь придала ему решимости. Он подавил в себе все сомнения и твердо верил теперь, что стоит ему повидаться с Кэй, и он сумеет раскрыть ей глаза, заставит ее понять его душу и вместо слов «Нет, никогда, никогда» услышит: «Да, навсегда, навсегда!» Он с новым рвением принялся за работу; и хотя он чувствовал, что его руке еще недостает твердости и мастерства, в нем жила непреоборимая уверенность, что время поможет ему добиться своего и в работе, и в любви к Кэй. На другой день он написал откровенное письмо преподобному Стриккеру. Он ничего не смягчал и усмехался при мысли о том, что скажет дядя, читая это письмо. Отец запретил Винсенту писать Стриккеру — в доме вот-вот могла разразиться настоящая буря. Теодор считал, что главное в жизни — это послушание и строгое соблюдение приличий; о порывах человеческой души он не хотел и слышать. Если сын не может ужиться с родителями, то виновен только он, но не родители.

— А всё эти французские книжки, которых ты начитался, — сказал Теодор за ужином. — Если водишь компанию с ворами и убийцами, можно ли ожидать, что ты станешь послушным сыном и порядочным человеком?

Винсент поднял глаза от томика Мишле и посмотрел на отца с кротким удивлением.

— С ворами и убийцами? По-твоему, Виктор Гюго и Мишле воры?

— Нет, но они только и пишут о всяких жуликах. Их книги исполнены зла.

— Глупости, отец. Мишле чист, как Библия.

— Довольно богохульствовать в моем доме, молодой человек! — яростно вскрикнул Теодор, приходя в негодование. — Все эти книги аморальны. Французские идеи тебя и погубили.

Винсент встал, обошел вокруг стола и положил перед отцом «Любовь и женщину».

— Я знаю, как тебя переубедить, — сказал он. — Прочитай сам хоть несколько страничек. Вот увидишь, тебе понравится. Мишле стремится только помочь нам преодолеть трудности и мелкие невзгоды.

Теодор швырнул книгу на пол с видом праведника, отметающего зло.

— Не стану я читать твои книги! — зарычал он. — У тебя был дед, он один во всем роду Ван Гогов заразился французскими идеями, а потом стал пьяницей!

— Mille pardons*, отец Мишле, — бормотал Винсент, поднимая книгу с пола.

— Позволь тебя спросить, почему это ты называешь Мишле отцом? — холодно произнес Теодор. — Хочешь оскорбить меня?

— У меня и в мыслях этого не было, — возразил Винсент. — Но должен сказать прямо, что, если мне понадобится совет, я скорее попрошу его у Мишле, чем у тебя. Так будет гораздо вернее.

— О Винсент, — взмолилась мать, — зачем говорить такие вещи? Отчего ты хочешь порвать с семьей?

— Да, именно это он и делает, — громогласно заявил отец. — Он хочет порвать с семьей. Винсент, ты ведешь себя бесстыдно... Уходи из моего дома на все четыре стороны.

---

* Тысяча извинений *(фр.)*.

Винсент поднялся к себе и сел на кровать. Сам не зная почему, он всегда после тяжелого удара садился не на стул, а на кровать. Он оглядел стены, на которых висели его рисунки — землекопы, сеятели, мастеровые, швея, кухарки, лесорубы, копии из учебника Хейке. Да, он добился кое-каких успехов. Он явно продвинулся вперед. Но он сделал в Эттене еще далеко не все, что надо бы сделать. Мауве сейчас в Дренте и возвратится не раньше будущего месяца. Уезжать из Эттена Винсенту не хотелось. Здесь удобно работать; в любом другом месте жизнь потребует от него гораздо больших затрат. Нужно время, чтобы преодолеть неуклюжую тяжеловесность рисунка и уловить истинный дух брабантцев, — тогда можно будет и уехать. Отец гонит его из дома, он, можно сказать, проклял его. Но все это сказано в гневе. Ну а что, если отец сказал то, что действительно думает?.. Неужто он такой дурной человек, что его надо гнать из отчего дома?

Наутро он получил сразу два письма. Одно было от преподобного Стриккера — ответ на заказное письмо Винсента. К письму была приложена записка его супруги. Оба они, весьма нелестно отзываясь о прошлом Винсента, сообщали, что Кэй любит другого человека с большими средствами, и просили Винсента немедля отказаться от нелепых притязаний на их дочь.

«Да, видно, более безбожных, черствых и суетных людей, чем церковники, нет на всем свете», — сказал себе Винсент, комкая в кулаке письмо Стриккера с такой яростью, словно в его руках был сам преподобный пастор.

Второе письмо было от Тео.

Рисунки твои очень выразительны. Я сделаю все, что в моих силах, чтобы их продать. А пока прилагаю двадцать франков на поездку в Амстердам. Желаю тебе удачи, старина.

8

Когда Винсент вышел из Центрального вокзала, уже спускались сумерки. Он быстро зашагал по Дамраку к площади Дам, миновал королевский дворец, почтамт и очутился на Кейзерсграхт. Был час, когда из всех магазинов и контор валом валили продавцы и служащие.

Он пересек Сингел и остановился на мосту Херенграхт, глядя, как внизу, на барже, груженной корзинами цветов, люди, сидя за столом, закусывают хлебом с селедкой. Он повернул направо по Кейзерсграхт и, пройдя вдоль длинной шеренги узеньких фламандских домиков, оказался у каменной лестницы с черными перилами: тут жил преподобный Стриккер. Винсент вспомнил, как он, приехав в Амстердам, впервые вошел в этот дом, и ему подумалось, что есть на свете города, где человек обречен на вечные неудачи.

Идя по Дамраку и через центр города, Винсент спешил изо всех сил, теперь же, когда цель была достигнута, его охватил страх и неуверенность. Он поднял голову и увидел, что железный крюк над чердачным окном торчит, как и прежде. Какое удобство для человека, который вздумает повеситься, усмехнулся про себя Винсент.

Он перешел широкую улицу, вымощенную красным кирпичом, и остановился, глядя на канал. Он знал, что не позже чем через час решится его судьба. Если ему только удастся повидать Кэй, поговорить с нею, все будет хорошо. Но ключ от входной двери у ее отца. А преподобный Стриккер может просто не впустить его в дом.

По каналу медленно ползла против течения груженная песком баржа, готовясь встать на ночь на якорь. На темной груде песка, в тех местах, где поработала лопата, желтели влажные впадины. Винсент с праздным любопытством заметил, что на барже нет обычных веревок для белья, протянутых от носа до кормы. Худой, костлявый человек наваливался грудью на шест, с трудом делал несколько шагов, и неуклюжая лодка скользила вперед из-под его ног. На корме, неподвижная, как камень, сидела женщина в грязном переднике, — вытянув за спиной руку, она правила грубым рулем. Маленький мальчик, девочка и вывалявшаяся в грязи собака стояли на крыше рубки и тоскливо глядели на дома, тянувшиеся вдоль Кейзерсграхт.

Винсент поднялся по каменным ступеням и позвонил. Спустя несколько минут на звонок вышла служанка. Она взглянула на стоявшего в тени Винсента, узнала его и загородила собой дверь.

— Преподобный Стриккер дома? — спросил Винсент.

— Нет. Он ушел. — Видимо, она получила соответствующее распоряжение.

Винсент услышал в комнатах голоса. Решительным движением он оттолкнул горничную.

— Пустите! — сказал он.

Девушка вцепилась в Винсента сзади, пытаясь удержать его.

— Они обедают! — негодующе закричала она. — Туда нельзя!

Пройдя длинную прихожую, Винсент вошел в столовую. Он успел заметить, как в дверях мелькнуло знакомое черное платье. За столом сидели преподобный Стриккер, тетя Виллемина и двое младших детей. Приборов было пять. Перед стулом, косо сдвинутым в сторону, стояла тарелка с жареной телятиной, картофелем и бобами в стручках.

— Я не могла удержать его, — сказала горничная. — Он ворвался силой.

На столе стояли два серебряных подсвечника с большими белыми свечами. Висевший на стене портрет Кальвина в желтоватом мерцании свеч казался жутким. В полутьме на резном буфете блестел серебряный сервиз, а рядом Винсент увидел узкое окно, у которого он впервые разговаривал с Кэй.

— Вот как, Винсент, — сказал дядя. — Видно, манеры у тебя не улучшаются.

— Я хотел бы поговорить с Кэй.

— Ее нет дома. Она в гостях.

— Она сидела вот здесь, когда я позвонил. Она обедала с вами.

Стриккер повернулся к жене:

— Выведи детей из комнаты.

Затем он сказал:

— Ну, Винсент, ты причинил нам массу неприятностей. Теперь не только у меня, но и у всей нашей семьи лопнуло всякое терпение. Мало того, что ты бродяга, лентяй, грубиян, ты еще и неблагодарный негодяй. Да как тебе в голову пришло влюбиться в мою дочь? Это неслыханное оскорбление!

6-1648и

— Позвольте мне повидаться с Кэй, дядя Стриккер. Я должен с ней поговорить.

— Кэй не хочет с тобой говорить. Ты больше никогда ее не увидишь.

— Она так сказала?

— Да.

— Я вам не верю.

Стриккер был поражен как громом. Никто еще не обвинял его во лжи с тех пор, как он принял духовный сан.

— Как ты смеешь говорить, что я лгу!

— Я не поверю вам, пока не услышу это из ее собственных уст. Да и тогда не поверю.

— Неблагодарный! И зачем только я тратил на тебя время и деньги, когда ты жил в Амстердаме!

Винсент устало опустился на стул, где недавно сидела Кэй, и положил обе руки на край стола.

— Дядя, выслушайте меня. Докажите, что даже у человека, облеченного в духовный сан, под тройной кольчугой из стали все же бьется человеческое сердце. Я люблю вашу дочь. Люблю до безумия. Каждую минуту я думаю и тоскую о ней. Вы служите Господу Богу, так во имя Бога окажите же мне милость. Не будьте столь жестоки. Конечно, я пока ничего не достиг, но подождите немного, я добьюсь успеха. Позвольте доказать ей, как я ее люблю. Я заставлю ее понять, что она должна полюбить меня. Вы ведь и сами любили когда-то, дядя, вы знаете, как страдает и мучается человек. Я весь истерзан: дайте мне попытать счастья хоть раз. Дайте возможность завоевать ее любовь — вот все, о чем я прошу. Я не могу больше жить в тоске и одиночестве!

Преподобный Стриккер смерил его взглядом и сказал:

— Неужели ты такой трус и слюнтяй, что не можешь совладать с собой? Так и будешь ныть и скулить всю жизнь?

Винсент в бешенстве вскочил со стула. От его кротости теперь не осталось и следа. Он ударил бы священника, если бы их не разделял широкий стол с двумя серебряными подсвечниками, в которых горели высокие свечи. В комнате воцарилась напряженная тишина; Стриккер и Винсент смотрели друг другу прямо в глаза, в которых вспыхивали злобные искры.

Винсент не знал, сколько времени это длилось. Он поднял руку и положил ее на стол рядом с подсвечником.

— Позвольте поговорить с ней, — сказал он. — Я буду говорить ровно столько, сколько продержу свою руку в огне этой свечи.

Повернув руку тыльной стороной к свече, он сунул ее в огонь. В комнате сразу стало темнее. Рука Винсента быстро почернела от копоти. Через несколько мгновений она стала ярко-красной. Винсент не дрогнул, не отвел взгляда от лица Стриккера. Прошло пять секунд. Десять. Кожа на руке вздулась волдырями. Глаза пастора были полны ужаса. Казалось, его хватил паралич. Несколько раз он пытался заговорить, шевельнуться, но не мог сделать этого. Беспощадный, пронизывающий взгляд Винсента словно пригвоздил его к месту. Прошло пятнадцать секунд. Волдыри на коже потрескались, но рука даже не дрогнула. Преподобный Стриккер, придя наконец в чувство, судорожно дернулся и изо всех сил закричал:

— Ты совсем спятил! Идиот!

Он ринулся вперед, выхватил из-под руки Винсента свечу и ударом кулака погасил ее. Затем, нагнувшись над столом, он торопливо задул и вторую свечу.

Комната погрузилась во мрак. Стриккер и Винсент, упираясь ладонями в стол, стояли в полной темноте, но все же видели друг друга до ужаса ясно.

— Ты сумасшедший! — орал пастор. — Кэй презирает тебя, презирает всей душой! Убирайся из этого дома и не смей больше сюда приходить!

Винсент медленно побрел по темной улице и опомнился, только когда вышел на окраину города. Заглянув в мертвый, заброшенный канал, он ощутил знакомый запах стоячей воды. Газовый фонарь на углу тускло осветил его левую руку — какой-то инстинкт рисовальщика не дал ему сунуть в огонь правую, — и он увидел, что на руке чернеет огромная язва. Он перешел множество узких каналов, вдыхая еле ощутимый запах давно забытого моря. В конце концов он оказался близ дома Мендеса да Коста. Он присел на берегу, бросил горсть камешков в плотное зеленое покрывало кроса, устилавшего канал. Галька шлепнулась в крос так мягко, словно под ним не было воды.

Кэй ушла из его жизни. Эти слова: «Нет, никогда, никогда» — вырвались тогда из самой глубины ее души. Теперь они уже стали не ее, а его словами. Он без конца повторял их про себя, он говорил: «Нет, никогда, никогда ты не увидишь ее. Никогда не услышишь ты ее ласковый голос, не сможешь любоваться улыбкой в ее глубоких синих глазах, не ощутишь своей щекой теплоту ее тела. Никогда не знать тебе любви, ее нет, нет даже в те краткие мгновения, когда твоя плоть горит в горниле страданий!»

Невыносимая, безысходная боль подступила к горлу. Он зажал себе рот, чтобы не закричать, — пусть Амстердам и весь мир никогда не узнают о том, что он предстал перед судом и был признан недостойным. Губы его ощутили лишь горький, как полынь, пепел неутоленного желания.

Книга третья
ГААГА

I

Мауве был еще в Дренте. Винсент обошел весь квартал, прилегающий к Эйлебоомен, и около вокзала Рэйн снял комнатушку за четырнадцать франков в месяц. Мастерская — пока в нее не вселился Винсент, она называлась просто комнатой — была довольно просторная, с нишей, в которой можно было готовить еду, и большим окном, выходившим на юг. В углу стояла низенькая печка, длинная черная труба которой уходила в стену под самым потолком. Обои были чистые, светло-серые; в окно Винсент мог видеть хозяйский дровяной склад, за ним зеленый луг и широкие полосы дюн. Дом стоял на Схенквег, окраинной улице Гааги, за которой к юго-востоку сразу открывались луга. Крыша его была закопчена паровозами, постоянно грохочущими у вокзала Рэйн.

Винсент купил прочный кухонный столик, два простых стула, одеяло и, укрываясь им, спал прямо на полу. Эти затраты вконец истощили его денежные ресурсы, но близилось первое число, когда Тео должен был прислать ему очередные сто франков. Январская стужа не позволяла работать на воздухе, а так как денег на модель у Винсента не было, то ему оставалось лишь сидеть сложа руки и ждать приезда Мауве.

Наконец Мауве вернулся домой на Эйлебоомен. Винсент не замедлил явиться к нему в мастерскую. Мауве с жаром трудился над большим полотном, волосы прядями рассыпались у него по лбу и падали на глаза. Он начал главную работу этого года —

картину, предназначенную для Салона, замыслив изобразить, как на побережье Схевенингена лошади вытаскивают из воды рыбачий баркас. Мауве и его жена Йет были уверены, что Винсент не приедет в Гаагу: они знали, что чуть ли не каждого человека в тот или иной период жизни охватывает смутное желание стать художником.

— Значит, ты все-таки приехал, Винсент. Ну что ж, прекрасно. Мы сделаем из тебя художника. Ты нашел себе квартиру?

— Да, я живу на Схенквег, в доме сто тридцать восемь, сразу же за вокзалом Рэйн.

— Ну, это совсем рядом. Как у тебя с деньгами?

— Денег маловато, особенно не разгуляешься. Я купил стол и пару стульев.

— И кровать, — подсказала Йет.

— Нет, я сплю на полу.

Мауве что-то шепнул Йет, она вышла и через минуту принесла бумажник. Мауве вынул оттуда сотню гульденов.

— Возьми-ка эти деньги, Винсент, потом отдашь, — сказал он. — Купи себе кровать; по ночам надо хорошенько высыпаться. За комнату ты уплатил?

— Нет еще.

— Ну так уплати, и делу конец. Как там со светом?

— Свету сколько угодно, хотя окно у меня только одно. К сожалению, выходит оно на юг.

— Это плохо, тут надо что-то придумать. Иначе освещение модели будет меняться каждые пятнадцать минут. Обязательно купи занавеси.

— Мне бы не хотелось брать у вас деньги, кузен Мауве. Достаточно того, что вы согласны учить меня.

— Пустяки, Винсент. Обзаводиться хозяйством приходится один раз в жизни. Так что в конечном счете дешевле всего купить собственную мебель.

— Да, пожалуй, это так. Надеюсь, что скоро мне удастся продать несколько рисунков, и тогда я верну вам долг.

— Терстех тебе поможет. Он покупал мои картины, когда я только еще учился писать. Но тебе надо начинать работать акварелью и маслом. Рисунки карандашом не находят сбыта.

При всей грузности Мауве движения у него были нервные и стремительные. Выставив одно плечо вперед, он порывисто бросался к тому, что его в тот миг привлекало.

— Винсент, — сказал он, — вот этюдник, а в нем акварельные и масляные краски, кисти, палитра, мастихин, лак и скипидар. Дай-ка, я тебя научу держать палитру и стоять у мольберта.

Он показал Винсенту несколько технических приемов. Винсент усвоил их очень быстро.

— Отлично! — воскликнул Мауве. — Я думал, ты туповат, но теперь вижу, что ошибался. Можешь приходить сюда каждое утро и писать акварелью. Я попрошу, чтобы тебя приняли в «Пульхри», там ты сможешь несколько раз в неделю по вечерам рисовать модель. Кроме того, ты познакомишься там с художниками. А когда начнешь продавать свои вещи, станешь полноправным членом клуба.

— Да, мне очень хочется рисовать модель. Я постараюсь нанять натурщицу, чтобы работать каждый день у себя дома. Нужно только научиться как следует рисовать человеческую фигуру, все остальное придет само.

— Это верно, — согласился Мауве. — Труднее всего справиться с фигурой, но когда ты этого добился, деревья, коровы и закаты даются уже совсем легко. Художники, которые пренебрегают фигурой, делают это потому, что чувствуют свое бессилие.

Винсент купил кровать и занавеси для окна, уплатил за комнату и развесил на стенах свои брабантские рисунки. Он знал, что продать их не удастся, и прекрасно видел теперь все свои промахи, но в этих набросках чувствовалось нечто от самой природы, и сделаны они были с истинной страстью. Винсент не мог бы сказать, в чем эта страсть проявлялась и откуда она шла; он даже не знал ей истинной цены, пока не подружился с Де Боком.

Де Бок оказался обаятельным человеком. Он был хорошо воспитан, обладал прекрасными манерами и постоянным доходом. Образование он получил в Англии. Винсент познакомился с ним у Гупиля. Де Бок был полной противоположностью Винсента: к жизни он относился легко, все воспринимал спокойно и беспечно, характер у него был мягкий. Рот у него был узенький, не шире, чем крылья ноздрей.

— Не зайдете ли ко мне на чашку чаю? — предложил он Винсенту. — Я показал бы вам кое-какие свои работы. Мне кажется, я как бы обрел новое чутье с тех пор, как Терстех стал продавать мои картины.

Мастерская Де Бока была в Виллемс-парке, самом аристократическом квартале Гааги. Стены в ней были задрапированы светлым бархатом. В каждом углу стояли удобные диваны с мягкими подушками; были тут и столики дли курения, и шкафы, полные книг, и настоящие восточные ковры. Вспоминая убожество своей мастерской, Винсент чувствовал себя нищим пустынником.

Де Бок зажег газовую горелку под русским самоваром и велел экономке принести печенья. Потом он вынул из стенного шкафа картину и поставил ее на мольберт.

— Это моя последняя вещь, — сказал он. — Не угодно ли сигару, пока вы будете смотреть? Быть может, картина от этого станет лучше, как знать?

Он говорил шутливым, непринужденным тоном. С тех пор как Терстех открыл и оценил Де Бока, художник стал необычайно самоуверен. У него не было сомнений, что Винсенту картина понравится. Взяв в руки длинную русскую папиросу — пристрастием к этим папиросам он был известен на всю Гаагу, — Де Бок закурил и стал следить за выражением лица Винсента.

Окутанный голубым дымком дорогой сигары, Винсент рассматривал полотно. Он понимал, что Де Бок переживает теперь ту ужасную минуту, когда художник впервые открывает свое творение для чужих глаз и, волнуясь, ждет, что о нем скажут. А что сказать об этой картине? Пейзаж недурен, но и не слишком хорош. В картине много от характера самого Де Бока: она легковесна. Винсент вспомнил, как он злился и заболевал от огорчения, когда какой-нибудь юный выскочка осмеливался свысока отозваться о его работе. Хотя картина Де Бока была из тех, которые можно охватить одним взглядом, Винсент долго смотрел на нее.

— Вы неплохо чувствуете пейзаж, Де Бок, — промолвил он. — И прекрасно знаете, как придать ему очарование.

— О, благодарю, — сказал польщенный Де Бок, принимая этот отзыв за комплимент. — Прошу вас, чашечку чаю.

Винсент схватил чашку обеими руками, боясь расплескать чай на дорогой ковер. Де Бок подошел к самовару и налил чаю себе. Винсенту ужасно не хотелось говорить о картине Де Бока. Ему нравился этот человек, и он дорожил его дружбой. Но в Винсенте восстал честный художник, и он не мог удержаться.

— Есть одна штука в вашем пейзаже, которая, пожалуй, мне не очень нравится.

Де Бок взял из рук экономки поднос и сказал:

— Ешьте печенье, мой друг.

Винсент отказался, не представляя себе, как можно держать на коленях чашку с чаем и одновременно есть печенье.

— Что же вам не понравилось? — спокойно спросил Де Бок.

— Человеческие фигуры. Они кажутся неестественными.

— А знаете, — признался Де Бок, удобно разлегшись на диване, — я частенько подумывал о том, чтобы заняться как следует фигурой. Но кажется, это мне не дано. Я брал модель и усердно работал по нескольку дней, а потом вдруг бросал ее и переходил к какому-нибудь интересному пейзажу. В конце концов, ведь моя стихия — именно пейзаж, так стоит ли мне слишком много возиться с фигурой — как вы полагаете?

— Когда я работаю над пейзажами, — ответил Винсент, — я стараюсь внести в них что-то от человеческой фигуры. Вы опередили меня на много лет, кроме того, вы признанный художник. Но разрешите по-дружески высказать вам одно критическое замечание?

— Буду очень рад.

— Вот что я вам скажу: вашей живописи недостает страсти.

— Страсти? — переспросил Де Бок и, потянувшись со своей чашкой к самовару, хитро покосился на Винсента одним глазом. — Какую же из множества страстей вы имеете в виду?

— Это не так легко объяснить. Но ваше отношение к предмету несколько туманно. На мой взгляд, его надо бы выражать более энергично.

— Но послушайте, старина, — сказал Де Бок, вставая с дивана и внимательно поглядев на одно из своих полотен. — Не могу же я выплескивать свои чувства на холсты только потому, что этого требует публика! Я пишу то, что вижу и чувствую. А если я не чувствую никакой страсти, то как я придам ее своей кисти? Ведь страсть в зеленной лавке на вес не купишь!

После визита к Де Боку собственная мастерская показалась Винсенту жалкой и убогой, но он знал, что взамен роскоши у него есть кое-что другое. Он задвинул кровать в угол и спрятал подальше всю свою кухонную утварь — ему хотелось, чтобы комната имела вид мастерской, а не жилого помещения. Тео еще не прислал денег, но у Винсента пока оставалось кое-что от тех ста гульденов, которые дал ему Мауве. Он потратил их на натуру. Вскоре к нему пришел и сам Мауве.

— Я добрался до тебя всего-навсего за десять минут, — сказал он, оглядывая комнату. — Да, здесь неплохо. Конечно, лучше бы окно выходило на север, но ничего и так. Теперь люди перестанут считать тебя дилетантом и лодырем. Ты, я вижу, рисовал сегодня модель?

— Да. Я рисую модель каждый день. Это обходится недешево.

— Но в конце концов себя оправдывает. Тебе нужны деньги, Винсент?

— Благодарю вас, кузен Мауве. Я как-нибудь перебьюсь.

Винсент вовсе не хотел садиться на шею Мауве. В кармане у него оставался один-единственный франк, на него можно было прожить еще день; только бы Мауве бесплатно учил его, а деньги на хлеб он как-нибудь добудет.

Мауве целый час показывал Винсенту, как надо писать акварельными красками и потом смывать их с листа. Винсенту это никак не давалось.

— Не смущайся, — ободрял его Мауве. — Нужно испортить по крайней мере десяток набросков, прежде чем ты научишься правильно держать кисть. Покажи-ка мне что-нибудь из твоих последних брабантских этюдов!

Винсент вынул свои наброски. Мауве владел техникой в таком совершенстве, что мог в немногих словах раскрыть главный недостаток любой работы. Он никогда не ограничивался словами: «Это плохо», — а всегда добавлял: «Попытайся сделать вот так». Винсент слушал его с жадностью, зная, что Мауве говорит ему то же, что он сказал бы самому себе, если бы у него не ладилась работа над каким-нибудь полотном.

— Рисовать ты умеешь, — говорил он Винсенту. — То, что ты весь этот год не расставался с карандашом, принесло тебе огромную пользу. Я не удивлюсь, если Терстех скоро начнет покупать твои акварели.

Это утешение мало помогло Винсенту, когда он через два дня оказался без сантима. Первое число давно минуло, а сто франков от Тео все не приходили. Что же случилось? Может быть, Тео сердится на него? Неужели он откажется помогать брату как раз теперь, когда он на пороге успеха? Порывшись в кармане, Винсент нашел почтовую марку: теперь он мог написать Тео и попросить хотя бы часть денег — только бы не умереть с голоду и время от времени платить за натуру.

Три дня во рту у него не было маковой росинки; но утром он писал акварелью у Мауве, днем делал зарисовки в столовых для бедняков и в зале ожидания на вокзале, а вечером работал в «Пульхри» или снова в мастерской Мауве. Он очень боялся, что Мауве догадается, в чем дело, и утратит веру в его успех. Винсент понимал, что хотя Мауве привязался к нему, он бросит его без колебания, как только убедится, что заботы об ученике мешают его собственной работе. Когда Йет приглашала Винсента к обеду, он отказывался.

Тупая, гложущая боль под ложечкой заставила его вспомнить Боринаж. Неужто он обречен голодать всю жизнь? Неужто он никогда не познает довольства и покоя?

На другой день Винсент поборол свою гордость и отправился к Терстеху. Может быть, у этого человека, опекающего половину художников Гааги, удастся занять десять франков?

Оказалось, что Терстех уехал по делам в Париж.

Винсента сильно лихорадило, и он уже не мог держать в руках карандаш. Он слег в постель. На следующий день он вновь потащился на Плаатс и застал Терстеха в галерее. В свое время Терстех обещал Тео позаботиться о Винсенте. Он одолжил ему двадцать пять франков.

— Я все собираюсь наведаться к тебе в мастерскую, Винсент, — сказал он. — Жди, скоро приду.

Винсент с трудом заставил себя вежливо ответить Терстеху. Ему хотелось тотчас же уйти и где-нибудь поесть. По пути к галерее Гупиля он думал: «Если только я достану денег, все опять будет хорошо». Но теперь, когда у него в кармане были деньги, он чувствовал себя еще более несчастным. Его давило чувство страшного, невыносимого одиночества.

«Вот пообедаю, и все как рукой снимет», — сказал он себе.

Еда заглушила боль в желудке, но не могла заглушить чувства одиночества и заброшенности, которое гнездилось у Винсента где-то глубоко внутри. Он купил дешевого табака, пошел домой, лег на кровать и закурил трубку. Тоска по Кэй снова нахлынула на него. Он чувствовал себя таким обездоленным, что у него от обиды теснило грудь. Он вскочил с кровати, открыл окно и высунул голову в темень снежной январской ночи. Он вспомнил о преподобном Стриккере. Его пронизал такой озноб, словно он прижался всем телом к каменной церковной стене. Он закрыл окно, схватил пальто и шляпу и вышел, направляясь в кафе, которое приметил перед вокзалом Рэйн.

2

Кафе было освещено двумя керосиновыми лампами — одна висела у входа, другая — над стойкой. Посреди зала царил полумрак. Вдоль стен стояли скамейки и столики с каменными столешницами, испещренные щербинами и царапинами. Это заведение с мертвенно-тусклыми стенами и цементным полом было предназначено для рабочего люда и скорее походило на жалкое убежище, чем на место, где веселятся и отдыхают.

Винсент присел за один из столиков и устало прислонился спиной к стене. Не так уж плохо жить, когда работаешь, когда есть деньги на еду и на модель. Но где твои друзья, где близкий человек, с которым можно было бы запросто перебросится словечком хотя бы о погоде? Мауве — твой наставник, учитель,

Терстех — вечно занятый, важный коммерсант, Де Бок — богатый светский человек. Может быть, стакан вина принесет облегчение? Завтра он снова сможет работать, и все будет выглядеть не так мрачно.

Он неторопливо потягивал красное вино. В кафе было малолюдно. Напротив него сидел какой-то мастеровой. В углу, около стойки, устроилась парочка, женщина была одета ярко и аляповато. За соседним столиком сидела еще какая-то женщина, одна, без мужчины. Винсент ни разу не посмотрел на нее.

Официант, проходя мимо, грубо спросил у женщины:

— Еще стаканчик?

— У меня нет ни су! — отвечала она.

Винсент повернулся к ней:

— Может быть, выпьете стаканчик со мной?

Женщина окинула его взглядом:

— Конечно.

Официант принес стакан вина, получил двадцать сантимов и ушел. Винсент и женщина сидели теперь совсем близко друг к другу.

— Спасибо, — сказала женщина.

Винсент вгляделся в нее повнимательней. Она была немолода, некрасива, с несколько увядшим лицом — видимо, жизнь крепко потрепала ее. При своей худобе она была очень хорошо сложена. Винсент обратил внимание на ее руку, державшую стакан, — это была не рука аристократки, как у Кэй, а рука женщины, много поработавшей на своем веку. В полумраке кафе она напоминала ему некоторые типы Шардена и Яна Стена. Нос у нее был неровный, с горбинкой, на верхней губе слегка пробивались усики. Глаза смотрели тоскливо, но все же в них чувствовалась какая-то живость.

— Не за что, — ответил Винсент. — Спасибо вам за компанию.

— Меня зовут Христиной, — сказала она. — А вас?

— Винсентом.

— Вы работаете здесь, в Гааге?

— Да.

— Что вы делаете?

— Я художник.

— О! Тоже собачья жизнь — не правда ли?

— Всякое бывает.

— А я вот прачка. Когда у меня хватает сил работать. Но часто сил не хватает.

— Что же вы тогда делаете?

— Я долго промышляла на панели. Вот и теперь снова иду на улицу, когда хвораю и не могу работать.

— Тяжело работать прачкой?

— Еще бы! Мы работаем по двенадцать часов. И нам не сразу платят. Бывает, проработаешь целый день, а потом ищешь мужчину, чтобы малыши не сидели совсем голодные.

— Сколько у тебя детей, Христина?

— Пятеро. А сейчас я опять с прибылью.

— Муж твой умер?

— Я всех прижила с разными мужчинами.

— Тебе, видать, нелегко приходится, правда?

Она пожала плечами:

— Господи Боже! Не может же шахтер отказаться идти в шахту только потому, что там его того и гляди прихлопнет.

— Конечно. А ты знаешь кого-нибудь из тех мужчин, от которых у тебя дети?

— Только самого первого. Других я даже не знала, как звать.

— А как с тем ребенком, которым ты беременна сейчас?

— Ну, тут трудно сказать. Я была тогда очень хворая, стирать не могла, все время ходила на улицу. Да и не все ли равно!

— Хочешь еще вина?

— Закажи джину и пива. — Она порылась в своей сумочке, вынула огрызок дешевой черной сигары и закурила его. — Вид у тебя не шибко шикарный, — сказала она. — Ты продаешь свои картины?

— Нет, я только начинающий.

— Староват ты для начинающего.

— Мне тридцать.

— А выглядишь на все сорок. На какие же деньги ты живешь?

— Мне немного присылает брат.

— Черт побери, это не лучше, чем быть прачкой!

— Где ты живешь, Христина?

— У матери.

— А знает мать, что ты зарабатываешь на улице?

Женщина громко захохотала, но смех ее прозвучал невесело.

— Господи, конечно, знает! Она меня и послала на улицу. Она сама занималась этим всю жизнь. И меня и брата прижила на улице.

— Что делает твой брат?

— Содержит у себя женщину. И водит к ней мужчин.

— Наверное, это не очень полезно для твоих пятерых детишек.

— Плевать. Когда-нибудь все они займутся тем же самым.

— Невеселые дела. Так ведь, Христина?

— Ну, если распустишь нюни, лучше не станет. Можно еще стаканчик джина? Что это у тебя с рукой? Большущая черная рана...

— Это я обжегся.

— Ох, тебе было, наверно, очень больно.

Она ласково взяла руку Винсента и чуть приподняла ее над столом.

— Нет, Христина, не больно. Это я нарочно.

Она опустила его руку.

— Почему ты пришел сюда один? У тебя нет друзей?

— Нет. Есть брат, но он в Париже.

— Небось тоска тебя заедает, ведь правда?

— Да, Христина, ужасно.

— Меня тоже. Дома дети, мать, брат. Да еще мужчины, которых я ловлю на улице. Но все время чувствуешь себя одинокой, понимаешь? Нет никого, кто бы мне действительно был нужен. И кто бы нравился.

— А тебе нравился кто-нибудь, Христина?

— Самый первый парень. Мне тогда было шестнадцать. Он был богатый. Не мог жениться на мне из-за своих родных. Но давал деньги на ребенка. Потом он умер, и я осталась без сантима в кармане.

— Сколько тебе лет?

— Тридцать два. Поздновато уже рожать детей. Доктор в больнице сказал, что этот ребенок меня погубит.

— Если врач будет внимательно следить за тобой — тогда ничего.

— А где я возьму такого врача? Я не скопила ни франка. Доктора в бесплатных больницах за нами не очень-то смотрят — там у них слишком много больных.

— Неужели тебе негде раздобыть хоть немного денег?

— Негде, хоть лопни. Разве что выходить на улицу каждую ночь месяца два подряд. Но это погубит меня еще быстрее, чем ребенок.

Несколько мгновений Винсент и Христина молчали.

— Куда ты пойдешь сейчас, Христина?

— Я весь день простояла у лохани. Устала как собака и пришла сюда выпить стаканчик. Они должны были заплатить мне полтора франка, но задержали деньги до субботы. А мне надо два франка на жратву. Хотела здесь отдохнуть, пока не подвернется мужчина.

— Можно мне пойти с тобой, Христина? Я очень одинок. Можно?

— Само собой. Мне это в самый раз. К тому же ты очень милый.

— Ты мне тоже нравишься, Христина. Когда ты притронулась к моей руке и сказала... это было первое ласковое слово, которое я услышал от женщины уж не знаю с каких пор.

— Странно. С виду ты не урод. И такой воспитанный.

— Просто мне не везет в любви.

— Да, тут уж ничего не поделаешь. Можно мне выпить еще стаканчик джина?

— Слушай, ни тебе, ни мне не нужно напиваться, чтобы что-то почувствовать друг к другу. Лучше положи себе в карман вот эти деньги, я могу без них обойтись. Жаль, что их маловато.

— Поглядеть на тебя, так деньги тебе еще нужнее, чем мне. Ступай-ка своей дорогой. Когда ты уйдешь, я подцеплю какого-нибудь другого парня и заработаю два франка.

— Нет. Возьми деньги. Я обойдусь без них. Я занял двадцать пять франков у приятеля.

— Ну ладно. Идем отсюда.

Шагая по темным улицам к ее дому, они разговаривали как старые друзья. Христина рассказывала о своей жизни, ничуть не приукрашивая себя и не жалуясь на судьбу.

— Тебе никогда не приходилось позировать у художников? — спросил ее Винсент.

— Приходилось, когда я была молодая.

— Тогда почему бы тебе не позировать для меня? Много я платить не в состоянии. Даже франк в день не могу. Но когда у меня начнут покупать картины, я стану платить тебе по два франка. Это будет лучше, чем стирка.

— Идет. Я согласна. Я приведу своего мальчишку, можешь рисовать его бесплатно. Или, когда я тебе надоем, будешь рисовать маму. Она не прочь получить время от времени лишний франк. Она работает поденщицей.

Наконец они добрались до дома Христины. Это был каменный одноэтажный дом с небольшим двориком.

— Нас никто не увидит, — сказала Христина. — Моя комната первая.

Комната Христины была тесновата и без всяких претензий; гладкие обои на стенах окрашивали ее в спокойный, серый тон, заставивший Винсента вспомнить полотна Шардена. На деревянном полу лежал половик и кусок темно-красного ковра. В одном углу стояла обыкновенная кухонная печка, в другом комод, а посредине — широкая кровать. Это была типичная комната женщины-работницы.

Когда, проснувшись утром, Винсент почувствовал, что он не один, и разглядел в полумраке лежащее рядом с ним человеческое существо, мир показался ему гораздо дружелюбнее, чем прежде. Боль и одиночество, терзавшие его душу, исчезли, уступив место чувству глубокого покоя.

3

С утренней почтой он получил письмо от Тео вместе с ожидаемой сотней франков. Прислать деньги раньше Тео никак не мог. Винсент выбежал на улицу и, увидев копавшуюся в огороде старушку, попросил ее позировать ему за пятьдесят сантимов. Старуха охотно согласилась.

Винсент усадил ее в мирной позе у печки, поставив сбоку чайник. Он искал нужный тон: голова старухи была очень выразительна и живописна. Три четверти акварели он написал в тоне зеленого мыла. Уголок, где сидела старушка, он старался сделать как можно мягче, нежнее, с чувством. Прежде у него все получалось жестковато, резко, неровно, теперь же ему удалось добиться плавности. Винсент быстро закончил этюд, выразив в нем то, что ему хотелось. Он был глубоко благодарен Христине за все, что она сделала для него. Неудовлетворенная жажда любви отравляла все его существование, но не смогла его сломить; голод плоти был страшнее — он мог убить в нем жажду творчества, а это означало бы для него смерть.

— Плотская любовь будит силы, — бурчал себе под нос Винсент, легко и свободно орудуя кистью. — Удивляюсь, почему об этом не пишет отец Мишле.

В дверь постучали. Винсент отворил ее и впустил в комнату минхера Терстеха. Его полосатые брюки были безукоризненно отутюжены. Тупоносые коричневые штиблеты блестели как зеркало. Борода была аккуратно подстрижена, волосы расчесаны на пробор, воротничок сиял безупречной белизной.

Терстех был искренне обрадован, увидев, что у Винсента есть настоящая мастерская и что он усердно работает. Терстех радовался, когда молодые художники завоевывали успех: это было одновременно его любимым коньком и профессией. Однако он предпочитал, чтобы успех приходил к ним узаконенным, предопределенным путем; он считал, что лучше пусть художник идет обычной дорогой и потерпит неудачу, чем нарушит все законы и добьется славы. В глазах Терстеха правила игры были важнее самого выигрыша. Терстех был честным и праведным человеком и полагал, что и все остальные люди должны быть точно такими же. Он не допускал и мысли, что на свете бывают обстоятельства, когда зло оборачивается добром или грех засчитывается во спасение. Художники, продававшие свои картины фирме Гупиль, знали, что они должны беспрекословно подчиняться правилам. Если же они восставали против кодекса приличий, Терстех отвергал их картины, хотя бы это были истинные шедевры.

— Молодец, Винсент, — сказал он. — Рад видеть тебя за работой. Я люблю наведываться к своим художникам, когда они работают.

— Вы очень любезны, что зашли ко мне, минхер Терстех.

— Нисколько. Я давно хотел заглянуть к тебе в мастерскую, с той самой поры, как ты сюда приехал.

Винсент окинул взглядом кровать, стол, стулья, печку и мольберт.

— Признаться, глядеть тут особенно не на что.

— Это не имеет значения. Трудись не покладая рук, и у тебя будет кое-что получше. Мауве говорил мне, что ты начинаешь работать акварелью; не забывай — на акварели большой спрос. Я постараюсь продать некоторые из твоих этюдов, а другие возьмет Тео.

— На это я и надеюсь, минхер.

— Сегодня ты выглядишь бодрее, чем вчера при нашей встрече.

— Да, вчера я был болен. Но потом все прошло.

Он вспомнил вино, джин, Христину; при мысли о том, что сказал бы Терстех, если бы он знал все это, у него мурашки побежали по коже.

— Не хотите ли посмотреть кое-какие этюды, минхер? Ваше мнение для меня очень важно.

Терстех разглядывал этюд, написанный в тоне зеленого мыла, — старушку в белом фартуке. Молчание его было уже не столь красноречиво, как в ту памятную для Винсента встречу на Плаатсе. Опершись всей своей тяжестью на трость, он постоял минуту, затем повесил трость на руку.

— Да, да, ты несомненно шагнул вперед. Мауве сделает из тебя акварелиста, я уже вижу. Конечно, на это потребуется время, но в конечном счете ты научишься. И поторапливайся, Винсент, пора начать самому зарабатывать на жизнь. Та сотня франков в месяц, которую посылает тебе Тео, достается ему нелегко, я видел это, когда был в Париже. Ты должен обеспечить себя как можно скорее. Я постараюсь купить у тебя несколько этюдов в самое ближайшее время.

— Благодарю вас, минхер. Вы так заботитесь обо мне!

— Я хочу, чтобы ты добился успеха, Винсент. Это в интересах фирмы Гупиль. Как только я начну продавать твои работы, ты сможешь снять хорошую мастерскую, купить приличное платье и изредка бывать в обществе. Это необходимо, если ты хочешь, чтобы потом у тебя покупали картины маслом. Ну, мне пора к Мауве. Надо взглянуть на его схевенингенскую работу, которую он пишет для Салона.

— Вы зайдете ко мне еще, минхер?

— Непременно. Через неделю-другую загляну опять. Работай прилежно, я хочу видеть твои успехи. Я не стану приходить к тебе даром, понимаешь?

Они пожали друг другу руки, и Терстех ушел. Винсент снова погрузился в работу. Если бы он мог заработать себе на жизнь, хотя бы самую скромную! Ничего больше ему и не надо. Он обрел бы независимость, не был бы никому в тягость. И самое главное, ему не пришлось бы спешить: он мог бы медленно и спокойно нащупывать путь к мастерству, к собственной манере.

Вечером Винсент получил от Де Бока записку на розовой бумаге:

Дорогой Ван Гог!
Завтра утром я приведу к вам натурщицу от Артца, и мы порисуем вместе.

Де Б.

Натурщица оказалась красивой молодой девушкой, — за сеанс она брала полтора франка. Винсент был необычайно рад подвернувшемуся случаю: нанять ее самостоятельно он не мог и мечтать. Девушка раздевалась около печки, в которой пылал яркий огонь. Во всей Гааге только профессиональные натурщицы соглашались позировать обнаженными. Винсента это очень огорчало: ему хотелось рисовать тело стариков и старух, имеющее свой тон, свою характерность.

— Я захватил кисет с табаком и скромный завтрак, который приготовила моя экономка, — сказал Де Бок. — Так нам не придется выходить из дому и заботиться о еде.

— Что ж, попробуем вашего табаку. Мой несколько крепковат, чтобы курить его с утра.

— Я готова, — заявила натурщица. — Можете устанавливать позу.

— Сидя или стоя, Де Бок?

— Давайте порисуем сначала стоя. В новом пейзаже у меня есть несколько стоящих фигур.

Они рисовали почти полтора часа, пока девушка не устала.

— Пусть теперь сядет, — сказал Винсент. — В фигуре будет меньше напряженности.

Они работали до полудня, склонившись над своими рисовальными досками и изредка перекидываясь словечком насчет освещения или табака. Затем Де Бок развернул пакет с завтраком, и все трое уселись у печки, закусывая тонкими ломтями хлеба с холодным мясом и сыром. Винсент и Де Бок не могли оторваться от своих рисунков и все смотрели на них.

— Просто удивительно, какой объективный взгляд появляется у меня на свою работу, стоит только немного подкрепиться, — сказал Де Бок.

— Можно взглянуть, что у вас получилось?

— Сделайте одолжение!

Де Бок добился в своем рисунке большого сходства в лице, что же касается фигуры, то в ней не было ничего индивидуального. Это было изумительно красивое тело — и только.

— Боже! — воскликнул Де Бок, взглянув на рисунок Винсента. — Что вы нарисовали вместо лица? Это и называется у вас вдохнуть страсть?

— Мы ведь рисовали не портрет, — возразил Винсент. — Мы рисовали фигуру.

— Впервые слышу, что лицо не имеет отношения к фигуре.

— А вы поглядите, как у вас получился живот, — сказал, в свою очередь, Винсент.

— Как?

— Вид у него такой, будто он надут горячим воздухом. Совершенно не чувствуется кишок.

— А почему они должны чувствоваться? Я не заметил, чтобы у бедной девушки они вылезали наружу.

Натурщица продолжала жевать бутерброд и даже не улыбнулась. Она считала всех художников немножко помешанными.

Винсент положил свой рисунок рядом с рисунком Де Бока.

— Вот видите, — сказал он, — здесь в животе их полным-полно. Глядя на этот живот, вы можете сказать, что по ним прошла не одна тонна пищи.

— Но при чем тут искусство? — удивился Де Бок. — Мы ведь не специалисты по внутренностям. Я хочу, чтобы люди, глядя на мои пейзажи, видели, как туман окутывает деревья, как прячется в облаках багровое солнце. Я совсем не хочу, чтобы они видели какие-то кишки.

Каждый день спозаранок Винсент отправлялся на поиски натуры. Сегодня это был сынишка кузнеца, завтра старуха из лечебницы для душевнобольных в Геесте, послезавтра разносчик торфа, а однажды он привел из еврейского квартала Паддемуса бабушку вместе с внуком. Натурщики стоили ему немалых денег, хотя он знал, что должен беречь каждое су, чтобы дотянуть до конца месяца. Но какой толк жить в Гааге и учиться у Мауве, если не работать в полную силу? А поесть вволю он успеет и потом, когда завоюет себе положение.

Мауве продолжал терпеливо с ним заниматься. Каждый вечер Винсент сидел в теплой, удобной мастерской на Эйлебоомен и упорно трудился. Порой, когда его акварели получались скучными и грязноватыми, он приходил в отчаяние. Мауве только смеялся.

— Ну, разумеется, это еще не бог весть что, — говорил он. — Если бы твои работы сверкали уже сегодня, в них был бы лишь поверхностный лоск, а завтра ты наверняка стал бы работать скучнее и хуже. Сейчас ты корпишь над ними и у тебя выходит плохо, зато потом будешь писать быстро и с блеском.

— Это верно, кузен Мауве, но если человеку надо зарабатывать на хлеб, что тогда прикажете делать?

— Поверь мне, Винсент, если будешь спешить, ты лишь загубишь в себе художника. Выскочка всегда выскочкой и остается. В искусстве по сию пору действует старое правило: «Честность есть лучшая политика!» Лучше терпеть невзгоды и серьезно учиться, чем усвоить лишь тот шик, который льстит публике.

— Я хочу быть верным себе, кузен Мауве, и выразить суровую правду в суровой манере. Но когда приходится зарабатывать на жизнь... Я написал несколько этюдов, которые, по-моему, Терстех мог бы... конечно, я понимаю...

— Покажи-ка мне эти этюды, — сказал Мауве.

Беглым взглядом он окинул акварели и изорвал их в мелкие клочки.

— Держись своей резкой манеры, Винсент, — сказал он, — и не старайся угодить любителям и торговцам. Пусть те, кто поймет тебя, сами идут к тебе. Настанет время, когда ты пожнешь плоды своего труда.

Винсент посмотрел на разбросанные по полу клочки.

— Спасибо вам, кузен Мауве. Этот урок пойдет мне на пользу.

В тот вечер Мауве устраивал вечеринку, и скоро начали сходиться художники: Вейсенбрух, за немилосердную критику работ своих коллег прозванный Карающим Мечом, Брейтнер, Де Бок, Юлиус Бакхёйзен и Нейхёйс, друг Воса.

Вейсенбрух был маленький, необычайно энергичный человечек. Он не пасовал ни перед кем и ни перед чем. То, что ему не нравилось — а не нравилось ему почти все, — он уничтожал одним язвительным словом. Он писал только то, что считал нужным, и так, как считал нужным, но заставил публику полюбить свои работы. Однажды Терстех не одобрил что-то в его полотнах, и Вейсенбрух навсегда отказался от услуг фирмы Гупиль. Тем не менее он продавал все, что выходило из-под его кисти, и никто не мог догадаться, кому и каким образом. Лицо у него было столь же резкое, как и язык: лоб, нос и подбородок походили на лезвие ножа. Все побаивались Вейсенбруха и заискивали перед ним, стараясь добиться его расположения. Он презирал вся и все, чем прославился на всю страну. Отведя Винсента в угол к камину и сплевывая в огонь, Вейсенбрух с удовольствием слушал, как шипит слюна на раскаленных углях, и поглаживал гипсовую ногу, стоявшую на каминной доске.

— Мне сказали, что вы Ван Гог, — начал он. — Неужели вы пишете картины с таким же успехом, как ваши дядюшки продают их?

— Нет, мне ничто не приносит успеха.

— Тем лучше для вас! Художник должен голодать по крайней мере до шестидесяти лет. Тогда, может быть, он создаст несколько достойных полотен.

— Вздор! Вам едва за сорок, а вы пишете превосходные вещи.

Вейсенбруху понравился этот решительный возглас: «Вздор!» Впервые за многие годы ему осмелились возразить подобным образом. Свое удовольствие он выразил новым выпадом:

— Если вам нравится то, что я пишу, лучше бросьте живопись и наймитесь консьержем. Почему я продаю свои картины дуре публике, как вы думаете? Да потому, что они дерьмо! Если бы они были хороши, я бы с ними не расстался. Нет, мой мальчик, пока я еще только учусь. Вот когда мне стукнет шестьдесят, тогда я начну писать по-настоящему. Все, что я тогда сделаю, я никому не отдам, буду держать при себе, а умирая, велю положить со мной в могилу. Художник не упускает из своих рук ничего, что он считает достойным, Ван Гог. Он продает публике только заведомую дрянь.

Де Бок украдкой подмигнул Винсенту из своего угла, и Винсент сказал:

— Вы ошиблись в выборе профессии, Вейсенбрух, вам надо бы стать критиком.

Вейсенбрух громко расхохотался.

— Ну, Мауве, ваш кузен только с виду тихоня. Язык у него подвешен неплохо! — Он повернулся к Винсенту и бесцеремонно спросил: — Черт возьми, зачем это вы нарядились в такое отрепье? Почему не купите приличное платье?

Винсент носил старый перешитый костюм Тео. Перешит он был неудачно, и вдобавок Винсент каждый день пачкал его акварельными красками.

— У ваших дядьев хватит денег, чтобы одеть все население Голландии. Неужто они вам не помогают?

— А разве они обязаны мне помогать? Они вполне разделяют вашу точку зрения, что художник должен жить впроголодь.

— Если они не верят в вас, то дело плохо. Говорят, у Ван Гогов такой нюх, что они чуют настоящего художника за сотню километров. Видимо, вы бездарь.

— Ну и катитесь к чертовой матери!

Винсент сердито отвернулся, но Вейсенбрух ухватил его за руку. Лицо у него сияло в широкой улыбке.

— Ох и характер! — воскликнул он. — Я хотел только испытать, насколько у вас хватит терпения. Не падайте духом, мой мальчик. Вы скроены из крепкого материала.

Мауве с удовольствием разыгрывал перед гостями разные сценки. Он был сыном священника, но всю жизнь знал лишь одну религию — живопись. Пока Йет разносила чай, пирожные и сыр, Мауве прочитал проповедь насчет рыбачьей лодки апостола Петра. Купил Петр эту лодку или получил по наследству? Или, может быть, приобрел ее в рассрочку? А может, — страшно подумать, — он ее украл? Художники дымили трубками и от души хохотали, налегая на сыр.

— Мауве сильно изменился, — пробормотал Винсент.

Винсент не знал, что Мауве переживает одну из своих творческих метаморфоз. Мауве начинал свои картины вяло, работая почти без интереса. Постепенно, по мере того как замысел креп и овладевал его сознанием, в нем просыпалась и энергия. С каждым днем он трудился все усерднее и простаивал за мольбертом все дольше. И по мере того как изображение проступало на полотне яснее, художник становился все требовательнее к себе. Теперь он уже забывал о семье, о друзьях, обо всем, кроме работы. Он терял аппетит и целыми ночами лежал без сна, обдумывая картину. Силы его падали, беспокойство росло. Он держался на одних нервах. Его большое тело становилось тощим, а мечтательные глаза заволакивала дымка. И чем больше он уставал, тем упорнее работал. Нервный подъем, владевший им, захватывал его все сильнее и сильнее. Внутренним чутьем он угадывал, сколько времени потребуется, чтобы кончить работу, и напрягал свою волю, чтобы выдержать до конца. Он был похож на человека, одержимого тысячью бесов; у него были впереди целые годы, и он мог не торопиться, но он все подгонял себя, не зная ни минуты покоя. В конце концов он доходил до такого неистовства, что, если ему кто-нибудь попадался под руку, разыгрывались ужасные сцены. Он вкладывал в картину все свои силы, до последней капли. Как бы ни затягивалась работа, у него доставало упорства тщательно отделать ее, довести ее до последнего мазка. Ничто не могло сокрушить его волю, пока полотно не было завершено.

Закончив картину, он валился с ног от изнеможения. Он был слаб, болен, почти безумен. Йет должна была долго ухаживать за ним, как за ребенком, пока к нему не возвращались силы и рассудок. Мауве был так измучен, что один вид или запах красок вызывал у него тошноту. Медленно, очень медленно приходило к нему выздоровление. Вместе с крепнувшими силами появлялся и интерес к работе. Он уже бродил по мастерской, стирая и стряхивая пыль с полотен. Потом выходил в поле, но на первых порах ничего не видел вокруг себя. В конце концов какой-нибудь пейзаж выводил его из оцепенения. И все начиналось снова.

Когда Винсент приехал в Гаагу, Мауве только приступал к своей схевенингенской картине. А теперь его лихорадило все сильнее и сильнее, он стоял на пороге самого безумного, самого прекрасного и всепоглощающего исступления — творческого исступления художника.

4

Как-то вечером в мастерскую Винсента постучалась Христина. На ней была черная юбка, темно-синяя блуза, волосы прикрывала темная шляпка. Весь день она простояла у корыта. Как всегда в минуты крайней усталости, рот у нее был полуоткрыт, а оспины на лице показались Винсенту особенно крупными и глубокими.

— Здравствуй, Винсент, — сказала она. — Решила поглядеть, как ты живешь.

— Христина, ты первая женщина, которая зашла ко мне. Как я рад тебя видеть! Позволь, я помогу тебе снять платок.

Она присела к печке погреться. Затем внимательно оглядела комнату и сказала:

— Тут не плохо. Только вот пустовато.

— Я знаю. У меня нет денег на мебель.

— Да, денег у тебя, как видно, не густо.

— Я как раз собирался ужинать, Христина. Не хочешь ли поесть вместе со мной?

— Почему ты не зовешь меня Син? Меня все так зовут.

— Ну хорошо, пусть будет Син.

— А что у тебя на ужин?

— Картошка и чай.

— Я сегодня заработала два франка. Пойду куплю немного говядины.

— Деньги-то у меня есть. Мне кое-что прислал брат. Сколько надо на мясо?

— Больше чем на пятьдесят сантимов мы, я думаю, не съедим.

Скоро она вернулась со свертком в руках. Винсент взял у нее мясо и принялся было за стряпню.

— Садись на место, слышишь? Ты ничего не понимаешь в хозяйстве. Это женское дело.

Когда она склонилась над печкой, отблеск пламени заиграл на ее щеках. Теперь она казалась очень хорошенькой. Когда она нарезала картошку, положила ее вместе с мясом в горшок и поставила на огонь, это выглядело так естественно и дышало таким уютом! Винсент сел на стул у стены и смотрел на Христину — на душе у него стало тепло. Это был его дом, и вот рядом с ним женщина, любовно готовящая ему ужин. Как часто он мечтал об этом, представляя себе в роли хозяйки Кэй! Син взглянула на него. Она увидела, что Винсент вместе со стулом резко откинулся к стене.

— Эй, дурной, — сказала она, — сядь как следует. Ты что, хочешь свернуть себе шею?

Винсент улыбнулся. Все женщины, с которыми ему приходилось жить под одной крышей — мать, сестры, тетки, кузины, — все до одной говорили ему: «Винсент, сиди на стуле как следует. А то свернешь себе шею».

— Ладно, Син, — отозвался он. — Я буду умником.

Как только она отвернулась, он опять привалился вместе со стулом к стене и, довольный, закурил трубку. Христина поставила ужин на стол. Кроме мяса, она купила еще две булочки; когда с жарким было покончено, они подобрали подливку кусочками хлеба.

— Могу поспорить, что ты такой ужин не сготовишь, — сказала она.

— Конечно, нет, Син! Когда я готовлю сам, то не могу и разобрать, что я ем — то ли рыбу, то ли птицу, то ли самого черта.

За чаем Син закурила свою неизменную черную сигару. Они дружески болтали. Винсент чувствовал себя с нею гораздо проще, чем с Мауве или Де Боком. Между ним и Син чувствовалось какое-то родство, и Винсент даже не пытался разобраться, в чем тут дело. Они говорили о самых обычных вещах, говорили просто, нисколько не рисуясь друг перед другом. Она слушала Винсента, не перебивая и не стараясь вставить словечко о себе. Она ничего не хотела навязывать Винсенту. Ни тот, ни другой не стремились произвести впечатление друг на друга. Когда Син рассказывала о себе, о своих горестях и несчастьях, Винсенту нужно было изменить лишь немногое — и получался как бы рассказ о его собственных горестях и несчастьях. Разговор тек спокойно, без возбуждения, а молчание проходило непринужденно. Это было общение двух душ, открытых, свободных от всяких условностей, от всякого расчета и искусственности.

Винсент встал с места.

— Что ты намерен делать? — спросила Син.

— Мыть посуду.

— Садись. Мыть посуду ты не умеешь. Это женское дело.

Он откинулся со стулом к печке, набил трубку и с довольным видом пускал клубы дыма, а она мыла в тазу посуду. Ее крепкие руки покрылись мыльной пеной, вены на них набухли, мелкая сеть морщинок красноречиво говорила о том, что они много поработали на своем веку. Винсент взял карандаш и бумагу и набросал ее руки.

— Ну, вот и готово, — заявила она, покончив с посудой. — Теперь бы выпить немного джину и пива...

Они просидели весь вечер, потягивая пиво, и Винсент рисовал Син. Сидя на стуле у горящей печки и положив руки на колени, Син не скрывала своего удовольствия. Тепло и приятные разговоры с человеком, который ее понимал, делали ее оживленной.

— Когда ты покончишь со стиркой? — спросил Винсент.

— Завтра. И слава Богу. Уже никаких сил нет.

— Ты плохо себя чувствуешь?

— Нет, но теперь это близко, совсем близко. Проклятый ребенок все шевелится во мне.

— Тогда, может быть, ты начнешь мне позировать на той неделе?

— А что надо делать — сидеть, и только?

— Конечно. Иногда надо встать или раздеться.

— Ну, тогда совсем хорошо. Ты работаешь, а я получаю денежки.

Она выглянула в окно. На улице шел снег.

— Хотела бы я быть уже дома. Вон какой холод, а у меня только платок. И идти далеко.

— Тебе надо опять сюда завтра утром?

— В шесть часов. Еще затемно.

— Тогда, Син, если хочешь, оставайся здесь. Я буду рад.

— А я тебе не помешаю?

— Нисколько. Кровать у меня широкая.

— Двое в ней улягутся?

— Вполне.

— Значит, я остаюсь.

— Ну и отлично.

— Как хорошо, что ты предложил мне остаться, Винсент.

— Как хорошо, что ты осталась.

Утром Христина заварила кофе, прибрала постель и подмела мастерскую. Потом она ушла стирать. И тогда мастерская показалась Винсенту совсем пустой.

5

В тот же день к Винсенту опять пришел Терстех. Глаза у него блестели, а щеки раскраснелись от мороза.

— Как идут дела, Винсент?

— Отлично, минхер Терстех. Я тронут, что вы снова заглянули ко мне.

— Не покажешь ли мне что-нибудь интересное? За этим я, собственно, и пришел.

— Да, у меня есть несколько новых вещей. Прошу вас, присядьте.

Терстех покосился на стул, полез в карман за платком, чтобы смахнуть пыль, но в конце концов решил, что это не совсем вежливо, и, скрывая брезгливость, сел. Винсент показал ему три-четыре небольшие акварели. Терстех торопливо взглянул на них, словно пробегая длинное письмо, затем вернулся к первому этюду и стал пристально его рассматривать.

— Дело идет на лад, — сказал он, помолчав. — Акварели, конечно, еще оставляют желать лучшего, они грубоваты, но ты продвигаешься вперед. Ты поскорее должен сделать что-нибудь такое, что я мог бы купить.

— Хорошо, минхер.

— Пора подумать о самостоятельном заработке, мой мальчик. Жить на чужой счет не годится.

Винсент взял в руки свои акварели и поглядел на них. Он и раньше догадывался, что они грубоваты, но, как всякий художник, не мог видеть все несовершенство своих произведений.

— Только о том и мечтаю, чтобы самому зарабатывать на жизнь, минхер.

— Так трудись усерднее. Надо спешить. Если б ты создал стоящую вещь, я с удовольствием купил бы ее у тебя.

— Благодарю вас, минхер.

— Как бы то ни было, я рад видеть, что ты не унываешь и работаешь. Тео просил меня присматривать за тобой. Напиши что-нибудь стоящее, Винсент, я хочу, чтобы ты занял свое место на Плаатсе.

— Я стараюсь писать как можно лучше. Но не всегда рука повинуется моей воле. А все-таки Мауве понравилась одна из этих вещей.

— Что же он сказал?

— Сказал: «Это уже начинает походить на акварель».

Терстех рассмеялся, обмотал свой шерстяной шарф вокруг шеи и со словами: «Работай, Винсент, работай; только так и создаются великие произведения» — вышел из мастерской.

Винсент написал дяде Кору, что он устроился в Гааге, и звал его приехать. Дядя часто наведывался в Гаагу, чтобы купить материалов и картин для своего художественного магазина — самого большого в Амстердаме. Однажды в воскресенье Винсент зазвал к себе в гости детишек, с которыми успел свести знакомство. Чтобы ребятам не было скучно, пока он их рисовал, Винсент купил им конфет и, не отрываясь от своей рисовальной доски, рассказывал сказку за сказкой. Услышав резкий стук в дверь и басовитый, зычный голос, Винсент понял, что приехал дядя.

Корнелис Маринюс Ван Гог пользовался известностью, был богат, и дело его процветало. Но несмотря на это, в его больших темных глазах сквозила печаль. Губы у него были тоньше и суше, чем у остальных Ван Гогов. Голова же была типично ван-гоговская: выпуклые надбровья, квадратный лоб, широкие скулы, массивный округлый подбородок и крупный, резко очерченный нос.

Корнелис Маринюс приметил в мастерской все до последней мелочи, хотя сделал вид, будто ни на что не обращает внимания. Он перевидал больше мастерских, чем любой другой человек в Голландии.

Винсент роздал детям остатки конфет и отправил их по домам.

— Не выпьете ли вы со мной чашку чаю, дядя Кор? На улице, наверно, ужасный холод.

— Спасибо, Винсент, выпью.

Винсент подал ему чай и подивился, как беззаботно и ловко держит дядя свою чашку на коленях, рассуждая о всяких новостях.

— Итак, ты решил стать художником, Винсент, — сказал Корнелис. — Да, пора Ван Гогам иметь своего художника. Хейн,

Винсент и я покупаем картины у чужих людей вот уже тридцать лет. Теперь же часть денег будет оставаться в семье.

— Ну, если трое дядьев и брат торгуют картинами, я могу развернуться вовсю! — засмеялся Винсент. — Не хотите ли кусок хлеба с сыром, дядя Кор? Может, вы проголодались?

Корнелис Маринюс хорошо знал, что отказаться от еды у бедного художника — значит жестоко оскорбить его.

— Спасибо, поем с удовольствием. Сегодня я рано завтракал.

Винсент положил несколько ломтей грубого черного хлеба на щербатую тарелку и вынул из бумаги кусок дешевого сыра. Корнелис Маринюс сделал над собой усилие, чтобы отведать того и другого.

— Терстех сказал мне, что Тео присылает тебе сто франков в месяц.

— Да, присылает.

— Тео — молодой человек, ему надо бы беречь деньги. А ты должен зарабатывать свой хлеб сам.

Винсент был сыт по горло теми поучениями, которые он только вчера выслушал от Терстеха. Он быстро, не подумав, ответил:

— Зарабатывать свой хлеб, дядя Кор? Что это значит? Зарабатывать свой хлеб... или не даром его есть? Есть свой хлеб даром или, иными словами, быть недостойным его, — это, конечно, преступление, ибо каждый честный человек должен быть достоин своего хлеба. Но не уметь зарабатывать на хлеб, хотя и быть достойным его, — это уже несчастье, большое несчастье.

Отщипнув кусочек черного мякиша, Винсент скатал из него твердый шарик.

— Так вот, если вы скажете мне, дядя Кор: «Ты недостоин своего хлеба», — вы меня обидите. Но если вы справедливо заметите, что я не всегда зарабатываю свой хлеб, то возражать тут не приходится. Но что толку об этом говорить? Если больше вам нечего сказать, это мне ничуть не поможет.

О хлебе Корнелис больше не заговаривал. Беседа текла в самом покойном тоне, пока, совершенно случайно, Винсент, заговорив о выразительности в искусстве, не упомянул имя художника Де Гру.

— А знаешь ли ты, Винсент, — сказал Корнелис, — что о личной жизни Де Гру идет худая слава?

Винсент не мог спокойно слушать, когда говорили такие вещи о славном Де Гру. Он понимал, что гораздо лучше смиренно поддакнуть дяде, но, видимо, разговаривая с Ван Гогами, он уже ни с чем не мог бы согласиться.

— Дядя Кор, мне всегда казалось, что художник, вынося свою работу на суд публики, вправе сохранить при себе свои переживания, свою личную жизнь, хотя она роковым образом связана со всеми трудностями, которые приходится преодолевать, создавая произведение искусства.

— Но вместе с тем, — возразил Корнелис, прихлебывая чай, к которому Винсент не подал сахара, — один тот факт, что человек не ходит за плугом или не корпит над счетной книгой, а работает кистью, еще не дает ему права вести распущенную жизнь. Я сомневаюсь, что мы должны покупать картины художников, которые пренебрегают нравственностью.

— А я считаю, что еще безнравственней копаться в грязном белье художника, если его работа безупречна. Труд художника и его личная жизнь — все равно что роженица и ее ребенок. Вы можете глядеть на ребенка, но нечего задирать у роженицы рубашку и смотреть, не запачкана ли она кровью. Это в высшей степени нескромно.

Корнелис только что откусил кусочек бутерброда с сыром. Он поспешно выплюнул его в горсть и швырнул в печку.

— Ну и ну, — бормотал он. — Ну и ну!

Винсент испугался, что Корнелис рассердится, но все сошло благополучно. Усадив дядю поближе к огоньку, Винсент вынул папку со своими набросками и этюдами. Сначала Корнелис молчал, но когда дошел до небольшого рисунка, изображавшего Паддемус со стороны торфяного рынка, — Винсент сделал его в двенадцать часов ночи, гуляя с Брейтнером, — дядя не удержался.

— Это здорово, — сказал он. — Можешь ты нарисовать еще несколько городских пейзажей?

— Конечно. Я рисую их, когда хочу отдохнуть от работы с моделью. Тут и еще есть такие пейзажи. Вот поглядите!

Винсент, заглядывая через плечо Корнелиса, стал перебирать в папке листы разных размеров.

— Это Флерстех... а это Геест. Вот рыбный рынок.

— Можешь ты нарисовать для меня дюжину таких пейзажей?

— Могу, но это уже сделка, а раз сделка — давайте условимся о цене.

— Хорошо, сколько же ты хочешь?

— На рисунки такого размера, все равно, карандашом или пером, у меня цена одинаковая — два с половиной франка. Это не слишком дорого, как вы полагаете?

Корнелису оставалось только рассмеяться про себя — такие это были ничтожные деньги!

— Разумеется, не дорого. Если рисунки будут удачные, я попрошу тебя нарисовать еще двенадцать видов Амстердама. И тогда уже назначу цену сам, чтобы ты получил немного больше.

— Дядя Кор, это мой первый заказ! Я не могу и сказать, как я счастлив!

— Мы все хотим помочь тебе, Винсент. Только доведи свои работы до нужного уровня, и мы станем покупать у тебя все, что ты нарисуешь. — Он взял шляпу и перчатки. — Будешь писать Тео, передай ему привет от меня.

Опьяненный успехом, Винсент схватил свою новую акварель и побежал на улицу Эйлебоомен. Дверь открыла Йет. Вид у нее был расстроенный.

— На твоем месте я не стала бы заходить в мастерскую, Винсент. Антон не в себе.

— Что случилось? Он болен?

Йет вздохнула.

— Мечется, как всегда.

— Ну, тогда ему, конечно, не до меня.

— Лучше обожди до другого раза, Винсент. Я скажу ему, что ты приходил. Когда он будет спокойнее, он сам к тебе зайдет.

— Ты не забудешь сказать ему обо мне?

— Не забуду.

Винсент ждал не одну неделю, но Мауве все не было. Вместо него дважды приходил Терстех. Каждый раз он повторял одно и то же:

— Да, да, ты, пожалуй, шагнул немного вперед. Но это еще не то, что нужно. Я еще не могу продавать твои вещи на Плаатсе. Боюсь, что ты работаешь недостаточно усердно или слишком торопливо, Винсент.

— Дорогой минхер Терстех, я встаю в пять утра и работаю до одиннадцати или двенадцати ночи. Я отрываюсь от работы лишь для того, чтобы немного перекусить.

Терстех недоумевающе покачал головой. Он снова всмотрелся в акварель.

— Не понимаю, не понимаю. Твои работы отдают тою же грубостью и резкостью, которая была у тебя, когда ты впервые появился на Плаатсе. Тебе уже давно бы пора это преодолеть. Если у человека есть способности, при упорной работе этого вполне можно добиться.

— При упорной работе! — повторил Винсент.

— Видит Бог, я рад бы купить твои этюды, Винсент! Я хочу, чтобы ты зарабатывал себе на жизнь. Это несправедливо, что Тео приходится тебя кормить... Но я не могу, не могу покупать твои вещи, пока они плохи! Ведь тебе не нужна милостыня.

— Нет, не нужна.

— Ты должен спешить, это главное. Должен начать продавать свои вещи и зарабатывать себе на жизнь.

Когда Терстех повторил эти слова в четвертый раз, Винсент подумал, что он просто издевается над ним. «Ты должен зарабатывать себе на жизнь... но я не могу у тебя купить ничего, ровным счетом ничего!» Как же, черт возьми, он может заработать себе на жизнь, если у него ничего не покупают?

Однажды Винсент встретил на улице Мауве. Художник шел быстрым шагом, шел, сам не зная куда, опустив голову и выставив вперед правое плечо. Винсента он словно не узнал.

— Давно не видел вас, кузен Мауве.

— Я был занят. — Тон у Мауве был холодный, равнодушный.

— Да, я знаю, у вас новая картина. Как она продвигается?

— Ах... — Он сделал неопределенное движение рукой.

— Можно мне как-нибудь зайти к вам в мастерскую? Боюсь, что я со своими акварелями так и застрял на одном месте.

— Не сейчас. Говорю тебе, я занят. Я не могу тратить время попусту.

— Тогда не заглянете ли вы ко мне, когда выйдете прогуляться? Несколько ваших слов направили бы меня на верную дорогу.

— Возможно, как знать. Только я сейчас занят. Мне надо идти.

Он зашагал дальше, устремляясь вперед всем телом. Винсент в недоумении глядел ему вслед.

Что же такое случилось? Неужели он чем-нибудь оскорбил Мауве? Оттолкнул его?

Винсент был очень удивлен, когда через несколько дней к нему в мастерскую наведался Вейсенбрух. Ведь этот человек снисходил до разговора с молодыми или даже с признанными художниками лишь затем, чтобы разругать их на все корки.

— Вот это да! — с порога закричал Вейсенбрух, оглядывая комнату. — Дворец, настоящий дворец! Скоро вы будете здесь писать портреты короля и королевы.

— Если вам здесь не нравится, можете убираться, — огрызнулся Винсент.

— Почему вы не плюнете на живопись, Ван Гог? Ведь это собачья жизнь.

— Вы же вот процветаете.

— Да, но я добился успеха. А вы никогда не добьетесь.

— Возможно. Но я буду писать куда лучше вас.

Вейсенбрух расхохотался.

— Нет, это вам не удастся! Но наверное, вы будете писать лучше всех в Гааге, за исключением меня. Если только в вашей живописи отразится ваш характер.

— А вы считаете, что тут нет характера? — спросил Винсент, доставая свою папку. — Присядьте, посмотрите.

— Я не могу смотреть рисунки сидя.

Акварели Вейсенбрух отодвинул в сторону, едва взглянув на них.

— Это не в вашей манере; акварель — слишком пресная, вялая техника, чтобы выразить то, что вы хотите.

Он заинтересовался карандашными рисунками, изображавшими боринажцев, брабантцев, стариков и старух, которых

Винсент часто рисовал в Гааге. Рассматривая лист за листом, он только посмеивался. Винсент ждал, что сейчас на него обрушится град издевательств.

— Рисуете вы просто великолепно, — сказал Вейсенбрух, и глаза у него заблестели. — Пожалуй, по этим эскизам я и сам не прочь бы поработать.

У Винсента будто подломились колени, так неожиданны были слова Вейсенбруха. Он упал на стул как подкошенный.

— Вас, кажется, называют Карающим Мечом?

— Так оно и есть. Если бы я увидел, что ваши рисунки плохи, я бы сказал это прямо.

— А Терстех разбранил меня за них. Говорит, что они чересчур грубы и резки.

— Глупости! В этом-то их сила.

— Я хотел рисовать пером, но Терстех говорит, что мне надо целиком перейти на акварели.

— И тогда он будет продавать эти акварели, да? Нет, мой друг, если вы видите натуру как рисунок пером, то и передавайте ее рисунком. И главное, никого не слушайте, даже меня. Идите своим путем.

— Пожалуй, так и придется.

— Когда Мауве сказал, что вы художник Божьей милостью, Терстех не согласился с ним, и Мауве стал вас защищать. Это было при мне. Если это повторится, то теперь, когда я видел ваши работы, я тоже буду стоять за вас.

— Мауве сказал, что я художник Божьей милостью?

— Не вбивайте себе это в голову. Благодарите Бога, если хотя бы умрете художником.

— Тогда почему же он так холоден ко мне?

— Он ко всем холоден, Винсент, когда заканчивает картину. Не обращайте на это внимания. Вот он покончит со своим схевенингенским полотном, и все образуется само собой. А пока можете заходить ко мне, если вам понадобится помощь.

— Разрешите задать вам один вопрос, Вейсенбрух?

— Пожалуйста.

— Это Мауве прислал вас сюда?

— Да. Мауве.

— А зачем?

— Ему хочется знать мое мнение о вашей работе.

— Но зачем же ему знать? Если он считает меня художником Божьей милостью...

— Не знаю. Быть может, Терстех заронил в него сомнение.

6

Терстех все больше терял веру в Винсента, а Мауве становился к нему все холоднее, но их место в его жизни постепенно занимала Христина: она дарила его той простой дружбой, по которой он так тосковал. Она приходила в мастерскую каждый день, рано поутру, и приносила корзинку с шитьем — ей хотелось, чтобы ее руки, как и руки Винсента, были тоже заняты работой. Голос у нее был грубый, слова неловкие, но говорила она спокойно, тихо, и когда Винсенту надо было сосредоточиться, она ему нисколько не мешала. Почти все время Христина мирно сидела у печки, глядя в окно или занимаясь шитьем каких-то вещей для будущего ребенка. Позировала она плохо и с трудом понимала, что от нее хотят, но старалась изо всех сил. Скоро у нее вошло в обычай, перед тем как уйти домой, варить ему обед.

— Ты напрасно беспокоишься, Син, — говорил ей Винсент.

— Тут нет никакого беспокойства. Просто я делаю это лучше, чем ты.

— Но ты пообедаешь вместе со мной?

— Само собою. За малышами мать присмотрит. Мне у тебя нравится.

Винсент платил ей франк в день. Он понимал, что это ему не по средствам, но ему было приятно, что она постоянно рядом с ним — кроме того, ему доставляла удовольствие мысль, что он спасает ее от стирки. Когда Винсенту приходилось отлучаться из дому днем, он рисовал ее по вечерам до поздней ночи, и Христина уже не уходила от него. Просыпаясь, Винсент с наслаждением вдыхал запах только что сваренного кофе, глядя, как заботливая женщина хлопочет у печки. Впервые в жизни у него была своя семья, и он чувствовал себя очень уютно.

Порой Христина оставалась у него на ночь просто так, без всякой причины.

— Я сегодня буду спать здесь, Винсент, — говорила она. — Можно?

— Ну конечно, Син. Оставайся, когда хочешь. Ты ведь знаешь, я этому рад.

И хотя он ни о чем не просил ее, она начала стирать ему белье, чинить платье и ходить за покупками.

— Ведь вы, мужчины, не умеете следить за собой, — говорила она. — Вам надо, чтобы под боком была женщина. Я уверена, что тебя надувают в каждой лавочке.

Она вовсе не была хорошей хозяйкой; лень, царившая в доме ее матери, за долгие годы притупила в ней стремление к чистоте и порядку. Она принималась за уборку лишь временами, но решительно и энергично. Ведь она в первый раз за свою жизнь вела хозяйство мужчины, который ей нравился, и поэтому с удовольствием бралась за дело... когда не забывала о нем. Винсент был в восторге; за что бы она ни принималась, ему и в голову не приходило в чем-нибудь ее упрекнуть. Теперь, когда она оправилась от своей вечной усталости, голос у нее стал уже не такой грубый, бранные слова одно за другим исчезали из ее речи. Но она не умела сдерживать свои чувства, и если что-нибудь ее раздражало, она приходила в ярость и снова начинала ругаться хриплым голосом, употребляя такие выражения, каких Винсент не слышал со школьных дней.

В эти минуты он видел в Христине карикатуру на самого себя; он тихо сидел на своем стуле, дожидаясь, пока буря утихнет. Христина была столь же терпелива по отношению к нему. Если у него не получался рисунок или она вдруг забывала все, чему он учил ее, и плохо позировала, он разражался бешеной бранью, сотрясавшей стены. Она спокойно давала ему выговориться, и скоро снова наступала тишина. К счастью, получилось так, что они никогда не выходили из себя одновременно.

Изо дня в день рисуя Христину, Винсент хорошо изучил ее фигуру и решил теперь сделать настоящий, серьезный этюд. На эту мысль его натолкнула фраза у Мишле: «Comment se fait-il qu'il y ait sur la terre une femme seule désespérée?»* Он усадил обнаженную Христину на обрубок дерева подле печки. Разрабатывая этюд, он превратил этот обрубок в пень, вокруг которого пучками росла трава, и перенес всю сцену на природу. Христину он изобразил так: узловатые кисти рук лежат на коленях, голову она уронила на тощие руки, жидкая коса распущена по спине, острые груди свисают к худым бедрам, длинные плоские ступни неуверенно поставлены на землю. Он назвал свой рисунок «Скорбь». Это была женщина, из которой выжаты все соки жизни. Внизу он написал строчку из Мишле.

Работа над рисунком заняла целую неделю и вконец опустошила карман Винсента, а до первого марта оставалось еще десять дней. Два-три дня можно было протянуть на черном хлебе из прежних запасов. Винсент почувствовал, что надо прекратить работу с натурой, хотя это и отбросит его назад.

— Син, — сказал он, — боюсь, что я не смогу рисовать тебя до начала следующего месяца.

— А что случилось?

— У меня вышли все деньги.

— Ты не можешь мне платить?

— Да.

— Мне сейчас все равно нечего делать. Я буду к тебе ходить просто так.

— Но тебе надо зарабатывать деньги, Син.

— Немножко заработаю как-нибудь.

— Но ведь если ты будешь целыми днями сидеть здесь, когда же тебе стирать?

— Брось думать об этом... Я обойдусь.

Она приходила к нему еще три дня, пока был хлеб. Потом хлеб съели, до первого числа оставалась целая неделя, и Винсент сказал Христине, что он едет в Амстердам к дяде, а когда вер-

* «Как это могло случиться, что на свете живет такая одинокая, отчаявшаяся женщина?» *(фр.)*

нется, зайдет к ней. Три дня он просидел, не выходя из мастерской, на одной воде и делал кое-какие копии; голод не особенно мучил его.

На третий день вечером он пошел к Де Боку, надеясь попить у него чаю с печеньем.

— Добро пожаловать, старина, — приветствовал его Де Бок, стоя у мольберта. — Устраивайтесь поудобнее. Скоро мне надо будет идти на званый ужин, а до тех пор я поработаю. На столе есть несколько журналов. Читайте, пожалуйста.

И ни слова о чае.

Винсент знал, что Мауве не хочет его видеть, а просить о чем-нибудь Йет ему было стыдно. Что же касается Терстеха, то после того, как этот коммерсант очернил его в глазах Мауве, Винсент предпочел бы скорее умереть с голоду, чем идти к нему на поклон. Но как ни было отчаянно положение Винсента, ему даже в голову не пришло, что можно заработать несколько франков не рисованием, а чем-то иным. Снова воскрес его старый недуг — лихорадка, заныли в коленях ноги, и он слег в постель. Он понимал, что ждет напрасно, но все же надеялся на чудо — вдруг Тео пришлет сто франков на несколько дней раньше срока. Но Тео сам получал жалованье только первого числа.

На пятый день к вечеру в мастерскую без стука вошла Христина. Винсент спал. Она постояла над ним, разглядывая его изборожденное морщинами лицо, рыжую бороду, под которой сквозила бледная кожа, шершавые воспаленные губы. Потом осторожно приложила руку к его лбу — у Винсента был жар. Христина обшарила полку, на которой обычно хранилась еда. Там не было ни крошки черствого хлеба, ни зернышка кофе. Христина вышла, тихонько прикрыв за собой дверь.

А через час Винсенту приснилось, будто он сидит на кухне в Эттене и мать варит ему кофе. Он очнулся и увидел Христину, она сидела у печки и мешала ложкой в горшке.

— Син, — пробормотал он.

Она подошла к кровати и коснулась своей прохладной ладонью его рыжей щетины: щека Винсента была словно в огне.

— Брось ты свою гордость, — проговорила она, — и хватит мне врать. Если мы бедны, это не наша вина. Нам надо помогать друг другу. Разве ты не помог мне, когда мы в первый раз встретились в кафе?

— Син, — повторил он.

— Лежи спокойно. Я принесла из дому картошки и бобов. Все уже готово.

Она размяла картошку, положила в нее зеленых бобов и, присев к изголовью, стала кормить Винсента.

— Зачем ты каждый день давал мне деньги, если тебе самому не хватало? Жить впроголодь не годится.

Теперь он мог, ожидая денег от Тео, бороться с нуждой не одну неделю. Но неожиданная доброта, как всегда, сломила его. Он решил пойти к Терстеху. Христина выстирала Винсенту рубашку, но выгладить ее было нечем. Утром она дала ему хлеба с кофе. Он поплелся прямо на Плаатс. Башмаки у него были в грязи, один каблук отвалился, засаленные брюки были в заплатах. Пальто, подаренное ему Тео, едва налезало на плечи. Старенький галстук съехал на левую сторону. На голове у него была одна из тех нелепых шапок, которые он где-то выкапывал на удивление всем.

Он брел вдоль железнодорожных путей у вокзала Рэйн, огибая опушку леса и платформы, откуда поезда отходили на Схевенинген. Под неяркими лучами солнца Винсент особенно остро почувствовал, как он ослабел. На Плейне он случайно взглянул на свое отражение в окне магазина. И вдруг его словно озарило — он увидел себя таким, каким видели его жители Гааги: нескладным, лохматым, грязным бродягой, больным, обессиленным, опустившимся.

Плаатс раскинулся широким треугольником, переходя около замка в Хоффейфер. Только самые богатые торговцы могли позволить себе держать здесь магазины. Винсент с трепетом вступил в этот священный треугольник. Он только сейчас понял, какое огромное расстояние отделяет его от Плаатса.

Приказчики фирмы Гупиль были заняты уборкой. Они уставились на Винсента с нескрываемым любопытством. Ведь его родичи вершат судьбы искусства во всей Европе. Что же этот дурак ходит таким оборванцем?

Терстех сидел наверху, в своем кабинете. Ножом с нефритовым черенком он распечатывал утреннюю почту. Подняв глаза, он увидел маленькие круглые уши Винсента, сидевшие гораздо ниже бровей, его лицо, заострявшееся книзу от скул, а затем переходившее в квадратный подбородок, лоб, над левой бровью прикрытый густыми волосами, зеленовато-голубые глаза, смотревшие на него испытующе, но бесстрастно, полные красные губы, казавшиеся еще краснее от обрамлявшей их бороды и усов. Терстех никогда не мог решить, красив Винсент или безобразен.

— Итак, ты сегодня в нашем магазине самый ранний посетитель, Винсент, — сказал он. — Чем могу служить?

Винсент рассказал о своих затруднениях.

— Куда же ты дел свои сто франков?

— Истратил.

— Если ты был так расточителен, то не рассчитывай на мою поддержку. В каждом месяце тридцать дней; ты не должен тратить в день больше, чем положено.

— Я не был расточительным. Почти все деньги ушли на модель.

— Выходит, не надо нанимать модель. Дешевле работать одному.

— Работать без модели значит загубить в себе художника, который хочет писать людей.

— Что ж, не пиши людей. Рисуй коров и овец. Им платить не нужно.

— Как я могу рисовать коров и овец, минхер, если не чувствую их?

— Так или иначе, рисовать людей тебе незачем; такие рисунки все равно не продашь. Пиши акварели и ничего больше.

— Акварель не в моем характере.

— Мне кажется, рисунок для тебя — вроде наркотика, который ты принимаешь, чтобы заглушить в себе чувство обиды, оттого что не можешь писать акварели.

Наступило молчание. Винсент не знал, что сказать.

— Де Бок не пользуется моделью, хоть он и богат. Не станешь же ты отрицать, что его полотна великолепны; они ценятся с каждым днем дороже. Я все ждал, что ты сумеешь перенять у него хоть немного изящества. Но как видишь, ничего не выходит. Я просто разочарован, Винсент, — твои работы по-любительски неуклюжи. Теперь я совершенно уверен, что ты не художник.

У Винсента внезапно подкосились ноги: давал себя знать голод, который терзал его вот уже пять суток. Он сел на резную ручку итальянского кресла. Слова у него будто застряли где-то внизу, в пустой утробе, и он никак не мог совладать со своим голосом.

— Почему вы так со мной говорите, минхер? — вымолвил он, помолчав.

Терстех вынул белоснежный платок, вытер им нос, углы рта, бороду.

— Потому что у меня есть обязательства перед тобой и перед твоей семьей. Ты должен знать правду. У тебя есть еще время, чтобы спасти себя, Винсент, если ты поторопишься. Ты не родился художником, тебе надо искать другое место в жизни. Насчет художников я никогда не ошибался.

— Я знаю, — сказал Винсент.

— Главная беда в том, что ты начал слишком поздно. Если бы ты взялся рисовать мальчишкой, может быть, теперь ты чего-нибудь и достиг бы. Но тебе тридцать, Винсент, пора бы уже добиться успеха. В твои годы я был уже человеком. А как ты можешь рассчитывать на успех, если у тебя нет таланта? Хуже этого — как можешь ты оправдать себя в своих глазах за то, что принимаешь милостыню от Тео?

— Мауве однажды сказал мне: «Винсент, когда ты рисуешь, ты истинный живописец».

— Мауве — твой кузен; он просто щадит тебя. Я друг тебе и, поверь, отношусь к тебе лучше, чем Мауве. Брось свое рисование, пока не поздно, пока ты не понял, что жизнь прошла попусту. Когда-нибудь, когда ты поймешь, где твое место в жизни, и добьешься успеха, ты придешь ко мне и скажешь спасибо.

— Минхер Терстех, у меня нет ни сантима на хлеб вот уже пять дней. Но я не попросил бы у вас денег, если бы речь шла только обо мне. У меня есть натурщица, бедная, больная женщина.

Я задолжал ей. Она страшно нуждается. Прошу вас, одолжите мне десять гульденов, пока я не получу денег от Тео. Я верну их вам.

Терстех встал и поглядел в окно: на озере — единственном, которое уцелело от дворцовых водоемов, — плавали лебеди. Он не мог понять, почему Винсенту вздумалось поселиться в Гааге, когда его дядья владеют художественными магазинами в Амстердаме, Роттердаме, Брюсселе и Париже.

— Ты полагаешь, что я сделаю доброе дело, если дам тебе десять гульденов, — не поворачивая головы и не разнимая стиснутых за спиной рук, сказал Терстех. — Но мне кажется, что я сделаю еще более доброе дело, отказав тебе.

Винсент знал, как достала Син денег на картошку и бобы. Он не мог допустить, чтобы она и дальше кормила его.

— Минхер Терстех, вы, конечно, правы. Я не художник, у меня нет таланта. Давать мне деньги было бы с вашей стороны неразумно. Я должен сам начать зарабатывать и найти свое место в жизни. Но во имя нашей старой дружбы я прошу вас одолжить мне десять гульденов.

Терстех вынул из кармана сюртука бумажник, отыскал в нем ассигнацию в десять гульденов и протянул ее Винсету, не проронив ни слова.

— Благодарю вас, — сказал Винсент. — Вы очень добры.

Проходя по чисто подметенным улицам мимо аккуратных кирпичных домиков, от которых веяло покоем и уютом, он бормотал про себя: «Нельзя постоянно быть со всеми в дружбе, иногда приходится ссориться. Но по крайней мере полгода я ни разу не зайду к Терстеху, ни разу не заговорю с ним, не покажу ему ни одной работы».

Он пошел прямиком к Де Боку, чтобы взглянуть на его полотна, которые пользовались таким успехом у публики и в которых было изящество — то, чего не хватало Винсенту. Де Бок сидел, положив ноги на стул, и читал английский роман.

— Доброе утро! — сказал он. — У меня сплин. Не могу взять карандаша в руки. Берите стул и попробуйте развлечь меня. Сейчас не слишком рано, чтобы закурить сигару? Расскажите что-нибудь интересное.

— Позвольте мне посмотреть еще раз ваши полотна, Де Бок. Мне надо разобраться, почему ваши работы покупают, а мои нет.

— Талант, старина, талант! — усмехнулся Де Бок, лениво вставая с места. — Талант — это Божий дар. Либо он у вас есть, либо его нет. Мне трудно сказать, что я за человек, но пишу я чертовски здорово!

Он вытащил дюжину картин, еще на подрамниках, и беспечно шутил и острил, а Винсент горящими глазами чуть ли не насквозь пронзал эти холсты с их худосочной живописью.

«Мои работы лучше, — говорил он себе. — Мои правдивее, глубже. Плотничьим карандашом я выражаю больше, чем он целой палитрой красок. Он изображает лишь очевидное. И по существу не говорит ничего. Почему же его осыпают похвалами и деньгами, а мне отказывают в черном хлебе и кофе?»

Когда Винсент уходил от Де Бока, он бормотал себе под нос:

— Что-то гнетет меня у Де Бока. Есть в нем какая-то пресыщенность, что-то мертвящее и неискреннее. Милле был прав: «J'aimerais mieux ne rien dire que m'exprimer faiblement»*. Пусть Де Бок кичится своим изяществом и своими деньгами. Я рисую реальную жизнь, нужду и лишения. Идя по этой дороге, не пропадешь.

Христина встретила его с мокрой тряпкой в руках — она мыла в мастерской пол. Волосы у нее были повязаны черным платком, а в оспинах на лице поблескивали капельки пота.

— Достал денег? — спросила она, поднимая голову.

— Достал. Десять франков.

— Хорошо иметь богатых друзей!

— Ну еще бы. Вот шесть франков, которые я тебе должен.

Син выпрямилась и вытерла лицо черным фартуком.

— Можешь не давать мне ничего, — сказала она. — Пока не получишь денег от брата. Ведь на четыре франка долго не протянешь.

— Я обойдусь, Син. А тебе эти деньги необходимы.

---

* «Я скорее предпочел бы вовсе ничего не сказать, чем выразиться слабо» *(фр.)*.

— Тебе тоже. Мы вот как сделаем. Я останусь здесь, пока не придет письмо от твоего брата. Мы будем жить на эти десять франков, как будто они наши общие. Я их растяну дольше, чем ты.

— А позировать как же? Ведь я не смогу тебе платить ни сантима.

— Ты даешь мне ночлег и еду. Разве этого мало? Я вполне довольна, мне хорошо тут, в тепле, не надо идти работать и надрываться.

Винсент обнял Син и ласково откинул с ее лба жидкие жесткие волосы.

— Син, иногда ты делаешь настоящие чудеса! Я даже готов поверить, что на небе действительно есть Бог!

7

Неделю спустя он решил навестить Мауве. Кузен впустил его в мастерскую, но торопливо набросил покрывало на свою схевенингенскую картину, прежде чем Винсент успел на нее взглянуть.

— Что тебе нужно? — спросил он, как будто не догадываясь, зачем пришел Винсент.

— Хочу показать вам несколько акварелей. Я думал, вы выкроите для меня минутку времени.

Мауве промывал кисти, движения у него были нервные, лихорадочные. Он не ложился в кровать уже трое суток. Урывками он спал тут же, в мастерской, на кушетке, но этот сон не освежал его.

— Я далеко не всегда в состоянии учить тебя, Винсент. Порой я слишком устаю, и тогда, Бога ради, выбирай другое время.

— Извините меня, кузен Мауве, — сказал Винсент, отступая к двери. — Я не хотел вам мешать. Я лучше зайду завтра вечером.

Мауве снял с полотна покрывало и даже не слушал Винсента.

На следующий вечер, придя к Мауве, Винсент застал там Вейсенбруха. Мауве был измотан до крайности, почти впал в истерику. Он накинулся на Винсента, выискивая повод, чтобы рассеяться и позабавить приятеля.

— Вейсенбрух! — воскликнул он. — Смотрите, какая у него рожа!

И он начал показывать свое искусство, — так скривил лицо, что оно покрылось глубокими морщинами, и выпятил подбородок — совсем как Винсент. Это была злая карикатура. Затем Мауве подошел к Вейсенбруху, поглядел на него прищуренными глазами и объявил: «А сейчас он будет говорить». И, брызгая слюной, разразился потоком хриплых бессвязных слов, как это нередко делал Винсент. Вейсенбрух покатывался со смеху.

— Ох, это изумительно! — кричал он. — Таким вас и видят люди, Ван Гог. Вам, наверно, и в голову не приходило, что вы такое удивительное чудовище? Мауве, выставьте-ка снова подбородок и поскребите пальцами бороду. Это убийственно!

Винсент был ошарашен. Он забился в угол. Когда он заговорил, собственный голос показался ему чужим.

— Если бы вам пришлось бродить до рассвета под дождем по лондонским улицам, дрожать в холодные ночи в Боринаже, без еды, без крова, в лихорадке — и у вас тоже появились бы безобразные морщины на лице, и у вас тоже был бы хриплый голос.

Через несколько минут Вейсенбрух ушел. Как только за ним закрылась дверь, Мауве едва дыша упал в кресло. Бурная выходка истощила его силы. Винсент молча стоял в углу; наконец Мауве заметил его.

— А, ты еще здесь? — удивился он.

— Кузен Мауве, — с горячностью заговорил Винсент и сморщился точно так, как это только что изобразил Мауве, — что между нами произошло? Скажите, что я вам сделал? Почему вы так обращаетесь со мной?

Мауве устало поднялся и откинул со лба непослушную прядь.

— Я недоволен тобой, Винсент. Ты должен сам зарабатывать себе на жизнь. Как можешь ты позорить фамилию Ван Гогов, выклянчивая деньги где попало?

Винсент на мгновение задумался.

— Вы виделись с Терстехом? — спросил он.

— Нет.

— Значит, вы не будете больше меня учить?

— Нет.

— Ну что ж, давайте пожмем друг другу руки и расстанемся без вражды и горечи. Ничто не может заглушить во мне чувство признательности к вам.

Мауве долго молчал, не говоря ни слова. Потом он сказал:

— Не принимай это близко к сердцу, Винсент. Я усталый и больной человек. Я помогу тебе чем только сумею. Ты захватил свои рисунки?

— Захватил. Но сейчас вам, кажется, не до этого...

— Покажи их мне.

Он посмотрел на этюды покрасневшими от усталости глазами и сурово заметил:

— Рисунок у тебя плох. Безнадежно плох. Удивляюсь, как я не видел этого раньше.

— Вы сказали мне однажды, что, когда я рисую, я истинный живописец.

— Я ошибся, я принял грубость за силу. Если ты в самом деле хочешь учиться, надо начинать все сначала. Вон там, в углу, у ведра с углем, несколько гипсов. Можешь рисовать их хоть сейчас.

Удивленный Винсент поплелся в угол. Там он сел перед белой гипсовой ногой. Долгое время он не мог ни соображать, ни двигаться. Потом он вынул из кармана несколько листов рисовальной бумаги, но не в силах был провести ни одной линии. Он обернулся и посмотрел на Мауве — тот стоял у мольберта.

— Как продвигается ваша работа, кузен Мауве?

Мауве бросился на диван, его налитые кровью глаза сразу же закрылись.

— Терстех сказал сегодня, что это лучшая вещь из всех, какие я создал.

Спустя несколько секунд Винсент раздумчиво произнес:

— Так, значит, Терстех все-таки был здесь!

Мауве слегка похрапывал и уже ничего не слышал.

Время шло, и Винсент понемногу успокоился. Он начал рисовать гипсовую ногу. Когда часа через три Мауве проснулся, у Винсента было готово уже семь рисунков. Мауве, как кошка, спрыгнул с дивана, словно он и не засыпал ни на минуту, и бросился к Винсенту.

— Покажи! — сказал он. — Покажи!

Он посмотрел все семь рисунков, твердя одно и то же:

— Нет! Нет! Нет!

Он изорвал их и бросил клочки на пол.

— Все та же грубость, тот же дилетантизм! Неужели ты не в силах нарисовать этот гипс таким, каков он на самом деле? Неужели не можешь найти верную линию? Хоть раз в жизни нарисуй в точности то, что видишь!

— Вы говорите совсем как учитель в художественной школе, кузен Мауве.

— Если бы ты как следует поучился в школе, ты бы теперь знал, как надо рисовать. Переделай все сызнова. И смотри, чтобы нога была ногой!

Он вышел в сад, а оттуда пошел на кухню ужинать, потом вернулся и начал работать при лампе. Наступила ночь, проходил час за часом. Винсент рисовал и рисовал ногу, лист за листом. И чем больше он работал, тем большее отвращение внушал ему этот мерзкий кусок гипса, который стоял перед ним. Когда в северном окошке забрезжил хмурый рассвет, у Винсента было готово множество рисунков. Он встал, тело его затекло, сердце ныло. Мауве подошел, взглянул на рисунки и скомкал их.

— Плохо, — сказал он. — Совсем плохо. Ты нарушаешь все элементарные правила. Знаешь что, иди-ка домой и прихвати с собой эту ногу. Рисуй ее снова и снова. И не являйся ко мне, пока не нарисуешь ее как следует.

— Как же, черта с два! — вскричал Винсент.

Он швырнул гипсовую ногу в ведро с углем, и она разлетелась на тысячу осколков.

— Не говорите мне больше о гипсах, я не хочу и слышать о них. Я буду рисовать с гипсов, когда на свете не останется ни одной живой ноги или руки, но не раньше!

— Ну что ж, если ты так считаешь... — начал ледяным тоном Мауве.

— Кузен Мауве, я не позволю навязывать мне мертвую схему, не позволю ни вам, ни кому другому. Я хочу рисовать, повинуясь своему темпераменту, своему характеру. Мне надо рисовать натуру так, как вижу ее я сам, а не так, как ее видите вы!

— Мне нечего больше тебе сказать, — бесстрастно произнес Мауве, будто врач у одра покойника.

Проснувшись в полдень, Винсент увидел в своей мастерской Христину и ее старшего сына Германа. Это был бледный мальчик с испуганными зеленоватыми глазами и крошечным подбородком. Чтобы Герман сидел тихо, Христина дала ему лист бумаги и карандаш. Читать и писать он не умел. К Винсенту он подошел очень робко, так как дичился незнакомых людей. Винсент показал ему, как надо держать карандаш, и научил рисовать корову. Мальчик пришел в восторг, и скоро они с Винсентом подружились. Христина положила на стол немного сыра и хлеба, и все трое сели завтракать.

Винсент думал о Кэй и о ее прелестном малыше Яне. В горле у него стоял комок.

— Я сегодня неважно себя чувствую, так что рисуй вместо меня Германа.

— Что с тобой, Син?

— Не знаю. Внутри все крутит и переворачивает.

— Случалось у тебя так раньше, когда ты была беременна?

— Тоже скверно приходилось, но не так. Сейчас куда хуже.

— Тебе надо сходить к доктору.

— Что толку идти к доктору в бесплатную больницу? Он даст мне лекарство — и только. От лекарства легче не будет.

— Поезжай в государственную больницу в Лейден.

— Ох, пожалуй, придется.

— Поездом это совсем не долго. Мы поедем завтра с утра. Люди приезжают в эту больницу со всей Голландии.

— Да, больница, говорят, хорошая.

Весь день Христина не вставала с кровати. Винсент рисовал мальчика. Перед обедом он взял Германа за руку и отвел его к матери Христины. А на другой день рано утром они с Христиной сели в лейденский поезд.

— Ничего удивительного, что вам было плохо, — сказал доктор, осмотрев Христину и задав множество вопросов. — Ребенок у вас в неправильном положении.

— Можно чем-нибудь помочь, доктор? — спросил Винсент.

— О да, нужна операция.

— Это опасно?

— Пока еще нет. Ребенка надо просто повернуть щипцами. Но это будет стоить денег. Не операция, а содержание в больнице. — Он повернулся к Христине: — Есть у вас какие-нибудь сбережения?

— Ни франка.

Доктор вздохнул, почти не скрывая своего сожаления.

— Обычная история, — сказал он.

— Во сколько это обойдется, доктор? — спросил Винсент.

— Не больше пятидесяти франков.

— А что, если операцию не делать?

— Тогда нет никакой надежды ее спасти.

Винсент на минуту задумался. Двенадцать акварелей для дяди Кора почти готовы: это даст тридцать франков. Остальные двадцать он возьмет из денег, которые пришлет в апреле Тео.

— Я достану деньги, доктор, — сказал он.

— Вот и хорошо. Привезите ее в субботу утром, и я сам сделаю операцию. И еще одно: я не знаю, какие у вас отношения, и не хочу этого знать. Доктора в такие дела не вмешиваются. Но я считаю своим долгом предупредить вас, что, если эта крошка снова пойдет на улицу, она не протянет и шести месяцев.

— Она никогда не вернется к такой жизни, доктор. Даю вам слово.

— Прекрасно. Тогда до субботы.

Через несколько дней к Винсенту пришел Терстех.

— Я вижу, ты все корпишь, — сказал он.

— Да, работаю.

— Я получил те десять франков, которые ты послал по почте. Ты бы мог по крайней мере сам прийти ко мне и поблагодарить.

— Идти далеко, минхер, а погода была плохая.

— Ну а когда тебе нужны были деньги, идти было недалеко, так, что ли?

Винсент не отвечал.

— Это невежливо, Винсент, и отнюдь не располагает меня в твою пользу. Теперь я не верю в тебя и не смогу покупать твои работы.

Винсент сел на край стола и приготовился дать отпор Терстеху.

— Мне кажется, что покупаете вы мои работы или нет, — это не имеет никакого отношения к нашим личным спорам, — сказал он. — По-моему, вы должны исходить из достоинств самой работы. Если личные отношения могут влиять на ваше суждение о работе, то с вашей стороны это просто нечестно.

— Нет, конечно, нет. Если бы ты смог создать что-то изящное, такое, что можно было бы продать, я бы с радостью выставил это на Плаатсе.

— Минхер Терстех, работа, в которую вложен упорный труд, темперамент и чувство, никого не привлекает и не находит сбыта. Может быть, мне даже лучше не стараться на первых порах угодить чьим-то вкусам.

Терстех сел на стул, даже не расстегнув пальто и не сняв перчаток. Он сидел, положив обе руки на набалдашник трости.

— Знаешь, Винсент, мне иногда кажется, что ты и не хочешь продавать свои вещи, а предпочитаешь жить на чужой счет.

— Я был бы счастлив продать хоть один рисунок, но еще более я счастлив, когда такой замечательный художник, как Вейсенбрух, говорит мне о вещи, которую вы считаете непригодной для продажи: «Это очень правдиво. Я мог бы работать по этому эскизу и сам». Хотя деньги мне очень нужны, особенно сейчас, главное для меня — это создать что-то серьезное.

— Так мог бы говорить богатый человек вроде Де Бока, но, уж конечно, не ты.

— Принципы в искусстве, дорогой минхер Терстех, не имеют никакого отношения к доходам.

Терстех положил свою трость на колени и откинулся на спинку стула.

— Твои родители просили меня, Винсент, сделать для тебя все возможное. Ну так вот. Если я не могу со спокойной совестью покупать твои рисунки, то по крайней мере дам тебе маленький практический совет. Ты губишь себя, одеваясь в эти невероятные лохмотья. Тебе необходимо купить новое платье и следить за своей внешностью. Не забывай, что ты Ван Гог. Кроме того, лучше бы ты постарался завязать знакомство с достойнейшими людьми Гааги, чем возиться все время с мастеровыми и всяким сбродом. У тебя какое-то пристрастие к грязи и уродству, тебя не раз видали в самых подозрительных местах и в самой подозрительной компании. Как можешь ты надеяться на какой-то успех, если ведешь себя подобным образом?

Винсент спрыгнул со стола и подошел к Терстеху. Он знал, что вернуть расположение этого человека можно только сейчас, здесь же, в мастерской. Винсент старался говорить мягко и дружелюбно.

— Минхер, вы очень добры, пытаясь помочь мне, и я отвечу вам со всей искренностью и прямотой, на какую я только способен. Как же мне прилично одеваться, если у меня нет на платье ни единого франка и я не имею возможности его заработать? Конечно, бродить по набережным, глухим переулкам, по вокзалам и даже по трактирам — не такое уж удовольствие, но художнику это необходимо! Лучше рисовать в самых страшных трущобах, чем распивать чаи с очаровательными дамами. Поиски сюжета, жизнь среди рабочего люда, зарисовки с натуры прямо на месте — это тяжелая, а иногда даже грязная работа. Манеры коммерсантов, их одежда меня не устраивают, как и всякого, кто не расположен болтать с красивыми дамами и богатыми господами только для того, чтобы сбыть им свои картины и заполучить побольше денег.

Мое дело — рисовать землекопов в Геесте, чем я и занимался сегодня весь день. Там мое безобразное лицо и рваное пальто вполне подходят к обстановке, и я работаю с наслаждением. Ну а нарядись я в шикарное платье, рабочий люд, все те, кого я хочу рисовать, будут бояться меня, перестанут мне доверять. Я хочу своими рисунками указать людям на то, что достойно внимания и что видит далеко не всякий. И если порой ради работы приходится жертвовать светскими манерами — то разве жертва не оправдана? Унижаю ли я себя, если живу среди тех людей, которых рисую? Унижаю ли я себя, когда иду в жилища бедняков, когда я веду их в свою мастерскую? Мне кажется, этого требует мое ремесло. А по-вашему, именно это меня и губит?

— Ты очень упрям, Винсент, и не слушаешь старших, которые желают тебе добра. Ты уже терпел неудачи, и впереди тебя ждет то же самое. Так будет всегда.

— У меня рука художника, минхер Терстех, и я не брошу карандаш вопреки всем вашим советам! Как по-вашему, с тех пор, как я начал рисовать, сомневался ли я в себе, колебался ли, отступал? Вы же видите, я борюсь и иду вперед и становлюсь все сильнее.

— Возможно. Но ты борешься за безнадежное дело.

Терстех встал, застегнул перчатки и надел высокий шелковый цилиндр.

— Мы с Мауве постараемся, чтобы Тео не посылал тебе больше денег. Это единственный способ образумить тебя.

Винсент почувствовал, как что-то оборвалось у него в груди. Если они настроят против него Тео, он пропал.

— Боже мой! — вскричал он. — Зачем вам эти козни? Что я вам сделал, почему вы хотите погубить меня? Разве это честно — убить человека только за то, что он думает не так, как вы? Почему вы не даете мне идти своей дорогой? Обещаю вам — я вас больше не побеспокою. Брат для меня — это единственная родная душа в мире. Разве можно его у меня отнять?

— Мы должны сделать это ради твоего же блага, — сказал Терстех и вышел из мастерской.

Винсент схватил кошелек и бросился на улицу, чтобы купить гипсовый слепок ноги. На его звонок на улице Эйлебоомен вышла Йет. Увидев Винсента, она была очень удивлена.

— Антона нет дома, — сказал она. — Он ужасно на тебя сердит. Он сказал, что больше не хочет тебя видеть. Ох, Винсент, мне очень жаль, что все так вышло!

Винсент сунул ей гипсовую ногу.

— Отдай это, пожалуйста, Антону, — сказал он, — и скажи ему, что я прошу у него прощения.

Он повернулся и пошел было прочь, но вдруг почувствовал на своем плече ласковое прикосновение Йет.

— Схевенингенская картина уже закончена. Хочешь посмотреть?

Молча стоял он перед громадным полотном Мауве, на котором лошади тянули на берег рыбачий баркас. Винсент видел, что перед ним истинный шедевр. Лошади на картине — вороная, серая и гнедая — были загнанные, заморенные, настоящие клячи; они застыли на миг, терпеливые, покорные и безответные. Тяжелую лодку осталось протащить совсем немного, работа почти кончена. Лошади дышат с натугой, они все в мыле, но не бунтуют. Они привыкли к тяжкой работе, привыкли давно, уже много, много лет. Они готовы так жить и работать и дальше, но если завтра их погонят на живодерню — что ж, пусть будет и это, они готовы ко всему.

Винсент усмотрел в картине глубокий житейский смысл. Она как бы говорила ему: «Savoir souffrir sans se plaindre, ça c'est la seule chose pratique, c'est la grande science, la leçon à apprendre, la solution du problème de la vie»*.

Он вышел из мастерской обновленный, улыбаясь при мысли, что человек, который нанес ему самый тяжелый удар за всю его жизнь, был единственным, кто научил его сносить удары с покорностью и смирением.

8

Операция прошла благополучно, но за лечение надо было платить. Винсент отослал двенадцать акварелей дяде Кору и ждал тридцати франков. Ждать пришлось долго: дядя Кор имел обыкновение высылать деньги, когда ему вздумается. Поскольку док-

---

* «Уметь сносить страдания без жалоб — это единственное, что нужно, это великая наука, урок, который надо усвоить; это решение проблемы жизни» *(фр.)*.

тор из лейденской больницы, делавший операцию, должен был принимать у Христины ребенка, нужно было сохранить с ним добрые отношения. Винсент послал ему свои последние двенадцать франков задолго до первого числа. Старая история началась сызнова. Сперва кофе и черный хлеб, потом только черный хлеб, потом одна вода, а за ней истощение, лихорадка, и жар, и бред. Христину кормили дома, но принести Винсенту она ничего не могла: не оставалось ни крошки. Наконец Винсент, собрав последние силы, с трудом слез с кровати и в каком-то кровавом тумане, застилавшем ему глаза, поплелся в мастерскую Вейсенбруха.

У Вейсенбруха была уйма денег, но он считал, что жить надо по-спартански строго. Мастерская у него была на четвертом этаже, с верхним светом на север. Здесь не было ничего лишнего, что мешало бы работать: ни книг, ни журналов, ни диванов, ни мягких кресел, ни этюдов на стенах, ни окон с видом на улицу — одни только орудия художнического ремесла. Не было даже свободного стула, чтобы усадить гостя; поневоле люди здесь не задерживались.

— А, это вы? — проворчал Вейсенбрух, не выпуская из рук кисти. Он не стеснялся мешать другим художникам, но бывал не более гостеприимен, чем лев, попавший в капкан, когда кто-нибудь мешал ему.

Винсент изложил свою просьбу.

— Ох нет, мой мальчик, нет! — воскликнул Вейсенбрух. — Вы обратились не по адресу, совсем не по адресу! Я не дам вам и десяти сантимов.

— У вас нет свободных денег?

— Разумеется, есть! Уж не думаете ли вы, что я такой же проклятый Богом дилетант, как вы, и не могу ничего продать? Да у меня в банке денег больше, чем я могу потратить за три жизни.

— Тогда почему же вы не хотите одолжить мне двадцать пять франков? Я в ужасном положении! У меня не осталось ни крошки хлеба.

Вейсенбрух с торжеством потер руки:

— Чудесно! Чудесно! Это именно то, что вам надо! Вам это очень полезно. Из вас еще может выйти художник.

Винсент прислонился к стене, он уже не в силах был стоять без опоры.

— Что же тут чудесного, если человек голодает?

— Это для вас самое лучшее, что только может быть, Ван Гог. Это заставит вас страдать.

— Почему вы так хотите, чтобы я страдал?

Вейсенбрух уселся на единственный стул, скрестил ноги и кистью, на которой была красная краска, ткнул чуть ли не в лицо Винсента.

— Потому что это сделает из вас истинного художника. Чем больше вы страдаете, тем больше вам надо благодарить судьбу. Только в горниле страданий и рождаются подлинные живописцы. Запомните, Ван Гог, пустой желудок лучше полного, а страдающая душа лучше счастливой!

— Вы несете вздор, Вейсенбрух, и сами это знаете.

Вейсенбрух тыкал кистью в сторону Винсента.

— Тому, кто не был несчастным, не о чем писать, Ван Гог. Счастье — это удел коров и коммерсантов. Художник рождается в муках: если ты голоден, унижен, несчастен — благодари Бога! Значит, он тебя не оставил!

— Нищета губит человека.

— Да, она губит слабых. А сильных — никогда! Если вас погубит бедность, значит, вы слабый человек, туда вам и дорога.

— И вы пальцем не шевельнете, чтобы помочь мне?

— Нет, даже если я буду убежден, что вы величайший живописец в мире. Если человека могут убить голод и страдания, значит, он не заслуживает спасения. Только тем художникам место на земле, которых не может погубить ни Бог, ни дьявол, пока они не сделали всего того, что должны сделать.

— Но я голодаю уже много лет, Вейсенбрух. Я жил без крова над головой, бродил под дождем и снегом почти голый, валялся в лихорадке, одинокий, покинутый. Все это я уже испытал, мне нечему тут учиться.

— Вы едва коснулись страдания, Винсент. Это еще только начало. Говорю вам, боль — единственное в мире, что не имеет конца. А теперь идите домой и беритесь за карандаш. Чем сильнее вы страдаете от голода и лишений, тем лучше вы будете работать.

— И тем скорее публика отвергнет мои рисунки!

Вейсенбрух весело рассмеялся.

— Ну конечно, отвергнет! Иначе и быть не может. И это тоже хорошо для вас. Это сделает вас еще несчастнее. А ваше очередное полотно окажется еще прекрасней, чем предыдущее. Если вы будете терпеть голод и лишения, а вашу работу станут поносить и презирать много лет, то в конце концов вы можете создать — заметьте, я говорю: можете создать, а не создадите — такое произведение, что его не стыдно будет повесить рядом с полотнами Яна Стена или...

— Или Вейсенбруха!

— Вот, вот. Или Вейсенбруха. Если же теперь я ссужу вам денег, я ограблю вас, лишу вас шансов на бессмертие.

— Провались оно к дьяволу, это бессмертие! Я хочу рисовать сейчас, здесь. И я не могу работать с пустым желудком.

— Чепуха, мой мальчик. Все стоящее было написано на голодный желудок. Когда ваше брюхо набито, вы работаете как бы на холостом ходу.

— Что-то непохоже, чтобы вы так уж много страдали.

— У меня богатое творческое воображение. Я могу постичь страдание, даже не испытав его.

— Вы просто старый лгун!

— Ничего подобного. Если бы я убедился, что пишу так же пресно и вяло, как Де Бок, я плюнул бы на свои деньги и жил бы как последний бродяга. Но факт остается фактом: я могу создать совершенную иллюзию страдания, не пройдя через него. Вот почему я великий художник.

— Вот почему вы великий хвастун! Слушайте, Вейсенбрух, будьте человеком и дайте мне двадцать пять франков.

— И двадцати пяти сантимов не дам! Вы что думаете, я шучу? Я о вас слишком высокого мнения, чтобы портить вас, одалживая вам деньги. Придет день, и вы напишете что-нибудь блестящее, если не спасуете перед судьбой; гипсовая нога в ведре у Мауве убедила меня в этом. Ну, а теперь ступайте, да съешьте по дороге миску бесплатного супа в столовой для бедных.

Винсент молча посмотрел на Вейсенбруха, повернулся и пошел к двери.

— Постойте-ка! — окликнул его Вейсенбрух.

— Уж не хотите ли вы сказать, что сдаетесь и переменили решение? — насмешливо осведомился Винсент.

— Слушайте, Ван Гог, я не скряга, я поступил так из принципа. Если бы я считал вас дураком, я дал бы вам двадцать пять франков, чтобы отвязаться от вас. Но я уважаю вас, уважаю как собрата-художника. Я дам вам нечто такое, чего не купишь ни за какие деньги. И я не показал бы этого никому во всей Гааге, разве только Мауве. Подойдите-ка сюда. Сдвиньте эту штору, откройте верхний свет. Вот так. Теперь взгляните на этот этюд. Вот как я намерен его разработать и разместить все на полотне. Господи Боже, да что вы можете увидеть, если заслоняете окно?

Винсент вышел от Вейсенбруха через час, радостный и окрыленный. Он узнал за короткое время гораздо больше, чем мог бы усвоить за целый год учебы в художественной школе. Он шел довольно долго, прежде чем вспомнил, что он голоден, болен, измучен, что у него пусто в кармане.

9

Через несколько дней, бродя в дюнах, Винсент внезапно наткнулся на Мауве. Если он еще надеялся помириться со своим учителем, то его ждало разочарование.

— Кузен Мауве, я хочу попросить прощения за то, что произошло в мастерской. Я поступил как глупец. Можете ли вы простить меня? Не зайдете ли как-нибудь ко мне посмотреть мои работы и поговорить?

Мауве отказался наотрез.

— Я к тебе больше никогда не приду.

— Неужели вы потеряли всякую веру в меня?

— Да, потерял. У тебя порочная натура.

— Если бы вы сказали мне, что́ я сделал порочного, я постарался бы исправиться.

— Мне теперь все равно, что ты делаешь.

— Я только ел, спал и работал, как всякий художник. Что же тут порочного?

— Ты называешь себя художником?

— Да.

— Какая чушь. Ты не продал ни одной картины за всю жизнь.

— Разве быть художником значит продавать картины? Я думал, что художник — это человек, который всегда ищет и никогда не находит. Для него не существует слов: «я знаю, я нашел». Когда я говорю, что я художник, это значит лишь: «я ищу, я стремлюсь, я отдаюсь этому всем сердцем».

— И все же у тебя порочная натура.

— Вы в чем-то подозреваете меня, это сразу видно, вам кажется, я что-то скрываю: «У Винсента какая-то тайна, которой он стыдится». В чем дело, Мауве? Скажите откровенно.

Мауве отвернулся к своему мольберту и стал водить кистью по полотну. Винсент медленно поплелся прочь.

Да, он не ошибся. Над его головой действительно собирались тучи. В Гааге узнали о его связи с Христиной. Первым принес эту новость Де Бок. Он пришел в мастерскую с гаденькой улыбкой на своих сложенных бутоном губах. Христина позировала Винсенту, и он заговорил по-английски.

— Ну, ну, Ван Гог, — сказал он, сбрасывая свое тяжелое черное пальто и закуривая длинную папиросу. — Весь город говорит, что вы завели любовницу. Я слышал это от Вейсенбруха, Мауве и Терстеха. Вся Гаага ополчилась против вас.

— А, так вот оно что, — отозвался Винсент.

— Надо быть осторожнее, старина. А это кто, натурщица? Мне казалось, я знаю их всех.

Винсент взглянул на Христину, сидевшую у печки со своим рукоделием. На коленях у нее лежала шерсть, глаза были устремлены на какой-то узор, который она вышивала, во всей ее фигуре было что-то необычайно уютное и милое. Вдруг Де Бок бросил папиросу на пол и вскочил с места.

— Бог мой, — воскликнул он, — неужели это и есть ваша любовница?

— У меня нет любовницы, Де Бок. Но я полагаю, что речь идет именно об этой женщине.

Де Бок сделал вид, будто вытирает пот со лба, и пристально взглянул на Христину.

— Не понимаю, как вы можете спать с ней?

— Почему это вас интересует?

— Мой дорогой, но ведь это какая-то старая ведьма! Настоящая ведьма! О чем вы только думаете? Немудрено, что Терстех так шокирован. Если вам нужно завести любовницу, почему вы не взяли какую-нибудь миленькую натурщицу? Их так много в Гааге.

— Я уже сказал вам, Де Бок, что эта женщина мне не любовница.

— Так кто же она?

— Она моя жена!

Де Бок сложил свои губы так, что рот его стал похож на бутоньерку.

— Ваша жена!

— Да. Я на ней женюсь.

— Боже мой!

Де Бок еще раз с ужасом и отвращением взглянул на Христину и выбежал из мастерской, даже не надев как следует пальто.

— Что вы говорили там обо мне? — спросила Христина.

Скрестив руки на груди, Винсент секунду смотрел на нее.

— Я сказал Де Боку, что ты будешь моей женой.

Христина долго молчала, пальцы ее были заняты работой. Рот у нее был приоткрыт, и в нем быстро-быстро, как у змеи, шевелился язык, облизывая пересохшие губы.

— Ты и вправду женишься на мне, Винсент? Зачем?

— Если я не женюсь на тебе, то честнее сразу же бросить тебя навсегда. Я хочу пройти через все радости и печали семейной жизни, чтобы изображать их по собственному опыту. Когда-то я любил одну женщину, Христина. Когда я пришел к ней, мне сказали, что я ей ненавистен. Моя любовь была настоящей, честной и глубокой любовью, Христина, и, покинув ее дом, я знал, что моя любовь убита. Но после смерти наступает воскресение; мое воскресение — это ты.

— Ты не можешь жениться на мне! У меня же дети! Твой брат перестанет посылать тебе деньги.

— Я уважаю в тебе женщину и мать, Христина. Твой будущий ребенок и Герман будут жить с нами, а остальные могут остаться у матери. А Тео... да... он может прямо-таки снять с меня голову. Но я напишу ему всю правду, и, надеюсь, он не оставит меня.

Он сел на пол у ее ног. Теперь она выглядела куда лучше, чем в то время, когда он встретил ее впервые. В ее печальных карих глазах появился едва приметный счастливый блеск. Все ее существо словно бы ожило. Позирование давалось ей нелегко, но она была прилежна и терпелива. Когда он в первый раз увидел ее, она была грубой, больной, несчастной женщиной; теперь она стала гораздо бодрее и спокойнее. Она вновь обрела здоровье и вкус к жизни. Глядя на ее некрасивое, тронутое оспой лицо, в котором теперь появился слабый проблеск нежности, он опять вспомнил слова Мишле: «Comment se fait-il qu'il y ait sur la terre une femme seule désespérée?»

— Син, мы будем беречь каждый сантим, не правда ли? Боюсь, что наступит время, когда я окажусь совсем без средств. Я буду помогать тебе, пока ты снова не ляжешь в больницу, но когда ты вернешься, не знаю, будет у меня хлеб или нет. Но все, до последней корки, я разделю с тобой и ребенком.

Христина соскользнула на пол, села рядом с Винсентом, обняла его за шею и положила голову ему на плечо.

— Позволь только остаться с тобой, Винсент. Больше я ничего не прошу. Если у нас будет хотя бы хлеб и кофе, этого довольно. Я люблю тебя, Винсент. Ты первый мужчина, который был добр ко мне. Можешь не жениться на мне, если не хочешь. Я буду позировать, работать, буду делать все, что ты скажешь. Только бы быть вместе с тобой! В первый раз в жизни я счастлива, Винсент. Мне ничего не нужно. Я разделю с тобой все и буду счастлива.

Винсент чувствовал, как шевелится в ее животе ребенок, теплый, живой. Он нежно провел пальцами по ее некрасивому лицу, целуя каждую морщинку, каждую оспину. Он распустил у нее на спине волосы, ласково поглаживая их жидкие пряди. Она прижала раскрасневшуюся от счастья щеку к его бороде и тихонько терлась о жесткую щетину.

— Ты меня любишь, Христина?

— Да, Винсент.

— Как хорошо, когда тебя любят. Пусть люди называют это порочным, если хотят.

— Плевать на людей, — сказала Христина просто.

— Я буду жить как мастеровой, это мне по душе. Мы с тобой понимаем друг друга, и нам все равно, что о нас скажут. Нам незачем притворяться, беречь свое положение в обществе. Люди моего круга давным-давно изгнали меня. Лучше довольствоваться коркой сухого хлеба в бедной лачуге, чем жить без тебя.

Они сидели на полу, греясь у раскаленной печки, крепко обняв друг друга. Идиллию нарушил почтальон. Он вручил Винсенту письмо из Амстердама. В письме было сказано:

Винсент!

Я только что узнал о твоем постыдном поведении. Будь любезен, забудь о моем заказе на шесть рисунков. Твоя работа меня более нисколько не интересует.

К.-М. Ван Гог.

Теперь судьба Винсента была целиком в руках Тео. Если он не сумеет объяснить брату истинный характер своих отношений с Христиной, Тео тоже будет вправе отказать ему в ста франках. Винсент может обойтись без своего учителя Мауве, может обойтись без торгаша Терстеха, он может обойтись без родных, друзей и коллег — пока у него есть работа и Христина. Но ему никак не обойтись без этих ста франков в месяц!

Винсент писал длинные, страстные письма брату, старался все ему объяснить, просил Тео войти в положение и не оставлять его. День проходил за днем. Винсента терзало предчувствие беды. Он уже не осмеливался взять в магазине рисовальных принадлежностей больше, чем мог оплатить, боялся начать новую работу акварелью и продолжать начатую.

Тео выдвинул свои возражения, их было немало, но он не осудил Винсента бесповоротно. Он дал ему совет, но в его письме не было и намека, что если Винсент не согласится, то не получит больше денег. В заключение Тео, хоть и выражал недовольство поступком Винсента, заверял его, что будет помогать ему, как прежде.

Наступил май. Доктор сказал Христине, что возьмет ее в больницу в июне. Винсент решил, что будет лучше, если она переедет к нему после родов: он рассчитывал за это время снять свободный домик на Схенквег рядом с мастерской. Христина целые дни проводила у него, но вещи ее оставались у матери. Было решено, что они официально поженятся после того, как она окончательно оправится.

Винсент отвез Христину в больницу. Схватки начались в девять вечера, но ребенок родился лишь в половине второго ночи. Его тянули щипцами, но он остался невредим. Христина сильно страдала, но, увидев Винсента, забыла о боли.

— Скоро мы опять начнем рисовать, — сказала она.

Винсент смотрел на нее со слезами на глазах. Он и не думал о том, что этот ребенок не его, а другого мужчины. Нет, это его жена, его ребенок, — от счастья у него перехватывало дыхание.

Вернувшись на Схенквег, Винсент застал у себя владельца соседнего дома и примыкавшего к нему дровяного склада.

— Ну, как насчет того, чтобы снять дом, минхер Ван Гог? Он будет вам стоить всего-навсего восемь франков в неделю. Я велю все там заново выкрасить и оштукатурить. Если вы подберете обои, какие вам нравятся, я оклею ими комнаты.

— Дайте срок, — отвечал Винсент. — Мне нужен будет новый дом, когда приедет из больницы жена, но сначала я должен написать об этом брату.

— Ну что ж. А оклеивать комнаты все равно надо, так что выбирайте обои, какие вам по вкусу. Даже если вы не сможете снять дом, обои все равно пригодятся.

Тео знал об этом свободном доме по соседству уже несколько месяцев. Это был просторный дом с мастерской, гостиной, кухней и спальней в мансарде. Платить нужно было на четыре франка в неделю дороже, чем за старую мастерскую, но теперь, когда на Схенквег перебирались Христина, Герман и новорожденный, места требовалось гораздо больше. Тео написал, что ему повысили жалованье и Винсент может рассчитывать на сто пятьдесят франков в месяц. Винсент без промедления снял дом. Через неделю должна была вернуться Христина, и ему хотелось, чтобы она приехала уже в обжитое гнездо. Хозяин дал ему двух рабочих со склада, которые перетащили из прежней мастерской все вещи. Мать Христины навела в их новом жилище чистоту и порядок.

10

Новая мастерская стала теперь реальностью — гладкие светло-коричневые обои, чисто вымытые деревянные полы, этюды на стенах, в каждом углу мольберт, длинный сосновый стол для работы. Мать Христины повесила на окна белые муслиновые занавески. В мастерской была ниша, Винсент хранил там свои рисовальные доски, папки и гравюры; в углу было отведено особое место для бутылок, банок с красками и книг. В гостиной стояли стол, несколько простых стульев, керосиновая печурка, у окна — большое плетеное кресло для Христины. Рядом с креслом Винсент поставил железную кроватку с зеленым пологом, а над ней повесил на стене офорт Рембрандта: две женщины сидят у колыбели, одна из них при свете свечи читает Библию.

Он купил все необходимое для кухни, чтобы Христина, вернувшись из больницы, могла приготовить обед за несколько минут. На случай, если приедет в гости Тео, Винсент купил лишний ножик, вилку, ложку и тарелку. В мансарде он поставил большую кровать для себя и Христины, и здесь же — свою старую койку вместе с постельным бельем для Германа. Мать Христины помогла Винсенту раздобыть соломы, водорослей, тюфяки, и они вместе набили их здесь же, на мансарде.

Когда Христина выписывалась из больницы, проститься с ней пришли и доктор, и няня, и старшая сестра. Винсент еще острее почувствовал, что Христина, будь у нее иная судьба, заслуживала бы любви и уважения самых серьезных, умных людей. «Ведь она не видела в жизни ничего хорошего, — говорил он себе, — как же она может быть хорошей?»

Мать Христины и Герман встретили Христину в доме на Схенквег. Христина была приятно удивлена: Винсент ничего не говорил ей об их новом жилище. Она ходила по комнате и трогала все — детскую кроватку, плетеное кресло, горшок с цветами, который Винсент поставил на подоконник перед этим креслом. Она была радостно возбуждена.

— Этот профессор такой чудак! — громко рассказывала она. — Он мне говорит: «Скажи, ты любишь джин и пиво? А сигары ты куришь?» «Да», — говорю. «Я это спрашиваю только так, — говорит он, — тебе бросать пить и курить не надо. Но ты, — говорит, — не употребляй ни уксуса, ни перца, ни горчицы. А мясо тебе, — говорит, — нужно есть по крайней мере раз в неделю».

Спальня сильно напоминала корабельный трюм — она была обшита досками. Железную кроватку младенца Винсенту приходилось каждый вечер переносить наверх, а каждое утро — вниз, в гостиную. Так как Христина была еще слаба, Винсент сам делал всю домашнюю работу — он стелил постель, топил печку, носил дрова, подметал пол; у него было такое чувство, словно он живет с Христиной и ее детьми уже давным-давно, что это его родная семья. Христина еще не оправилась после операции, но чувствовала себя как бы обновленной и помолодевшей.

Винсент вернулся к своей работе, в душе у него снова наступил мир. Хорошо иметь свой очаг, видеть вокруг себя хлопотливое семейство. Жизнь с Христиной давала ему силы и решимость продолжать свой труд. Он не сомневался, что, если только Тео не оставит его, он непременно будет хорошим художником.

В Боринаже он был рабом Бога; теперь у него появился новый, более реальный и осязаемый бог, новая религия, сущность которой можно было определить несколькими словами: фигура работника, борозды на вспаханном поле, кусок песчаного берега, моря и неба — это серьезнейшие темы, столь трудные и в то же время столь прекрасные, что стоит не задумываясь посвятить всю свою жизнь тому, чтобы выразить скрытую в них поэзию.

Однажды под вечер, возвращаясь после работы в дюнах, он увидел у своих дверей Терстеха.

— Рад тебя видеть, Винсент, — сказал Терстех. — Решил вот зайти к тебе, узнать, как идут дела.

Винсент ужаснулся: какая разразится буря, когда Терстех войдет в дом! Он постоял на улице, разговаривая с Терстехом, чтобы собраться с духом. Терстех был любезен и дружелюбен. Винсента била дрожь.

Когда они вошли в комнату, Христина, сидя в своем плетеном кресле, кормила ребенка. Герман играл у печки. Терстех долго с изумлением глядел на них. Потом он заговорил по-английски:

— Что это значит — эта женщина и ребенок?

— Христина — моя жена. А на руках у нее наш ребенок.

— Неужели ты женился на ней?

— Нет, официальной свадьбы еще не было, если вы об этом спрашиваете.

— Как же ты можешь жить с этой женщиной и ее детьми, когда она...

— Рано или поздно мужчины женятся, не правда ли?

— Но у тебя нет денег. Тебя содержит брат.

— Ничего подобного. Тео платит мне жалованье. Все, что я пишу, принадлежит ему. Когда-нибудь он вернет все свои деньги.

— Ты с ума сошел, Винсент! Только настоящий безумец может сказать такое!

— Человеческие поступки, минхер, имеют много общего с живописью. Стоит отступить на шаг, как меняется вся перспектива, так что впечатление зависит не только от объекта, но и от зрителя.

— Я напишу твоему отцу, Винсент. Он должен знать обо всем.

— А не будет ли это смешно, если они получат от вас возмущенное письмо и вслед за ним другое, от меня, с приглашением приехать за мой счет сюда в гости?

— Ты им хочешь написать сам!

— А вы как думали? Конечно! Но согласитесь, что сейчас для этого неподходящее время. Отец перебирается в новый приход в Нюэнене. Жена моя еще не поправилась, и всякое беспокойство или напряжение сил для нее равносильно убийству.

— В таком случае я, разумеется, не стану писать. Мой мальчик, ты безрассуден, как человек, который готов сам себя утопить. Я хочу лишь спасти тебя от этого.

— Я не сомневаюсь в ваших добрых намерениях, минхер Терстех, и только поэтому стараюсь не сердиться на вас за ваши слова. Но весь этот разговор мне крайне неприятен.

Когда Терстех уходил, лицо у него было недоуменное и расстроенное. А вскоре Винсент получил от Вейсенбруха первый настоящий удар. Вейсенбрух заглянул мимоходом однажды вечером, чтобы удостовериться, жив ли еще Винсент.

— Добрый день, — сказал он. — Я вижу, вы сумели выкарабкаться и без моих двадцати пяти франков.

— Как будто.

— Теперь вы, наверное, рады, что я не потакал вам тогда?

— Помнится, во время нашей встречи у Мауве первое, что я сказал вам, было: «Катитесь к черту!» Так вот, теперь я повторяю это напутствие.

— Если вы будете продолжать в том же духе, из вас выйдет второй Вейсенбрух; у вас есть задатки настоящего человека. Почему вы не представите меня вашей хозяйке? Я не имею чести быть с ней знакомым.

— Издевайтесь надо мной сколько вам угодно, Вейсенбрух, но ее не трогайте.

Христина качала железную кроватку, завешенную зеленым пологом. Она чувствовала, что над нею смеются, и смотрела на Винсента со страдальческим выражением лица. Винсент подошел к ней и стал рядом с детской кроваткой, как бы защищая мать и ребенка. Вейсенбрух взглянул на них, потом на офорт Рембрандта, висевший над кроваткой.

— Ей-богу, прекрасный сюжет для картины! — воскликнул он. — Вот бы написать вас всех. Я назвал бы картину «Святое семейство»!

Винсент с проклятиями бросился на Вейсенбруха, но тот благополучно выскользнул за дверь. Винсент вернулся к Христине и ребенку. На стене, рядом с офортом Рембрандта, висело маленькое зеркальце. Винсент увидел в нем Христину, себя, ребенка и с ужасающей ясностью взглянул на все это глазами Вейсенбруха... Ублюдок, шлюха и добросердечный благодетель!

— Как он назвал нас? — спросила Христина.

— Святое семейство.

— А что это такое?

— Изображение Девы Марии, Иисуса и Иосифа.

Из глаз ее покатились слезы, она уткнулась лицом в пеленки. Желая ее утешить, Винсент опустился на колени рядом с кроваткой. Через северное окно вползали сумерки, погружая комнату в спокойный полумрак. Винсент вновь взглянул на свою семью со стороны, словно издалека. Сейчас он смотрел на нее глазами своего сердца.

— Не плачь, Син, — сказал он. — Не плачь, дорогая. Подними голову и вытри слезы. Вейсенбрух был прав!

11

Винсент открыл для себя Схевенинген и начал писать маслом почти в одно и то же время. Схевенинген — маленькая рыбачья деревушка, приютившаяся в лощине между песчаными дюнами на берегу Северного моря. Близ деревни вереницей стояли на якоре одномачтовые рыбачьи барки с темными, потрепанными непогодой парусами. На корме у них были прилажены грубые, прочные рули, тут же лежали наготове сети, а на мачте развевались треугольные флажки, ржаво-красные и голубые. Были тут синие повозки с красными колесами, на которых перевозили рыбу с берега в деревню; жены рыбаков в белых клеенчатых чепцах, заколотых спереди двумя позолоченными булавками; семьи, толпами выходившие к морю встречать барки; курзал с разноцветными стягами — увеселительное заведение для иностранцев, которым нравилось чувствовать вкус моря на губах, но не хотелось задыхаться от соленого ветра.

Море у берега было седым от пены, потом постепенно становилось зеленым, потом тускло-синим; по сероватому небу плыли причудливые облака, лишь кое-где проглядывала голубизна, как бы напоминавшая рыбакам, что над Голландией еще светит солнце. В Схевенингене жил трудовой люд, крепкими узами связанный с этими берегами и морем.

Винсент написал немало акварельных этюдов на открытом воздухе и понял, что акварель хороша для передачи лишь беглого впечатления. У нее не было глубины, плотности, не было той фактуры, которая нужна была Винсенту. Он мечтал работать маслом, но боялся за него взяться, так как знал, что много художников загубили свой талант, начав работать маслом, прежде чем овладели рисунком. В это время в Гаагу приехал Тео.

Тео в свои двадцать шесть лет уже стал вполне солидным торговцем картинами. Он много ездил по делам своей фирмы и всюду был известен как один из самых способных молодых людей. Парижское отделение фирмы Гупиль перекупили Буссо и Валадон (в деловом мире эта фирма была известна под названием «Месье»), и, хотя они оставили Тео в прежней должности, торговля шла теперь далеко не так хорошо, как при Гупиле и дяде Винсенте. Новые владельцы старались продавать картины как можно дороже, независимо от их достоинств, и благоволили только к преуспевающим живописцам. Дядя Винсент, Терстех и Гупиль считали своим первым долгом находить и поддерживать новых, молодых художников; теперь же внимание оказывалось только признанным мастерам. Новое поколение живописцев — Мане, Моне, Писсарро, Сислей, Ренуар, Берта Моризо, Сезанн, Дега, Гийомен и более молодые — Тулуз-Лотрек, Гоген, Сёра и Синьяк — стремились сказать свежее слово, а не повторять Бугро и академиков, но никто не хотел их слушать. Ни одно полотно, принадлежавшее кисти этих смельчаков, не было выставлено или продано фирмой «Месье». Тео питал глубокое отвращение к Бугро и академикам, все его симпатии были на стороне молодых бунтарей. Не было дня, чтобы он не пытался склонить своих хозяев выставить новую живопись и убедить публику покупать ее. «Месье» считали молодых безрассудными юнцами, которые совершенно не владеют техникой. Тео же видел в них будущих корифеев.

Когда братья встретились в мастерской, Христина была в спальне наверху. После первого обмена приветствиями Тео сказал:

— Я приехал сюда по делам, но должен тебе признаться, что моя главная цель — убедить тебя, чтобы ты не связывал свою судьбу с этой женщиной. Какова она собой?

— Помнишь нашу старую няню в Зюндерте, Леен Ферман?

— Помню.

— Син такого же типа. Она обыкновенная женщина из народа, но я нахожу в ней нечто возвышенное. Когда любишь ничем не замечательного, обыкновенного человека и он тоже любит тебя — это счастье, какой бы тяжкой ни была жизнь. Меня воскресило сознание, что я кому-то нужен. Я не искал этого чувства, оно само нашло меня. Син мирится со всеми горестями и неудобствами жизни художника и позирует мне так охотно, что, живя с ней, я, пожалуй, стану лучшим художником, чем если бы я женился на Кэй.

Тео прошелся по мастерской и наконец сказал, не отрывая взгляда от одной из акварелей:

— Одного я не пойму, — как мог ты влюбиться в эту женщину после такой страстной любви к Кэй.

— Я не влюбился в нее, Тео, то есть влюбился далеко не сразу. Если Кэй отвергла меня, значит ли это, что все человеческие чувства во мне должны угаснуть? Вот ты приехал ко мне и видишь, что я не падаю духом, не тоскую, у меня новая мастерская, семья, свой дом; и мастерская моя не какая-то таинственная келья, нет, она открыта для жизни, в ней стоит колыбель и высокий детский стульчик, здесь нет затхлости, все зовет, побуждает работать. Для меня ясно как день, что художник должен чувствовать то, что он пишет, что надо иметь семью, если хочешь глубоко показать семейную жизнь в своих произведениях.

— Ты знаешь, Винсент, я никогда не придавал значения классовым предрассудкам, но неужели ты считаешь разумным...

— Нет, — перебил его Винсент, — я не считаю, что унизил или опозорил себя, если мое дело влечет меня в самую гущу народа, если я должен держаться ближе к земле, схватывать самую суть жизни и пробиваться вперед вопреки нужде и лишениям.

— С этим я не спорю. — Тео быстро подошел к брату и взглянул ему в лицо. — Но почему ты обязательно должен жениться?

— Потому что мы дали друг другу слово. Я не хочу, чтобы ты смотрел на нее как на мою любовницу или случайную женщину, перед которой у меня нет никаких обязательств. Мы обещали друг другу две вещи: во-первых, вступить в гражданский брак, как только это станет возможным, и, во-вторых, помогать друг другу, заботиться друг о друге, как муж и жена, делить все пополам.

— Но ты, конечно, подождешь немного, прежде чем вступить в гражданский брак?

— Подожду, если ты этого хочешь. Мы будем ждать до тех пор, пока я не начну зарабатывать полтораста франков и твоя помощь станет не нужна. Обещаю тебе не жениться, пока не смогу жить на свои средства. Постепенно я буду зарабатывать, ты сможешь посылать мне все меньше, а потом я и совсем смогу обходиться без твоих денег. Тогда поговорим и о гражданском браке.

— Пожалуй, это будет самое разумное.

— Тео, вот она идет. Ради меня, постарайся смотреть на нее только как на жену и мать! Ведь так оно и есть на деле.

Христина спустилась по лестнице в мастерскую. На ней было аккуратное черное платье, волосы тщательно зачесаны назад, а слабый румянец, выступивший на щеках, делал оспины почти незаметными. Вся она была такая милая, уютная. Любовь Винсента придала ее облику уверенность, в ней теперь проглядывало невозмутимое удовлетворение. Она спокойно пожала руку Тео, предложила ему чашку чаю и стала уговаривать его остаться ужинать. Потом она села в свое кресло и, покачивая детскую кроватку, взялась за шитье. Винсент в волнении бегал по мастерской и показывал рисунки углем, акварели, групповые этюды, словно отчеканенные плотничьим карандашом. Ему хотелось, чтобы Тео увидел, каких успехов он достиг.

Тео верил, что когда-нибудь Винсент станет великим живописцем, но все же до сих пор работы Винсента не очень ему нравились... по крайней мере пока. Тео был тонким знатоком искусства, он прошел хорошую школу, но свое отношение к работам Винсента он никак не мог определить. Ему казалось, что Винсент постоянно находится в процессе становления и никогда не создает ничего по-настоящему зрелого.

— Если ты чувствуешь потребность работать маслом, почему бы тебе не начать? — заметил он, после того как Винсент, показав ему все, что мог, признался в своем желании. — Чего ты ждешь?

— Жду, чтобы мой рисунок стал по-настоящему хорош. Мауве и Терстех говорят мне, что я не добился...

— А Вейсенбрух говорит, что ты добился... И судить об этом в конце концов должен только ты. Если ты чувствуешь, что должен выразить себя в более звучной цветовой гамме, значит, время настало. Действуй!

— Ах, Тео, а сколько надо денег! Эти тюбики продаются чуть ли не на вес золота.

— Приходи завтра в десять утра ко мне в гостиницу. Чем скорее ты начнешь присылать мне полотна, написанные маслом, тем скорее я выручу свои деньги.

За ужином Тео и Христина оживленно разговаривали. Когда Тео уходил, он обернулся на лестнице к Винсенту и сказал по-французски:

— Она милая, право же, милая. Я и не ожидал!

На следующее утро они шли рядом по Вагенстраат, такие не похожие друг на друга: младший брат был одет с иголочки, ботинки у него сверкали, рубашка была накрахмалена, галстук повязан безукоризненно, костюм отутюжен, черный котелок небрежно сдвинут набок, мягкая каштановая бородка аккуратно подстрижена, и шел он размеренным, ровным шагом; старший — в стоптанных башмаках, в залатанных брюках, по цвету совсем не подходивших к его узкому пальто, без галстука, на макушке — нелепая крестьянская шапка, борода завивается буйными рыжими кольцами, — шел сбивчивым шагом и без умолку говорил, размахивая руками.

Они и не подозревали, как странно они выглядели со стороны.

Тео привел Винсента в магазин Гупиля купить тюбики с красками, кисти и холст. Терстех очень уважал и любил Тео; он хотел бы полюбить и понять также и Винсента. Услышав, зачем они пришли, он, несмотря на их возражения, самолично подобрал все требуемое и разъяснил Винсенту достоинства различных красок.

Пройдя шесть километров вдоль дюн, Тео и Винсент добрались до Схевенингена. К берегу причаливал рыбачий баркас. У моря, близ каменного столба, стоял деревянный навес, под которым сидел дозорный. Завидев подходившее судно, дозорный махнул большим флагом. Вокруг дозорного толпились ребятишки. Через несколько минут после того, как он махнул флагом, к нему подъехал человек на старой кляче, чтобы подтянуть якорь к берегу. По песчаному склону из деревни встречать рыбаков бежали мужчины и женщины. Когда судно приблизилось, человек, сидевший на лошади, въехал в воду и подтащил к берегу якорь. Затем молодые парни в высоких резиновых сапогах стали переносить рыбаков на берег, и каждого из них толпа приветствовала веселыми криками. Когда все рыбаки очутились на суше и лошади вытащили баркас на берег, толпа, растянувшись, подобно каравану, над которым, словно призрак, маячил верховой, поднялась на песчаный склон.

— Вот что мне хотелось бы написать масляными красками, — сказал Винсент.

— Присылай мне свои полотна, как только почувствуешь, что чего-то достиг. Может быть, я найду в Париже покупателей.

— О, Тео, прошу тебя! Ты должен найти покупателей на мои картины!

12

Когда Тео уехал, Винсент попробовал писать масляными красками. Он сделал три этюда: написал подстриженные ивы за мостом в Геесте, беговую дорожку и огород в Мердерфорте, где мужчина в синей блузе копал картофель. Земля на огороде была белая, песчаная, местами взрытая и усыпанная сухой ботвой с зеленеющими кое-где стеблями. Поодаль виднелись крыши домов и темная зелень деревьев. Глядя на свою работу в мастерской, Винсент ликовал; как ему казалось, никто и не догадается, что это его первые опыты маслом. Рисунок — основа живописи, скелет, на котором держится все, — был точен и верен. Винсент даже удивился, так как ожидал, что его первые попытки кончатся неудачей.

Он с увлечением писал склон лесного оврага, засыпанный сухими буковыми листьями. Земля тут была коричневая, светлых и темных оттенков, вся испещренная тенями деревьев: эти тени подчас совсем изменяли ее цвет. Надо было уловить и передать всю глубину цвета, всю огромную силу земли, ее весомость, ее плоть. Только теперь он впервые понял, какое изобилие света заключено в этих темных тонах. Он стремился перенести на полотно этот свет и в то же время передать все богатство и насыщенность колорита.

В лучах предзакатного осеннего солнца, слегка приглушенных листвой деревьев, земля казалась темным красновато-коричневым ковром. Молодые березки тянулись вверх и, освещенные сбоку солнцем, сверкали яркой зеленью, а затененные стволы отливали густой зеленоватой черныо. Вдалеке за деревьями и кустами над красно-коричневой землей виднелось нежное-нежное небо, голубовато-серое, теплое, насквозь пронизанное светом. На его фоне рисовалась зыбкая полоса зелени, сплетение тонких стволов и желтеющих листьев. По лесу бродили сборщики хвороста, их одинокие фигуры казались сгустками каких-то таинственных теней. Рядом с жирной коричневой землей резко выделялся белый чепец женщины, нагнувшейся за сухой веткой. В густом кустарнике темнел силуэт мужчины, на фоне неба он казался огромным, исполненным поэзии. Накладывая на холст краски, Винсент говорил себе: «Я не уйду отсюда, пока не исчезнет это очарование осеннего вечера, эта таинственность, это величие». Но свет быстро мерк. Винсент торопился закончить этюд. Фигуры людей он писал моментально, несколькими сильными и решительными ударами кисти. Его поразило, как крепко сидят корнями в земле молодые деревца. Он пытался передать это, но краски на холсте так загустели, что кисть попросту увязала в них. Винсент с ожесточением снова и снова пытался прописать землю, торопясь, так как надвигались сумерки. Наконец он убедился в своем бессилии; эти тона жирного суглинка немыслимо было написать кистью. В безотчетном порыве он отбросил кисть и, выдавливая краску на холст прямо из тюбиков, вылепил корни и стволы, потом снова схватил кисть и стал моделировать жирные сгустки рукояткой.

— Да! — воскликнул он, когда в лесу совсем стемнело. — Теперь они у меня прочно сидят корнями в земле. Я добился того, чего хотел!

Вечером к нему зашел Вейсенбрух.

— Идемте со мной в «Пульхри». Там будут живые картины и шарады.

Винсент не забыл последнего визита Вейсенбруха.

— Спасибо, мне не хочется оставлять жену.

Вейсенбрух подошел к Христине, поцеловал ей руку, справился о ее здоровье и весело поиграл с младенцем. Он, видно, уже не помнил того, что сказал здесь в прошлый раз.

— Покажите мне ваши новые работы, Винсент.

Винсент охотно согласился. Вейсенбрух отобрал несколько этюдов: рынок после воскресной торговли, когда торговцы убирают товар; очередь у столовой для бедных; три старика в приюте для умалишенных; рыбачий баркас в Схевенингене с поднятым якорем и, наконец, набросок, сделанный Винсентом в грязи, на коленях, среди дюн, во время бури.

— Они продаются? Я хотел бы купить их.

— Снова ваши дьявольские шуточки, Вейсенбрух?

— Когда речь идет о живописи, я не шучу. Эти этюды великолепны. Сколько вы хотите за них?

— Назначьте цену сами, — смущенно пробормотал Винсент, боясь, что Вейсенбрух сейчас же его высмеет.

— Прекрасно. Что вы скажете, если я предложу по пять франков за штуку? Итого двадцать пять франков.

Винсент широко раскрыл глаза:

— Это чересчур много! Дядя Кор платил мне по два с половиной франка.

— Он надул вас, мой мальчик! Торгаши всегда нас надувают. Когда-нибудь они будут продавать ваши вещи по пять тысяч франков. Ну так как, по рукам?

— Вейсенбрух, иногда вы прямо ангел, а иногда — сущий дьявол!

— О, это для разнообразия, чтобы не наскучить друзьям.

Он вынул бумажник и положил перед Винсентом двадцать пять франков.

— А теперь идемте в «Пульхри». Вам надо немножко развлечься. Посмотрим фарс Тони Офферманса. Посмеетесь, это вам будет на пользу.

Так Винсент оказался в «Пульхри». В клубе было полно народа, все курили дешевый, крепкий табак. Первая картина была поставлена по гравюре Николаса Мааса «Хлев в Вифлееме»; характер и колорит артисты выдержали прекрасно, но экспрессия пропала решительно вся. Вторая картина была по Рембрандту: «Исаак благословляет Иакова», с великолепной Ревеккой, которая с волнением ждала, удастся ли ее проделка. От спертого воздуха у Винсента разболелась голова. Он ушел из клуба, не дождавшись фарса, и по дороге домой сочинял письмо отцу.

Он сдержанно сообщил ему о своих отношениях с Христиной и пригласил его приехать в гости в Гаагу, приложив к письму двадцать пять франков Вейсенбруха.

Через неделю отец приехал. Его голубые глаза потускнели, походка стала медлительной. С тех пор как Теодор выгнал сына из дома, они больше не виделись. Время от времени они лишь обменивались довольно дружелюбными письмами. Теодор и Анна-Корнелия иногда посылали сыну белье и платье, сигары, домашнее печенье или десяток франков. Винсент не знал, как его отец отнесется к Христине. Порой люди бывают чуткими и благородными, а порой, наоборот, — слепыми и злобными.

Но он был все-таки уверен, что вид детской колыбели тронет сердце отца и он смягчится. Колыбель — вещь совсем особенная, это не шутка. Отец вынужден будет простить его, несмотря на прошлое Христины.

Теодор приехал с большим свертком под мышкой. Винсент развернул его и увидел теплое пальто для Христины — теперь было ясно, что все уладилось. Когда Христина ушла наверх в спальню, Теодор и Винсент остались одни в мастерской.

— Винсент, — сказал отец, — ты ничего не написал нам о ребенке. Он твой?

— Нет. Она была беременна, когда я с ней познакомился.

— А где же его отец?

— Он бросил ее. — Винсент решил не говорить Теодору, что отец ребенка вообще неизвестен.

— Но ты ведь женишься на ней, Винсент, правда? Так жить не годится.

— Согласен. Я хотел вступить в законный брак как можно скорее, но мы с Тео договорились, что лучше подождать до тех пор, пока я стану получать за свои рисунки сто пятьдесят франков в месяц.

Теодор вздохнул:

— Да, пожалуй, так будет лучше. Винсент, твоя мать просит тебя приехать как-нибудь погостить домой. Я тоже прошу. Нюэнен тебе понравится, сынок, это одно из самых красивых мест во всем Брабанте. Церковь там крошечная, похожа на эскимосское иглу. Представь себе, там не усядется и сотни прихожан! Вокруг дома у нас изгородь из боярышника, а на кладбище за церковью много цветов, песчаные могилки и старые деревянные кресты.

— Деревянные кресты! Белые?

— Белые. Имена написаны черной краской, но почти смыты дождем.

— А есть на церкви высокий, красивый шпиль?

— Есть, Винсент. Тоненький, хрупкий, но тянется в самое небо. Бывают минуты, когда я думаю, что он доходит почти до Бога.

— И бросает узкую тень на кладбище. — Глаза у Винсента заблестели. — Хорошо бы написать это!

— Там и заросли вереска, и сосновые леса рядом, а на полях работают крестьяне. Приезжай поскорее, сынок.

— Да, я должен непременно увидеть Нюэнен. Маленькие кресты, церковный шпиль и крестьяне на полях. Это Брабант, настоящий Брабант!

Теодор вернулся домой и успокоил Анну-Корнелию, рассказав ей, что дела у их мальчика обстоят не так уж плохо, как можно было ожидать. Винсент с еще большим рвением погрузился в работу. Все чаще ему вспоминались слова Милле: «L'art c'est un combat; dans l'art il faut y mettre sa peau»*. Тео верил в него, мать и отец не отвергли Христину, никто больше не беспокоил его в Гааге. Он был совершенно свободен, он мог целиком отдаться своей работе.

Хозяин дровяного склада посылал позировать ему всех людей, которые просили работы. И если кошелек Винсента тощал, то папки его пухли от рисунков. Много раз рисовал он малыша в колыбели, стоящей у печки. Когда начались осенние дожди, он работал под открытым небом на промасленной бумаге торшон, ловя интересовавшие его эффекты. Он скоро понял, что истинный колорист, видя цвет в природе, должен тут же разложить его на составные элементы: «Этот серо-зеленый тон надо передавать желтым с черным, добавив чуть-чуть голубого».

Рисовал ли он человека или пейзаж, он стремился выразить не сентиментальную меланхолию, а подлинную печаль. Он хотел, чтобы зритель понял его настроение и сказал: «Он чувствует глубоко и тонко».

Он знал, что люди смотрят на него как на странного, малоприятного бездельника, не нашедшего себе места в жизни. Ему хотелось показать в своих работах, чем переполнено сердце этого бездельника и чудака. В самых жалких лачугах, в самых грязных углах ему виделись картины и рисунки. Чем больше он писал, тем больше терял интерес ко всякой другой работе. И по мере того как он отдалялся от посторонних дел, глаза его все острее схватывали в жизни яркое, живописное. Искусство требовало упорной работы, несмотря ни на какие трудности, оно требовало неусыпной наблюдательности.

Только одно мешало теперь Винсенту — масляные краски стоили ужасно дорого, а он накладывал их на холст очень толстым слоем. Когда он выдавливал из тюбика на полотно обиль-

* «Искусство — это сражение; в искусстве надо жертвовать своей шкурой» *(фр.)*.

ную струю краски, ему казалось, что он швыряет франки в Зёйдер-Зее. Он работал быстро и должен был оплачивать огромные счета за холсты; за один день он расходовал столько красок, сколько Мауве хватило бы на два месяца. Что ж, он не мог писать тонким слоем, не мог работать медленно; деньги его таяли, а мастерская наполнялась грудами картин. Как только приходили деньги от Тео — брат посылал ему по пятьдесят франков первого, десятого и двадцатого числа каждого месяца, — он опрометью бежал к торговцу и закупал большие тубы охры, кобальта, берлинской лазури, маленькие тюбики неаполитанской желтой, сиены, ультрамарина и гуммигута. Счастливый, он вдохновенно работал, — пока, обычно за пять-шесть дней до очередного перевода из Парижа, не кончались краски и франки и снова не начинались заботы.

Он удивлялся, видя, как много вещей приходится покупать для ребенка; удивлялся, что Христине постоянно нужны лекарства, новые платья, особая еда; что Герману надо покупать книги и письменные принадлежности, так как мальчика отдали в школу; что домашнее хозяйство — это какая-то прорва, беспрерывно поглощающая лампы, горшки, одеяла, уголь, дрова, занавески, ковры, свечи, простыни, ножи и ложки, тарелки, столы, стулья и невероятное количество продуктов. Было мучительно трудно распределить очередные пятьдесят франков между живописью и тремя душами, которых он содержал.

— Ты как мастеровой, который бежит в кабак, как только получит деньги, — съязвила однажды Христина, когда Винсент вынул пятьдесят франков из конверта и сразу же принялся собирать пустые тубы.

Он сам сделал себе инструмент для определения перспективы — это приспособление на двух длинных ножках хорошо стояло на песке в дюнах — и заказал кузнецу железные угольники для рамы. Схевенинген с его морем, песчаными дюнами, рыбаками, барками, лошадьми и сетями поистине пленил его. Нагруженный тяжелым мольбертом и своим неуклюжим инструментом, он каждый день бродил по дюнам, стараясь уловить изменчивый облик моря и неба. Осень вступала в свои права, художники укрылись под теплым кровом своих мастерских, а он все ходил и писал и при ветре, и под дождем, и в туман, и в настоящую бурю. В ненастную погоду его сырые полотна нередко покрывались песком и соленой морской водой. Дождь мочил его без пощады, туман и ветер пробирали до костей, песок забивался в глаза и ноздри... но он упивался каждой минутой работы. Остановить его теперь могла только смерть.

Как-то вечером он показал свою новую картину Христине.

— Винсент! — удивленно воскликнула она. — И как это у тебя все получается так похоже?

Винсент забыл, что он разговаривает с простой, неграмотной женщиной. Ему казалось, будто он говорит с Вейсенбрухом или Мауве.

— Сам не знаю, — отвечал он. — Я сажусь с чистым холстом возле того места, которое меня поразило, и говорю себе: «Из этого чистого холста надо сделать некую вещь». Я долго работаю, возвращаюсь домой недовольный и бросаю свое полотно куда-нибудь в чулан. Немного отдохнув, я со страхом иду снова взглянуть на него. Я недоволен им и теперь, потому что перед моим внутренним взором еще не поблек тот чудесный оригинал, с которого я работал, — мне пока трудно примириться со своей картиной. Но в конце концов я нахожу, что моя работа — это как бы отголосок того, что меня поразило. Природа что-то сказала, поведала мне, и я это застенографировал. В моей стенограмме могут оказаться слова, которые не расшифруешь, могут быть ошибки и пропуски, но все равно — в ней есть нечто от того, что сказали мне и леса, и пески, и люди. Ты меня понимаешь?

— Нет.

13

Христина вообще мало что понимала в его работе. Ей казалось, что его страсть рисовать разные предметы — просто разорительная причуда. Она видела, что это краеугольный камень, на котором держится вся его жизнь, и никогда не пыталась мешать Винсенту, но цель его работы, его медленные успехи и болезненная выразительность его картин — все это ее совершенно не трогало. Она была хорошей спутницей в повседневной жизни, но Винсент отдавал этой жизни лишь малую частицу своей души. Когда ему хотелось поделиться с кем-нибудь мыслями, он вынужден был писать Тео: в длинных страстных письмах он почти каждый вечер рассказывал ему обо всем, что он видел, рисовал и думал. Когда ему хотелось насладиться чужим творчеством, он читал французские, английские, немецкие и голландские романы. Христина разделяла с ним лишь часть его существования. Но он был доволен; он не жалел, что Христина стала его женой, не пытался навязать ей интеллектуальные занятия, к которым она была явно не подготовлена.

Все шло как нельзя лучше летом и осенью, когда он уходил из дома в пять или шесть утра и возвращался лишь с наступлением вечера, ковыляя в холодных сумерках по дюнам. Но когда первая свирепая метель ознаменовала годовщину их встречи в кафе напротив вокзала Рэйн и Винсенту пришлось работать дома целыми днями с утра до вечера, поддерживать добрые отношения стало труднее.

Он вновь взялся за рисунки, экономя таким образом на красках, но натурщики грозили пустить его по миру. Люди, охотно соглашавшиеся на самую тяжелую и унизительную работу за ничтожную плату, требовали больших денег только за то, чтобы посидеть перед ним. Он просил разрешения рисовать в приюте для умалишенных, но ему ответили, что такого у них никогда не бывало и к тому же в приюте перестилают полы, так что работать можно только в приемные дни.

Единственная надежда оставалась на Христину. Теперь она чувствовала себя хорошо, и он думал, что она будет позировать ему так же старательно, как и раньше, до появления ребенка. Но Христина смотрела на это иначе. Сначала она говорила:

— Я еще не совсем поправилась. Подожди немного. К чему тебе спешить?

А потом, выздоровев окончательно, она заявила, что слишком занята.

— Теперь ведь совсем не то, что раньше, Винсент, — говорила она. — Я кормлю ребенка. И в доме мне надо убирать, и готовить на четыре рта.

Винсент вставал в пять часов утра и делал всю работу по дому, чтобы днем Христина могла ему позировать.

— Какая я тебе натурщица? — возмущалась Христина. — Я твоя жена.

— Син, ты должна мне позировать! Я не могу нанимать модель каждый день. Это одна из причин, благодаря которым ты здесь.

Христина разразилась той бешеной, неудержимой бранью, которой Винсент немало наслушался в первые дни знакомства с ней.

— Вот зачем ты меня держишь! Ты экономишь на мне деньги! Я для тебя паршивая служанка! Если я не буду позировать, ты меня выставишь за дверь!

Винсент подумал немного и сказал:

— Это твоя мать тебя так настроила. Сама ты так не думала.

— А что, если думала и сама? Ведь это истинная правда, разве нет?

— Син, ты туда больше не пойдешь.

— Это почему же? Выходит, по-твоему, я не должна любить маму?

— Эти люди испортят всю нашу жизнь. Ты снова станешь такой же, как они. Как же тогда наша свадьба?

— А разве ты сам не посылаешь меня к ним, когда в доме нечего жрать? Зарабатывай больше денег, и я не буду туда ходить.

Когда в конце концов он упросил ее позировать, из этого ничего не вышло. Она делала все те ошибки, искоренить которые ему стоило такого труда год назад. Иногда он подозревал, что она притворяется, делает неловкие движения нарочно, чтобы отвязаться от него, чтобы он оставил ее в покое. И он действительно вынужден был прекратить работать с нею. Нанимать натурщиков теперь приходилось все чаще. Все чаще семья сидела теперь без сантима на хлеб, и все больше времени Христина должна была проводить у матери. Всякий раз, когда она приходила оттуда, Винсент видел едва заметную перемену в ее манерах и ее отношении к нему. Это был какой-то порочный круг: если тратить все средства на жизнь, то Христина выйдет из-под влияния матери, и он сумеет с ней поладить. Но тогда ему придется бросить свою работу. Для того ли он спас ей жизнь, чтобы убить себя? Если же Христина не будет ходить по нескольку раз в месяц к матери, ей и ее детям придется голодать; а если она будет ходить туда, это в конечном счете разрушит их семью. Что тут было делать?

Христина больная и беременная, Христина в больнице, Христина, выздоравливавшая после родов, — это была одна женщина: покинутая, отчаявшаяся, стоявшая на пороге жалкой смерти, до глубины души благодарная за одно сочувственное слово, за малейшую помощь, женщина, изведавшая все горести в мире и готовая на все, только бы хоть на минуту вздохнуть свободно, способная давать самые пылкие и смелые клятвы себе и другим. Христина выздоровевшая, пополневшая от хорошей еды, лечения, заботливого ухода, — это была уже совсем иная Христина. Она забыла пережитые страдания, ее решимость быть хорошей женой и матерью слабела, прежние взгляды и привычки исподволь снова завладевали ею. Четырнадцать лет она жила, как хотела, среди пьянства, сигар, ругани и грубых, жестоких мужчин. Теперь, когда она окрепла, эти четырнадцать разгульных лет с лихвой перевесили единственный год, согретый любовью и вниманием. В ней совершалась тайная перемена. На первых порах Винсент не понял этого; затем мало-помалу он осознал, что происходит.

В это самое время, вскоре после Нового года, Винсент получил любопытное письмо от брата. Тео встретил на улице в Париже какую-то женщину, совершенно одинокую, больную, опустившуюся. У нее болели ноги, работать она не могла. Она была близка к самоубийству. Пример Винсента подействовал на Тео, и он пошел по его стопам. Он устроил эту женщину в доме своих старых знакомых. Он пригласил к ней врача, оплатил все расходы по ее содержанию. В письмах он называл ее своей пациенткой.

«Должен ли я жениться на своей пациентке, Винсент? Будет ли это для нее самое лучшее? Должен ли я оформить этот брак официально? Она очень страдает; она несчастна; ее покинул единственный человек, которого она любила. Как мне спасти ее?»

Винсент был глубоко тронут и отвечал Тео в самом теплом тоне. Но с Христиной ему становилось все труднее. Когда семья сидела на одном хлебе и кофе, Христина ворчала. Она требовала, чтобы Винсент не тратил деньги на натуру, а все до последнего сантима отдавал на хозяйство. Не имея возможности купить новое платье, она не берегла и старое; оно было все в жирных пятнах и грязи. Чинить одежду и белье Винсента она перестала. Она снова подпала под влияние матери, которая уверяла дочь, что Винсент или сбежит сам, или выгонит ее. Поскольку постоянная совместная жизнь с Христиной стала невозможной, какой смысл было жить с ней временно?

Мог ли он советовать Тео жениться на его пациентке? Был ли официальный брак лучшим путем для спасения таких женщин? Разве кров над головой, восстанавливающая здоровье сытная еда и доброе отношение — это самое важное для того, чтобы снова вдохнуть в них любовь к жизни?

«Подожди! — предостерегал он брата. — Делай дли нее все, что можешь, — это благородно! Но женитьба ничем тут не поможет. Будет между вами любовь, будет и брак. Но подумай сначала, способен ли ты ее спасти».

Тео присылал по пятьдесят франков трижды в месяц. Теперь, когда Христина не занималась хозяйством, деньги уходили гораздо быстрее, чем раньше. Винсент всюду жадно искал натуру, ему хотелось накопить побольше этюдов, чтобы писать настоящие картины. Он жалел каждый франк, который приходилось тратить не на рисование, а на домашние нужды. Христина оплакивала каждый франк, который приходилось отрывать от хозяйства и выбрасывать на рисование. Это была борьба не на жизнь, а на смерть. Ста пятидесяти франков в месяц едва хватило бы на еду, жилье и материалы для работы одному Винсенту, — старания обеспечить на эти деньги четырех человек были мужественны, но тщетны. Мало-помалу Винсент задолжал квартирохозяину, сапожнику, бакалейщику, булочнику, торговцу красками. В довершение всего пошатнулись денежные дела Тео.

Винсент писал ему слезные письма. «Если можешь, пришли, пожалуйста, деньги чуть раньше двадцатого, но никак не позже. У меня осталось всего-навсего два листа бумаги и последний огрызок цветного карандаша. На модель и еду нет ни франка». Такие письма он посылал Тео три раза в месяц; когда приходили очередные пятьдесят франков, он тотчас же раздавал их своим поставщикам, и на предстоящие десять дней у него ничего не оставалось.

«Пациентке» Тео необходимо было сделать операцию — удалить опухоль на ноге. Тео поместил ее в хорошую больницу. Кроме того, ему надо было посылать деньги в Нюэнен, так как приход там был маленький и Теодору не всегда удавалось свести концы с концами. Тео содержал себя, свою «пациентку», Винсента, Христину, Германа, Антона и помогал родителям в Нюэнене. От жалованья у него не оставалось ни одного лишнего сантима, и прислать Винсенту что-либо сверх ста пятидесяти франков он никак не мог.

И вот в начале марта наступил день, когда у Винсента остался один-единственный франк — рваная, замусоленная бумажка, которую торговцы отказывались брать. Еды в доме не было ни крошки. Денег от Тео можно было ожидать не раньше, чем через девять дней. Отпускать Христину к матери на долгое время Винсент боялся.

— Син, — сказал он, — нельзя, чтобы дети умерли с голоду. Лучше тебе отвести их к матери, пока я не получу от Тео денег.

Они посмотрели друг на друга, думая об одном и том же, но не решаясь высказать это вслух.

— Да, — сказала она. — Пожалуй, придется.

Бакалейщик согласился взять рваный франк и отпустил Винсенту горбушку черного хлеба и немного кофе. Натурщиков Винсент нанимал в долг. Нервы у него были напряжены до предела. Работа шла тяжело, с большой натугой. От голода он исхудал и ослабел. Бесконечные заботы о куске хлеба замучили его вконец. Не работать он не мог, но всякий раз, берясь за карандаш, убеждался, что рисует все хуже и хуже.

Ровно через девять дней от Тео пришло письмо с пятьюдесятью франками. Его «пациентка» оправилась после операции, и он устроил ее в частный дом. Денежные затруднения подкосили и его, он совсем пал духом. Он писал: «Боюсь, что не могу тебе что-либо обещать на будущее».

Эта фраза чуть не свела Винсента с ума. Хотел ли Тео сказать этим, что он больше не сможет посылать Винсенту деньги? Само по себе это было бы еще не так ужасно. А вдруг брат намекает на то, что наброски, которые Винсент почти каждый день посылал ему, чтобы Тео видел его успехи, убедили его, что Винсент лишен таланта и не может надеяться на что-либо в будущем?

По ночам он лежал, не смыкая глаз, и все размышлял об этом. Он писал бесконечные письма Тео, прося объяснений, и мучительно думал, как найти выход и добыть себе средства на жизнь. Выхода не было.

14

Придя за Христиной, он нашел ее в обществе матери, брата, любовницы брата и какого-то чужого мужчины. Христина курила сигару и пила джин. По-видимому, возвращаться на Схенквег ей вовсе не хотелось.

За девять дней, проведенных у матери, она вернулась к старым привычкам, к своей прежней губительной жизни.

— Захочу и буду курить сигары! — кричала она. — Ты не имеешь никакого права запретить мне; сигары не на твои деньги куплены. Доктор в больнице сказал, что могу пить джин и пиво сколько угодно.

— Да, как лекарство... для аппетита.

Она хрипло захохотала:

— Лекарство! Ах, ты...

Таких слов он не слышал от нее с самых первых дней их знакомства.

У Винсента внутри все перевернулось. Он пришел в неистовую ярость. Христина ни в чем не уступала ему.

— Ты обо мне и думать забыл! — кричала она. — Ты даже не даешь мне куска хлеба! Почему ты зарабатываешь так мало денег? Что ты, черт тебя дери, за мужчина?

Шли дни, суровая зима медленно уступала место робкой весне, а дела Винсента принимали все худший оборот. Он совсем запутался в долгах. От недоедания Винсент стал страдать животом. Он не мог теперь безнаказанно проглотить ни крошки. Потом у него заболели зубы. Он не спал ночи напролет. А тут еще начало стрелять в правом ухе, и Винсент мучился с утра до вечера.

Мать Христины повадилась приходить в дом Винсента и стала пить и курить здесь вместе с дочерью. Эта женщина уже не считала, что брак с Винсентом — счастье для Христины. Однажды Винсент застал у себя и брата Христины, который улизнул, едва завидев его.

— Зачем он приходил? — спросил Винсент. — Что он от тебя хочет?

— Они говорят, ты собираешься меня выгнать.

— Ты прекрасно знаешь, Син, что я этого никогда не сделаю. Разумеется, пока ты сама хочешь жить здесь.

— Мать требует, чтобы я ушла. Говорит, нет никакого толку тут жить, если жрать совсем нечего.

— Куда же ты пойдешь?

— Домой, понятное дело.

— И детей заберешь туда?

— Все лучше, чем голодать здесь. Я могу работать и содержать себя.

— А что ты будешь делать?

— Ну, что-нибудь найдется...

— Пойдешь в поденщицы? Или снова прачкой?

— Не знаю... Пожалуй.

Он видел, что Христина лжет.

— Так вот на что они тебя подбивали!

— Что ж... это не так уж плохо... по крайней мере всегда есть деньги!

— Слушай, Син, если ты уйдешь к матери, ты погибнешь. Ведь она снова пошлет тебя на улицу. Вспомни, что сказал доктор в Лейдене. Если ты вернешься к прежней жизни, это тебя убьет!

— Не убьет. Я теперь здоровая.

— Ты здорова, потому что жила по-человечески... Но если ты начнешь все снова...

— Господи Иисусе, кто это начнет снова? Разве что ты сам пошлешь меня.

Винсент сел на ручку плетеного кресла и положил ладонь на плечо Христине. Волосы у нее были растрепаны.

— Поверь мне, Син, я тебя никогда не брошу. До тех пор, пока ты захочешь делить со мной все, что у меня есть, ты будешь жить у меня. Но ты должна порвать с матерью и братом. Они тебя погубят! Обещай мне, ради твоего же блага, что ты не будешь больше видеться с ними.

— Обещаю.

Через два дня он рисовал в столовой для бедных, а когда вернулся, увидел, что Христины в мастерской нет. Не было и ужина. Христину он разыскал у матери, она сидела там и пила джин.

— Я тебе говорю, что люблю маму, — твердила она, когда они пришли домой. — Ты не запретишь мне ходить к ней когда угодно. Я тебе не рабыня. Я могу делать, что хочу.

Она стала теперь такой же грязной и неряшливой, как в прошлом. Если Винсент пытался образумить ее, объяснить, что она сама отталкивает его от себя, Христина твердила:

— Да, я прекрасно знаю, ты не хочешь, чтобы я жила с тобой.

Винсент говорил ей, что она запустила дом, что всюду грязь, беспорядок, а она заявляла:

— Хорошо, пусть я бездельница и лентяйка. Я всегда была такая, тут уж ничего не поделаешь.

Когда он старался объяснить ей, куда заведет ее в конце концов лень, она говорила:

— Знаю, что я пропащая, это правда. Вот возьму и брошусь в реку.

Мать Христины приходила теперь в мастерскую почти каждый день и лишала Винсента того, что он ценил всего больше, —

возможности быть наедине с Христиной. В доме воцарился хаос. Обедали и ужинали когда придется. Герман ходил оборванный и немытый, пропускал уроки. Христина все меньше работала, все больше курила и пила джин. Откуда она брала на это деньги, Винсент не знал.

Наступило лето. Винсент опять с утра уходил из дома и целыми днями писал на открытом воздухе. Опять понадобилось больше денег на краски, кисти, холсты, рамы, мольберты. Тео сообщал в письмах, что здоровье его «пациентки» улучшилось, но он не представляет себе, как построить свои отношения с ней. Что делать с этой женщиной теперь, когда она выздоровела?

Винсент закрывал глаза на то, что творилось у него в доме, и продолжал упорно писать. Он понимал, что семья разваливается, что Христина и его увлекает за собой в пропасть. Он старался забыться в работе. Каждое утро, принимаясь за новый холст, он тешил себя надеждой, что картина будет прекрасна и совершенна, что ее немедленно купят и он станет признанным художником. И каждый вечер он возвращался домой с грустным сознанием того, что от желанного мастерства его отделяют еще долгие годы.

Единственным его утешением был Антон, ребенок Христины. Это был удивительно живой, подвижный малыш; смеясь и лепеча, он с аппетитом уплетал все, что ему давали. Он часто сидел с Винсентом в мастерской, устроившись в уголке на полу. Глядя, как Винсент рисует, он радостно улыбался, а потом притихал и таращил свои глазенки на развешанные по стенам картины. Мальчик рос здоровым и крепким. Чем меньше заботилась о нем Христина, тем больше Винсент к нему привязывался. Он видел в Антоне единственный смысл и оправдание того, что он сделал за минувшую зиму.

Вейсенбрух навестил его за все это время лишь один раз. Винсент показал ему кое-какие наброски, сделанные еще осенью, и сам был поражен их несовершенством.

— Не огорчайтесь, — сказал ему Вейсенбрух. — Через много лет вы посмотрите на эти ранние работы и поймете, что в них немало искреннего чувства и трогательности. Работайте, работайте, мой мальчик, не останавливайтесь ни перед чем.

Но скоро Винсенту пришлось остановиться от жестокого удара, нанесенного прямо в лицо. Еще весной Винсент пошел в хозяйственную лавку починить лампу. Лавочник навязал ему две новые тарелки.

— Но я не могу их взять, у меня нет денег.

— Пустяки. Мне не к спеху. Берите, заплатите как-нибудь потом.

Спустя два месяца он громко постучал в дверь мастерской. Это был здоровенный малый с такой толстой шеей, что она сливалась у него с головою.

— Что же это вы меня морочите? — закричал он сердито. — Берете товар и не платите, а сами все время при деньгах?

— Сейчас у меня ничего нет. Я расплачусь, как только получу деньги.

— Враки! Вы только что уплатили моему соседу-сапожнику.

— Я работаю и прошу мне не мешать, — сказал Винсент. — Я рассчитаюсь с вами, как только смогу. Уходите, пожалуйста.

— Я уйду, когда вы отдадите мне деньги, — не раньше!

Винсент опрометчиво толкнул лавочника к двери.

— Проваливайте вон отсюда! — крикнул он.

Лавочник только этого и ждал. Едва Винсент к нему прикоснулся, он ударил его кулаком в лицо и отбросил к стенке. Потом ударил Винсента еще раз, сбил его с ног и вышел из мастерской, не говоря ни слова.

Христина была в тот день у матери. Антон, игравший на полу, подполз к Винсенту и с плачем гладил его по лицу. Через несколько минут Винсент пришел в сознание, дотащился до лестницы, кое-как взобрался наверх и лег в постель.

Лицо у Винсента не было поранено. Боли он не ощущал. Он не ушибся, когда упал на пол. Но эти два удара кулаком что-то сломили в нем, опустошили его. Он это чувствовал.

Пришла Христина. Она поднялась наверх. В доме не было ни еды, ни денег. Христина не раз удивлялась, как это Винсент при такой жизни еще держится на ногах. Теперь он лежал поперек кровати, свесив голову и руки в одну сторону, а ноги в другую.

— Что случилось? — спросила она.

Прошло много времени, прежде чем он собрался с силами, приподнялся и положил голову на подушку.

— Син, я должен уехать из Гааги.

— Что ж... Это понятно.

— Мне необходимо уехать отсюда. Куда-нибудь в деревню. Может быть, в Дренте. Там мы сумеем прожить дешевле.

— Ты хочешь, чтобы я поехала с тобой? Это же ужасная дыра, этот Дренте. Что я там буду делать, если у тебя нет ни денег, ни хлеба?

— Не знаю, Син. Придется тебе потерпеть.

— А ты обещаешь расходовать все свои сто пятьдесят франков только на жизнь? Не будешь тратить их на натурщиков и краски?

— Не могу, Син. Ведь это для меня главное.

— Да, для тебя!

— Ясное дело, не для тебя. Разве тебе это понять!

— Мне нужно как-то жить, Винсент. Я не могу жить без еды.

— А я не могу жить без живописи.

— Ну что ж, ведь деньги твои... тебе и решать... я понимаю. У тебя есть хоть несколько сантимов? Давай сходим в кафе у вокзала Рэйн.

В кафе пахло кислым вином. Было уже довольно поздно, но ламп не зажигали. Те два столика, за которыми они когда-то сидели, были свободны. Христина повела Винсента к ним. Они заказали вина. Христина играла своим стаканом. Винсент вспомнил, как восхитили его почти два года назад ее натруженные рабочие руки, когда она вот так же играла стаканом.

— Они говорили, что ты бросишь меня, — сказала она тихо. — Да я и сама это знала.

— Я не собираюсь бросать тебя, Син.

— Да, конечно, это не назовешь — бросить. Я от тебя не видела ничего, кроме хорошего.

— Если ты хочешь жить вместе со мной, я заберу тебя в Дренте.

Она покачала головой:

— Нет, вдвоем нам никак не прокормиться.

— Ты это поняла, Син, правда? Если бы я был богаче, я ничего бы для тебя не пожалел. Но когда приходится выбирать между тобой и работой...

Она накрыла его руку своей, и Винсент почувствовал, как шершава ее ладонь.

— Ладно. Брось огорчаться. Ты сделал для меня все, что мог. Просто пришло время... вот и все.

— Хочешь, Син, мы поженимся? Я возьму тебя с собой, только бы ты была счастлива.

— Нет, я останусь с мамой. Каждому свое. Все устроится; брат снимает новую квартиру для своей девки и для меня.

Винсент допил вино, последние капли со дна горчили.

— Син, я старался помочь тебе. Я любил тебя и отдавал тебе всю свою нежность. Прошу тебя за это об одном, только об одном.

— О чем же? — равнодушно спросила Христина.

— Не иди снова на улицу. Это тебя убьет! Ради Антона, не возвращайся к прежней жизни.

— У тебя хватит еще денег на стакан вина?

— Да.

Она отпила залпом почти полстакана и сказала:

— Я ведь знаю, что так мне не прожить, особенно с двумя детьми. И если я пойду на улицу, то не по охоте, а поневоле.

— Но если у тебя будет работа, ты обещаешь не делать этого?

— Хорошо, обещаю.

— Я буду посылать тебе денег, Син, буду посылать каждый месяц, на ребенка. Мне хочется, чтобы ты вывела малыша в люди.

— Все будет хорошо... он не пропадет... как и все остальные.

Винсент написал Тео о своем намерении переехать в деревню и порвать с Христиной. Тео ответил со следующей почтой, — он одобрил решение Винсента и прислал лишнюю сотню франков, чтобы Винсент расплатился с долгами. «Вчера ночью моя пациентка исчезла, — писал он. — Она совсем выздоровела, но мы никак не могли найти общий язык. Она забрала с собой все вещи и не оставила мне даже адреса. Думаю, что так будет лучше всего. Теперь мы оба освободились».

Винсент перетащил всю мебель в мансарду. Он еще надеялся когда-нибудь вернуться в Гаагу. За день до отъезда в Дренте он получил письмо и посылку из Нюэнена. В посылке оказался табак и творожный пудинг от матери, завернутый в промасленную бумагу.

«Когда же ты приедешь к нам порисовать деревянные кресты на церковном кладбище?» — спрашивал Винсента отец.

И Винсент сразу почувствовал, что его тянет домой. Он был болен. Он изголодался, истрепал нервы, бесконечно устал и пал духом. Он съездит на несколько недель домой, к матери, поправит здоровье и воспрянет духом. При мысли о брабантских пейзажах, об изгородях, дюнах и крестьянах, работающих в полях, к нему пришло ощущение мира и покоя, которого он не знал уже много месяцев.

Христина с обоими детьми проводила его на вокзал. Они стояли на платформе и не знали, что сказать. Подошел поезд, Винсент сел в вагон. Христина стояла, прижимая малыша к груди и держа Германа за руку. Винсент смотрел на них, пока поезд не вышел на сияющий, залитый солнцем простор, и тогда женщина, стоявшая на закопченной платформе, скрылась из виду, скрылась навсегда.

Книга четвертая
НЮЭНЕН

1

Дом священника в Нюэнене был двухэтажный, белый, каменный, с большим садом. В саду ровными рядами зеленели кусты, были там клумбы, пруд, три аккуратно подстриженных дубка. Хотя в Нюэнене насчитывалось две тысячи шестьсот жителей, только сто из них были протестанты. Церковь у Теодора была совсем крошечная; после людного и богатого Эттена Нюэнен был для него шагом назад.

Нюэнен, собственно говоря, был маленьким, скромным поселком, — его дома стояли по обе стороны широкой дороги на Эйндховен, центр округа. Но большинство жителей — ткачи и крестьяне — ютились в хижинах, разбросанных среди полей. Это были богобоязненные, трудолюбивые люди, жившие по традициям и обычаям предков. По фасаду священнического дома, над дверью, тянулись черные железные цифры: 1764. Парадная дверь выходила прямо на дорогу, через нее попадали в большую залу, разделявшую дом на две части. Слева, между столовой и кухней, была грубо сколоченная лестница, которая вела на второй этаж, в спальни. Винсент вместе с братом Кором жил наверху, над гостиной. Просыпаясь по утрам, он видел, как над тоненьким шпилем отцовской церкви поднимается солнце, как оно окрашивает в нежные пастельные тона пруд. На закате, когда эти тона становились темнее, чем утром, Винсент садился у окна и смотрел, как вечерние краски ложатся на воду подобно тяжелому маслянистому покрывалу, а затем постепенно растворяются в сумерках.

Винсент любил своих родителей, и они тоже любили его. Все трое молчаливо решили про себя жить в мире и согласии. Винсент много ел, много спал, иногда бродил по полям. Он охотно разговаривал, рисовал и совсем не читал. Все в доме относились к нему подчеркнуто предупредительно, и он платил им тем же. Это давалось нелегко; каждому приходилось взвешивать любое слово, все время напоминать себе: «Нужно быть осторожным! Я не должен нарушать согласия!»

Согласие длилось до тех пор, пока Винсент не выздоровел. Он не мог спокойно сидеть в одной комнате с людьми, которые думали не так, как он. Когда отец сказал однажды: «Хочу прочитать «Фауста» Гете. Эту книгу перевел преподобный Тен Кате, поэтому она не может быть слишком безнравственной», — Винсента едва не стошнило от отвращения.

Винсент приехал сюда отдохнуть всего на две недели, но он любил Брабант и ему захотелось пожить тут подольше. Он собирался работать, спокойно и просто писать природу, писать не мудрствуя то, что видел. Ему хотелось теперь лишь одного — жить здесь, в самой глуши, и запечатлевать на полотнах деревенскую жизнь. Подобно доброму отцу Милле, он хотел быть среди крестьян, научиться понимать их, писать их портреты. Он был твердо убежден, что некоторые люди, попавшие в город и вынужденные жить там, сохраняют неувядаемые воспоминания о деревне и до конца своих дней тоскуют по полям и простым людям.

В нем издавна жило чувство, что когда-нибудь он вернется в Брабант и останется здесь навсегда. Но он не мог жить в Нюэнене против желания родителей.

— Лучше уж сразу за дверь, чем у порога торчать, — сказал он отцу. — Давай-ка попробуем объясниться.

— Винсент, я хочу этого всей душой. Я вижу, что из твоих занятий живописью в конце концов что-то получится, и это меня радует.

9-1648и

— Хорошо. Тогда скажи мне прямо, сможем мы ужиться в мире? Хотите ли вы, чтобы я остался?

— Да, хотим.

— И надолго?

— Живи у нас сколько угодно. Это твой дом. Твое место здесь, среди нас.

— А если мы поссоримся?

— Что ж, не станем принимать это близко к сердцу. Постараемся жить спокойно и приспособиться друг к другу.

— А как мне быть с мастерской? Вы же не хотите, чтобы я работал в доме.

— Я уже думал об этом. Почему бы тебе не воспользоваться прачечной в саду? Можешь занять ее всю. Там тебе никто не помешает.

Прачечная была рядом с кухней, но не соединялась с ней. Высокое маленькое окошко прачечной выходило в сад, пол был земляной и в зимнее время всегда сырой.

— Мы разведем там большой костер, Винсент, и хорошенько все просушим. Потом настелем пол из досок, и тебе там будет удобно. Что ты на это скажешь?

Винсент осмотрел прачечную. Это было убогое строение, очень похожее на крестьянские хижины в полях. Из него вполне могла выйти настоящая мастерская деревенского художника.

— Если окошко маловато, — сказал Теодор, — то у меня есть немного свободных денег, позовем мастера, чтобы он сделал его побольше.

— Нет, нет, все хорошо и так. На натурщика тут будет падать столько же света, сколько в здешних хижинах.

В прачечную втащили дырявую бочку и разожгли в ней огонь. Когда стены и потолок просохли, а земляной пол затвердел, на него настлали доски. Винсент перенес сюда свою узкую кровать, стол, стул и мольберты. Он развесил свои этюды, а на побеленной стене, выходившей к кухне, большущими грубыми буквами намалевал слово ГОГ и теперь готов был стать голландским Милле.

2

Из всех жителей Нюэнена Винсента больше всего интересовали ткачи. Они жили в маленьких глинобитных хижинах с соломенными крышами, обычно разделенных на две части. Одну комнату, с крошечным оконцем, пропускавшим лишь тонкую полоску света, занимала семья. В стенах были квадратные ниши, высотой около метра, для кроватей; кроме того, здесь стоял стол, несколько стульев, печка, которую топили торфом, и грубо сколоченный шкаф для посуды. Пол был земляной, неровный, стены глиняные. В другой комнате, втрое меньшей и очень низкой из-за нависавших стропил, стоял станок.

Ткач, работая с утра до вечера, мог выткать шестьдесят локтей материи в неделю. Пока он ткал, его жена должна была сматывать для него пряжу. За шестьдесят локтей материи ткач получал четыре с половиной франка. Когда он приносил свою работу скупщику, ему нередко говорили, что следующий заказ он получит лишь через неделю или две. Винсент заметил, что по своему складу здешние ткачи резко отличались от углекопов Боринажа: они вели себя тихо, и нигде не было и духа бунтарских речей. Своим безнадежным смирением эти люди напоминали извозчичьих кляч или овец, отправляемых на пароходах в Англию.

Винсент быстро подружился с ними. Ему нравились эти простые души, которым нужна только работа, чтобы иметь возможность купить картофель, кофе да изредка кусок ветчины. Они не возражали, когда Винсент писал их за станком; он никогда не приходил к ним без сластей для ребятишек или пачки табаку для старика деда.

Однажды Винсент увидал ветхий станок из зеленовато-коричневого дубового дерева, на котором была вырезана дата — 1730 год. Рядом со станком, у окошечка, из которого была видна зеленая лужайка, стоял детский стул. Ребенок, сидевший на нем, целыми часами зачарованно глядел на беспрерывно снующий челнок. Комнатушка была жалкая, с земляным полом, но Винсент почувствовал в ней какое-то безмятежное спокойствие и красоту и попытался передать это на своих полотнах.

Он вставал рано утром и целые дни проводил то в поле, то в хижинах крестьян и ткачей. С ними он чувствовал себя как дома. Ведь недаром он просидел столько вечеров у очага с углекопами, рабочими с торфяных промыслов и землепашцами. Наблюдая крестьянскую жизнь постоянно, изо дня в день, во всякое время суток, он был теперь так поглощен ею, что почти не думал ни о чем другом. Всем своим существом он стремился уловить ce qui ne passe pas dans ce qui passe*.

Страсть рисовать людей снова проснулась в нем, но вместе с ней появилась у него и другая страсть: колорит. Зреющие хлеба были цвета темного золота, красноватой и золотистой бронзы, в контрасте с бледным кобальтом неба цвета эти казались особенно глубокими и яркими. В отдалении виднелись женщины — простые, энергичные, с бронзовыми от загара лицами и руками, в запыленной грубой одежде цвета индиго и в черных шапочках на коротких волосах.

Когда он с мольбертом за спиной и сырыми полотнами под мышкой враскачку шагал по дороге, шторы на всех окнах слегка приподнимались, и он оказывался под обстрелом робких и любопытных женских глаз. Он убедился теперь, что старая поговорка «Лучше сразу за дверь, чем у порога торчать» к его отношениям с родными уже не применима. Двери домашнего благополучия не захлопнулись перед ним, но и не раскрылись настежь. Сестра Елизавета ненавидела его: она боялась, что нелепые чудачества Винсента лишат ее возможности выйти замуж в Нюэнене. Виллемина любила его, но считала скучным. Лишь в последнее время он подружился с младшим братом Кором.

Винсент обедал не за общим столом, а где-нибудь в углу, держа тарелку на коленях и поставив перед собой на стул очередной этюд — он пристально разглядывал свою работу и беспощадно отмечал любой порок, любой промах. С родными он не заговаривал. Они тоже редко обращались к нему. Ел он мало, так как не хотел себя баловать. Только изредка, когда за столом возникал спор

* Непреходящее в преходящем *(фр.)*.

о каком-нибудь писателе, которого он любил, Винсент вставлял в беседу два-три слова. Но в общем, он убедился, что чем меньше он будет разговаривать с родными, тем лучше для всех.

3

Он писал в полях уже почти целый месяц, когда вдруг почувствовал, что кто-то постоянно следит за ним. Он знал, что жители Нюэнена дивятся ему, что крестьяне, опершись на мотыги, иногда смотрят на него с недоумением. Но теперь было нечто другое. У него появилось ощущение, что за ним не только следят, но и ходят по пятам. В первые дни он пробовал избавиться от этого наваждения, но чувство, что ему в спину все время смотрят чьи-то глаза, не оставляло его. Много раз он внимательно оглядывал поле, но ничего не видел. Однажды он резко обернулся, и ему показалось, будто за деревом мелькнула белая юбка. В другой раз, выйдя из хижины ткача, он увидел, как кто-то метнулся прочь и побежал по дороге. А был еще случай, когда, работая в лесу, Винсент оставил на минуту свой мольберт и пошел к пруду напиться. Вернувшись, он рассмотрел на сыром холсте отпечатки чьих-то пальцев.

Узнать, кто эта женщина, ему удалось лишь спустя две недели. Он писал фигуры мужчин, взрыхлявших мотыгами пустошь; поблизости стоял старый, брошенный фургон. Пока Винсент работал, женщина пряталась за фургоном. Винсент сложил свои холсты и мольберт и сделал вид, будто идет домой. Женщина побежала впереди него. Он шел следом, не возбуждая ее подозрений, и увидел, как она свернула к дому, соседнему с домом священника.

— Мама, кто живет слева от нас? — спросил он вечером, когда все сели за ужин.

— Семейство Бегеманн.

— А кто они такие?

— Мы их почти не знаем. Мать с пятью дочерьми. Отец, видать, давно умер.

— А что это за люди?

— Трудно сказать, они такие скрытные.

— Они католики?

— Нет, протестанты. Отец был священником.

— Есть там хоть одна незамужняя девица?

— Конечно! Они все незамужние. А ты почему спрашиваешь?

— Просто любопытно. Кто же кормит это семейство?

— Никто. Они, видимо, богаты.

— А имен этих девушек ты, наверное, не знаешь?

Мать пытливо взглянула на него.

— Нет, не знаю.

Утром он отправился в поле на то же место. Ему хотелось написать синие фигуры крестьян среди вызревших хлебов и увядшей листвы буковых изгородей. Крестьяне носили блузы из грубого домотканого полотна, основа у него была черная, а уток синий, — получался черно-синий клетчатый рисунок. Когда блузы выцветали от солнца и ветра, они приобретали спокойный, нежный оттенок, великолепно подчеркивавший цвет тела.

К полудню он почувствовал, что женщина притаилась опять где-то у него за спиной. Краем глаза он увидел, как ее платье мелькнуло около брошенного фургона.

— Сегодня я ее поймаю, даже если мне придется бросить этюд недописанным, — пробормотал Винсент.

Он все больше и больше привыкал наносить на холст то, что видел, стремительно, фиксируя свое впечатление одним страстным порывом. В старых голландских картинах его прежде всего поражало то, что они были написаны быстро, что великие мастера очерчивали предмет одним движением кисти и больше уже не прикасались к нему. Они писали с жадной торопливостью, чтобы не утратить свежесть первого впечатления и сохранить то настроение, в котором родился замысел.

В пылу работы Винсент забыл о женщине. Когда он через полчаса случайно глянул в сторону, то заметил, что женщина вышла из-за дерева и стояла теперь перед фургоном. Он хотел броситься к ней, схватить ее и потребовать ответа, зачем она все время преследует его, но не мог оторваться от работы. Немного погодя он оглянулся снова и с удивлением увидел, что она все еще стоит у фургона и в упор смотрит на него. В первый раз она, не прячась, вышла из своего укрытия.

Винсент продолжал лихорадочно работать. Чем усерднее он писал, тем ближе подходила к нему женщина. Чем азартнее он углублялся в свое полотно, тем нестерпимее жгли его эти глаза, устремленные ему в спину. Он слегка повернул мольберт, чтобы приноровиться к свету, и тут увидел, что женщина замерла теперь на полпути между ним и фургоном. Казалось, она загипнотизирована и двигается во сне. Шаг за шагом она подходила к нему все ближе и ближе, то и дело останавливаясь, пытаясь повернуть назад, но продолжала идти вперед, повинуясь какой-то непреодолимой силе. Он почувствовал ее за своей спиной. Тогда он резко обернулся и взглянул ей прямо в глаза. Испуг и смятение читались на ее лице; казалось, ее переполняли какие-то чувства, с которыми она не могла совладать. Смотрела она не на Винсента, а на его полотно. Винсент ждал, когда она заговорит. Она молчала. Он повернулся к своей работе и несколькими энергичными мазками закончил ее. Женщина не двигалась. Он чувствовал, как ее платье касается его куртки.

Близился вечер. Женщина простояла в поле много часов. Винсент устал, творческое возбуждение еще владело всем его существом. Он вскочил и повернулся к женщине.

У нее внезапно пересохли губы. Она провела языком по верхней губе, потом по нижней. Но слюна тут же высохла, рот у нее словно жгло огнем. Она поднесла руку к горлу, — казалось, ей трудно дышать. Она хотела заговорить, но не смогла.

— Я Винсент Ван Гог, ваш сосед, — сказал он. — Но вам наверняка это известно и так.

— Да, — прошептала она еле слышно.

— Вы из сестер Бегеманн. Которая же?

Она пошатнулась, схватила его за рукав, но оправилась и удержалась на ногах. Снова она облизала губы своим сухим языком и несколько раз пыталась заговорить, прежде чем ей удалось вымолвить:

— Марго.

— Зачем вы преследуете меня, Марго Бегеманн? Я замечаю это вот уже не одну неделю.

Она глухо вскрикнула, судорожно вцепилась в рукав Винсента и в обмороке упала на землю.

Винсент встал на колени, подложил ей под голову руку и откинул с ее лба волосы. Красное вечернее солнце садилось за полями, усталые крестьяне медленно брели домой. Винсент и Марго были одни. Он пристально вгляделся в нее. Она не была красива. Ей было, по-видимому, далеко за тридцать. Левый угол ее рта был очерчен резко и твердо, а от правого шла тонкая линия почти до самой скулы. Под глазами у нее были синие круги, усеянные мелкими веснушками. На лице кое-где уже начинали прорезываться морщинки.

У Винсента в фляжке было немного воды. Тряпочкой, которой он вытирал кисти, он смочил девушке лицо. Она быстро открыла глаза, и Винсент увидел, что они у нее хорошие — темно-карие, нежные, таинственные. Он плеснул себе на руку воды и провел пальцами по лицу девушки. Почувствовав его прикосновение, она вздрогнула.

— Вам лучше, Марго? — спросил он.

Она лежала еще секунду, глядя в его зеленовато-синие глаза, такие ласковые, такие проницательные и понимающие. Потом, с отчаянным рыданием, которое вырвалось из самых глубин ее существа, она обхватила его за шею и зарылась лицом в его бороду.

4

На следующий день они встретились в условленном месте в стороне от деревни. Марго была в очаровательном белом батистовом платье с низким вырезом, в руках она держала соломенную шляпу. Она волновалась, но владела собой гораздо лучше, чем накануне. Когда она пришла, Винсент отложил палитру в сторону. В Марго не было и намека на тонкую красоту Кэй, но по сравнению с Христиной это была очень привлекательная женщина.

Винсент встал со своего стула, не зная, что делать дальше. Женские платья были не в его вкусе; ему больше нравились на женщине юбка и жакет. Голландских женщин того круга, который принято называть респектабельным, он рисовать не любил — они были не очень-то хороши собой. Винсент предпочитал служанок: нередко они бывали истинно шарденовского типа.

Марго приподнялась на носки и поцеловала его, просто, привычно, словно они давно уже были любовниками; потом она вдруг прижалась к нему всем телом и затрепетала. Винсент постелил для нее на земле куртку, а сам сел на стул. Марго прикорнула у его ног и посмотрела на него с таким выражением, какого Винсент никогда еще не видел в глазах женщины.

— Винсент, — сказала она ради одного только удовольствия услышать, как чудесно звучит его имя.

— Да, Марго?

Он не знал, что сказать, как вести себя.

— Вчера ты, наверно, подумал обо мне плохо?

— Плохо? Нет. А с чего ты взяла?

— Можешь мне не верить, Винсент, но вчера, поцеловав тебя, я в первый раз в жизни целовала мужчину.

— Неужели? Разве ты никогда не любила?

— Нет.

— Это жаль.

— Правда? — Она помолчала. — А ты любил других женщин, ведь любил, да?

— Любил.

— И многих?

— Нет... Только троих.

— А они тебя любили?

— Нет, Марго, не любили.

— И как они только могли?

— Мне всегда не везло в любви.

Марго придвинулась плотнее к Винсенту и положила руку ему на колено. Другой рукой она шаловливо провела по его лицу, коснувшись массивного носа, полных приоткрытых губ, твердого, округлого подбородка. Легкая дрожь опять пробежала по ее телу; она быстро отдернула пальцы.

— Какой ты сильный, — тихо сказала она. — Все у тебя сильное — и руки, и скулы, и шея. Я никогда не встречала раньше такого мужчину.

Он грубо обхватил ее лицо ладонями. Страсть и возбуждение, кипевшие в ней, передались и ему.

— Я тебе нравлюсь хоть немного? — В ее голосе звучала тревога.

— Да.

— Ты поцелуешь меня?

Он поцеловал.

— Пожалуйста, не думай обо мне плохо, Винсент. Я не могу ничего с собой поделать. Ты видишь, я влюбилась в тебя... и не смогла удержаться.

— Ты влюбилась в меня? В самом деле? Но почему?

Она прильнула к нему и поцеловала его в уголок рта.

— Вот почему, — шепнула она.

Они сидели не шевелясь. Неподалеку было крестьянское кладбище. Столетие за столетием крестьяне ложились на вечный отдых в тех самых полях, которые они обрабатывали при жизни. Винсент стремился показать на своих полотнах, какая это простая вещь — смерть, такая же простая, как падение осенней листвы, — маленький земляной холмик да деревянный крест. За кладбищенской оградой зеленела трава, а вокруг расстилались поля, где-то далеко-далеко сливаясь с небом и образуя широкий, как на море, горизонт.

— Ты знаешь хоть что-нибудь обо мне, Винсент? — мягко спросила она.

— Очень мало.

— Говорил тебе кто-нибудь... сколько мне лет?

— Нет, никто.

— Мне тридцать девять. Скоро будет сорок. Вот уже пять лет я все говорю себе, что если не полюблю кого-нибудь до сорока лет, то убью себя.

— Но ведь это так легко — полюбить.

— Ты думаешь?

— Да. Трудно другое — чтобы и тебя полюбили в ответ.

— Нет, нет. В Нюэнене все трудно. Больше двадцати лет я мечтала кого-нибудь полюбить. И мне ни разу не довелось.

— Ни разу?

Она посмотрела куда-то вдаль.

— Только однажды... я была еще девчонкой... мне нравился мальчик.

— И что же?

— Он был католик. Они его выгнали.

— Кто это — они?

— Мама и сестры.

Она встала на колени, пачкая в глине свое чудесное белое платье, и закрыла лицо руками. Колени Винсента слегка касались ее тела.

— Жизнь женщины пуста, если в ней нет любви, Винсент.

— Я знаю.

— Каждое утро, просыпаясь, я твердила себе: «Сегодня я обязательно кого-то встречу и полюблю. Ведь влюбляются же другие, чем я хуже их?» А потом наступала ночь, и я чувствовала себя одинокой и несчастной. И так много-много дней, без конца. Дома мне ничего не приходится делать — у нас есть служанки, — и каждый мой час был исполнен тоски по любви. Каждый вечер я говорила себе: «От такой жизни впору умереть, и все-таки ты живешь!» Меня поддерживала мысль, что когда-нибудь я все же встречу человека, которого полюблю. Проходили годы, мне исполнилось тридцать семь, тридцать восемь и, наконец, тридцать девять. Свой сороковой день рождения я не могла бы встретить, не полюбив. И вот пришел ты, Винсент. Наконец-то, наконец полюбила и я!

Это был крик торжества, словно она одержала великую победу. Она потянулась к нему, подставляя губы для поцелуя. Он откинул с ее ушей шелковистые волосы. Она обняла его за шею и осыпала тысячью быстрых поцелуев. Здесь, около крестьянского кладбища, сидя на маленьком складном стуле, отложив в сторону палитру и кисти, прижимая к себе стоявшую на коленях женщину, захлестнутый потоком ее страсти, Винсент впервые в жизни вкусил сладостный и целительный бальзам женской любви. И он трепетал, чувствуя, что это — святыня.

Марго снова опустилась к его ногам, положив голову ему на колени. На щеках у нее горел румянец, глаза блестели. Дышала она тяжело, с трудом. В пылу любви она казалась не старше тридцати. Винсент, ошеломленный, почти ничего не сознавая, гладил ее лицо. Она схватила его руку, поцеловала ее и приложила к своей пылающей щеке. Немного погодя она заговорила.

— Я знаю, что ты не любишь меня, — сказала она тихо. — Это было бы слишком большое счастье. Я молила Бога лишь о том, чтобы полюбить самой. Я не смела и мечтать, что кто-то полюбит меня. Любить — вот что важно, любить, а не быть любимым. Правда, Винсент?

Винсент подумал об Урсуле и Кэй.

— Да, — ответил он.

Она потерлась головой о его колено, глядя в голубое небо.

— Ты позволишь мне всюду ходить с тобой? Если тебе не захочется разговаривать, я буду сидеть тихо и не скажу ни слова. Позволь только быть около тебя; я обещаю не докучать тебе и не буду мешать работать.

— Конечно, ты можешь ходить со мной. Но скажи, Марго, если в Нюэнене нет мужчин, почему ты отсюда не уехала? Хотя бы на время. У тебя не было денег?

— Что ты, денег у меня много. Дедушка оставил мне большое наследство.

— Тогда почему ты не уехала в Амстердам или в Гаагу? Там ты встретила бы интересных мужчин.

— Меня не пускали.

— Все твои сестры незамужние, ведь правда?

— Да, дорогой, мы все пятеро не замужем.

Сердце его сжалось от боли. В первый раз за всю его жизнь женщина сказала ему «дорогой». Он знал, как это ужасно — любить, не встречая ответного чувства, но никогда даже не подозревал, как это чудесно, когда тебя всем существом любит добрая, хорошая женщина. Ему все казалось, что внезапно вспыхнувшая любовь Марго — лишь странная случайность, в которой сам он не сыграл никакой роли. И это простое слово, произнесенное Марго с таким спокойствием и любовью, сразу перевернуло все его мысли. Он схватил Марго в объятия и крепко прижал ее к себе.

— Винсент, Винсент, я так люблю тебя! — шептала она.

— Как странно слышать, когда ты говоришь это.

— Теперь я не жалею, что жила все эти годы без любви. Ты вознаградил меня, мой дорогой, мой милый. Даже в мечтах я не представляла себе, что можно испытать такое счастье, какое я испытываю сейчас.

— Я тебя тоже люблю, Марго.

Она слегка откинулась назад.

— Не говори этого, Винсент. Может быть, потом, через некоторое время, ты будешь меня любить немного. А теперь я прошу только одного: позволь мне любить тебя!

Она выскользнула из его объятий, откинула в сторону куртку и села на нее.

— Работай, мой дорогой, — сказала она. — Я не буду тебе мешать. Мне нравится смотреть, как ты пишешь.

5

Почти каждый день Марго ходила вместе с Винсентом в поле. Нередко он выбирал место для работы километрах в десяти от Нюэнена, и они приходили туда, замученные жарой. Но Марго никогда не жаловалась. В ней совершалась поразительная перемена. Ее темно-каштановые волосы приобрели живой светлый оттенок. Губы у нее раньше были тонкие и сухие, теперь они стали полными и красными. Кожа, прежде вялая, с морщинками, стала теперь гладкой, мягкой и теплой. Глаза расширились, груди налились, голос звучал жизнерадостно, походка стала уверенной и упругой. Страсть как бы открыла в ней новый живительный родник, и Марго купалась в пьянящем эликсире любви. Чтобы сделать Винсенту приятное, она носила ему в поле завтраки; стоило Винсенту с восхищением упомянуть о какой-нибудь гравюре, как она тотчас заказывала ее в Париже. И она никогда не мешала ему работать. Пока он писал, она сидела рядом, не шевелясь, захваченная тем самозабвенным порывом, которым он одухотворял свои полотна.

Марго ничего не понимала в живописи, но она обладала гибким, живым умом и умением сказать слово вовремя и к месту. Винсент считал, что Марго, не разбираясь в картинах, чутьем все же понимает его. Она напоминала ему кремонскую скрипку, которую чинили неумелые руки.

«Как жаль, что я не встретил ее десять лет назад!» — говорил он себе.

Однажды, когда Винсент принимался за очередное полотно, Марго спросила:

— Откуда ты знаешь, что выбранное тобой место удачно выйдет на картине?

Винсент подумал мгновение и сказал:

— Тому, кто хочет действовать, нечего бояться неудачи. Когда я вижу пустой холст, который глупо уставился на меня, я беру в руки кисть и мгновенно покрываю его красками.

— Да, пишешь ты и впрямь мгновенно. Я не представляю себе, чтобы кто-нибудь заканчивал картину с такой быстротой.

— По-иному я не могу. Пустой холст словно сковывает меня, он будто говорит: «Эх ты, ничего ты не умеешь!»

— И тем самым как бы бросает тебе вызов?

— Вот именно. Пусть полотно глядит на меня тупо и бессмысленно, но я знаю — оно боится горячего, смелого художника, который раз и навсегда разрушил это заклинание: «Ты не умеешь!» Ведь и сама жизнь, Марго, повернута к человеку своей бессмысленной, равнодушной, безнадежно пустой стороной, на которой написано ничуть не больше, чем на чистом холсте.

— Да, ничуть не больше.

— Но человек, полный веры и сил, не боится этой пустоты; он идет вперед, он действует, созидает, творит, и в конце концов полотно уже не пусто, оно расцветает всеми красками жизни.

Винсент был счастлив любовью Марго. Она не видела в нем никаких недостатков. Она одобряла все, что он делал. Она не говорила, что у него грубые манеры, или хриплый голос, или топорные черты лица. Она ни разу не упрекнула его за то, что он не зарабатывает денег, ни разу не обмолвилась, чтобы он занялся чем-нибудь другим, кроме живописи. Возвращаясь домой в тихом свете сумерек, обняв ее за талию, он рассказывал ей ласковым голосом о своих работах, объяснял, почему он охотнее пишет крестьянина в трауре, чем какого-нибудь бургомистра, почему, на его взгляд, простая деревенская девушка в залатанном синем платьице с узким лифом гораздо красивее, чем знатная дама. Марго ни о чем не спрашивала, со всем соглашалась. Он был с ней самим собой, и она любила его бесконечно.

Винсент никак не мог привыкнуть к своим отношениям с Марго. Каждый день он ждал разрыва, жестоких и грубых попреков за все его жизненные неудачи. Но любовь ее в эти жаркие летние дни становилась все горячее; она любила его с такой полнотой чувства, на какую способна лишь зрелая женщина. Видя, что она ни в чем его не винит, Винсент сам пытался толкнуть ее на это, представляя в самом черном свете все свои прошлые злоключения. Но она принимала их лишь как объяснение, почему он поступил именно так, а не иначе.

Он рассказал ей о своих неудачах в Амстердаме и Боринаже.

— Это был крах, полнейший крах, — уверял он. — Все, что я делал там, все было ошибкой. Как ты считаешь?

В ответ она мягко улыбнулась:

— Король не ошибается.

Винсент поцеловал ее.

В другой раз она сказала ему:

— Мать говорит, что ты дурной, порочный человек. Она слышала, что в Гааге ты жил с гулящими женщинами. А я возразила, что все это сплетни.

Винсент рассказал о Христине. Марго слушала его с легкой печалью в глазах, но скоро в них опять светилась одна только любовь.

— Знаешь, Винсент, ты чем-то похож на Христа. Я уверена, что мой отец подумал бы то же самое.

— И это все, что ты можешь сказать после того, как я признался, что два года жил с проституткой?

— Она была не проститутка, а твоя жена. Тебе не удалось ее спасти, но ты в этом не виноват, так же как не виноват в том, что не смог спасти углекопов в Боринаже. Один в поле не воин.

— Это верно, Христина была моей женой. Когда я был помоложе, я говорил своему брату Тео: «Если я не смогу найти хорошую жену, то возьму плохую. Лучше плохая жена, чем никакой».

Наступило неловкое молчание: о женитьбе они еще ни разу не заговаривали.

— Во всей этой истории с Христиной меня огорчает только одно, — сказала Марго. — Жаль, что эти два года твоей любви принадлежали не мне!

Винсент уже не пытался толкнуть Марго на разрыв и безоговорочно принял ее любовь.

— Когда я был моложе, Марго, — сказал он, — я думал, что все на свете зависит от случая, от мелких, пустяковых недоразумений. С годами я стал понимать, что всему есть глубокие причины. Такова уж неизбежная участь большинства людей — они долго должны искать света.

— Так же, как я искала тебя!

Они подошли к хижине ткача с низенькой дверью. Винсент крепко сжал руку Марго. Она ответила ему такой нежной и преданной улыбкой, что он недоумевал и досадовал, почему судьба лишала его ее любви все эти годы. Они вошли под соломенную крышу хижины. Лето уже кончилось, стояла осень, на дворе смеркалось рано. В хижине горела лампа, подвешенная к потолку. На станке было натянуто красное полотно. Ткачу помогала его жена: их темные склоненные фигуры четко рисовались против света на фоне красного полотна и отбрасывали огромные тени на брусья и перекладины станка. Марго и Винсент понимающе взглянули друг на друга — он научил ее чувствовать скрытую красоту самых нищенских жилищ.

В ноябре, в пору листопада, когда деревья облетели в несколько дней, в Нюэнене только и было разговоров, что о Винсенте и Марго. Жители поселка любили Марго. Винсенту же они не доверяли и боялись его. Мать и четыре сестры порывались положить конец их отношениям, но Марго уверяла, что между нею и Винсентом нет ничего, кроме дружбы, а что дурного в совместных прогулках по полям?

Бегеманны знали, что Винсент бродяга, и надеялись, что в один прекрасный день он исчезнет. Поэтому они не особенно волновались. Зато весь поселок был в смятении; все только и судачили о том, что от этого чудака Ван Гога добра не жди и что семейство Бегеманн пожалеет, если не вырвет дочку из его лап.

Винсент никак не мог понять, почему его здесь так не любят. Он никому не мешал, никого не обидел. Он и не догадывался, какое странное впечатление производил он в этой тихой деревушке, где жизнь текла по однажды заведенному порядку уже сотни лет. Он оставил надежду подружиться с местными жителями лишь тогда, когда убедился, что они считают его лодырем. Однажды Винсента окликнул на дороге лавочник Дин ван ден Бек и бросил ему вызов от лица всего поселка.

— Осень на дворе, и хорошей погоде конец, э? — начал он.

— Похоже, что так.

— Надо думать, вы скоро приметесь за работу, э?

Винсент поправил на спине мольберт.

— Да, я иду на пустошь.

— Нет, я говорю о работе, — возразил Дин. — О настоящей работе, которой вы занимаетесь весь год.

— Моя работа — это живопись, — спокойно сказал Винсент.

— Работой называют то, за что платят деньги.

— Как видите, я хожу в поле и там работаю, минхер ван ден Бек. Это такая же работа, как и торговля.

— Да, но я-то свой товар продаю! А вы свой продаете?

С кем бы он ни разговаривал здесь, все задавали ему этот вопрос. Винсенту он надоел до отвращения.

— Иногда продаю. Брат у меня торгует картинами, он покупает мои рисунки.

— Вам надо заняться делом, минхер. Не годится так вот бездельничать. Плохо, когда приходит старость, а у человека за душой нет ни сантима.

— Что значит бездельничать! Я каждый день работаю в два раза больше, чем вы сидите в своей лавочке.

— А, вы называете это работой! Сидеть на лужайке и малевать. Да это же детская забава! Торговать в лавке, пахать землю — вот настоящая работа для мужчины. Ваши годы уже не те, чтобы тратить время попусту.

Винсент понимал, что устами Дина ван ден Бека говорит все селение и что для здешних умов художник и работник — понятия несовместимые. Он перестал интересоваться тем, что о нем думают, и, проходя по улице, старался ни с кем не разговаривать. Когда враждебность к Винсенту достигла предела, произошел случай, благодаря которому он вдруг снискал общее расположение.

Сходя с поезда в Хэлмонде, Анна-Корнелия сломала ногу. Ее спешно привезли домой. Доктор опасался за ее жизнь, хотя и скрывал это от близких. Винсент без колебания бросил работу. В Боринаже он научился прекрасно ухаживать за больными. Врач побыл в доме с полчаса и сказал Винсенту:

— Вы справляетесь с делом лучше всякой женщины. Ваша мать в хороших руках.

Жители Нюэнена, столь жестокие к Винсенту, оказались очень отзывчивыми в беде: они приходили к больной с лакомствами, книгами и словами утешения. Глядя на Винсента, они удивлялись: он менял белье на постели, не потревожив мать, умывал и кормил ее, поправлял гипсовую повязку на ноге. Через две недели от прежнего предубеждения против Винсента не осталось и следа. Когда соседи заходили в дом, он разговаривал с ними как равный; они советовались, как лучше избежать несчастных случаев, чем кормить больного, часто ли нужно топить у него в комнате. Беседуя с Винсентом на близкие им темы, они убедились, что он — самый обыкновенный человек. Когда матери стало полегче и он смог выкраивать время, чтобы пойти немного порисовать, нюэненцы улыбались ему и окликали его по имени. Проходя по улице, он уже не видел, как приподнимаются занавески на окнах. Марго всегда была рядом с Винсентом. Она одна не удивлялась его чуткости. Как-то, разговаривая шепотом с Марго в комнате больной, Винсент сказал:

— В живописи есть вещи, которые немыслимы без знаний человеческого тела, а изучить его стоит больших денег. Я мог бы купить прекрасную книгу Джона Маршалла «Анатомия для художников», но она очень дорогая.

— А у тебя нет денег?

— Нет и не будет, пока я не продам что-нибудь из своих работ.

— Винсент, я была бы так счастлива, если бы ты взял у меня денег в долг. Ты ведь знаешь, у меня большой доход, я просто не знаю, куда девать деньги.

— Ты очень добра, Марго, но это невозможно.

Она не настаивала, но недели через две вручила ему пакет, полученный из Гааги.

— Что это?

— Вскрой и посмотри.

К пакету была приклеена карточка. Внутри оказалась книга Маршалла, а на карточке значилось: «С днем рождения, счастливейшим в жизни».

— Но сегодня вовсе не день моего рождения! — воскликнул Винсент.

— Конечно, нет! — засмеялась Марго. — Не твоего, а моего. Понимаешь? Мне сорок, Винсент. Ты подарил мне жизнь. Пожалуйста, возьми это, дорогой. Я так счастлива сегодня и хочу, чтобы ты тоже был счастлив.

Они сидели в мастерской Винсента. Во всем доме никого не было, одна только Виллемина осталась с больной матерью. Наступал вечер, предзакатное солнце отбрасывало на выбеленную известкой стену неяркий квадрат света. Винсент с нежностью взял в руки книгу — никто, кроме Тео, не помогал ему с такой радостью, как Марго. Он бросил книгу на кровать и крепко обнял Марго. Глаза ее слегка затуманились от любви. В последнее время ласки их были редки: даже гуляя в поле, они боялись, что их увидят. Марго всегда отдавалась его объятиям пылко, с самоотверженной готовностью. Прошло уже пять месяцев с тех пор, как Винсент расстался с Христиной; и теперь, когда дело могло зайти далеко, он старался не давать себе воли. Он не хотел обидеть Марго, оскорбить ее любовь к нему.

Целуя ее, он заглянул в ее ласковые карие глаза. Она улыбнулась, опустила веки и чуть приоткрыла губы, ожидая нового поцелуя. Они крепко прижались друг к другу всем телом. Кровать была от них в двух шагах. Они сели на нее. Жарко обнимая друг друга, они уже не помнили о тех долгих годах, когда они томились без любви.

Солнце село, и квадрат света на стене исчез. Мастерская погрузилась в мягкий полумрак. Марго провела рукой по лицу Винсента, любовь исторгла из ее груди какие-то непонятные, нежные слова. Винсент чувствовал, что вот-вот полетит в пропасть, нельзя было терять ни секунды. Он вырвался из объятий Марго и вскочил на ноги. Он отошел к своему мольберту и скомкал лист с начатым рисунком. Было тихо, только с акаций слабо доносилась трескотня сороки да звенели колокольчики на шеях у коров, возвращавшихся с пастбища.

Спустя минуту Марго сказала спокойно и просто:

— Дорогой, если хочешь, тебе все можно.

— Можно? — повторил он, не оборачиваясь.

— Да, потому что я тебя люблю.

— Это было бы ошибкой.

— Я уже говорила тебе, Винсент, что король не ошибается.

Он встал на колени и положил голову на подушку. И опять увидел он на лице Марго морщинку, идущую от правого уголка рта к скуле, и приник к ней губами. Он целовал ее слишком тонкую переносицу, слишком широкие ноздри, он провел губами по всему ее лицу, сразу помолодевшему лет на десять. В сумеречном свете, доверчиво приникнув к его груди, она словно снова стала той красивой девушкой, какой была в двадцать лет.

— Я тоже люблю тебя, Марго, — говорил Винсент. — Раньше я не знал этого, а теперь знаю.

— Спасибо тебе, дорогой. — Голос ее звучал нежно и мечтательно. — Я знаю, что нравлюсь тебе немного. А я люблю тебя всей душой. И мне этого довольно.

Он не любил ее так, как любил некогда Урсулу и Кэй. Он не любил ее даже так, как любил Христину. Но все же он чувствовал глубокую нежность к этой женщине, покорно лежавшей в его объятиях. Он знал, что любовь охватывает почти все отношения между людьми. Ему было горько, когда он думал, как мелко чувство, которое он испытывает к единственной в мире женщине, страстно любящей его, и он вспоминал свои страдания, когда Урсула и Кэй были глухи к его любви. Безудержная страсть Марго вызывала у него уважение, к которому по непонятной причине примешивалась какая-то брезгливость. Стоя на коленях на грубом деревянном полу, поддерживая руками голову женщины, любившей его так, как он любил Урсулу и Кэй, Винсент понял наконец, почему обе эти женщины отвергли его.

— Марго, — сказал он, — у меня нелегкая жизнь, но я буду счастлив, если ты разделишь ее со мной.

— Я готова разделить ее с тобой, любимый.

— Мы можем остаться здесь, в Нюэнене. Или ты хочешь куда-нибудь уехать, после того как мы поженимся?

Она ласково потерлась лбом о его руку.

— Помнишь, что сказала Руфь? «Куда ты пойдешь, туда и я пойду».

6

Они никак не ожидали той бури, которая поднялась на следующее утро, когда каждый сообщил дома о своем решении. У Ван Гогов все упиралось только в деньги. Как может Винсент думать о женитьбе, если его самого содержит Тео?

— Тебе надо прежде начать зарабатывать и пробить себе дорогу в жизни, а потом уже жениться, — сказал ему отец.

— Если я пробью себе дорогу правдой своего искусства, — отвечал Винсент, — то деньги в свое время у меня будут.

— Что ж, вот и женись в свое время. Только не сейчас!

Но тревога в пасторском доме была сущей безделицей по сравнению с тем, что творилось рядом, в семействе Бегеманн. До того времени все пять незамужних сестер дружно поддерживали друг друга против враждебного им мира. Замужество одной сестры только подчеркнуло бы перед всем поселком неудачу других. Мадам Бегеманн полагала, что лучше лишить счастья одну дочь и избавить от несчастья остальных четырех.

В этот день Марго уже не пошла вместе с Винсентом к ткачам. Под вечер она заглянула к нему в мастерскую. Глаза у нее опухли и покраснели; теперь особенно ясно было видно, что ей уже сорок. Она судорожно обняла Винсента.

— Они весь день бранили тебя на чем свет стоит, — сказала она. — Право же, трудно представить себе человека, который совершил бы столько зла, как ты, и остался жив.

— Этого следовало ожидать.

— Конечно. Но я не думала, что они будут так бесноваться.

Он нежно обхватил ее рукой и поцеловал в щеку.

— Предоставь это дело мне. Я зайду к вам после ужина. Может быть, мне удастся убедить их, что я не такое уж страшилище.

Едва Винсент переступил порог их дома, как почувствовал себя на вражеской территории. Что-то зловещее было в этом жилище шести женщин, где давным-давно не раздавался мужской голос, не звучали мужские шаги.

Его пригласили в гостиную. Это была затхлая и холодная комната. Сюда не заходили по целым неделям. Винсент знал всех сестер по именам, но никогда не давал себе труда запомнить их в лицо. Каждая из них была как бы живой карикатурой на Марго. В доме всем заправляла старшая, она и приступила к допросу:

— Марго говорит, что вы хотите жениться на ней. Позвольте узнать, что произошло с вашей женой в Гааге?

Винсент рассказал про Христину. Атмосфера в комнате стала холоднее еще на несколько градусов.

— Сколько вам лет, минхер Ван Гог?

— Тридцать один.

— Говорила вам Марго, что ей...

— Да, я знаю.

— Разрешите спросить, какой у вас доход?

— Сто пятьдесят франков в месяц.

— Из каких же это источников?

— Эти деньги мне присылает брат.

— Вы хотите сказать, что он вас содержит?

— Нет. Он платит мне жалованье. За это я отдаю ему все свои картины.

— Сколько же из этих картин он продает?

— Сказать по правде, не знаю.

— Что ж, зато я знаю. Ваш отец говорит, что брат еще не продал ни одной.

— В конце концов он их продаст. И ему заплатят во много раз больше, чем он мог бы получить теперь.

— Ну, это по меньшей мере сомнительно. Давайте обратимся к фактам.

Винсент разглядывал ее строгое некрасивое лицо. Он понимал, что сочувствия тут ждать не приходится.

— Если вы ничего не зарабатываете, — продолжала она, — то разрешите спросить: на какие средства вы предполагаете содержать жену?

— Мой брат считает нужным давать мне сто пятьдесят франков в месяц; зачем он это делает, вас не касается. Я смотрю на эти деньги как на жалованье. Я зарабатываю их тяжким трудом. Мы с Марго проживем на них, если будем экономно вести хозяйство.

— Да нам незачем будет экономить! — воскликнула Марго. — У меня довольно денег, чтобы самой содержать себя.

— Замолчи, Марго, — оборвала ее старшая сестра.

— И не забывай, — вставила мать, — что я могу лишить тебя дохода, если ты опозоришь честь семейства.

Винсент улыбнулся.

— Разве выйти за меня замуж — такой уж позор? — спросил он.

— Мы о вас очень мало знаем, минхер Ван Гог, да и то, что знаем, говорит не в вашу пользу. Давно вы стали художником?

— Уже три года.

— И до сих пор ничего не достигли! Сколько же лет вам потребуется, чтобы добиться успеха?

— Не знаю.

— А кем вы были, пока не взялись за живопись?

— Торговал картинами, был учителем, продавцом книг, студентом-богословом и проповедником.

— И ни в чем не преуспели?

— Я все это бросил.

— Почему же?

— Все это не для меня.

— А когда вы бросите свою живопись?

— Он ее никогда не бросит! — вмешалась Марго.

— Мне кажется, минхер Ван Гог, — сказала старшая сестра, — что рассчитывать на брак с Марго с вашей стороны слишком самонадеянно. Вы безнадежно опустились, у вас нет ни франка, заработать вы ничего не можете, взяться за какое-нибудь дело не способны, вы лодырь, вы шатаетесь по свету, как бродяга. Как можем мы позволить сестре выйти за вас замуж?

Винсент вынул было из кармана трубку, но тут же сунул ее обратно.

— Мы с Марго любим друг друга. Со мной она будет счастлива. Мы поживем здесь год-другой, а потом уедем за границу. Она увидит от меня только ласку и любовь.

— Да вы бросите ее! — пронзительно закричала одна из сестер. — Она скоро надоест вам, и вы бросите ее ради какой-нибудь шлюхи, вроде той, что была у вас в Гааге!

— Вы и женитесь-то на Марго только из-за ее денег! — подхватила другая.

— Но вам не видать их как своих ушей, — заявила третья. — Мать снова вложит эти деньги в недвижимость.

У Марго покатились из глаз слезы. Винсент встал. Ему было ясно, что тратить время на этих ведьм бесполезно. Надо просто жениться на Марго в Эйндховене и немедленно ехать в Париж. Уезжать из Брабанта ему не хотелось, надо было поработать здесь еще. Но оставить Марго в этом царстве старых дев — нет, Винсент содрогнулся при одной мысли об этом.

Целую неделю Марго не находила себе места. Выпал снег, и Винсент был вынужден работать в мастерской. Навещать его Марго не разрешали сестры. С раннего утра и до вечера, когда она ложилась в постель и притворялась спящей, ей приходилось выслушивать гневные речи против Винсента. Она прожила в этом доме сорок лет, Винсента же она знала всего несколько месяцев. Она ненавидела сестер, понимая, что они искалечили ей жизнь, но ведь ненависть — это одно из темных проявлений скрытой любви, которое иногда лишь обостряет чувство долга.

— Не понимаю, почему ты не хочешь уехать со мной, — говорил ей Винсент. — Ты можешь, наконец, выйти за меня и здесь, без их согласия.

— Они не допустят этого.

— Кто? Твоя мать?

— Нет, сестры. Мать им только подпевает.

— А стоит ли обращать внимание на то, что говорят сестры?

— Помнишь, я рассказывала тебе, как еще девчонкой я едва не влюбилась в одного мальчика?

— Да.

— Сестры нас разлучили. Даже не знаю зачем. Всю жизнь они не давали мне делать то, что я хотела. Когда я однажды собралась в город навестить родственников, они не пустили меня. Когда я начала читать, они отобрали у меня все хорошие книги, какие были в доме. Если я приглашала в гости мужчину, они потом так перемывали ему все косточки, что в следующий раз я уже не знала, куда глаза девать. Я порывалась что-то сделать в жизни — стать медицинской сестрой, заняться музыкой. Но нет, они заставляли меня думать лишь о том, о чем думали сами, и жить так, как жили они.

— Ну а теперь?

— А теперь они не дают мне выйти за тебя замуж.

Вся ее недавняя живость исчезла. Губы снова стали сухими, под глазами проступили мелкие веснушки.

— Не обращай на них внимания, Марго. Мы поженимся, и делу конец. Брат не раз предлагал мне переехать в Париж. Мы будем жить в Париже.

Она не отвечала. Она сидела на краю кровати и тупо смотрела в пол. Плечи ее поникли. Он сел рядом и взял ее за руку.

— Ты боишься выйти за меня без их согласия?

— Нет. — В голосе ее не было ни силы, ни уверенности. — Я убью себя, Винсент, если они разлучат нас. Я не переживу этого. После того как я полюбила тебя, это невозможно. Я покончу с собой, вот и все.

— Они ничего не будут знать. Сначала поженимся, а потом ты им все скажешь.

— Не могу я идти против них. Слишком их много. Мне не под силу бороться с ними.

— Незачем и бороться. Выходи за меня замуж, и конец.

— Нет, это будет не конец, а начало. Ты не знаешь моих сестер.

— И знать не хочу! Но так уж и быть, вечером я попробую поговорить с ними еще раз.

Он понял тщетность этой попытки, как только вошел в гостиную. Он забыл, какой ледяной холод царит в этом доме.

— Все это, минхер Ван Гог, мы слышали и раньше, — сказала старшая сестра, — но это нас не трогает и вряд ли может убедить. Мы уже все решили. Мы желаем Марго всяческого счастья и не можем позволить ей погубить свою жизнь. Так вот, если через два года вы по-прежнему будете готовы на ней жениться, то мы возражать не станем.

— Через два года! — воскликнул Винсент.

— Через два года меня уже здесь не будет, — тихо сказала Марго.

— Где же ты будешь?

— Я умру. Я убью себя, если вы не дадите мне выйти за него.

Под злобные крики: «Да как ты смеешь говорить такие вещи!», «Вон чего она у него нахваталась!» — Винсент выскочил из зала. Ничего другого ему не оставалось.

Годы тягостной жизни не прошли для Марго даром. Она не обладала ни крепкими нервами, ни хорошим здоровьем. Под сплоченным натиском пяти разъяренных женщин она отступала и все больше падала духом. Двадцатилетняя девушка вышла бы из этого испытания невредимой, но у Марго уже недоставало ни упорства, ни воли. Лицо ее избороздили морщины, в глазах снова появилась грусть, кожа стала болезненно-желтой и шершавой. Складка у правого угла рта обозначилась еще резче.

Привязанность, которую питал Винсент к Марго, исчезла вместе с ее красотой. В сущности, он никогда не любил ее и не хотел на ней жениться; теперь же он хотел этого меньше, чем когда-либо. Он стыдился своей черствости и поэтому старался выказывать Марго самую горячую любовь. Он не мог понять, угадывает ли она его истинные чувства.

— Разве ты их любишь больше, чем меня? — спросил он Марго, когда она, улучив минуту, забежала к нему в мастерскую.

Она бросила на него удивленный и укоризненный взгляд.

— Ах, Винсент, что ты!

— Тогда почему же ты хочешь меня бросить?

Она отдыхала в его объятиях, словно усталый ребенок. Голос ее звучал тихо и грустно.

— Будь я уверена, что ты меня любишь, как я тебя, я пошла бы против целого света. Но для тебя это значит так мало... а для них — так много...

— Марго, ты ошибаешься, я люблю тебя...

Она легонько прижала пальцы к его губам.

— Нет, дорогой, нет, ты хотел бы любить, но не можешь. Пусть это не тревожит тебя. Я хочу, чтобы моя любовь была сильнее твоей.

— Почему ты не решаешься порвать с ними и быть себе хозяйкой?

— Тебе легко так говорить. Ты сильный. Ты можешь бороться с кем угодно. А мне уже сорок... Я с малых лет живу в Нюэнене... Я нигде не бывала дальше Эйндховена. Разве ты не видишь, милый, что я никогда не могла порвать ни с кем и ни с чем.

— Да, пожалуй.

— Если бы ты этого хотел, я стала бы бороться изо всех сил. Но хочу-то только одна я. И потом, все это пришло так поздно... моя жизнь уже кончена...

Она говорила теперь совсем тихо, шепотом. Он взял ее за подбородок и поглядел ей в лицо. В глазах у нее стояли слезы.

— Девочка моя, — сказал он. — Дорогая моя Марго. Мы с тобой никогда не расстанемся. Для этого тебе стоит сказать одно только слово. Сегодня ночью, когда у вас в доме все уснут, увяжи свои платья в узел и кинь его мне в окошко. Мы дойдем до Эйндховена и утром с первым поездом уедем в Париж.

— Нет, дорогой, это бесполезно. Я связана с ними одной веревочкой. Но в конце концов будет по-моему.

— Марго, у меня сердце разрывается, когда я вижу, как ты несчастна.

Она взглянула ему в лицо. Слезы ее мгновенно высохли. Она улыбнулась.

— Нет, Винсент, я счастлива. У меня теперь есть все, что я хотела. Это было так чудесно — любить тебя.

Он поцеловал Марго, ощутив на ее губах соленый вкус слез, которые только что катились по ее щекам.

— Снег перестал, — сказала она, помолчав. — Ты не пойдешь завтра работать в поле?

— Да, собираюсь пойти.

— А куда? Я пришла бы к тебе вечером.

На другой день Винсент допоздна писал в поле; на голове у него была меховая шапка, шею плотно облегал воротник синей полотняной блузы. Вечернее небо отливало золотисто-сиреневыми тонами, на фоне рыжего кустарника четко выделялись темные силуэты домов. Вдали высились тонкие черные тополя, зеленый покров полей выцвел, местами лежал снежок, кое-где чернели пятна взрытой земли, а по краям канав щетинился сухой желтый камыш.

Марго торопливо шла через поле. На ней было то самое белое платье, в котором он впервые увидел ее, на плечи она накинула шарф. Винсент заметил, что на щеках у нее заиграл слабый румянец. Теперь она снова была похожа на ту женщину, которая расцвела, согретая любовью, всего несколько недель назад. В руках она держала корзинку с рукоделием.

Она крепко обняла его за шею. Он почувствовал, как неистово бьется ее сердце. Он запрокинул ей голову и заглянул в самую глубину ее карих глаз. Теперь они не были печальны.

— В чем дело? — спросил он. — Что-нибудь случилось?

— Нет, нет! — воскликнула она. — Просто... просто я счастлива, что мы снова вместе...

— Но почему ты пришла в этом легоньком платье?

Она помолчала мгновение, потом сказала уже другим тоном:

— Винсент, как бы далеко ты ни уехал, я хочу, чтобы ты всегда помнил только одно...

— Что же, Марго?

— Что я любила тебя! Всегда помни, что я любила тебя так, как не любила тебя ни одна женщина за всю твою жизнь.

— Почему ты так дрожишь?

— О, пустяки. Меня не пускали. Поэтому я и запоздала. Ты уже кончаешь?

— Да, осталось совсем немного.

— Тогда позволь мне посидеть около тебя, пока ты работаешь, так, как я сидела раньше. Ты знаешь, дорогой, я всегда старалась ничем не мешать тебе, не становиться на твоем пути. Я хотела лишь одного — чтоб ты позволил любить тебя.

— Да, Марго, — только и сказал он, не зная, что ответить.

— Ну, принимайся же за работу, мой дорогой, а когда закончишь, мы пойдем назад вместе.

Ее опять охватила дрожь, она плотнее закуталась шарфом и сказала:

— Пока ты не начал, Винсент, поцелуй меня еще раз. Так поцелуй, как целовал там... в мастерской... когда мы были счастливы в объятиях друг друга.

Он нежно поцеловал ее. Она расправила подол платья и села у Винсента за спиной. Солнце скрылось, и короткие зимние сумерки спустились на равнину. Винсента и Марго поглотила вечерняя тишина полей.

Вдруг звякнула склянка. Марго глухо вскрикнула, поднялась на колени и в страшной судороге рухнула на землю. Винсент мгновенно бросился к ней. Глаза у нее были закрыты, лицо искажено мучительной улыбкой. Она корчилась в беспрерывных конвульсиях, потом откинулась назад и, вытянувшись, словно окаменела; руки у нее свело, все тело застыло. Винсент схватил флакон, валявшийся на снегу. В горлышке оставалось немного белого кристаллического вещества. Оно ничем не пахло.

Винсент подхватил Марго на руки и как безумный бросился бежать через поле. До Нюэнена было не меньше километра. Он боялся, что, пока он доберется до поселка, Марго умрет. Было время ужина. Люди отдыхали, сидя возле своих домов. Винсенту надо было пронести Марго через весь поселок. Он добежал до дома Бегеманнов, пинком распахнул входную дверь, пронес Марго в гостиную и положил ее на диван. Вбежали ее мать и сестры.

— Марго отравилась! — крикнул Винсент. — Я позову доктора!

Доктор ужинал, но Винсент поднял его из-за стола.

— Вы уверены, что это стрихнин? — спросил доктор.

— Да, очень похоже на стрихнин.

— И она была еще жива, когда вы ее принесли?

— Да.

Когда они вошли в дом, Марго, все еще корчась, лежала на диване. Доктор склонился над ней.

— Совершенно верно, это стрихнин, — сказал он. — Но, кроме того, она приняла еще что-то болеутоляющее. Судя по запаху, тинктуру опиума. Она не знала, что это действует как противоядие.

— Значит, она останется жива, доктор? — спросила мать.

— Есть надежда. Надо немедленно везти ее в Утрехт. Ей необходима постоянная медицинская помощь.

— Вы можете рекомендовать нам больницу в Утрехте?

— Я не думаю, что ее нужно класть в больницу. Лучше поместите ее временно в санаторий. Я знаю там один очень хороший санаторий. Распорядитесь насчет лошадей. Мы должны попасть на последний поезд в Эйндховен.

Винсент молча стоял в темном углу гостиной. К дому подъехал экипаж. Доктор завернул Марго в одеяло и вынес ее на улицу. За доктором шли мать Марго и четыре ее сестры. Винсент последовал за ними. Семейство Ван Гогов высыпало на улицу и стояло у крыльца. К дому Бегеманнов сбежалась вся деревня. Когда доктор с Марго на руках вышел из дверей, толпа зловеще смолкла. Доктор уложил Марго в карету, туда же сели мать и сестры. Винсент молча стоял рядом. Доктор взял в руки вожжи. Мать Марго повернулась, увидела Винсента и закричала:

— Это ты, ты убил мою дочь!

Толпа хмуро смотрела на Винсента. Доктор поднял бич и ударил по лошадям.

Карета покатила и скрылась из виду.

7

До того как Анна-Корнелия сломала ногу, жители Нюэнена недолюбливали Винсента, потому что не доверяли ему и не могли понять, отчего он ведет такой странный образ жизни. Но враждебности своей они открыто не проявляли. Теперь же они ополчились на него не таясь, и он чувствовал их ненависть на каждом шагу. При его появлении все поворачивались к нему спиной. Никто не хотел его замечать, никто с ним не разговаривал. Он стал парией.

Самого Винсента это мало трогало — ткачи и крестьяне по-прежнему принимали его в своих хижинах как друга, — но когда соседи перестали заходить к его родителям, он понял, что надо уезжать.

Винсенту было ясно, что самое лучшее — это уехать из Брабанта навсегда и оставить родителей в покое. Но куда ехать? Брабант был его родиной. Ему хотелось жить тут до конца своих дней. Хотелось рисовать крестьян и ткачей — в этом он видел единственный смысл своей работы. Он знал, как славно жить зимой среди глубоких снегов, осенью — среди желтой листвы, летом — среди спелых хлебов, а весной — среди зеленых трав; знал, как это чудесно — быть рядом с косцами, с деревенскими девушками то летом — под высоким необъятным небом, то зимой — у теплого камелька и знать, что все тут так ведется издавна и так останется до скончания века.

Винсент считал, что «Анжелюс» Милле — божественная картина, не сравнимая ни с каким другим созданием человеческих рук. Простая крестьянская жизнь была в его глазах той единственной реальностью, которая не обманет и пребудет вечно. Он хотел писать эту жизнь, писать с натуры, в широких полях. Да, ему придется мириться и с мухами, и с песком, и с пылью, портить и царапать свои полотна, часами блуждая по пустошам и перелезая через изгороди. Зато, приходя домой, он будет знать, что он только что смотрел в лицо самой жизни и ему удалось уловить хотя бы отзвук ее изначальной простоты. Если его деревенские полотна будут попахивать ветчиной, дымком, паром, поднимающимся от вареной картошки, — что ж, ведь это здоровый запах. Ведь если в конюшне пахнет навозом — на то она и конюшня. Если над полем стоит запах спелой пшеницы, птичьего помета или других удобрений — это тоже здоровый запах, в особенности для горожан.

Винсент нашел простой выход из положения. Неподалеку от дороги стояла католическая церковь, а рядом с ней домик сторожа. Сторож этот, Иоганн Схафрат, был портным; он занимался своим ремеслом в свободное время. У него была жена Адриана, добрейшая женщина. Она сдала Винсенту две комнаты, испытывая даже некоторое удовольствие от того, что оказала услугу человеку, от которого отвернулся весь поселок.

Дом Схафратов был разделен посередине большим коридором: справа от входа помещались жилые комнаты, а слева — гостиная, выходившая окнами на дорогу; за гостиной была еще одна маленькая комнатушка. Гостиную отвели Винсенту под мастерскую, а в задней комнатке он хранил свой скарб. Спал он на чердаке, где Схафраты сушили белье. Там стояла в углу высокая кровать и стул. Раздеваясь на ночь, Винсент кидал на этот стул свою одежду, ложился в кровать, выкуривал трубку, глядя, как гаснет вечерняя заря, и засыпал.

В гостиной он развесил по стенам свои акварели и рисунки углем и мелом: головы мужчин и женщин, у которых были широкие, как у негров, чуть вздернутые носы, выступающие скулы и большие уши, фигуры ткачей, ткацкие станки, женщины с челноками в руках, крестьяне, сажающие картофель. Он еще крепче подружился с братом Кором; они вместе смастерили посудный шкаф, вместе собрали коллекцию, в которой было не меньше тридцати самых различных птичьих гнезд, всевозможные мхи и растения, ткацкие челноки, прялки, грелки, земледельческие орудия, старые шапки и шляпы, деревянные башмаки, посуда и всякие другие вещи, связанные с деревенским обиходом. В дальнем углу мастерской они даже посадили маленькое деревцо.

Винсент принялся за работу. Он обнаружил, что бистр и битум, почти не употребляемые художниками, придают его палитре своеобразную мягкость и теплоту. Он нашел, что достаточно положить самую малость желтой краски, чтобы желтый цвет зазвучал на полотне во всю силу, если рядом с ним будет лиловый или сиреневый.

Он понял также, что одиночество — это своего рода тюрьма.

В марте его отец пошел навестить больного прихожанина, жившего далеко за пустошами, и, возвращаясь, упал с задней лестницы своего дома. Когда Анна-Корнелия спустилась к нему, он уже был мертв. Похоронили его в саду, рядом с церковью. На похороны приехал Тео. Вечером он сидел в мастерской Винсента — разговор сначала зашел о семейных делах, а потом и об их работе.

— Мне предлагают уйти от Гупиля и поступить в другую фирму, дают тысячу франков в месяц, — сказал Тео.

— Ну и что же, ты согласился?

— Нет, хочу отказаться. Мне кажется, что эта фирма преследует чисто коммерческие цели.

— Но ты ведь писал, что и у Гупиля...

— Да, конечно, «Месье» тоже гонятся за прибылью. Но я служу там уже двенадцать лет. Зачем мне уходить от Гупиля ради нескольких лишних франков? Быть может, придет время, когда мне поручат руководить одним из филиалов. И тогда я начну продавать импрессионистов.

— Импрессионистов? Кажется, я видел это слово где-то в газете. Кто они такие?

— Это молодые парижские художники — Эдуард Мане, Дега, Ренуар, Клод Моне, Сислей, Курбе, Лотрек, Гоген, Сезанн, Сёра.

— А почему их так называют?

— Это слово появилось после выставки тысяча восемьсот семьдесят четвертого года у Надара. Клод Моне выставил тогда полотно, которое называлось «Impression. Soleil Levant»*. Критик Луи Леруа назвал в газете эту выставку выставкой импрессионистов, и так с тех пор и повелось.

— Они пишут в светлых или темных тонах?

— О, разумеется, в светлых! Темные тона они ненавидят.

---

* «Впечатление. Восход солнца» *(фр.)*.

10-1648и

— В таком случае, не думаю, что я смог бы работать с ними. Я собирался изменить свою палитру, но вместо светлых хотел искать еще более темные тона.

— Весьма возможно, что ты взглянешь на это дело по-иному, когда приедешь в Париж.

— Может быть. А картины у кого-нибудь из них покупают?

— Дюран-Рюэль изредка продает картины Мане. Этим, собственно, все и ограничивается.

— На какие же средства они живут?

— Бог их знает. Изворачиваются, как могут. Руссо дает детям уроки игры на скрипке; Гоген занимает деньги у своих бывших друзей по бирже; Сёра содержит мать, Сезанна — отец. А на что живут остальные — ума не приложу.

— Ты всех их знаешь, Тео?

— Да, постепенно я перезнакомился со всеми. Я все убеждал своих хозяев отвести им хоть небольшой угол под выставку, но они не хотят подпускать импрессионистов и на пушечный выстрел.

— Пожалуй, мне стоило бы встретиться с этими людьми. Послушай, Тео, ты пальцем не пошевельнул, чтобы познакомить меня с кем-нибудь из художников, а мне бы это так пригодилось.

Тео подошел к окну и поглядел на зеленую лужайку между домом сторожа и дорогой на Эйндховен.

— Тогда перебирайся в Париж и живи со мной. В конце концов тебе все равно этого не миновать.

— Пока я не готов. Мне сначала надо закончить кое-какие работы.

— Но если ты будешь жить здесь, в глуши, то об общении с художниками говорить не приходится.

— Это, может быть, и так, Тео, но одного я не могу понять. Ты до сих пор не продал ни единого моего рисунка, ни единой картины маслом, ты даже не пытался это сделать. Ведь правда?

— Нет, не пытался.

— А почему?

— Я показывал твои работы знатокам. Они говорят...

— Ох уж эти знатоки! — Винсент пожал плечами. — Знаю я, какие банальности они изрекают. Ты же понимаешь, Тео, что оценить работу по достоинству они не могут.

— Ну, я бы этого не сказал. Твоим работам недостает совсем немногого, чтобы их можно было продать, но...

— Тео, Тео, ты то же самое писал и о моих эттенских набросках!

— Это правда, Винсент; ты все время подходишь к порогу зрелости и совершенства. Я с жадностью хватаюсь за каждый твой новый этюд, надеясь, что наконец ты достиг мастерства. Но пока что...

— Ну, разговоры о том, продаются картины или не продаются, — прервал его Винсент, выколачивая трубку об печку, — это старая песня, я больше не хочу ее слушать.

— Вот ты говоришь, что у тебя есть незаконченные работы. Заканчивай их поживей. Чем скорее ты приедешь в Париж, тем лучше для тебя. И если ты хочешь, чтобы я за это время продал что-нибудь из твоих вещей, присылай мне картины, а не этюды. Этюдами никто не интересуется.

— Да, но ведь трудно сказать, где кончается этюд и где начинается картина. Нет, Тео, мы уж лучше будем трудиться, как можем, и останемся самими собой, со своими недостатками и достоинствами. Я говорю «мы», потому что деньги, которые ты мне платишь и которые достаются тебе нелегко, дают тебе право считать, что ты такой же автор моих работ, как и я.

— Ну, это уж лишнее... — Тео отошел в дальний угол комнаты и стал играть старым чепцом, висевшим на деревце.

8

Пока был жив отец, Винсент хоть и изредка, но все же навещал пасторский дом. Он приходил сюда то поужинать, то просто поговорить. После похорон Теодора сестра Елизавета дала понять Винсенту, что он persona non grata*. Семья хотела сохранить свое

* Лицо нежелательное *(лат.)*.

положение в обществе; Анна-Корнелия считала, что Винсент сам отвечает за себя, а ее долг — позаботиться о дочерях.

Винсент был в Нюэнене совсем один; вместо общения с людьми ему оставалось только общение с природой. Он начал с того, что безуспешно старался ее копировать, и все выходило из рук вон плохо; кончил он спокойно обдуманным творчеством, уже исходя из собственной палитры, и природа тогда подчинилась ему, стала послушной. Мучаясь в своем одиночестве, Винсент вспоминал бурный спор в мастерской Вейсенбруха и те хвалы, которые злоязычный мастер возносил страданию. У своего неизменного Милле он нашел фразу, в которой философия Вейсенбруха была выражена еще убедительнее: «Я даже не хочу подавлять страдание, ибо нередко именно оно заставляет художника выразить себя с наибольшей силой».

Он подружился с крестьянским семейством де Гроот. Семья эта состояла из матери, отца, сына и двух дочерей; все они работали в поле. Подобно большинству брабантских крестьян, де Гроотов с таким же правом можно было назвать «чернорожими», как и углекопов Боринажа. В лицах у них было что-то негритянское — широкие, открытые ноздри, сильно выдвинутые вперед носы и челюсти, большие выпуклые губы и длинные, угловатых очертаний уши. Лбы были покатые, головы маленькие, с острыми макушками. Они жили в хижине, где была всего одна комната с нишами для постелей. Посередине хижины стояли стол, пара стульев и какие-то ящики, с грубого бревенчатого потолка свисала лампа.

Де Грооты были едоками картофеля. За ужином они выпивали по чашке черного кофе и раз в неделю съедали по куску ветчины. Они сажали картофель, копали картофель и ели картофель: в картофеле заключалась вся их жизнь.

Стин де Гроот была милая семнадцатилетняя девушка. Она носила широкий белый чепец и черную кофту с белым воротником. Винсент стал ходить к де Гроотам каждый вечер. Они со Стин часто веселились от всей души.

— Ох, смотрите! — взвизгивала она. — Какая из меня получилась красивая дама! Смотрите, как меня рисуют! А не надеть ли для вас новый чепец, минхер?

— Не надо, Стин, ты очаровательна и так.

— Я — очаровательна!

И она заливалась звонким хохотом. У нее были большие веселые глаза и милое личико. Когда она, копая картофель, наклонялась, в ее фигуре Винсент находил больше истинной грации, чем даже у Кэй. Он понял, что, рисуя человеческую фигуру, главное — передать движение и что в рисунках старых мастеров есть большой недостаток — они статичны, люди там не показаны в труде. Он рисовал де Гроотов в поле, в хижине за столом, когда они ели дымящийся картофель, и всегда Стин заглядывала через его плечо и шутила с ним. Иногда, в воскресный день, она надевала чистый чепец и белый воротничок и шла с ним погулять на пустоши. Иных развлечений у здешних крестьян не было.

— Любила вас Марго Бегеманн? — спросила она однажды.

— Да, любила.

— Тогда почему же она хотела покончить с собой?

— Потому что родные не позволили ей выйти за меня замуж.

— Она просто дура. Знаете, что я сделала бы на ее месте? Я не стала бы травиться, я бы вас любила!

Стин расхохоталась прямо ему в лицо и побежала к сосновому леску. Весь день они резвились и смеялись, бродя меж деревьев. Их не раз видели другие гуляющие парочки. Стин была хохотунья от природы: что бы ни говорил и ни делал Винсент, все вызывало у нее безудержные взрывы смеха. Она схватывалась бороться с ним и всячески норовила свалить его наземь. Когда ей не нравились рисунки, которые он делал у нее в доме, она обливала их кофе или кидала в огонь. Она стала часто ходить к Винсенту в мастерскую, и после ее ухода все вещи в комнате валялись в невообразимом беспорядке.

Так прошло лето и осень и снова наступила зима. Снегопады вынуждали Винсента целыми днями сидеть в мастерской. Жители Нюэнена не любили позировать, и если бы Винсент не платил им, у него не было бы ни одного натурщика. В Гааге он делал наброски чуть ли не с сотни белошвеек, чтобы скомпоновать этюд из трех фигур. Теперь ему хотелось написать семейство де Гроотов за ужином, когда они едят свой картофель и пьют кофе, но, чтобы картина была верна, он считал, что сначала надо перерисовать всех крестьян в округе.

Католический священник был не очень доволен, что церковный сторож сдает комнату язычнику и художнику, но поскольку Винсент вел себя тихо и вежливо, он не мог найти повода его выставить. Однажды Адриана Схафрат вошла в мастерскую очень взволнованная.

— Вас хочет видеть отец Паувелс!

Андреас Паувелс был дородный, краснолицый мужчина. Он быстро оглядел комнату и решил про себя, что подобного хаоса ему еще не приходилось видеть.

— Чем я могу быть вам полезен, отец мой? — любезно осведомился Винсент.

— Ничем вы мне не можете быть полезны! А вот я вам — могу. Я окажу вам помощь в этом деле, если только вы будете меня слушаться.

— О каком деле вы говорите, досточтимый отец?

— Да ведь она католичка, а вы-то протестант. Но я выхлопочу для вас специальное разрешение у епископа. Готовьтесь, через день-два будет венчание!

Винсент шагнул к окну, чтобы видеть священника получше.

— Боюсь, что я вас не понимаю, отец мой, — сказал он.

— О, вы все прекрасно понимаете. Не притворяйтесь, это бесполезно. Стин де Гроот беременна! Честь семейства должна быть спасена.

— Ну и чертовка!

— Вы можете называть ее как угодно, хотя бы и чертовкой. Тут и впрямь без черта не обошлось.

— А вы уверены, что это так, отец мой? Вы не заблуждаетесь?

— Я никогда не обвиняю людей, если не имею неоспоримых доказательств.

— И сама Стин... Неужели она сказала вам... что это я?

— Нет. Назвать имя мужчины она отказывается.

— Тогда почему же вы приписываете эту заслугу именно мне?

— Вас неоднократно видели вместе. Разве она не ходила в вашу мастерскую?

— Ходила.

— Разве вы не гуляли с ней по воскресеньям?

— Да, гулял.

— Какие же еще нужны доказательства?

Винсент минуту молчал. Потом он сказал спокойно:

— Я очень огорчен всем этим, отец мой, в особенности потому, что беда постигла моего друга Стин. Но должен уверить вас, что мои отношения с нею были совершенно чистыми.

— Неужели вы думаете, что я вам поверю?

— Нет, не думаю, — ответил Винсент.

Вечером, когда Стин возвращалась с поля, он ждал ее у порога хижины. Все семейство село ужинать, а Стин, не заходя в хижину, опустилась на землю рядом с Винсентом.

— Скоро вы сможете рисовать еще кое-кого, — сказала она.

— Так это правда, Стин?

— Конечно. Хотите пощупать?

Она взяла его руку и положила к себе на живот. Винсент почувствовал, как сильно он округлился.

— Отец Паувелс сегодня сказал мне, что этот ребенок от меня.

Стин засмеялась:

— Хотела бы я, чтобы он был от вас. Но вы-то никогда этого не хотели, правда?

Винсент поглядел на Стин, на ее грубоватые, неправильные черты лица, толстый нос, толстые губы, на ее смуглое, пропитанное потом тело. Она тоже взглянула на него и улыбнулась.

— Сказать по чести, Стин, я бы не отказался.

— Значит, отец Паувелс говорит, что это вы. Вот забава-то!

— Что ж тут забавного?

— Если я вам скажу, от кого у меня ребенок, вы меня не выдадите?

— Даю слово.

— От сторожа его церкви!

Винсент даже присвистнул.

— Ваши родные знают?

— Конечно, нет. Я им никогда и не скажу. Но они знают, что это не вы.

Винсент вошел в хижину. Там было все по-прежнему, как будто ничего и не случилось. Де Грооты отнеслись к беременности Стин с таким равнодушием, словно это была не их дочь, а чужая корова. Винсента они встретили как обычно, и он видел, что они его не винят.

Но в поселке думали иначе. Адриана Схафрат подслушала у двери разговор отца Паувелса с Винсентом. Она тут же передала его соседям. Через час жители Нюэнена все до одного знали, что Стин де Гроот беременна от Винсента и что отец Паувелс решил непременно обвенчать их.

Был уже ноябрь, наступила настоящая зима. Пора было уезжать. Жить в Нюэнене дольше не имело смысла. Он уже написал здесь все, что можно было написать, и узнал о крестьянской жизни все, что можно было узнать. Оставаться в этой деревне, где снова вспыхнула вражда к нему, он не хотел. Было ясно, что надо уезжать. Но куда?

— Минхер Ван Гог, — сокрушенно сказала Адриана, предварительно постучав в дверь. — Отец Паувелс говорит, что вы должны сегодня же покинуть наш дом и поселиться где-нибудь в другом месте.

— Что ж, пусть будет так.

Винсент прошелся по мастерской, оглядывая свои работы. Два года непрерывного каторжного труда! Сотни этюдов — ткачи, их жены, ткацкие станки, крестьяне, работающие в поле, тополя, растущие в саду пасторского дома, церковь с ее шпилем, пустоши и изгороди под жарким солнцем и в холодных зимних сумерках.

Он почувствовал, как на него навалилась невыносимая тяжесть. Все эти работы так отрывочны, так фрагментарны. Здесь были мелкие осколки крестьянской жизни в Брабанте во всех ее проявлениях, но картины, которая бы цельно, в едином сгустке показала крестьянина, выразила самый дух деревенской хижины и дымящегося картофеля, — такой картины не было. Где же его брабантский «Анжелюс»? И как можно уехать отсюда, пока он не создан?

Винсент взглянул на календарь. До начала следующего месяца оставалось двенадцать дней. Он кликнул Адриану.

— Скажите отцу Паувелсу, что я уплатил за квартиру до первого числа и до тех пор никуда не уеду.

Он взял краски, холсты, кисти, мольберт и поплелся к хижине де Гроотов. Там было пусто.

Он принялся набрасывать карандашом обстановку их комнаты. Когда семейство вернулось с поля домой, он разорвал рисунок. Де Грооты принялись за свой дымящийся картофель, черный кофе и ветчину. Винсент натянул холст и работал, пока хозяевам не пришло время ложиться. Всю эту ночь он дописывал полотно у себя в мастерской. Спать он лег уже утром. Проснувшись, он с отвращением и яростью бросил картину в огонь и снова пошел к де Гроотам.

У старых голландских мастеров он усвоил, что рисунок и цвет неотделимы друг от друга. Де Грооты сели за стол точно так же, как садились всю свою жизнь. Винсент стремился как можно яснее показать, что эти люди, едящие картофель при свете висячей лампы, теми же руками, которыми они теперь брали еду, копали землю; он хотел рассказать о тяжком физическом труде, о том, как честно эти люди зарабатывают свой хлеб насущный.

— Сегодня приходил отец Паувелс, — сказала жена де Гроота.

— Что ему надо? — спросил Винсент.

— Он предлагал нам денег, если мы откажемся позировать.

— Ну а вы?

— Мы сказали, что вы наш друг.

— Он обошел тут все дома, — добавила Стин. — Но все ему сказали, что лучше будут позировать вам за одно су, чем примут от него подачку.

На следующее утро Винсент вновь уничтожил свою картину. Им овладело чувство гнева и бессилия. У него оставалось теперь всего-навсего десять дней. Он должен бы уехать из Нюэнена; жизнь здесь становилась невыносимой. Но он не мог уехать, не исполнив своего обета, данного Милле.

Каждый вечер он приходил к де Гроотам. Он работал там, пока они не засыпали, сидя за столом. Каждый раз он пробовал новое сочетание тонов и масс, новые пропорции и каждый раз убеждался, что не достиг своей цели, что картина его несовершенна.

Наступил последний день месяца. Винсент дошел в своей работе до исступления. Он перестал спать, почти ничего не ел. Он жил лишь за счет нервной энергии. Каждая новая неудача только подстегивала его. Он сидел в хижине де Гроотов и ждал, когда они вернутся с поля. Мольберт был установлен в нужном месте, краски смешаны, холст натянут на подрамник. У него оставался последний шанс. Завтра утром он покинет Брабант навсегда.

Он работал не отрываясь много часов подряд. Де Грооты понимали его волнение. Окончив ужин, они не встали из-за стола, а продолжали сидеть, тихонько разговаривая на своем крестьянском жаргоне. Винсент уже сам не разбирал, что он пишет. Он стремительно метал краски на широкий холст, не думая и не соразмеряя того, что творила его рука. К десяти часам де Грооты уже не могли бороться со сном, а Винсент был вымотан вконец. Он сделал все, что мог. Он собрал свои вещи, поцеловал Стин и распрощался со всеми. Потом он в темноте поплелся домой, машинально переставляя ноги.

В мастерской он поставил свое полотно на стул, закурил трубку и остановился перед ним. Картина не получилась. Он вновь промахнулся. Он не сумел схватить истинный дух деревни. Снова — в который раз — катастрофа. Два года тяжкого труда в Брабанте пропали даром.

Он выкурил трубку до последней затяжки, до последней пылинки табака. Потом стал упаковывать вещи. Он снял со стены и убрал со стола все свои этюды и рисунки и положил их в большой ящик. Потом он лег на диван.

Он не сознавал, сколько прошло времени. Он встал с дивана, сорвал полотно с подрамника, швырнул его в угол и натянул новый холст. Смешал краски, уселся и стал работать.

Начинаешь с того, что безуспешно копируешь природу, и все выходит из рук вон плохо, кончаешь спокойно обдуманным творчеством, уже исходя из собственной палитры, и тогда природа подчиняется тебе, становится послушной.

*On croit que j'imagine — ce n'est pas vrai — je me souviens**.

* Полагают, что я выдумываю, — это неправда — я вспоминаю *(фр.)*.

Да, да, именно это говорил ему в Брюсселе Питерсен: он сидел слишком близко к натуре. Он не мог уловить перспективы. В ту пору он вкладывал всего себя в воссоздание натуры; теперь же он выразил натуру через свое восприятие.

Он писал композицию в тоне картофеля — доброго, пыльного, нечищеного картофеля. Грязная домотканая скатерть на столе, закопченная стена, лампа, подвешенная к грубым балкам, Стин, подающая отцу дымящуюся картошку, мать, наливающая черный кофе, брат, поднесший чашку ко рту, — и на всех лицах печать спокойствия, терпеливого смирения перед извечным распорядком вещей.

Утреннее солнце робко заглянуло в окно его комнаты. Винсент встал с табурета. На душе у него был полнейший покой и умиротворение. Двенадцать дней лихорадочных волнений остались позади. Он посмотрел на свою работу. Она попахивала ветчиной, дымком и картофельным паром. Он улыбнулся. Он создал свой «Анжелюс». Он уловил то непреходящее, что живет в преходящем. Брабантский крестьянин никогда не умрет.

Он смазал картину яичным белком. Потом отнес ящик с рисунками и этюдами в дом, отдал его матери и попрощался с нею. Он вернулся в мастерскую, вывел на полотне два слова: *«Едоки картофеля»*, захватил вместе с ним несколько лучших своих этюдов и уехал в Париж.

Книга пятая
ПАРИЖ

1

— Значит, ты не получил мое последнее письмо? — спросил Тео Винсента на следующее утро, когда они пили кофе с булочками.

— Нет, как будто не получил, — отозвался Винсент. — А что ты там писал?

— Я писал, что мне дали повышение у Гупиля.

— Ах, Тео, почему же ты не сказал об этом ни слова вчера?

— Ты был слишком взволнован, чтобы слушать. Мне поручили галерею на бульваре Монмартр.

— Да ведь это замечательно! Иметь свою картинную галерею!

— Она отнюдь не моя, Винсент. Я должен строго следовать политике фирмы Гупиль. Но все же мне разрешили выставлять импрессионистов на антресолях, так что...

— Кого же ты выставил?

— Моне, Дега, Писсарро и Мане.

— Не видел ни разу.

— В таком случае, приходи в галерею и хорошенько, не торопясь, посмотри их.

— Отчего ты так лукаво улыбаешься, Тео? Что это значит?

— О, ровно ничего. Через несколько минут нам надо идти. Я каждое утро хожу туда пешком. Хочешь еще кофе?

— Спасибо. Нет, нет, только полчашки. Черт возьми, Тео, до чего же все-таки приятно снова позавтракать вместе с тобой!

— Я давно ждал, что ты приедешь в Париж. В конце концов это было неизбежно. Но пожалуй, лучше бы тебе потерпеть до июня, а я к тому времени перебрался бы на улицу Лепик. Там у нас будет три просторные комнаты. Здесь, как видишь, работать тесновато.

Винсент поглядел вокруг. Квартира Тео состояла из одной жилой комнаты, кабинета и маленькой кухни. Комната была обставлена мебелью в стиле Луи Филиппа, и от этого в ней негде было повернуться.

— Если я поставлю здесь мольберт, — сказал Винсент, — то нам придется вынести часть этой чудесной мебели на двор.

— Я и сам вижу, что комната загромождена вещами, но мне повезло: я купил эту мебель по случаю, и мне хочется обставить новую квартиру именно так. Собирайся же скорее, Винсент, я тебя проведу бульваром — это моя любимая дорога. Тот не знает Парижа, кто не видал, каков он ранним утром.

Тео надел тяжелое черное пальто, из-под которого выглядывал безукоризненно белый галстук-бабочка, в последний раз притронулся щеткой к завиткам, лежавшим по обе стороны его пробора, пригладил усы и мягкую бородку. Затем он надел черный котелок, взял перчатки и трость и шагнул к двери.

— Ну, Винсент, ты готов? Боже, что у тебя за вид! Если бы ты вышел на улицу в таком платье где-нибудь еще, тебя бы арестовали!

— Неужели? — Винсент удивленно оглядел себя. — Я носил его почти два года, и никто не сказал ни слова.

Тео расхохотался.

— Ну ладно, дело хозяйское. К таким, как ты, парижане привыкли. Вечером я куплю тебе что-нибудь поприличней.

Они спустились по винтовой лестнице, миновали каморку консьержа и вышли на улицу Лаваль. Это была довольно широкая и фешенебельная улица с большими магазинами, в которых торговали лекарствами, рамами для картин и всякими древностями.

— Взгляни-ка на этих прекрасных дам, — вон, на третьем этаже нашего дома, — сказал Тео.

Винсент поднял голову и увидел три гипсовых бюста. Под первым было написано «Скульптура», под вторым «Архитектура», а под третьим — «Живопись».

— Но почему же они представляют себе Живопись в образе такой отвратительной шлюхи?

— Трудно сказать, — ответил Тео. — Но во всяком случае, ты попал в самый подходящий дом.

Винсент и Тео прошли антикварный магазин «Старый Руан», где Тео купил свою мебель в стиле Луи Филиппа. Скоро они были уже на улице Монмартр, которая отлогими изгибами поднималась одним концом к авеню Клиши и холму Монмартра, а другим шла вниз, к центру города. Улица была залита лучами утреннего солнца и запахами просыпающегося Парижа, во всех кафе ели слоеные рожки и пили кофе, открывались зеленные, мясные и молочные лавочки.

Это были оживленные буржуазные кварталы с великим множеством торговых заведений. Мастеровой люд уже высыпал на улицы. Хозяйки ощупывали и осматривали товар, разложенный на лотках магазинов, и яростно торговались с продавцами.

Винсент вздохнул всей грудью.

— Париж! — вырвалось у него. — После всех этих лет!

— Да, Париж. Столица Европы. И столица живописи.

Винсент упивался этим буйным потоком жизни, захлестывавшим Монмартр; мелькали красные и черные куртки гарсонов; женщины несли под мышкой длинные незавернутые хлебы; по обочинам стояли ручные тележки; из подъездов выходили горничные в мягких домашних туфлях; преуспевающие дельцы торопились в свои конторы. Когда многочисленные колбасные, пирожные, булочные и прачечные заведения и кафе кончились, улица Монмартр сбежала к подножию холма и влилась в площадь Шатодэн, — неправильный круг, у которого встречаются шесть улиц. Винсент и Тео прошли эту площадь и оказались у церкви Нотр-Дам де Лоретт — квадратного, грязноватого здания из темного камня с тремя ангелами на крыше, идиллически парившими в небесной голубизне. Винсент зорко вгляделся в надпись, начертанную над входом.

— Верят они сами этим словам: Liberté, Egalité, Fraternité*?

— Пожалуй, верят. Третья республика продержится, наверное, очень долго. С роялистами покончено, а социалисты входят в силу. Эмиль Золя сказал мне недавно, что грядущая революция будет направлена уже против капитализма, а не против королей.

— Золя! Какой ты счастливец, Тео, — ты знаешь Золя.

— Меня познакомил с ним Поль Сезанн. Каждую неделю мы все встречаемся в кафе «Батиньоль». В следующий раз мы пойдем туда вместе.

За площадью Шатодэн улица Монмартр имела уже иной, не столь торгашеский характер — она стала более величественной. Магазины были роскошнее, кафе шикарнее, люди лучше одеты, дома красивее. Вдоль тротуара тянулись концертные залы, рестораны и отели, по мостовой вместо грузовых фургонов катили экипажи.

Братья шли крупным, спорым шагом. Холодный свет зимнего солнца бодрил, мягкий ветерок шептал о чарах богатой столичной жизни.

— Раз ты не можешь работать дома, то не пойти ли тебе в студию Кормона? — сказал Тео Винсенту.

— А кто этот Кормон?

— Понимаешь, Кормон такой же академик, как и большинство наших учителей, но если ты не захочешь выслушивать его критические замечания, то он оставит тебя в покое.

— А это дорого стоит?

Тео похлопал Винсента тростью по бедру:

— Разве ты забыл, что я получил повышение? Скоро я буду одним из тех плутократов, которых Золя собирается уничтожить в своей грядущей революции.

Наконец улица Монмартр влилась в великолепный широкий бульвар Монмартр с его огромными универмагами и пассажами. Этот бульвар, через несколько кварталов называвшийся уже Итальянским, вел к площади Оперы и был одной из главнейших артерий города. Хотя в этот ранний час здесь было ма-

---

* Свобода, Равенство, Братство *(фр.)*.

лолюдно, приказчики в магазинах уже готовились встретить посетителей.

Галерея, порученная Тео, помещалась в доме 19, всего в одном квартале от улицы Монмартр. Винсент и Тео пересекли широкий бульвар, остановились у газового фонаря, чтобы пропустить проезжавший экипаж, и направились к галерее.

Превосходно вышколенные приказчики почтительно кланялись Тео, когда он шел по салону. Винсент мгновенно припомнил, что в свою бытность приказчиком он так же почтительно кланялся Терстеху и Обаху. В самом воздухе здесь он чувствовал ту изысканность и утонченность, от которой он, как ему казалось, уже давным-давно отвык. По стенам были развешаны полотна Бугро, Эннёра и Делароша. Лестница в глубине салона вела на узкие антресоли.

— Картины, которые ты хочешь посмотреть, на антресолях, — сказал Тео. — Когда наглядишься, спустись сюда и скажи свое мнение.

— Что же ты так загадочно улыбаешься, Тео?

Тео усмехнулся еще откровеннее.

— A tout à l'heure*, — бросил он, не ответив на вопрос, и скрылся за дверью своего кабинета.

2

«Неужели я в сумасшедшем доме?»

Винсент растерянно подошел к креслу, одиноко стоявшему на антресолях, опустился в него и протер себе глаза. С двенадцати лет он знал только одну живопись — темную и мрачноватую, где мазок был незаметен, где все детали на полотне были выписаны правильно и законченно, где ровные тонкие слои красок постепенно переходили один в другой.

Та живопись, которая теперь весело смеялась над ним со стены, не имела ничего общего с картинами, виденными им до сих пор. Исчезли ровные и тонкие красочные слои. Исчезла сен-

* До скорой встречи *(фр.)*.

тиментальность и невозмутимая степенность. Исчезла коричневая подливка, в которой плавала живопись Европы не одно столетие. Здесь были картины, напоенные буйным, неистовым солнцем. Всюду здесь трепетал и пульсировал свет и воздух. Фигуры балерин за кулисами были написаны чистым красным, зеленым и голубым, положенными рядом друг с другом с вызывающей смелостью. Он взглянул на подпись: Дега.

Вот целая сюита речных пейзажей — в них сверкало зрелое знойное лето и щедро лучилось солнце. Фамилия художника — Моне. Винсент пересмотрел в своей жизни сотни картин, но такой силы света, такой одухотворенности и обаяния, как на этих сияющих полотнах, ему еще не доводилось видеть. Даже самый темный тон в пейзажах Моне был в десять раз светлее любого светлого тона на всех полотнах, хранящихся в музеях Голландии. Мазок был явственно виден, он не стыдился, не прятался; каждое прикосновение кисти, каждый ее удар передавал ритм облюбованной натуры. Красочный слой был густой, глубокий, весь в содрогании и трепете расточительных пятен и наплывов.

Винсент остановился перед полотном, на котором был изображен мужчина в полосатой шерстяной рубашке; с истинно галльской сосредоточенностью он правил рулем своей небольшой яхты — француз наслаждается послеобеденной воскресной прогулкой. Жена его, сложив руки на коленях, сидит рядом. Винсент взглянул на фамилию художника.

— Опять Моне? — воскликнул он. — Вот чудеса! Ни малейшего сходства с теми речными пейзажами.

Он посмотрел на подпись снова и понял, что ошибся. Этого художника звали Мане, а не Моне. Тут он вспомнил историю с его картинами «Завтрак на траве» и «Олимпия», — чтобы публика не оплевала и не изрезала полотна, полиции пришлось огородить их веревками.

Винсент не мог понять, почему живопись Мане напоминала ему книги Эмиля Золя. Пожалуй, тут были те же неистовые искания правды, та же отважная проницательность, та же убежденность, что во всяком характере, каким бы непривлекательным он ни казался, есть своя красота. Винсент внимательнейшим образом приглядывался к технике Мане — тот накладывал чистые, несмешанные краски рядом, без плавных переходов и оттенков, многие детали у него были только намечены, свет и тени не имели четких очертаний, а, дробясь и расплываясь, переходили одна в другую.

— Именно так видит их глаз в природе, — сказал Винсент.

И тут он мысленно услышал голос Мауве: «Неужели ты не можешь найти верную линию, Винсент?»

Он снова сел в кресло и уже внутренним взором вновь окинул все эти картины. Скоро ему стало понятно, благодаря чему в живописи произошел такой решительный переворот. Эти художники наполнили свои полотна воздухом! И этот живой, струящийся, щедрый воздух так действовал на изображения предметов, что, глядя на них, зритель видел и самый воздух. Винсент знал, что для академиков воздух не существует; для них это лишь пустое пространство, в котором они размещали твердые, устойчивые тела.

Но эти новые живописцы! Они открыли воздух! Они открыли свет и ветер, атмосферу и солнце; они увидели, что мир пронизан неисчислимыми струями, трепещущими в этой текучей стихии. Винсент понял, что прежняя живопись отжила свой век. Фотоаппараты и академики будут делать точные воспроизведения; художники же будут смотреть на все сквозь призму собственного восприятия и сквозь тот пронизанный солнцем воздух, в котором они живут и работают. Впечатление было такое: эти люди создали еще не виданное, совсем новое искусство.

Спотыкаясь, Винсент пошел вниз по лестнице. Тео был в салоне. С улыбкой на лице он повернулся к Винсенту и пристально посмотрел на него, стараясь угадать впечатление, произведенное картинами.

— Ну как, Винсент? — спросил он.

— Ох, Тео! — только и вымолвил тот.

Он попытался что-то сказать, но не мог. Он снова бросил взгляд вверх, на антресоли. Потом повернулся и выбежал из галереи.

Он шагал по широкому бульвару, пока не вышел к восьмиугольному зданию, в котором узнал Оперу. Вдали, в каньоне огромных каменных домов, он увидел мост и побрел к реке. Он спустился к самой воде и, присев на корточки, окунул пальцы в Сену. Потом перешел мост, даже не поглядев на бронзового всадника, и сквозь лабиринт улиц выбрался на левый берег. Он упорно шагал вперед, поднимаясь все выше. Миновав кладбище, он повернул направо и оказался у большого вокзала. Забыв, что он пересек Сену, он стал спрашивать у полицейского, как пройти на улицу Лаваль.

– На улицу Лаваль? – удивился полицейский. – Вы не в том конце города, сударь. Это Монпарнас. Вам нужно спуститься вниз, перейти Сену и там подняться на Монмартр.

Долго бродил Винсент по Парижу, не особенно заботясь о том, куда он идет. Ему попадались широкие, опрятные бульвары с богатыми магазинами, жалкие, грязные переулки, торговые улицы с бесконечными винными лавками. Снова он оказался на холме, где возвышалась Триумфальная арка. К востоку отсюда тянулся обсаженный деревьями проспект, который с обеих сторон окаймляли узкие полосы зелени; бульвар этот выходил на обширную площадь с египетским обелиском. Взглянув на запад, Винсент увидел густой лес.

Улицу Лаваль он разыскал уже довольно поздно. Он чувствовал, что сильно устал, где-то внутри шевелилась тупая боль. Он сразу же принялся распаковывать свои картины и этюды, раскладывая их на полу.

Он долго смотрел на свои полотна. Боже! Как они темны, унылы. Как неуклюжи, безжизненны, мертвы! Сам того не подозревая, он писал их поистине в минувшем веке.

Тео вернулся уже в сумерки и застал Винсента грустно сидящим на полу. Он опустился рядом с братом. Последний луч дневного света угасал, в комнате становилось темно.

С минуту Тео молчал.

– Винсент, – начал он наконец, – я знаю, что́ у тебя на душе. Ты ошеломлен. Это грандиозно, правда? Мы выбрасываем за борт почти все, что считалось в живописи священным.

Своими сузившимися, покрасневшими глазами Винсент поймал взгляд брата.

— Тео, почему ты молчал? Почему я ничего не знал? Почему ты не привез меня сюда раньше? Из-за тебя я потерял даром шесть долгих лет.

— Потерял даром? Глупости. Ты вырабатывал свою манеру. Ты пишешь как Винсент Ван Гог и никто другой на свете. Если бы ты приехал сюда раньше, не выносив и не найдя собственный стиль, Париж подчинил бы тебя и увлек за собой.

— Но что мне теперь делать? Взгляни на это дерьмо! — носком башмака Винсент подбросил большое темное полотно. — Все это мертвым-мертво, Тео. И никому не нужно.

— Ты спрашиваешь, что тебе делать? Слушай же. Ты должен учиться у импрессионистов. Свет и колорит — это ты должен у них позаимствовать. Но не больше. Понимаешь? Ты не должен подражать. Не давай себя оболванить. Не позволяй Парижу подчинить и подмять себя.

— Но, Тео, ведь я должен учиться заново. Все, что я делаю, неверно.

— Все, что ты делаешь, верно... за исключением света и колорита. Ты был импрессионистом с того самого дня, как взял в руки карандаш в Боринаже. Посмотри на свой рисунок! Посмотри на свой мазок! Никто до Мане так никогда еще не писал. Посмотри на свои линии! Ты почти никогда не определяешь их точно. Посмотри, как ты пишешь лица, деревья, фигуры в полях! Это же твои впечатления, это настоящий импрессионизм. Они резки, грубоваты, они прошли сквозь призму твоего восприятия. Это и значит — быть импрессионистом: писать не так, как пишут все, не следовать рабски правилам и канонам. Ты принадлежишь своему веку, Винсент, и ты импрессионист, независимо от того, нравится тебе это или нет.

— Ах, Тео, конечно, нравится!

— Те молодые парижские художники, с чьим мнением стоит считаться, знают твои работы. О, не думай, что я говорю о художниках, которые успешно сбывают свои полотна, нет, я имею в виду тех, которые серьезно ищут новых путей. Они хотят познакомиться с тобой. Ты узнаешь от них удивительнейшие вещи.

— Они знают мои работы? Молодые импрессионисты знают меня?

Винсент, все еще сидевший на полу, встал на колени, чтобы яснее видеть Тео. А Тео думал о тех днях в Зюндерте, когда они вот так же вместе играли на полу в детской.

— Ну конечно. Что, по-твоему, я делал в Париже все эти годы? Они считают, что у тебя проницательный глаз и рука художника. Тебе надо теперь только высветлить свою палитру и научиться писать живой, светящийся воздух. Ну разве это не замечательно, Винсент, жить в такое время, когда совершаются столь важные дела?

— Тео, ты просто черт, старый черт, вот кто ты такой!

— Вставай с пола и зажги свет. Давай переоденемся и пойдем пообедаем. Я поведу тебя в ресторан «Брассери юниверсель». Там подают самый лучший шатобриан во всем Париже. Мы закатим настоящий банкет. С бутылкой шампанского, старина! Отпразднуем тот великий день, когда Париж и Винсент Ван Гог наконец встретились!

3

На следующее утро Винсент взял свои рисовальные принадлежности и отправился к Кормону. Студия помещалась на четвертом этаже; это был большой зал с широким окном, выходившим на север. Напротив двери стоял обнаженный натурщик. Вокруг было установлено около тридцати мольбертов. Кормон записал имя Винсента и указал ему стул и мольберт для работы.

Винсент рисовал уже с час, когда какая-то женщина открыла дверь и вошла в зал. На голове у нее была повязка, а одну руку она прижимала к щеке. Она бросила перепуганный взгляд на голого мужчину, воскликнула: «Mon Dieu!»* — и выбежала вон.

Винсент обернулся к ученику, сидевшему позади:

— Как вы думаете, что с ней такое?

---

* Боже мой! *(фр.)*

— О, это случается здесь каждый день. Она ищет дантиста, который живет рядом со студией. От одного вида голого мужчины зубная боль у них разом проходит. Если дантист не сменит квартиру, он непременно разорится. А вы, кажется, новичок?

— Да. Я всего третий день в Париже.

— Как вас звать?

— Ван Гог. А вас?

— Анри Тулуз-Лотрек. Вы не родственник Тео Ван Гогу?

— Я его брат.

— Так вы, должно быть, Винсент! Рад, очень рад познакомиться с вами. Ваш брат — лучший продавец картин в Париже. Он единственный, кто дает возможность пробиться молодым. Более того, он борется за нас. Если парижская публика когда-нибудь нас признает, то лишь благодаря Тео Ван Гогу. Все мы считаем его молодчиной.

— Я тоже так считаю.

Винсент пристально посмотрел на собеседника. У Лотрека был приплюснутый череп, а нос, губы, подбородок сильно выдавались вперед. Большая черная борода топорщилась во все стороны и росла как бы не вниз, а вверх.

— Что привело вас в эту дыру, к Кормону? — спросил Лотрек.

— Мне негде больше рисовать. А вас что сюда привело?

— Ей-богу, сам не знаю. Я жил целый месяц на Монмартре в борделе. Писал портреты девушек. Это, скажу вам, настоящая работа. А рисовать в студии — детская игра.

— Хотелось бы поглядеть на эти портреты ваших девушек.

— В самом деле?

— Конечно. Почему же нет?

— Многие считают меня помешанным, потому что я пишу танцовщиц, клоунов и проституток. Но ведь именно в них настоящая характерность.

— Я знаю. В Гааге я сам был женат на проститутке.

— Bien!* Я вижу, что Ван Гоги — это настоящие люди! Позвольте посмотреть, как вы нарисовали эту модель.

— Вот, пожалуйста, я сделал четыре рисунка.

* Прекрасно! *(фр.)*

Лотрек посмотрел с минуту на рисунки и сказал:

— Мой друг, мы с вами поладим. Мы мыслим одинаково. Кормон эти рисунки видел?

— Нет.

— Как только он увидит их, ваша песенка спета. Раскритикует в пух и прах. Недавно он мне говорит: «Лотрек, вы преувеличиваете, вы всегда все преувеличиваете. Каждая линия в ваших рисунках — настоящая карикатура».

— А вы ему, конечно, ответили: «Это, дорогой мой Кормон, характер — характер, а не карикатура!»

Острые, как иголки, черные зрачки Лотрека загорелись любопытством.

— Так, значит, вы все-таки хотите посмотреть портреты моих девушек?

— Ну разумеется, хочу.

— Тогда идемте. А то здесь пахнет прямо-таки покойницкой.

У Лотрека были толстая, короткая шея и могучие руки. Когда он встал с места, Винсент увидел, что его новый друг — калека. Стоя на ногах, Лотрек был не выше, чем когда сидел на стуле. Его грузный торс круто клонился вперед, а ноги были хилые и тонкие.

Они шли к бульвару Клиши. Лотрек тяжело опирался на свою палку. Каждые пять минут он останавливался передохнуть и указывал какую-нибудь красивую линию в архитектуре зданий. Не доходя одного квартала до «Мулен Руж», они стали подниматься вверх, на Монмартр. Лотрек вынужден был отдыхать все чаще и чаще.

— Вы, наверно, любопытствуете, Ван Гог, что с моими ногами? Любопытствуют буквально все. Хорошо, я расскажу.

— Да что вы! В этом нет никакой надобности.

— Ладно уж, слушайте. — Он весь скорчился, навалившись на палку плечом. — Я родился с хрупкими костями. Когда мне было двенадцать лет, я поскользнулся на натертом полу и сломал берцовую кость правой ноги. Через год я упал в канаву и сломал левую ногу. С тех пор мои ноги не выросли ни на дюйм.

— Вы очень страдаете от этого?

— Нет. Если бы я был здоров, мне никогда бы не стать художником. Мой отец граф Тулузский, вот кто. Я должен был унаследовать его титул. Если бы я захотел, мне бы вручили маршальский жезл и я бы скакал верхом рядом с королем Франции. Конечно, если бы король Франции был в наличии. Mais, sacrebleu*, зачем быть графом, если можно стать художником?

— Да, боюсь, что времена графов миновали.

— Ну что ж, пойдемте? Вон там, чуть подальше по этой улице, мастерская Дега. Болтают, будто я подражаю Дега, потому что он пишет балетных танцовщиц, а я пишу девушек из «Мулен Руж». Ну и пусть болтают, что хотят. Вот и мое жилище, улица Фонтен, девятнадцать бис. Я живу в нижнем этаже, как вы можете догадаться.

Он открыл дверь и пропустил Винсента вперед.

— Живу я один, — сказал он. — Садитесь, если отыщете себе местечко.

Винсент огляделся. В мастерской, загроможденной холстами, рамами, мольбертами, стульями, стремянками, свертками тканей, стояли еще два широких стола. На одном из них было множество бутылок с дорогими винами и разноцветные графины с ликерами. Второй стол был завален балетными туфельками, париками, старинными книгами, женскими платьями, перчатками, чулками, непристойными фотографиями и редчайшими японскими гравюрами. В этом хаосе едва оставалось место, где Лотрек мог бы сидеть и работать.

— В чем дело, Ван Гог? — спросил хозяин. — Вам некуда сесть? Отодвиньте этот хлам на полу и поставьте стул поближе к окну. В том борделе было двадцать семь девушек. Я спал со всеми без исключения. Вы согласны, что необходимо поспать с женщиной, чтобы понять ее до конца?

— Согласен.

— Вот вам этюды. Я носил их к торговцу картинами на бульваре Капуцинок. «Лотрек, — сказал он мне, — зачем вы постоянно рисуете безобразие? Зачем вы все время пишете самых грязных, самых беспутных людей? Эти женщины отвратитель-

* Но, черт побери *(фр.)*.

ны, просто отвратительны. Пьяный разгул и грязные пороки начертаны у них на лицах. Разве новое искусство заключается лишь в том, чтобы щеголять безобразием? Неужели вы, художники, стали так слепы к красоте, что способны изображать только самую мерзость?» А я ему говорю: «Извините, но меня тошнит, а я не хочу блевать на ваши шикарные ковры». Вам достаточно света, Ван Гог? Не хотите ли выпить? Скажите, что вы предпочитаете? У меня есть все, что угодно.

Лотрек проворно заковылял по комнате, лавируя между стульями, столами и свертками, налил бокал и протянул его Винсенту.

— Выпьем за безобразие, Ван Гог! — воскликнул он. — Пусть и духа его не будет в академии!

Винсент потягивал вино и рассматривал двадцать семь портретов девушек из веселого дома на Монмартре. Он понял, что художник изобразил их такими, какими видел в действительности. Это были портреты без всяких прикрас, без тени осуждения или упрека. Лица девушек выражали обездоленность и страдание, бездушную чувственность, грубый разврат и духовную нищету.

— Вам нравятся портреты крестьян, Лотрек? — спросил Винсент.

— Да, если они написаны без сантиментов.

— Так вот, я пишу крестьян. И сейчас меня поразило, что эти женщины — тоже крестьянки. Так сказать, возделывательницы плоти. Земля и плоть — это ведь лишь две разные формы одной и той же субстанции, как вы считаете? Эти женщины возделывают плоть, человеческое тело, которое нужно возделывать, чтобы заставить его рождать жизнь. У вас хорошие работы, Лотрек, вы сказали нечто стоящее.

— А вы не находите их безобразными?

— Тут все в глубоком соответствии с подлинной жизнью. А ведь это самая высшая форма красоты, верно? Если бы вы идеализировали женщин, писали их сентиментально, — вот тогда они были бы безобразны, тогда ваша работа была бы фальшью, трусостью. А вы во весь голос говорите всю правду, выражая ее так, как видите. Только в этом и состоит красота, не так ли?

— Господи Боже! Почему на свете мало таких людей, как вы? Давайте выпьем еще! А этюды смотрите сами. Берите, что захочется.

Винсент поднес к свету одно полотно, задумался на секунду, потом воскликнул:

— Домье! Вот кого мне напоминает эта вещь.

Лотрек просиял.

— Да, Домье. Это величайший из художников. Единственный человек, у кого я чему-то научился. Боже! Как великолепно умел этот человек ненавидеть!

— Но к чему писать то, что ненавидишь? Я пишу только то, что люблю.

— Всякое великое искусство порождается ненавистью, Ван Гог. О, я вижу, вас заворожил мой Гоген.

— Кто, кто? Чья это, вы говорите, работа?

— Поля Гогена. Вы не знаете его?

— Нет.

— Надо вам познакомиться с ним. А это туземная женщина с острова Мартиники. Гоген там жил одно время. Он просто помешан на примитивах, но живописец это великолепный. У него была жена, трое детей и недурное положение на бирже, которое давало ему тридцать тысяч франков в год. Он накупил на пятнадцать тысяч франков картин Писсарро, Мане и Сислея. Написал портрет своей жены ко дню их свадьбы. Она восприняла это как благородный жест. Гоген обычно писал по воскресеньям: слыхали вы о Биржевом клубе искусств? Однажды Гоген показывает свою работу Мане, а тот говорит, что она очень хороша. «О, — возражает Гоген, — я всего-навсего любитель!» «Ну нет, — говорит Мане, — любители это те, кто пишет плохие картины». Эта фраза опьянила Гогена, словно чистый спирт; с тех пор он уже не протрезвлялся ни на минуту. Бросил службу на бирже, жил с семьей на свои сбережения год в Руане, затем отослал и детей и жену к ее родителям в Стокгольм. Одним словом, вконец свихнулся.

— Это любопытно!

— Будьте осторожны, когда встретитесь с ним; он любит мучить своих друзей. А скажите, Ван Гог, как вы насчет того, чтобы я показал вам «Мулен Руж» и «Элизе-Монмартр»? Я знаю там всех девочек. Вы любите женщин, Ван Гог? Я имею в виду — любите спать с ними? Я, например, люблю. Что вы скажете, если мы покутим там ночку?

— Что ж, с удовольствием.

— Отлично. Однако боюсь, нам пора снова идти к Кормону. Не выпить ли еще на дорогу? Вот так. Налейте-ка себе, и мы покончим с этой бутылкой. Ого, этак вы перевернете стол. Ну, пустяки, служанка приберет. Я богат, Ван Гог. Мой знатный отец чувствует себя виноватым в том, что он породил меня на свет калекой, и поэтому ни в чем мне не отказывает. Когда я переезжаю на новую квартиру, я не беру с собой ничего, кроме своих работ. Я снимаю пустую мастерскую и покупаю всю обстановку заново. Наступает время, когда вещи меня душат, и я опять бросаю мастерскую. Между прочим, каких женщин вы предпочитаете? Блондинок? Рыжеволосых? Плюньте, дверь не стоит и закрывать. Посмотрите, как железные крыши плывут по бульвару Клиши, словно черный океан. А, к черту! Мне нет нужды ломаться перед вами. Я наваливаюсь на эту палку и показываю вам всякие красивые места, потому что я проклятый Богом калека, потому что я могу пройти без передышки лишь десяток шагов! Что ж, все мы калеки в том или ином смысле. Пошли дальше!

4

На первый взгляд все казалось так просто. Ему надо было лишь отказаться от своих привычных тонов, накупить светлых красок и начать писать, как пишут импрессионисты. Но, проработав день, Винсент был озадачен и слегка рассержен. На второй день его охватило смятение. Затем оно уступило место досаде, горечи и страху. К концу недели он уже не находил себе места от злости. После всех долгих поисков колорита он все еще чувствовал себя начинающим! Полотна у него получались темные, тусклые, вялые. Лотрек, сидя у Кормона рядом с Винсентом, видел, как он мучается и бранится, но от советов воздерживался.

Это была тяжелая неделя для Винсента, но в тысячу раз тяжелей переживал ее Тео. Тео был человеком застенчивым, мягким и деликатным во всех своих поступках. Ему во всем была свойственна изысканная разборчивость — в одежде, в манерах, в обстановке квартиры и служебного кабинета. Природа наделила его лишь малой долей той сокрушающей жизненной силы и энергии, какой обладал Винсент.

Квартирка на улице Лаваль была достаточно просторна лишь для Тео и его изящной мебели в стиле Луи Филиппа. Через неделю Винсент превратил ее в какую-то свалку. Он перевернул вверх дном все, что там было, рассовал как попало мебель, закидал весь пол своими холстами, кистями, пустыми тюбиками, завалил диваны и столы грязной одеждой, бил посуду, пачкал вещи краской — словом, разрушил тот идеальный порядок, который так тщательно поддерживал Тео.

— Винсент! Винсент! — восклицал Тео. — Не будь же таким варваром!

Винсент ходил по комнате, что-то бормоча себе под нос и кусая ногти. Потом он с размаху бросился в хрупкое кресло.

— Ничего не выйдет, — стонал он. — Я начал работать слишком поздно. Я уже стар, чтобы изменить свою манеру. Боже мой, Тео, я старался изо всех сил. Я начал на этой неделе двадцать новых полотен. Но у меня уже своя выработанная техника, мне поздно начинать все сначала! Говорю тебе — я человек конченый. Не могу же я вернуться в Голландию и рисовать там овец, после всего того, что я увидел здесь. А сюда я приехал слишком поздно и уже не в силах войти в русло нового искусства. Господи, что же мне делать?

Он вскочил с кресла, дошел, шатаясь, до двери, открыл ее, чтобы глотнуть свежего воздуха, снова закрыл, подбежал к окну, распахнул его, поглядел на ресторан «Батай», потом рывком захлопнул окно, так что чуть не посыпались стекла, выбежал на кухню напиться, залил там пол и вернулся к Тео со струйками воды, сбегающими по подбородку.

— Ну, что ты скажешь, Тео? Бросить мне свое ремесло? Покончить с ним совсем? Ведь дело к этому идет, верно?

— Винсент, ты ведешь себя как ребенок. Успокойся на минутку и послушай, что я тебе скажу. Нет, нет, перестань бегать по комнате, сядь! Я не могу говорить, пока ты не сядешь. И, ради всего святого, сними эти тяжелые башмаки, если тебе непременно надо пинать золоченое кресло, когда ты проходишь мимо.

— Но послушай, Тео, целых шесть лет я мирился с тем, что ты меня содержишь. И что ты получил в результате? Кучу мертвых коричневых полотен и несчастного неудачника на шею.

— А припомни-ка, дружище, когда ты решил писать крестьян, удалось ли тебе овладеть этой премудростью в одну неделю? Или ты работал целых пять лет?

— Да, но в ту пору я только начинал...

— А теперь ты только начинаешь овладевать цветом! И это займет у тебя, может быть, еще лет пять.

— Но когда же конец, Тео? Неужели мне всю жизнь числиться в учениках? Мне уже тридцать три; когда же я, черт подери, стану зрелым художником?

— Тебе предстоит преодолеть последнее препятствие, Винсент. Я видел все, что только пишут в Европе; картины на моих антресолях — это новейшее слово в живописи. Как только ты высветлишь свою палитру...

— Ох, Тео, неужели ты и вправду думаешь, что я на это способен? Ты не считаешь меня самым что ни на есть жалким неудачником?

— Я склонен скорее считать тебя ослом. Тут величайшая революция в истории искусства, а ты хочешь всего достичь за одну неделю! Давай-ка выйдем на Монмартр и остудим немного головы. Если я просижу с тобой в этой комнате еще пять минут, то могу лопнуть от злости.

На следующий день Винсент допоздна работал у Кормона, а потом зашел за Тео в галерею. Спускались ранние апрельские сумерки, ряды шестиэтажных каменных домов отливали тускнеющим розовато-жемчужным блеском. Весь Париж пил свой аперитив. Кафе на улице Монмартр были полны веселых, шумных посетителей. Через окна и двери оттуда доносились мягкие звуки музыки, услаждавшей слух парижан, — парижане отдыхали после трудового дня. Загорались газовые фонари, гарсоны в ресторанах сервировали столы, приказчики в универмагах опускали на окнах железные шторы и убирали товары с уличных лотков.

Тео и Винсент беззаботно шагали по улицам. Они пересекли площадь Шатодэн, на которую по шести сходящимся улицам вливались непрерывные потоки экипажей, миновали церковь Нотр-Дам де Лоретт и стали подниматься вверх на улицу Лаваль.

— А не выпить ли нам аперитив, Винсент?

— Пожалуй. Давай сядем где-нибудь так, чтобы наблюдать толпу.

— Тогда пойдем в «Батай», на улицу Аббатисы. Кое-кто из моих друзей, вероятно, уже там.

Ресторан «Батай» посещали преимущественно художники. В переднем зале стояло лишь четыре-пять столиков, но сзади были две просторные, красиво обставленные комнаты. Мадам Батай обычно проводила художников в одну комнату, а всех остальных — в другую; она с первого взгляда безошибочно угадывала, к какой категории принадлежит посетитель.

— Гарсон! — крикнул Тео. — Подайте мне кюммель эко два нуля.

— А меня ты чем собираешься угостить, Тео?

— Попробуй куантро. Ты должен какое-то время поэкспериментировать, прежде чем остановиться на чем-нибудь одном.

Официант принес и поставил перед ними рюмки на блюдцах, на которых черными цифрами были обозначены цены. Тео закурил сигару, Винсент — трубку. По тротуару прошли прачки в черных фартуках, прижимая к бокам корзины с отглаженным бельем; мастеровой, помахивающий селедкой, которую он нес, держа за хвост; художники в блузах, с сырыми еще полотнами, натянутыми на подрамники; дельцы в черных котелках и серых клетчатых пальто; хозяйки в матерчатых туфлях с бутылкой вина или куском завернутого в бумагу мяса; красавицы в длинных волочащихся юбках, с тонкими талиями и в маленьких, надвинутых на лоб шляпках, украшенных перьями.

— Блестящий парад, не правда ли, Тео?

— О да. Париж, в сущности, просыпается лишь в час аперитива.

— Я вот все думаю... что именно делает Париж таким чудесным?

— По правде говоря, не знаю. Это вечная тайна. Дело, мне кажется, в характере французов. Им свойственно чувство свободы и терпимости, легкое и веселое отношение к жизни... А, вот идет один мой приятель, с которым мне хочется тебя познакомить. Добрый вечер, Поль. Как поживаешь?

— Благодарю, Тео, прекрасно.

— Разреши представить тебе моего брата, Винсента Ван Гога. Винсент, это Поль Гоген. Присаживайся, Поль, и выпей свой неизменный абсент.

Гоген взял рюмку, лизнул абсент и провел кончиком языка по нёбу.

— Как вы находите Париж, господин Ван Гог? — спросил он, повернувшись к Винсенту.

— О, мне он очень и очень нравится.

— Tien! C'est curieux!* Ведь есть же люди, которым он нравится. Что касается меня, то я считаю его огромной помойкой, не более. Вся цивилизация — помойка.

— Куантро мне не очень по вкусу, Тео. Можешь ты предложить чего-нибудь еще?

— Попробуйте абсент, господин Ван Гог, — посоветовал Гоген. — Это единственный напиток, достойный художника.

— Как ты думаешь, Тео?

— Чего ты меня-то спрашиваешь? Решай сам. Гарсон! Еще один абсент. У тебя сегодня очень довольный вид, Поль. Что случилось? Продал картину?

— Фу, какая проза, Тео. Нет, сегодня утром со мной произошло нечто необычайное.

Тео украдкой подмигнул Винсенту.

— Расскажи нам, Поль. Гарсон! Еще абсент для господина Гогена.

---

* Вот как! Это любопытно! *(фр.)*

Гоген снова прикоснулся к абсенту кончиком языка, провел им по нёбу и начал рассказывать.

— Вы, конечно, знаете тупик Френье — тот, что идет от улицы Форно? Так вот, сегодня, в пять часов утра, я слышу там, как мамаша Фурель, жена возчика, орет благим матом: «Караул! У меня повесился муж!» Я вскочил с кровати, натянул брюки (приличие прежде всего!), схватил нож, побежал вниз и перерезал веревку. Возчик уже задохнулся, хотя был совсем теплый. Я хотел перенести его и положить на кровать. «Не тронь! — кричит мамаша Фурель. — Надо дождаться полиции!»

А рядом с моим домом живет огородник, который торгует овощами со своих грядок. «Найдется у вас канталупа?» — спрашиваю я его. «Как же, господин, найдется, совсем спелая». За завтраком я съел эту дыню, совершенно не думая о человеке, который повесился. Как видите, в жизни не все уж столь дурно. Кроме яда, есть и противоядие. Я был приглашен на завтрак, а поэтому надел лучшую рубашку, рассчитывая потрясти общество. Я рассказал об этом происшествии всем, кто там был. Они беззаботно улыбались и только попросили себе на счастье по куску веревки, на которой повесился возчик.

Винсент внимательно вгляделся в Поля Гогена. У Гогена была крупная черноволосая голова варвара, массивный, перекошенный к правому углу рта нос, большущие, навыкате, миндалевидные глаза, постоянно сохранявшие выражение жестокой меланхолии. Крепкие кости проступали у него буграми в надбровьях, под глазами, на длинных скулах и широком подбородке. Это был настоящий гигант, в нем чувствовалась огромная первобытная сила.

Тео вяло усмехнулся.

— Боюсь, Поль, что ты слишком смакуешь свои садистские шутки, чтобы они казались естественными. Ну, мне пора, я приглашен на обед. Пойдем вместе, Винсент?

— Пусть он останется со мной, Тео, — сказал Гоген. — Я хочу познакомиться с твоим братом поближе.

— Что ж, прекрасно. Но не вливай в него слишком много абсента. Он к этому не привык. Гарсон, сколько с меня?

— Ваш брат — хороший человек, Винсент, — продолжал Гоген уже на улице. — Он еще боится выставлять работы молодых художников, но, мне кажется, ему мешает лишь Валадон.

— На антресолях у него выставлены Моне, Сислей, Писсарро и Мане.

— Верно. Но где же Сёра? Где Гоген? А Сезанн и Тулуз-Лотрек? Ведь кое-кто уже стареет, и время скоро будет упущено.

— Вы знаете Тулуз-Лотрека?

— Анри? Ну, разумеется! Кто его не знает! Чертовски интересный художник, но совсем сумасшедший. Думает, что если будет спать с пятью тысячами женщин, то докажет себе, что он полноценный мужчина. Каждое утро, когда он просыпается, его мучает сознание, что он безногий урод, и каждый вечер он топит свою боль в вине и любовных утехах. Но наутро все его терзания начинаются снова. Если бы он не был таким психопатом, то стал бы одним из самых блестящих наших художников. Ну, нам сюда, за угол. Моя мастерская на четвертом этаже. Осторожней на лестнице, тут сломана ступенька.

Гоген вошел в свое жилище первым и зажег лампу. Это была жалкая мансарда; здесь стояли лишь мольберт, металлическая кровать, стол и стул. В нише у двери Винсент заметил несколько вызывающе неприличных фотографий.

— Судя по этим картинкам, у вас не слишком возвышенные взгляды на любовь, — заметил Винсент.

— Где вас усадить, на кровати или на стуле? На столе есть табак, можете набить свою трубку. А что касается любви, то я люблю женщин толстых и порочных. Мне скучно, когда женщины проявляют интеллект. Я давно мечтаю найти толстую любовницу, и мне никогда это не удавалось. Словно в насмешку, они вечно оказываются беременными. Читали вы новеллу этого юноши Мопассана, которая была напечатана в прошлом месяце? Мопассан — протеже Золя. Так вот, там рассказывается, как человек, который любит толстых женщин, велел приготовить рождественский обед на две персоны и вышел на улицу в поисках подруги. Ему встретилась женщина, вполне удовлетворяющая его вкус, но едва они сели за стол, она возьми да и роди ему мальчика!

— Все это не имеет ничего общего с любовью, Гоген.

Подложив свою мускулистую руку под голову, Гоген растянулся на кровати и стал жадно курить, пуская к некрашеному потолку клубы дыма.

— Вы не подумайте, Винсент, что я нечувствителен к красоте, — нет, я попросту ее не перевариваю. Как вы догадываетесь, я не признаю любви. Сказать «Я люблю вас» для меня немыслимо, не повернется язык. Но я отнюдь не жалуюсь. Подобно Христу, я заявляю: «Плоть есть плоть, а дух есть дух». И вследствие этого скромный доход удовлетворяет мою плоть, а дух пребывает в мире.

— И все это, как видно, дается вам очень легко!

— Нет, когда дело касается постели, все это совсем не легко. С женщиной, которая испытывает наслаждение, и я наслаждаюсь вдвое сильнее. Но я скорее опущусь до онанизма, чем стану растрачивать свои чувства. Я берегу их для живописи.

— В последнее время такие мысли приходили и мне. Нет, нет, спасибо, я больше не выдержу ни капли абсента. А вы пейте, не смотрите на меня. Мой брат Тео очень хорошо отзывается о ваших работах. Можно мне взглянуть на них?

Гоген спрыгнул с кровати.

— Право, не знаю. Мои полотна — это совершенно частные, личные вещи, такие же, как, скажем, письма. Ладно, я все-таки покажу их вам. Но вы понимаете, при таком свете много не увидишь. Ну хорошо, хорошо, смотрите, если вам так хочется.

Гоген присел на корточки, вытащил из-под кровати груду полотен и начал одно за другим ставить их на стол, прислоняя к бутылке абсента. Винсент приготовился к чему-то необыкновенному, но то, что он увидел, вызвало у него лишь недоумение. Все на этих полотнах насквозь пронизывало солнце; тут были деревья, которые не мог бы определить ни один ботаник; животные, о существовании которых не подозревал и сам Кювье; люди, каких мог сотворить только Гоген; море, словно излившееся из кратера вулкана; небо, на котором не мог бы жить ни один бог. Тут были неуклюжие остроплечие туземцы, в их детски наивных глазах чудилась таинственность бесконечности; были фантазии, воплощенные в пламенно-алых, лиловых и мерцающих красных тонах; были чисто декоративные композиции, в которых флора и фауна источали солнечный зной и сияние.

— Вы как Лотрек, — сказал Винсент. — Вы ненавидите. Ненавидите всей силой вашего сердца.

Гоген рассмеялся.

— Что вы скажете о моей живописи, Винсент?

— Откровенно говоря, не знаю, что и сказать. Дайте мне время собраться с мыслями. Разрешите, я приду к вам еще раз и посмотрю ваши работы.

— Приходите сколько угодно. В Париже есть сейчас только один молодой человек, который пишет так же хорошо, как я, — Жорж Сёра. Он тоже примитив. Все остальное парижское дурачье вполне цивилизованно.

— Жорж Сёра? — отозвался Винсент. — Кажется, я о нем и не слыхал.

— Наверняка не слыхали. Его полотна не хочет выставлять ни один торговец картинами. А между тем он великий художник.

— Мне хотелось бы встретиться с ним, Гоген.

— Я сведу вас к нему. А сейчас что вы скажете, если я предложу вам пойти в «Брюан» и пообедать? Деньги у вас есть? У меня всего-навсего два франка. Эту бутылку мы лучше прихватим с собой. Идите вперед. Я подержу лампу, пока вы спуститесь, а то вы сломаете себе шею.

5

Было уже почти два часа ночи, когда они подошли к дому Сёра.

— А мы не разбудим его? — спросил Винсент.

— Бог мой, куда там! Он работает ночи напролет. И почти целые дни. Мне кажется, он никогда не спит. Вот его дом. Это собственность его мамаши. Однажды она мне сказала: «Жорж, мой сын, хочет заниматься живописью. Ну что ж, пусть занимается ею. У меня достаточно денег, чтобы жить нам обоим. Лишь бы он был счастлив». А Жорж у нее — примерный сын. Не пьет, не курит, не ругается, не шляется по ночам, не волочится за женщинами, не тратит денег ни на что, кроме холстов и красок. У него только один порок — живопись. Говорят, у него тут неподалеку есть любовница и сын от нее, но сам он о них никогда словом не обмолвился.

— В доме, кажется, темно, — сказал Винсент. — Как бы нам войти, не потревожив семейство?

— У Жоржа есть мансарда. Зайдем с другой стороны, может быть, там горит свет. Кинем ему в окно камешек. Нет-нет, кидать буду я. А то вы еще бросите неудачно, попадете в окно на третьем этаже и разбудите мамашу.

Жорж Сёра сошел вниз, открыл дверь и, приложив палец к губам, повел гостей наверх. Когда он притворил дверь своей мансарды, Гоген сказал:

— Жорж, я хочу тебя познакомить с Винсентом Ван Гогом, братом Тео. Он пишет как голландец, но во всем остальном это чертовски хороший парень.

Мансарда у Сёра была очень большая, она занимала чуть ли не целый этаж во всю длину. На стенах висели огромные неоконченные картины, под ними высились подмостки. Висячая газовая лампа освещала высокий квадратный стол, на котором лежало сырое полотно.

— Рад познакомиться с вами, господин Ван Гог. Сделайте милость, простите меня, я поработаю минутку. Надо еще раз пройтись в одном месте, пока краски не просохли.

Он взобрался на высоченный табурет и склонился над своей картиной. Газовая лампа бросала ровный желтоватый свет. Двадцать маленьких горшочков с краской были аккуратно расставлены вдоль края стола. Сёра обмакнул в краску кончик кисточки — таких маленьких кисточек Винсенту никогда не доводилось видеть — и с математической точностью начал наносить на холст цветные пятнышки. Он работал ровно, без всякого волнения. Движения у него были рассчитанные и бесстрастные, как у машины. Точка-точка-точка. Зажав отвесно кисточку в пальцах, он едва касался ею краски и — тук-тук-тук-тук — сотни раз быстро ударял ею по полотну.

Винсент смотрел на него разинув рот. Наконец Сёра обернулся и сказал:

— Ну вот я и выдолбил это место.

— Ты не покажешь свою работу Винсенту, Жорж? — спросил Гоген. — Он ведь из тех краев, где пишут только коров да овец. О существовании нового искусства он узнал всего неделю назад.

— Тогда, пожалуйста, влезьте на этот табурет, господин Ван Гог.

Винсент взобрался на табурет и глянул на лежавшее перед ним полотно. Ничего подобного он не видел до этих пор ни в искусстве, ни в жизни. Картина изображала остров Гранд-Жатт. Здесь, подобно пилонам готического собора, высились какие-то странные, похожие скорее на архитектурные сооружения человеческие существа, написанные бесконечно разнообразными по цвету пятнышками. Трава, река, лодки, деревья — все было словно в тумане, все казалось абстрактным скоплением цветных пятнышек. Картина была написана в самых светлых тонах — даже Мане и Дега, даже сам Гоген не отважились бы на такой свет и такие яркие краски. Она уводила зрителя в царство почти немыслимой, отвлеченной гармонии. Если это и была жизнь, то жизнь особая, неземная. Воздух мерцал и светился, но в нем не ощущалось ни единого дуновения. Это был как бы натюрморт живой, трепетной природы, из которой начисто изгнано всякое движение.

Гоген, стоявший рядом с Винсентом, увидев выражение его лица, расхохотался.

— Ничего, Винсент, с первого раза полотна Жоржа поражают любого точно так же, как и вас. Не смущайтесь! Что вы о них думаете?

Винсент поглядел на Сёра, как бы прося прощения.

— Вы меня извините, господин Сёра, но в последнее время на меня свалилось столько неожиданностей, что я утратил всякое равновесие. Я воспитан в голландских традициях. Того, за что борются импрессионисты, у меня и в мыслях не бывало. А теперь вот я с удивлением вижу, как все мои прежние представления рушатся.

— Понимаю, — спокойно ответил Сёра. — Мой метод переворачивает все искусство живописи, и нельзя требовать, чтобы вы приняли его с первого взгляда. Видите ли, господин Ван Гог, до сего времени живопись основывалась на личном опыте художника.

Я поставил себе цель сделать ее абстрактной наукой. Мы должны научиться классифицировать наши ощущения и добиться здесь математической точности. Любое человеческое ощущение может и должно быть сведено к абстрактному выражению в цвете, линии, тоне. Видите эти горшочки с краской на моем столе?

— Да, я сразу обратил на них внимание.

— Каждый из этих горшочков заключает в себе какое-то человеческое чувство. По моей формуле чувства можно изготовить на фабрике и продавать в аптеке. Довольно нам смешивать краски на палитре, полагаясь на случай, — этот метод уже стал достоянием прошлого века. Отныне пусть художник идет в аптеку и покупает горшочки с красками. Наступил век науки, и я намерен превратить живопись в науку. Личности предстоит исчезнуть, а живопись должна подчиниться строгому расчету, как архитектура. Вы меня понимаете, господин Ван Гог?

— Нет, — сказал Винсент. — Боюсь, что не понимаю.

Гоген подтолкнул Винсента локтем.

— Но послушай, Жорж, почему ты уверяешь, что это именно твой метод? Писсарро открыл его, когда тебя еще не было на свете.

— Это ложь!

Лицо Сёра побагровело. Соскочив с табурета, он быстро подошел к окну, побарабанил пальцами по подоконнику и напустился на Гогена:

— Кто сказал, что Писсарро открыл это прежде меня? Я утверждаю, что это мой метод. Я первым применил его. Писсарро воспринял пуантилизм от меня. Я переворошил всю историю искусства, начиная с итальянских примитивов, и говорю вам, что до меня никому это не приходило в голову. Да как ты только смеешь...

Он свирепо закусил нижнюю губу и отошел к подмосткам, повернув к гостям свою сутулую спину.

Винсент был изумлен такой резкой переменой. У этого человека, который только что тихо сидел, склонившись над своей работой, были на редкость правильные, строгие в своем совершенстве черты лица. У него были бесстрастные глаза, суховатосдержанные манеры ученого, погруженного в свои исследования. Голос его звучал холодно, почти назидательно. Минуту назад во всем его облике было нечто столь же абстрактное, как и в его полотнах. А теперь он, стоя в углу мансарды, кусал свою толстую красную губу, выпяченную из пышной бороды, и сердито ерошил кудрявую темно-русую шевелюру, которая только что была аккуратнейшим образом причесана.

— Хватит тебе, Жорж! — увещевал его Гоген, подмигивая Винсенту. — Всем известно, что это твой метод. Без тебя не было бы никакого пуантилизма.

Сёра смягчился и подошел к столу. Гневный блеск его глаз понемногу гаснул.

— Господин Сёра, — заговорил Винсент, — разве мы можем превратить живопись в отвлеченную, безличную науку, если в ней всего важнее выражение личности художника?

— Одну минуту. Сейчас сами увидите.

Сёра схватил со стола коробку цветных мелков и уселся прямо на пол. Газовая лампа ровно освещала мансарду. Было по-ночному тихо. Винсент присел по одну сторону Сёра, Гоген — по другую. Сёра все еще не мог унять свое волнение, и голос его прерывался.

— На мой взгляд, — сказал он, — все способы воздействия, существующие в живописи, можно выразить какой-то формулой. Допустим, я хочу изобразить цирк. Вот наездница на неоседланной лошади, вот тренер, а здесь публика. Я хочу выразить дух беспечного веселья. А какие у нас есть три элемента живописи? Линия, цвет и тон. Прекрасно. Чтобы выразить дух веселья, я веду все линии вверх от горизонта — вот так. Я беру яркие, светящиеся цвета, они у меня преобладают — в результате у меня преобладает теплый тон. Видите? Ну разве это не абстракция веселья?

— Верно, — согласился Винсент. — Это, может быть, и абстракция веселья, но самого веселья я здесь не вижу.

Все еще сидя на корточках, Сёра взглянул на Винсента. Его лицо было в тени. Теперь Винсент снова увидел, как красив этот человек.

— Я не стараюсь выразить само веселье. Вы знакомы с учением Платона, мой друг?

— Знаком.

— Так вот, художник должен научиться изображать не предмет, а сущность предмета. Когда он пишет лошадь, это должна быть не та конкретная лошадь, которую вы можете опознать на улице. Камера создает фотографию; нам же следует идти гораздо дальше. Мы должны уловить, господин Ван Гог, платоновскую *лошадиную сущность*, идею лошади в крайнем ее выражении. И когда мы пишем человека, это должен быть не какой-то, к примеру, консьерж с бородавкой на носу, а дух и сущность всех людей. Вы меня понимаете, мой друг?

— Я понимаю, — ответил Винсент, — но я не могу согласиться с вами.

— Придет время, и вы со мной согласитесь.

Сёра встал на ноги и полой халата стер свой рисунок.

— Теперь поговорим, как надо изображать покой, тишину, — продолжал он. — Я пишу сейчас остров Гранд-Жатт. Все линии тут я веду горизонтально, видите? У меня будет равновесие между теплыми и холодными тонами — вот таким образом; равновесие между темным и светлым цветом — вот так. Понимаете?

— Продолжай, Жорж, и не задавай дурацких вопросов, — сказал Гоген.

— А теперь мне надо показать печаль. Делаем все линии ниспадающими, вот как тут. Делаем преобладающим холодный тон — вот так, и накладываем темные краски — так. И поглядите — вот сущность печали! Это может сделать даже ребенок. Математические формулы компоновки пространства на полотне будут изложены в маленькой книжечке. Я уже разработал эти формулы. Художнику останется только прочесть книжку, сходить в аптеку, приобрести горшки с различными красками и неукоснительно соблюдать правила. Он будет истинным ученым и в то же время совершенным живописцем. Он сможет работать на солнце и при свете газа, сможет быть монахом или распутником, и не важно, сколько ему будет лет — семь или семьдесят, — всякая работа неизменно получится у него архитектоничной, безличной и совершенной.

Винсент в ответ только заморгал глазами. Гоген рассмеялся:

— Он думает, что ты сумасшедший, Жорж.

Сёра стер последний штрих на полу и кинул халат в темный угол.

— Вы в самом деле так думаете, господин Ван Гог? — спросил он.

— Нет, нет, что вы! — запротестовал Винсент. — Меня самого слишком часто называли сумасшедшим, чтобы это могло прийти мне в голову. Но все же я допускаю это: ваши речи звучат очень странно!

— Видишь, он все-таки хочет сказать, что ты сумасшедший, Жорж, — не унимался Гоген.

В эту секунду все услышали громкий стук в дверь.

— Mon Dieu! — простонал Гоген. — Мы опять разбудили твою мамашу! Ведь она предупреждала, что если еще раз застанет меня здесь ночью, то задаст мне хорошую взбучку.

Вошла мамаша Сёра. Она была в халате и ночном чепце.

— Жорж, ты обещал мне не работать больше целыми ночами. А, это вы, Поль? Почему вы не платите мне за квартиру? Тогда уж я устроила бы здесь для вас и постель.

— Ну, если бы вы, мадам Сёра, пустили меня в свой дом, я вообще перестал бы платить за квартиру.

— Нет уж, спасибо, одного художника в доме вполне достаточно. Я принесла вам кофе и бриошей. Если вам приходится работать, так по крайней мере надо хоть поесть. Поль, кажется, мне надо спуститься вниз и принести вам бутылку абсента?

— А вы, случайно, не выпили ее, мадам Сёра?

— Поль, не забывайте, что я вам уже обещала головомойку.

Тут вышел из темного угла Винсент.

— Мама, — сказал Сёра, — это мой новый друг, Винсент Ван Гог.

Мамаша Сёра подала ему руку:

— Я рада видеть друзей моего сына даже в четыре часа утра. Чего бы вам хотелось выпить, господин Ван Гог?

— Если не возражаете, я выпил бы стакан гогеновского абсента.

— Ни за что! — воскликнул Гоген. — Мадам Сёра держит меня на пайке. Одна бутылка в месяц. Попросите чего-нибудь другого. Ведь на ваш басурманский вкус все равно — что абсент, что дрянной шартрез.

Три художника и мамаша Сёра, разговаривая, сидели за кофе и бриошами до тех пор, пока в окно не заглянуло, осветив мансарду желтым светом, утреннее солнце.

— Пора идти одеваться, — заметила мамаша Сёра. — Приходите к нам как-нибудь пообедать, господин Ван Гог. Мы с Жоржем будем вам рады.

Провожая Винсента до двери, Сёра сказал:

— Боюсь, что я объяснил вам свой метод чересчур примитивно. Приходите ко мне в любое время, мы будем вместе работать. Когда вы поймете мой метод, вы увидите, что старой живописи пришел конец. Ну а теперь мне пора вернуться к своей картине. Надо выдолбить еще одно место, а потом уже я лягу спать. Передайте, пожалуйста, привет вашему брату.

Винсент и Гоген прошли по пустынным каменным ущельям улиц и поднялись на Монмартр. Париж еще не проснулся. Окна домов были плотно закрыты зелеными ставнями, на витрины магазинов опущены жалюзи; по улицам катили маленькие крестьянские тележки — они возвращались домой, сгрузив на рынке овощи, фрукты и цветы.

— Давай поднимемся на вершину Монмартра и посмотрим, как солнышко будит утренний Париж, — предложил Гоген.

— О, с удовольствием!

Миновав бульвар Клиши, они пошли по улице Лепик, которая, огибая Мулен де ла Галетт, извивами поднималась на Монмартр. Дома здесь попадались реже, появились лужайки с цветниками и купами деревьев. Улица Лепик внезапно оборвалась. Винсент и Гоген двинулись по извилистой тропинке через рощу.

— Скажите откровенно, Гоген, что вы думаете о Сёра? — спросил Винсент.

— О Жорже? Я так и знал, что вы спросите о нем. Жорж чувствует цвет, как ни один человек со времен Делакруа. Но он умничает и сочиняет всякие теории. А это уже не годится. Художники не должны размышлять над тем, что делают. Теориями пусть занимаются критики. Жорж внесет определенный вклад в живопись, обогатив колорит, и его готическая архитектоничность, вероятно, ускорит возврат искусства к примитивизму. Но он сумасшедший, право же, сумасшедший, — вы могли убедиться в этом сами.

Идти было нелегко, но когда они взобрались на вершину, перед ними открылся весь Париж — море черных кровель и церковных шпилей, вырисовывавшихся в утренней дымке. Сена рассекала город пополам, сияя, словно извилистая лента чистого света. Дома сбегали по склонам Монмартра и уходили вниз, в долину реки, потом вновь поднимались на высоты Монпарнаса. Чуть пониже ярко горел, будто подожженный солнцем, Венсенский лес. На другом краю города сонно темнела не тронутая лучами зелень Булонского леса. Три главных ориентира столицы — Опера в центре, собор Парижской Богоматери на востоке и Триумфальная арка на западе — высились, мерцая в утреннем свете, подобно огромным курганам, выложенным разноцветными каменьями.

6

В маленькой квартирке на улице Лаваль воцарился мир. Вкушая покой, Тео уже благодарил счастливую звезду. Но скоро это благостное затишье кончилось. Вместо того чтобы медленно и настойчиво искать новых путей, обновив свою старомодную палитру, Винсент начал подражать парижским друзьям. В неудержимом стремлении стать импрессионистом он позабыл все то, чего достиг раньше. Его полотна напоминали теперь скверные копии с картин Сёра, Тулуз-Лотрека и Гогена. А он был убежден, что дела его идут блестяще.

— Послушай, старина, — сказал Тео однажды вечером. — Как тебя зовут?

— Винсент Ван Гог.

— А ты уверен, что не Жорж Сёра и не Поль Гоген?

— Черт побери, к чему этот разговор, Тео?

— Уж не думаешь ли ты, что в самом деле сможешь стать Жоржем Сёра? Пойми же, с тех пор как создан мир, существует только один Лотрек, а не два. И слава Богу, один-единственный Гоген!.. Глупо с твоей стороны подражать им.

— Я не подражаю им. Я у них учусь.

— Нет, подражаешь. Покажи мне твое последнее полотно, и я скажу, с кем из них ты вчера встречался.

— Но я совершенствуюсь с каждым днем, Тео. Взгляни, насколько светлее прежних эти этюды.

— Ты катишься все ниже и ниже. С каждой твоей картиной от Винсента Ван Гога остается все меньше. Нет, старина, не это твоя столбовая дорога. Чтобы добиться толку, надо усердно работать, работать не один год. Неужто ты так слаб, что должен подражать другим? Разве ты не способен воспринять от них лишь то, что тебе нужно?

— Тео, я тебя уверяю, что эти полотна хороши!

— А я говорю, что они ужасны!

Битва была начата.

Каждый вечер, когда Тео, усталый и издерганный, возвращался из галереи, его встречал Винсент, которому не терпелось показать свои новые этюды. Он буквально набрасывался на Тео, не давая ему времени снять шляпу и раздеться.

— Посмотри! Неужели и теперь ты скажешь, что это плохо? Разве моя палитра не совершенствуется? Посмотри, какое солнце... Взгляни вот сюда...

Тео оставалось одно из двух — либо лгать и наслаждаться по вечерам обществом веселого и довольного брата, либо говорить правду и яростно пререкаться с ним до самого утра. Тео бесконечно устал. Ему не следовало бы говорить правду. Но он не хотел лгать.

— Когда ты был последний раз у Дюран-Рюэля? — спрашивал он устало.

— А какое это имеет значение?

— Нет, ты мне ответь!

— Хорошо, — безропотно соглашался Винсент. — Вчера вечером.

— Знаешь ли ты, Винсент, что в Париже почти пятьсот художников, которые пытаются подражать Эдуарду Мане? И большинство из них делают это удачнее, чем ты.

Поле битвы было слишком тесным, чтобы оба противника уцелели: одному из них предстояло пасть.

Винсент не унимался. Однажды он втиснул буквально всех импрессионистов в одно полотно.

— Восхитительно! — говорил Тео в тот вечер. — Мы назовем этот этюд «Резюме». Наклеим ярлычки на каждый кусочек полотна. Вот это дерево — настоящий, чистейший Гоген. Девушка в углу — несомненный Тулуз-Лотрек. По солнечным бликам в ручье я узнаю Сислея, тон — как у Моне, листья — Писсарро, воздух — Сёра, а центральная фигура — Мане, как есть Мане.

Винсент не отступал. Он упорно трудился целыми днями, а вечером, когда возвращался Тео, ему еще приходилось выслушивать укоры, как маленькому ребенку. Тео спал в гостиной, и работать там по ночам Винсент не мог. Стычки с Тео выводили его из равновесия, и у него началась бессонница. Долгими часами он яростно спорил с Тео. Тот не сдавался, пока не засыпал в полном изнеможении — свет при этом продолжал гореть, а Винсент все говорил и размахивал руками. Тео мирился с такой жизнью лишь потому, что рассчитывал вскоре переехать на улицу Лепик, где у него будет отдельная спальня и крепкий запор на двери. Когда Винсенту надоедало спорить о своих собственных полотнах, он приставал к Тео с рассуждениями об искусстве вообще, о торговле картинами и проклятой доле художника.

— Я не понимаю, Тео, — жаловался он. — Вот ты управляешь одной из крупнейших картинных галерей в Париже, а не хочешь выставить работы своего брата.

— Мне не позволяет Валадон.

— А ты пробовал?

— Тысячу раз.

— Ну ладно, допустим, моя живопись недостаточно хороша. Ну а что же Сёра? А Гоген? А Лотрек?

— Каждый раз, как они приносят мне свои работы, я прошу у Валадона разрешения повесить их на антресолях.

— Так кто же распоряжается в этой галерее, ты или еще кто-нибудь?

— Увы, я там только служу.

— Тогда тебе надо уходить оттуда. Ведь это унижение, одно только унижение. Тео, я бы этого не вынес. Я ушел бы от них.

— Давай поговорим об этом за завтраком, Винсент. У меня был тяжелый день, и я должен лечь спать.

— А я не хочу откладывать этого до завтра. Я хочу поговорить об этом сейчас же. Тео, что толку, если выставляются лишь Мане и Дега? Они уже признаны. Их полотна начинают покупать. Молодые художники — вот за кого ты должен сейчас биться.

— Дай срок! Может быть, года через три...

— Нет! Мы не можем ждать три года. Нам нужно действовать сейчас. Ох, Тео, почему ты не бросишь службу и не откроешь собственную галерею? Только подумай — никаких Валадонов, никаких Бугро, никаких Эннёров!

— На это нужны деньги, Винсент. А я не скопил ни сантима.

— Денег мы где-нибудь раздобудем.

— Сам знаешь, торговля картинами налаживается медленно.

— Ну и пусть медленно. Мы будем работать день и ночь и помогать тебе, пока ты не поставишь дело.

— А как мы до той поры будем жить? Ведь надо же подумать и о хлебе.

— Ты упрекаешь меня в том, что я ем твой хлеб?

— Бога ради, Винсент, ложись спать. Ты меня совсем замучил.

— А я не хочу спать. Я хочу, чтобы ты сказал мне правду. Почему ты не уходишь от Гупиля? Потому только, что тебе надо содержать меня? Ну, говори же правду. Я тебе как жернов на шее. Я тяну тебя на дно. Я вынуждаю тебя держаться за службу. Если бы не я, ты был бы свободен.

— Если бы я был немного поздоровее да посильнее, я задал бы тебе хорошую трепку. Видно, придется мне позвать Гогена, чтобы он тебя отдубасил. Мое дело служить у Гупиля, Винсент, служить верой и правдой. Твое дело — писать картины, писать до конца дней. Половина моих трудов у Гупиля принадлежит тебе; половина твоих полотен принадлежит мне. А теперь марш с моей кровати, дай мне заснуть, не то я позову полицию!

На следующий день Тео, вернувшись с работы, протянул Винсенту конверт и сказал:

— Если тебе сегодня нечего делать, можешь пойти со мной на этот званый вечер.

— А кто его дает?

— Анри Руссо. Посмотри на пригласительную карточку.

Там были две строчки простеньких стихов и цветы, нарисованные от руки.

— Кто это такой?

— Мы зовем его Таможенником. До сорока лет он служил сборщиком пошлин где-то в глуши. А по воскресеньям, как Гоген, занимался живописью. Приехал в Париж несколько лет назад и поселился в рабочем районе близ площади Бастилии. Он нигде не учился, ни одного дня, однако пишет картины, сочиняет стихи и музыку, дает уроки игры на скрипке детям рабочих, играет на фортепьяно и обучает рисованию каких-то двух стариков.

— Что же он пишет?

— Главным образом фантастических зверей, среди еще более фантастических джунглей. А джунгли он видел только в ботаническом саду. Это крестьянин и примитив по самой натуре, хотя Поль Гоген и подсмеивается над ним.

— А какого ты мнения о его работах, Тео?

— Понимаешь, трудно сказать. Все смотрят на него как на слабоумного.

— Ну а ты как думаешь?

— В нем есть что-то от невинного младенца. Вот пойдем сегодня к нему, и тогда суди сам. Все его полотна висят у него на стенах.

— Должно быть, у него водятся деньги, раз он устраивает вечера.

— Ну нет, это, пожалуй, самый бедный художник во всем Париже. Даже скрипку, чтобы давать уроки, ему приходится брать напрокат, так как купить ее он не в состоянии. А вечера он устраивает с определенной целью. Погоди, сам увидишь.

Руссо жил в доме, где ютились одни рабочие. Его комната была на четвертом этаже. Улица кишела пронзительно визжавшими ребятишками; смешанный запах кухни, прачечной и нужника мощной струей ударял в ноздри стороннего человека, стоило только ступить на порог.

Тео постучал, и Анри Руссо открыл дверь. Это был невысокий коренастый человек, по своему сложению очень похожий на Винсента. Пальцы у него были короткие и толстые, голова почти квадратная. Его нос и подбородок казались крепкими, как камень, а взгляд широко раскрытых глаз был совершенно невинным.

— Вы оказали мне честь своим приходом, господин Ван Гог, — сказал он мягким, приветливым тоном.

Тео представил ему Винсента. Руссо пододвинул стулья и пригласил их сесть. Комната у него была живописная, даже веселая. На окна Руссо повесил занавески из деревенского полотна в красную и белую клетку. Стены тесными рядами покрывали картины, изображавшие диких зверей, джунгли и невероятные, фантастические пейзажи.

В углу, около старого разбитого пианино, явно волнуясь, стояли четыре мальчика со скрипками в руках. На каминной доске лежало домашнее печенье, посыпанное тмином, — произведение рук Руссо. По всей комнате в ожидании гостей были расставлены скамейки и стулья.

— Вы пришли первым, господин Ван Гог, — говорил Руссо, обращаясь к Тео. — Критик Гийом Пилль обещал удостоить меня своим присутствием и привести целую компанию.

С улицы донесся шум — завопили дети, протарахтели по булыжнику колеса экипажа. Руссо кинулся к двери. В коридоре послышались звонкие женские голоса.

— Не останавливаться, не останавливаться! — гудел какой-то мужчина. — Одной рукой держись за перила, а другой зажимай нос!

За этой остротой последовал взрыв смеха. Руссо, который все это хорошо слышал, повернулся к Винсенту с улыбкой на лице. Винсент подумал, что ни у одного мужчины ему еще не приходилось видеть таких ясных, таких невинных глаз — глаз, в которых не было и тени неприязни.

В комнату ввалилась компания, человек десять — двенадцать. Мужчины были во фраках, женщины в нарядных платьях, изящных туфлях и длинных белых перчатках. Они принесли с собой запах дорогих духов, пудры, шелков и старинных кружев.

— Ну-ну, Анри, — кричал Гийом Пилль своим басовитым, рассчитанным на эффект голосом, — как видите, мы явились. Но мы не можем здесь долго засиживаться. Мы идем на бал к принцессе де Брой. А пока что вы должны развлечь моих друзей.

— О, как я хотела познакомиться с вами, — проникновенно сказала тоненькая девушка с темно-рыжими волосами, в платье ампир с низким вырезом. — Только подумать, великий художник, о котором говорит весь Париж! Вы поцелуете мне руку, господин Руссо?

— Будь осторожнее, Бланш, — предостерег ее кто-то. — Знаешь... эти художники...

Руссо улыбнулся и поцеловал ей руку. Винсент отошел в угол. Пилль и Тео занялись разговором. Остальные парами расхаживали по комнате, обсуждали, громко смеясь, полотна Руссо, щупали занавески, перебирали вещи и обшарили, в поисках нового повода для шуток и острот, каждый закоулок.

— Господа и дамы, не угодно ли вам присесть, — обратился к ним Руссо. — Оркестр исполнит для вас одно из моих произведений. Я посвятил его господину Пиллю. Оно называется «Шансон Раваль».

— Сюда, все сюда! — скомандовал Пилль. — Руссо хочет дать нам представление. Жани! Бланш! Жак! Садитесь же. Это будет неповторимо.

Четыре дрожащих от страха мальчика подошли к единственному пюпитру и стали настраивать скрипки. Руссо сел за пианино и закрыл глаза. Через секунду он сказал: «Начали» — и ударил по клавишам. Его сочинение представляло собой наивную пастораль. Винсент старался внимательно слушать, но наглые смешки гостей не давали ему сосредоточиться. Когда музыка смолкла, все шумно зааплодировали. Бланш подбежала к пианино, положила руки на плечи Руссо и сказала:

— Это было так прекрасно, господин Руссо, так прекрасно! Я растрогана, как никогда в жизни.

— Вы мне льстите, мадам.

Бланш взвизгнула от смеха.

— Гийом, вы слышите? Он считает, что я ему льщу!

— Я сыграю вам сейчас еще одно сочинение, — объявил Руссо.

— Спойте нам одну из ваших поэм, Анри. Ведь у вас их так много!

Руссо улыбнулся улыбкой младенца:

— Хорошо, господин Пилль, я спою вам поэму, если угодно.

Он отошел к столу, перелистал пачку бумаг и выбрал какой-то листок. Затем он вновь уселся за пианино и взял несколько аккордов. Винсенту музыка понравилась. Несколько строк стихотворения, которые он уловил, тоже показались ему очаровательными. Но общее впечатление было до нелепости смешным. Все сборище стонало и завывало. Гости тянулись к Пиллю и хлопали его по спине.

— Ох, и проказа же ты, Гийом, ох и плут!

Кончив петь, Руссо вышел на кухню и принес для гостей несколько грубых, толстых чашек с кофе. Гости выщипывали из печенья зернышки тмина и бросали их друг другу в чашки. Винсент, сидя в углу, молча дымил трубкой.

— А теперь, Анри, покажите нам свои новые картины. Собственно, ради этого мы и пришли. Нам хочется посмотреть их здесь, в вашей мастерской, пока их не приобрел Лувр.

— Да, у меня есть несколько недурных новых полотен, — согласился Руссо. — Сейчас я сниму их со стены.

Гости сгрудились вокруг стола, стараясь перещеголять друг друга в комплиментах.

— Это божественно, просто божественно! — восклицала Бланш. — Я должна повесить эту картину у себя в будуаре. Я не проживу без нее ни одного дня! Дорогой мэтр, сколько стоит этот бессмертный шедевр?

— Двадцать пять франков.

— Двадцать пять франков! Вообразите, всего-навсего двадцать пять франков за великое произведение искусства! Вы не посвятите его мне?

— Почту за честь.

— Я дал слово Франсуазе, что куплю для нее одну картину, — сказал Пилль.

И он снял со стены полотно, на котором был изображен некий таинственный зверь, выглядывающий из каких-то сказочных тропических зарослей. Гости все как один бросились к Пиллю.

— Что это такое?

— Это лев.

— Нет, не лев, а тигр!

— А я вам говорю, что это моя прачка: я ее сразу узнал.

— Это полотно немного больше первого, господин Пилль, — вежливо разъяснил Руссо. — Оно оценено в тридцать франков.

— Оно стоит того, Анри, в самом деле стоит. Когда-нибудь мои внуки продадут это прелестное полотно за тридцать тысяч франков!

— Я тоже хочу картину, я тоже! — перебивая друг друга, кричали гости. — Мне надо преподнести ее друзьям. Это же нынче гвоздь сезона!

— Ну, пора идти, — объявил Пилль. — А то опоздаем на бал. Забирайте свои полотна! Когда их увидят у принцессы Брой, будет настоящий фурор! До свидания, Анри. Мы чудесно провели у вас время. Устройте поскорее еще один такой вечер.

— Прощайте, дорогой мэтр! — сказала Бланш, взмахнув своим надушенным платком перед самым носом Руссо. — Я вас никогда не забуду. Вы останетесь в моей памяти навеки.

— Не тронь его, Бланш! — крикнул ей один из мужчин. — Бедняга не сможет заснуть всю ночь.

Они с шумом стали спускаться по лестнице, громко подшучивая друг над другом и оставив за собой аромат дорогих духов, смешавшийся с тяжелыми запахами коридора.

Тео и Винсент тоже собрались уходить. Руссо стоял у стола, уставившись на кучку монет.

— Может быть, ты пойдешь домой один, Тео? — тихо сказал Винсент. — Я хочу еще побыть здесь и познакомиться с ним покороче.

Тео вышел. Руссо и не заметил, как Винсент затворил дверь и прислонился к стене. Он все еще пересчитывал лежавшие на столе монеты.

— Восемьдесят франков, девяносто франков, сто, сто пять.

Он поднял голову и увидел Винсента. В глазах его снова появилось выражение детской наивности. Он отодвинул деньги в сторону и глупо улыбнулся.

— Снимите маску, Руссо, — проговорил Винсент. — Поймите, я тоже крестьянин и художник.

Руссо выбежал из-за стола и горячо стиснул ему руку.

— Тео показывал мне ваши полотна из жизни голландских крестьян. Они очень хороши. Они лучше картин Милле. Я смотрел их много-много раз. Я восхищен вами, господин Ван Гог!

— А я смотрел ваши картины, Руссо, пока эти... валяли тут дурака... Я тоже восхищен вами.

— Благодарю вас. Пожалуйста, садитесь. Возьмите табаку и набейте себе трубку. Сто пять франков, господин Ван Гог, сто пять франков! Я накуплю теперь и табаку, и еды, и холстов!

Они уселись друг против друга и молча курили, погрузившись в раздумье.

— Полагаю, для вас не секрет, Руссо, что вас называют сумасшедшим?

— О, конечно. Говорят, что в Гааге вас тоже считали сумасшедшим.

— Да, это правда.

— Пусть думают, что хотят. Когда-нибудь мои полотна будут висеть в Люксембургском музее.

— А мои в Лувре! — подхватил Винсент.

Они взглянули друг другу в глаза и вдруг громко, от всего сердца расхохотались.

— А ведь они правы, Анри, — сказал Винсент. — Мы и есть сумасшедшие!

— Так не пойти ли нам выпить по стаканчику? — предложил Руссо.

7

Гоген постучал в дверь квартиры Ван Гогов в среду, незадолго перед обедом.

— Твой брат просил меня отвести тебя сегодня в кафе «Батиньоль». Сам он будет допоздна работать в галерее. А, вот интересные полотна! Можно взглянуть?

— Разумеется. Одни из них я написал в Брабанте, другие в Гааге.

Гоген рассматривал картины долго и пристально. Несколько раз он поднимал руку и открывал рот, словно собираясь заговорить. Но ему, видимо, было трудно выразить свои мысли.

— Прости меня за откровенный вопрос, Винсент, — сказал он наконец, — но ты, случайно, не эпилептик?

Винсент в это время надевал овчинный полушубок, который он, к ужасу Тео, купил в лавке подержанных вещей и никак не хотел с ним расстаться. Он повернулся и поглядел на Гогена:

— Кто я, по-твоему?

— Я спрашиваю, ты не эпилептик? Ну, не из тех, у кого бывают нервные припадки?

— Насколько мне известно, нет. А почему ты об этом спрашиваешь, Гоген?

— Понимаешь... твои картины... кажется, что они вот-вот взорвутся и спалят самый холст. Когда я гляжу на твои работы... и это уже не в первый раз... я чувствую нервное возбуждение, которое не в силах подавить. Я чувствую, что если не взорвется картина, то взорвусь я! Ты знаешь, где у меня особенно отзывается твоя живопись?

— Не знаю. Где же?

— В кишках. У меня выворачивает все нутро. Так давит и крутит, что я еле сдерживаюсь.

— Что ж, может быть, я стану сбывать свои произведения в качестве слабительного. Повесишь такую картину в уборной и поглядывай на нее ежедневно в определенный час.

— Говоря серьезно, я вряд ли смог бы жить среди твоих картин, Винсент. Они свели бы меня с ума за одну неделю.

— Ну, пойдем?

Они поднялись по улице Монмартр к бульвару Клиши.

— Ты еще не обедал? — спросил Гоген.

— Нет. А ты?

— Тоже нет. Не зайти ли нам к Батай?

— Прекрасная мысль. Деньги у тебя есть?

— Ни сантима. А у тебя?

— Как всегда, в кармане пусто. Я думал, что меня накормит Тео.

— Черт побери! Тогда, пожалуй, нам не пообедать.

— Давай все-таки зайдем и посмотрим, какое там сегодня дежурное блюдо.

Они прошли вверх по улице Лепик, затем повернули направо, на улицу Аббатисы. У мадам Батай на одном из искусственных деревьев, стоявших у входной двери, висело написанное чернилами меню.

— Ммм, — промычал Винсент. — Телятина с зеленым горошком. Мое любимое блюдо.

— Терпеть не могу телятину, — отозвался Гоген. — Я даже рад, что мне не придется здесь обедать.

— Какая чушь!

Они побрели дальше и скоро очутились в маленьком садике у подножия Монмартра.

— Ба! — воскликнул Гоген. — Вон видишь — Поль Сезанн спит на скамейке. Но почему этот кретин кладет башмаки вместо подушки под голову — ума не приложу. Давай-ка разбудим его.

Он снял с себя ремень, сложил его вдвое и хлестнул им по босым ногам спящего. Сезанн подскочил с криком боли.

— Гоген, ты чертов садист! Что за идиотские шутки? Когда-нибудь я размозжу тебе череп!

— Так тебе и надо, не выставляй голые ноги. И зачем ты кладешь свои грязные провансальские башмаки под голову вместо подушки? Лучше уж спать на голой скамье — так гораздо удобней.

Сезанн вытер ладонью ноги, натянул башмаки и ворчливо сказал:

— Я кладу башмаки под голову не вместо подушки. Я делаю это затем, чтобы, пока я сплю, их никто не стащил!

Гоген повернулся к Винсенту:

— Послушать его, так перед нами голодающий художник, не правда ли? А у его отца целый банк, ему принадлежит почти весь город Экс в Провансе. Поль, это Винсент Ван Гог, брат Тео.

Сезанн и Винсент пожали друг другу руки.

— Очень жаль, Сезанн, что мы не наткнулись на тебя полчаса назад, — сказал Гоген. — Ты бы пошел вместе с нами обедать. У Батай сегодня такая телятина с горошком, какой я еще никогда не пробовал.

— В самом деле хорошая телятина, а? — заинтересовался Сезанн.

— Хорошая? Изумительная! Правда, Винсент?

— Да что говорить!

— Тогда, я думаю, надо пойти попробовать. Вы не составите мне компанию?

— Не знаю, смогу ли я съесть еще одну порцию. А ты, Винсент?

— Право, едва ли. Но если господин Сезанн настаивает...

— Ну, будь другом, Гоген! Ты знаешь, я ненавижу есть в одиночестве. Закажем чего-нибудь еще, если вы уже объелись телятиной.

— Ну хорошо, только ради тебя, Поль. Пойдем, Винсент.

Они вновь вернулись на улицу Аббатисы и вошли в ресторан «Батай».

— Добрый вечер, господа, — приветствовал их официант. — Что прикажете подать?

— Принесите три дежурных блюда, — сказал Гоген.

— Хорошо. А какое вино?

— А уж вино, Сезанн, выбирай сам. Ты в этом разбираешься гораздо лучше меня.

— Ну что ж, тут есть сент-эстеф, бордо, сотерн, бон...

— А пил ты здесь когда-нибудь поммар? — перебил его Гоген самым простодушным тоном. — Это лучшее вино у Батай.

— Принесите нам бутылку поммара, — приказал Сезанн официанту.

Гоген мигом проглотил свою телятину и заговорил с Сезанном, который не съел еще и половины.

— Между прочим, Поль, — сказал он, — я слышал, что «Творчество» Золя расходится в тысячах экземпляров.

Сезанн метнул на него злобный взгляд и с отвращением отодвинул тарелку.

— Вы читали эту книгу, Ван Гог? — спросил он Винсента.

— Нет еще. Я только что кончил «Жерминаль».

— «Творчество» — плохая, фальшивая книга, — сказал Сезанн. — К тому же это худшее предательство, какое когда-либо совершалось под прикрытием дружбы. Это роман о художнике, господин Ван Гог. Обо мне! Эмиль Золя — мой старый друг. Мы вместе росли в Эксе. Вместе учились в школе. Я приехал в Париж только потому, что он был здесь. Мы с Эмилем жили душа в душу, дружнее, чем братья. Всю свою юность мы мечтали, как плечо к плечу мы пойдем вперед и станем великими художниками. А теперь он сделал такую подлость!

— Что же он вам сделал? — спросил Винсент.

— Высмеял меня. Зло подшутил надо мной. Сделал меня посмешищем всего Парижа. Я столько раз излагал ему свою теорию света, объяснял, как надо изображать твердые тела, делился с ним мыслями о том, как обновить коренным образом палитру. Он слушал меня, поддакивал, выпытывал у меня самое сокровенное. И все это время он лишь собирал материал для своего романа, чтобы показать, какой я дурак.

Сезанн выпил бокал вина, снова повернулся к Винсенту и продолжал говорить, поблескивая своими маленькими угрюмыми глазками, в которых таилась ненависть:

— Золя вывел в своей книге трех человек, господин Ван Гог: меня, Базиля и несчастного мальчишку, который подметал пол в мастерской у Мане. Мальчик мечтал стать художником, но в конце концов с отчаяния повесился. Золя изобразил меня как фантазера, этакого беднягу мечтателя, который воображает, будто революционизирует искусство и не пишет в обычной манере только потому, что у него вообще не хватает таланта писать. Золя заставляет меня повеситься на подмостках возле моего шедевра, потому что в конце концов я понял, что я не гений, а слабоумный мазила. Рядом со мной он вывел другого человека из Экса, сентиментального скульптора, который лепит какой-то банальный, академический хлам, — он-то и оказывается великим художником!

— Это в самом деле забавно, — сказал Гоген, — особенно если вспомнить, что Золя был первым поборником переворота в живописи, произведенного Эдуардом Мане. Эмиль сделал для импрессионистической живописи больше, чем кто-либо другой на свете.

— Да, он преклонялся перед Мане за то, что Эдуард сверг академиков. Но когда я пытаюсь пойти дальше импрессионистов, он называет меня дураком и кретином. А я скажу вам, что Эмиль человек среднего ума и очень ненадежный друг. Я давно перестал ходить к нему. Он живет как презренный буржуа. Дорогие ковры на полу, вазы на камине, слуги, роскошный резной стол, на котором он пишет свои шедевры. Тьфу! Да он самый обыкновенный буржуа, Мане перед ним просто щенок. Это были два сапога пара, Золя и Мане, вот почему они так долго ладили между собой. Только потому, что я родом из того же города, что и Эмиль, и он знал меня ребенком, он не допускает мысли, что я могу создать нечто значительное.

— Я слышал, что несколько лет назад он написал брошюру о ваших картинах в Салоне отверженных? Что с нею сталось?

— Эмиль разорвал ее в клочья в ту минуту, когда ее надо было отправить в типографию.

— Но почему же? — спросил Винсент.

— Он испугался, что критики подумают, будто он покровительствует мне лишь потому, что я его старый друг. Опубликуй он эту брошюру, моя репутация была бы раз навсегда установлена. Вместо этого он напечатал «Творчество». Вот вам и дружба. Над моими полотнами в Салоне отверженных смеялись девяносто девять человек из ста. Дюран-Рюэль выставляет Дега, Моне и моего друга Гийомена, а мне на своих стенах не отводит ни дюйма. Даже ваш брат, господин Ван Гог, отказался выставить меня на антресолях. Единственный торговец в Париже, который согласен поместить мои полотна в окнах своей лавки, — это папаша Танги, но он, бедняга, не мог бы продать и корки хлеба голодающему миллионеру.

— Не осталось еще поммара в бутылке, Сезанн? — спросил Гоген. — Благодарю. Что меня раздражает у Золя, так это то, что прачки у него говорят как истинные, живые прачки, а когда он начинает писать о других людях, то забывает переменить стиль.

— Да, Парижа с меня довольно. Вернусь в Экс и буду жить там до конца своих дней. Там есть такая гора — она поднимается над долиной и с нее видна вся окрестность. Какое ясное, яркое солнце в Провансе, какой колорит! Ах, какой колорит! Есть там, я знаю, на той горе один участок, который продается. Он сплошь порос соснами. Я выстрою там мастерскую и разобью яблоневый сад. Участок обнесу каменной стеной. А поверху вмажу в стену битое стекло, чтобы ко мне никто не лез. И я уже никогда не покину Прованса, — никогда в жизни!

— Станешь отшельником, да? — промычал Гоген, не отрывая губ от бокала с поммаром.

— Да, отшельником.

— Отшельник из Экса. Чудесно звучит. Но сейчас нам лучше перебраться в кафе «Батиньоль». Там, наверное, уже все в сборе.

8

Действительно, там почти все были в сборе. Перед Лотреком высилась гора блюдец, едва не доходившая ему до подбородка. Жорж Сёра спокойно разговаривал с Анкетеном, тощим долговязым живописцем, который пытался сочетать манеру импрессионистов со стилем японских гравюр. Анри Руссо доставал из кармана свое самодельное печенье и макал его в кофе с молоком, в то время как Тео вел оживленный спор с двумя ультрасовременными парижскими критиками.

В прошлом Батиньоль был предместьем, расположенным у самого начала бульвара Клиши, и именно здесь Эдуард Мане собирал вокруг себя родственные души. Пока он был жив, художники, принадлежавшие к Батиньольской школе, имели обыкновение дважды в неделю собираться в этом кафе. Легро, Фантен-Латур, Курбе, Ренуар — все они встречались тут и разрабатывали свои теории искусства, но теперь вместо них пришло новое, молодое поколение.

Увидев Эмиля Золя, Сезанн прошел к дальнему столику, заказал кофе и уселся особняком поодаль. Гоген познакомил

Винсента с Золя и опустился на стул рядом с Тулуз-Лотреком. Золя и Винсент остались вдвоем за одним столиком.

— Я видел, что вы пришли с Полем Сезанном, господин Ван Гог. Он, конечно, говорил вам что-нибудь про меня?

— Говорил.

— Что же?

— Боюсь, ваша книга ранила его слишком глубоко.

Золя вздохнул и отодвинул столик от кушетки с кожаными подушками, чтобы очистить побольше места для своего толстого живота.

— Вы слыхали о швейнингерском способе лечения? — спросил он. — Говорят, что если совсем перестать пить за едой, то в три месяца потеряешь тридцать фунтов веса.

— Нет, я ничего об этом не слышал.

— Мне было очень горько писать книгу о Поле Сезанне, но в ней каждое слово — правда. Вот вы художник. Разве согласитесь вы исказить портрет друга только для того, чтобы не причинить ему страданий? Конечно, нет. Поль — чудесный малый. Долгие годы он был моим самым задушевным другом. Но его картины смехотворны. Моя семья еще как-то терпит их, но когда к нам приходят друзья, поверьте, я вынужден прятать его полотна в шкаф, чтобы над ними не издевались.

— Неужто у него все так уж плохо, как вы говорите?

— Еще хуже того, дорогой мой Ван Гог, еще хуже! Вы совсем не видали его работ? Потому-то вы и не верите. Он рисует как пятилетний ребенок. Клянусь вам честью, мне кажется, он совсем спятил.

— Гоген его уважает.

— Я просто в отчаянии, — продолжал Золя, — я не могу видеть, как Сезанн безрассудно губит свою жизнь. Ему надо вернуться в Экс и занять место своего отца в банке. Тогда он чего-нибудь достигнет в жизни. А теперь... что ж... когда-нибудь он повесится... как я предсказал в «Творчестве». Вы читали этот роман?

— Нет, еще не читал. Я только что окончил «Жерминаль».

— Да? И как вы находите «Жерминаль»?

— Я считаю его лучшей вещью со времен Бальзака.

— Да, это мой шедевр. Я печатал его в прошлом году отдельными главами в «Жиль Блазе» и получил изрядные деньги. А теперь распродано уже более шестидесяти тысяч экземпляров книги. Никогда прежде у меня не было таких доходов. Я собираюсь пристроить новое крыло к своему дому в Медане. Книга уже вызвала четыре забастовки в шахтерских районах Франции. Да, «Жерминаль» станет причиной колоссальной революции, и когда это произойдет — прощай, капитализм! А что именно вы пишете, господин... забыл, как это Гоген назвал вас по имени?

— Винсент. Винсент Ван Гог. Брат Тео Ван Гога.

Золя положил карандаш, которым он что-то писал на каменной столешнице, и пристально поглядел на Винсента.

— Это любопытно, — сказал он.

— Что именно любопытно?

— Да ваше имя. Я где-то его слышал.

— Может быть, Тео что-нибудь говорил обо мне.

— Да, говорил, но я не о том. Минуточку! Это было... это было... «Жерминаль»! Вы бывали когда-нибудь в угольных шахтах?

— Бывал. Я два года жил в Боринаже, в Бельгии.

— Боринаж! Малый Вам! Маркасс! — Золя вытаращил свои большие глаза, его круглое бородатое лицо выражало изумление. — Так это вы... вы тот самый второй Христос!

Винсент покраснел.

— Не понимаю, о чем вы говорите.

— Я пять недель прожил в Боринаже, собирая материал для «Жерминаля». «Чернорожие» рассказывали мне о земном Христе, который был у них проповедником.

— Говорите потише, прошу вас!

Золя сложил руки на своем толстом животе, словно хотел скрыть его.

— А вы не стыдитесь, — успокоил он Винсента. — Вы старались сделать достойное дело. Только вы избрали неверный путь. Религия никогда не выведет человека на верную дорогу. Одни нищие духом приемлют нищету на этом свете ради надежды на загробное блаженство.

— Я понял это слишком поздно.

— Вы провели в Боринаже два года, Винсент. Вы отказывали себе в еде, в одежде, забывали о деньгах. Вы работали там до изнеможения, до смертельной усталости. И что вы получили за это? Ровным счетом ничего. Вас объявили сумасшедшим и отлучили от церкви. А когда вы уезжали, жизнь углекопов была такой же, как и в тот день, когда вы приехали.

— Даже хуже.

— А вот мой путь — верный. Печатное слово поднимет революцию. Мою книгу прочитали все грамотные углекопы в Бельгии и Франции. Нет ни одного кабачка, ни одной хижины, где бы не лежала зачитанная до дыр книжка «Жерминаль». Тому, кто не умеет читать сам, ее читают вслух другие, читают и перечитывают. Она вызвала уже четыре забастовки. И их еще будет не один десяток. Поднимается вся страна. «Жерминаль» создаст новое общество, чего не смогла сделать ваша религия. А знаете, что я получаю в награду?

— Что же?

— Франки. Тысячи и тысячи. Выпьете со мной?

Спор за столом Лотрека становился все оживленнее и привлек всеобщее внимание.

— Ну, Сёра, как поживает твой «новейший метод»? — осведомился, похрустывая пальцами, Лотрек.

Сёра словно не слышал насмешки. Его аристократически правильное, холодное лицо застыло, как маска, — это было уже как бы не лицо живого мужчины, а олицетворение мужской красоты.

— Вышла новая книга о законах отражения цвета, ее написал американец, Огден Руд. Я считаю, что после Гельмгольца и Шеврейля это шаг вперед, хотя книга и не столь ценна, как труд Сюпервилля. Вы можете прочитать ее с пользой для себя.

— Я не читаю книг по живописи, — сказал Лотрек. — Пусть их читают любители.

Сёра расстегнул свою клетчатую черно-белую куртку и расправил большой синий, в горошек, галстук.

— Вы и сами любитель, — сказал он, — потому что всякий раз гадаете, какую краску положить на полотно.

— Я не гадаю. Я определяю чутьем.

— Наука — это метод, Жорж, — вставил Гоген. — Благодаря упорному многолетнему труду и опыту мы вырабатываем научный подход к колориту.

— Этого мало, мой друг. Наш век требует объективности. Времена вдохновения, дерзаний и неудач миновали.

— Я тоже не могу читать такие книги, — вмешался Руссо. — Они вызывают у меня головную боль. И чтобы отделаться от этой боли, я должен писать целый день, не выпуская кисти из рук.

Все засмеялись. Анкетен повернулся к Золя и спросил:

— Вы читали, как нападают на «Жерминаль» в сегодняшней вечерней газете?

— Нет, не читал. Что же там сказано?

— Критик называет вас самым безнравственным писателем девятнадцатого века.

— Это старая песня. Поновее они ничего не придумали?

— А ведь они правы, Золя, — заявил Лотрек. — На мой взгляд, ваши книги слишком чувственны, они непристойны.

— Да уж кто-кто, а вы-то разглядите непристойность с первого взгляда!

— Не в бровь, а в глаз, Лотрек!

— Гарсон! — крикнул Золя. — Всем по бокалу вина!

— Ну, мы влипли, — шепнул Сезанн Анкетену. — Когда Эмиль заказывает вино, так и знай, он вам будет читать лекцию не меньше часа!

Официант подал вино. Художники раскурили свои трубки и сели тесным дружеским кружком. Свет волнами струился от газовых ламп. Глухой шум голосов за соседними столиками почти не мешал разговору.

— Они называют мои книги безнравственными, — говорил Золя, — в силу тех же самых причин, по которым считают безнравственными ваши картины, Анри. Публика не способна понять, что в искусстве нет и не может быть моральных критериев. Искусство аморально, как аморальна и жизнь. Для меня не существует непристойных картин или непристойных книг — есть только картины и книги, дурно задуманные и дурно написанные.

Шлюха Тулуз-Лотрека вполне нравственна, ибо она являет нам ту красоту, которая кроется под ее отталкивающей внешностью; невинная сельская девушка у Бугро аморальна, ибо она до того слащава и приторна, что достаточно взглянуть на нее, чтобы вас стошнило!

— Да, да, это так, — кивнул Тео.

Винсент видел, что художники уважают Золя не потому, что он достиг успеха — сам по себе успех в его обычном понимании они презирали, — а потому, что он работает в такой области, которая казалась им таинственной и невероятно трудной. Они внимательно прислушивались к его словам.

— Человек с обыкновенным мозгом мыслит дуалистически: свет и мрак, сладкое и горькое, добро и зло. А в природе такого дуализма не существует. В мире нет ни зла, ни добра, а только бытие и деяние. Когда мы описываем действие, мы описываем жизнь; когда мы даем этому действию имя — например, разврат или непристойность, — мы вступаем в область субъективных предубеждений.

— Но послушайте, Эмиль, — возразил Тео, — разве народ может обойтись без стандартных нравственных мерок?

— Мораль похожа на религию, — подхватил Тулуз-Лотрек. — Это такое снадобье, которое ослепляет людей, чтобы они не видели пошлость жизни.

— Ваша аморальность, Золя, не что иное, как анархизм, — сказал Сёра. — Нигилистический анархизм. Он уже давно испробован, но не дал никаких результатов.

— Конечно, мы должны придерживаться определенных правил, — согласился Золя. — Общественное благо требует от личности жертв. Я не возражаю против морали, я протестую лишь против той ханжеской стыдливости, которая обрызгала ядовитой слюной «Олимпию» и которая хочет, чтобы запретили новеллы Мопассана. Уверяю вас, вся мораль в сегодняшней Франции сведена к половой сфере. Пусть люди спят, с кем им нравится! Мораль заключается совсем не в этом.

— Это напомнило мне обед, который я давал несколько лет назад, — начал Гоген. — Один из приглашенных говорит мне: «Вы понимаете, дружище, я не могу водить свою жену на ваши обеды, потому что там бывает ваша любовница». «Ну что ж, — отвечаю я, — на этот раз я ее куда-нибудь ушлю». Когда обед кончился и супруги пришли домой, наша высоконравственная дама, зевавшая весь вечер, перестала наконец зевать и говорит мужу: «Давай поболтаем о чем-нибудь неприличном, а потом уж займемся этим делом». А супруг ей отвечает: «Нет, мы только поболтаем об этом, тем дело и кончится. Я сегодня объелся за обедом».

— Вот вам и вся мораль! — воскликнул Золя, перекрывая хохот.

— Оставим на минуту мораль и вернемся к вопросу о безнравственности в искусстве, — сказал Винсент. — Никто ни разу не называл мои полотна неприличными, но меня неизменно упрекали в еще более безнравственном грехе — безобразии.

— Вы попали в самую точку, Винсент, — подхватил Тулуз-Лотрек.

— Да, в этом нынешняя публика и видит сущность аморальности, — заметил Гоген. — Вы читали, в чем обвиняет нас «Меркюр де Франс»? В культе безобразия.

— То же самое критики говорят и по моему адресу, — сказал Золя. — Одна графиня недавно мне заявляет: «Ах, дорогой Золя, почему вы, человек такого необыкновенного таланта, ворочаете камни, только бы увидеть, какие грязные насекомые копошатся под ними?»

Лотрек вынул из кармана старую газетную вырезку:

— Послушайте, что написал критик о моих полотнах, выставленных в Салоне независимых. «Тулуз-Лотрека следует упрекнуть в смаковании пошлых забав, грубого веселья и «низких предметов». Его, по-видимому, не трогает ни красота человеческих лиц, ни изящество форм, ни грация движений. Правда, он поистине вдохновенной кистью выводит напоказ уродливые, неуклюжие и отталкивающие создания, но разве нам нужна такая извращенность?»

— Тени Франса Хальса, — пробормотал Винсент.

— Что ж, критик не ошибается, — повысил голос Сёра. — Если вы, друзья, неповинны в извращенности, то тем не менее вы заблуждаетесь. Искусство должно иметь дело с абстрактными вещами — с цветом, линией, тоном. Оно не может быть средством улучшения социальных условий или какой-то погоней за безобразным. Живопись подобно музыке должна отрешиться от повседневной действительности.

— В прошлом году умер Виктор Гюго, — сказал Золя, — и с ним умерла целая культура. Культура изящных жестов, романтики, искусной лжи и стыдливых умолчаний. Мои книги прокладывают путь новой культуре, не скованной моралью, — культуре двадцатого века. То же делает ваша живопись. Бугро еще влачит свои мощи по улицам Парижа, но он занемог в тот день, когда Эдуард Мане выставил свой «Завтрак на траве», и был заживо погребен, когда Мане в последний раз прикоснулся кистью к «Олимпии». Да, Мане уже нет в живых, нет и Домье, но еще живы и Дега, и Лотрек, и Гоген, которые продолжают их дело.

— Добавьте к этому списку Винсента Ван Гога, — сказал Тулуз-Лотрек.

— Поставьте его имя первым! — воскликнул Руссо.

— Отлично, Винсент, — улыбнулся Золя. — Вы приобщены к культу безобразия. Согласны ли вы стать его адептом?

— Увы, — сказал Винсент, — боюсь, что я приобщен к этому культу с рождения.

— Давайте сформулируем наш манифест, господа, — предложил Золя. — Во-первых, мы утверждаем, что все правдивое прекрасно, независимо от того, каким бы отвратительным оно ни казалось. Мы принимаем все, что существует в природе, без всяких исключений. Мы считаем, что в жестокой правде больше красоты, чем в красивой лжи, что в деревенской жизни больше поэзии, чем во всех салонах Парижа. Мы думаем, что страдание — благо, ибо это самое глубокое из всех человеческих чувств. Мы убеждены, что чувственная любовь — прекрасна, пусть даже ее олицетворяют уличная шлюха и сутенер. Мы считаем, что характер выше безобразия, страдание выше изящности, а суровая неприкрытая действительность выше всех богатств Франции. Мы принимаем жизнь во всей ее полноте, без всяких моральных ограничений. Мы полагаем, что проститутка ничем

12-1648и

не хуже графини, привратник — генерала, крестьянин — министра, ибо все они часть природы, все вплетены в ткань жизни!

— Поднимем бокалы, господа! — вскричал Тулуз-Лотрек. — Выпьем за безнравственность и культ безобразия. Пусть этот культ сделает мир более прекрасным, пусть он сотворит его заново!

— Какой вздор! — сказал Сезанн.

— Вздор и чепуха, — подтвердил Жорж Сёра.

9

В начале июня Тео и Винсент перебрались на новую квартиру — Монмартр, улица Лепик, 54. Это было совсем близко от улицы Лаваль, стоило только подняться немного по улице Монмартр в сторону бульвара Клиши, а затем пройти по извилистой улице Лепик, минуя Мулен де ла Галетт, к той части холма, которая имела почти деревенский вид.

Квартира была на четвертом этаже. Она состояла из трех комнат, кабинета и кухни. В столовой Тео поставил свою мебель в стиле Луи Филиппа и большую печь для защиты от парижских холодов. У Тео был настоящий талант обставлять квартиры. Он любил, чтобы все было как следует. Спал он рядом со столовой. Винсент спал в кабинете, за которым находилась его мастерская — небольшая комната с одним окном.

— Ну, теперь тебе не придется больше работать у Кормона, Винсент, — сказал Тео.

Братья расставляли и переставляли мебель в столовой.

— Да, теперь уж не придется. Но мне надо будет еще немного порисовать там обнаженную женскую натуру.

Тео поставил диван поперек комнаты и окинул ее критическим взглядом.

— Ты ведь за последнее время не закончил ни одного полотна? — спросил он Винсента.

— Нет.

— Почему же?

— А что толку? До тех пор, пока я не научился как следует смешивать краски... Где ты хочешь поставить это кресло, Тео?

Под лампой или у окна? Вот теперь, когда у меня есть своя мастерская...

Наутро Винсент встал с солнышком, наладил мольберт, натянул на подрамник холст, приготовил новую дорогую палитру, которую купил ему Тео, вымыл и размял кисти. Когда пришло время будить Тео, он сварил кофе и отправился в кондитерскую купить свежих рассыпчатых рожков.

Тео сквозь сон почувствовал, как хлопочет у стола Винсент.

— Ну, Винсент, — сказал он, — вот уже три месяца, как ты в школе. Нет, нет, я говорю не о Кормоне, я говорю о школе Парижа! Ты видел здесь все самое значительное в живописи, что только создала Европа за три столетия. И теперь ты готов...

Винсент вскочил, отодвинув тарелку:

— Тогда я сейчас же...

— Садись, садись. Доешь завтрак. У тебя уйма времени. Беспокоиться тебе не о чем. Красок и холстов я накуплю тебе сколько угодно, будешь ими обеспечен. А ты бы тем временем полечил себе зубы, я хочу видеть тебя здоровым. И ради Бога, не торопись, пиши медленно и тщательно!

— Не говори глупостей, Тео. Когда это я работал медленно и тщательно?

Вернувшись вечером домой, Тео увидел, что Винсент вне себя от ярости. Только подумать — он упорно вырабатывал свое мастерство шесть долгих лет в невыносимо тяжких условиях, а теперь, когда он живет на всем готовом, он с горьким стыдом чувствует свое бессилие!

Лишь часам к десяти Тео удалось успокоить Винсента. Они пошли обедать, и мало-помалу Винсент снова обрел уверенность в себе. Тео выглядел бледным и усталым.

Следующие недели были для братьев истинной пыткой. Возвращаясь из галереи, Тео заставал одну и ту же картину: Винсент метал громы и молнии. Крепкий запор уже не мог оградить спальню Тео. Споря с братом, Винсент просиживал у него на кровати до самого утра. Когда Тео в изнеможении засыпал, Винсент тряс его за плечо и будил без всякой жалости.

— Перестань ходить по комнате, посиди хоть минуту, — взмолился Тео в одну из таких ночей. — И брось пить этот проклятый абсент. Гоген выработал свой стиль отнюдь не благодаря абсенту. А еще послушай, чертов болван: тебе надо не меньше года, чтобы взглянуть на свои полотна критически. Ну какой толк, если ты свалишься с ног? Ты все худеешь, нервничаешь. Разве не ясно, что в таком состоянии тебе не написать ничего путного?

Наступило жаркое парижское лето. Солнце немилосердно накаляло мостовые. Потягивая прохладительные напитки, парижане просиживали в своих излюбленных уличных кафе до часу, а то и до двух ночи. Цветы на Монмартре яростно полыхали всеми красками. Сена серебристо поблескивала, струясь меж извилистых берегов, где росли пышные деревья и зеленели прохладные лужайки.

Каждое утро Винсент взваливал свой тяжелый мольберт на спину и отправлялся на поиски мотива. Никогда он не видел в Голландии такого знойного солнца, такого глубокого, чистого цвета. Почти каждый вечер он после работы заглядывал на антресоли галереи Гупиля и присоединялся к горячим спорам, которые здесь закипали.

Однажды Гоген зашел к Винсенту, чтобы поучить его смешивать краски.

— Где ты их покупаешь? — спросил он Винсента, указывая на тюбики.

— Тео купил их где-то оптом.

— Ты должен поддерживать папашу Танги. У него самые дешевые краски во всем Париже, а когда художник садится на мель, он отпускает ему товар в кредит.

— Кто это — папаша Танги? Я уже не в первый раз слышу от тебя это имя.

— Так вы до сих пор еще не знакомы? Господи, да за чем же дело стало? Из всех, кого я знаю, только у тебя и папаши Танги коммунистические начала заложены в самой натуре. Надевай-ка свою великолепную заячью шапку. Мы идем на улицу Клозель.

Пока они шли по улице Лепик, Гоген рассказывал Винсенту о папаше Танги.

— До того как Танги приехал в Париж, он работал штукатуром. В Париже он сначала растирал краски у Эдуарда, потом нашел место консьержа где-то на Монмартре. Но работала за него жена, а сам Танги начал торговать вразнос красками. Он познакомился с Писсарро, Моне и Сезанном, и так как те полюбили его, все мы стали покупать краски у папаши Танги. Во время последнего восстания он примкнул к коммунарам. Однажды, когда он дремал на посту, на него напала банда версальцев. Бедняга не мог заставить себя выстрелить в человека. Он бросил мушкет наземь. Его приговорили к двум годам каторги за измену, сослали в Брест на галеры, но мы его вызволили оттуда.

Он скопил немного денег и открыл лавочку на улице Клозель. Лотрек расписал в голубых тонах весь фасад этой лавочки. Папаша Танги первым выставил полотна Сезанна. С тех пор мы все выставляем картины у него. Не потому, что он их продает — вовсе нет! Просто папаша Танги — горячий поклонник искусства, но он беден и не в состоянии покупать картины. Вот он и выставляет их у себя в лавчонке и любуется ими в свое удовольствие целыми днями.

— Ты хочешь сказать, что он не согласится продать картину, даже если ему предложат хорошую цену?

— Ни за что не согласится. Ведь он берет только те полотна, которые ему нравятся, и так привязывается к ним, что уже не может выпустить их из своих рук. Однажды, когда я сидел у него, в лавочку зашел хорошо одетый мужчина. Он залюбовался Сезанном и спросил, сколько стоит это полотно. Любой другой торговец был бы рад продать картину за шестьдесят франков. Папаша Танги долго глядел на нее и наконец сказал: «Ах это! Это необыкновенно красивый Сезанн. Я не могу его уступить меньше, чем за шестьсот франков». Покупатель живо ретировался, а папаша снял картину со стены, поставил ее перед собой и заплакал.

— Тогда какой же смысл выставлять у него картины?

— Видишь ли, папаша Танги — странный человек. Все его познания в искусстве сводятся к тому, как растирать краски. Но он обладает безошибочным чутьем на настоящую живопись. Если он когда-нибудь попросит твои работы — отдай ему их без колебаний. Это будет для тебя вступлением в храм парижского искусства. А вот и улица Клозель, нам осталось только повернуть за угол.

Улица Клозель была короткая, всего в один квартал, и соединяла улицу Мартир с улицей Анри Монье. Здесь было множество лавчонок, над которыми помещались два или три жилых этажа с белыми ставнями на окнах. Миновав женскую начальную школу и перейдя наискось улицу, Гоген и Винсент оказались в лавке папаши Танги.

Папаша Танги, склонясь над столом, рассматривал японские гравюры, которые входили тогда в моду в Париже.

— Папаша, я привел к тебе моего друга, Винсента Ван Гога. Он по натуре чуть ли не коммунист.

— Рад вас видеть у себя, — сказал папаша Танги; голос у него звучал мягко, почти как у женщины.

Это был невысокий человек с одутловатым лицом и задумчивыми, ласковыми, как у собаки, глазами. На нем была широкополая соломенная шляпа, которую он нахлобучивал до самых бровей. Руки у него были короткие, ладони широкие, борода жесткая, щетинистая. Правый его глаз был постоянно прищурен и казался от этого вдвое меньше левого.

— Вы в самом деле коммунист, господин Ван Гог? — робко спросил он Винсента.

— Не знаю, что вы понимаете под коммунизмом, папаша Танги. Я считаю, что каждый должен трудиться столько, сколько позволяют ему силы, и заниматься тем делом, какое ему по сердцу, а взамен этого получать все, в чем он нуждается.

— Видите, как просто, — рассмеялся Гоген.

— Ах, Поль, — сказал папаша Танги, — ты же служил на бирже. Ведь деньги делают человека зверем, не так ли?

— Да, равно как и отсутствие денег.

— Нет, не денег, а еды и всего необходимого для жизни.

— Именно так, папаша Танги, — подтвердил Винсент.

— Наш приятель Поль, — продолжал Танги, — презирает людей, которые зарабатывают деньги, и он же презирает нас, потому что мы не можем их заработать. Но я предпочитаю принадлежать к числу последних. Тот негодяй, кто тратит на себя более пятидесяти сантимов в день.

— Ну, раз так, я поневоле могу служить примером добродетели, — сказал Гоген. — Папаша Танги, не отпустишь ли ты мне в кредит еще немного красок? Правда, я и так задолжал тебе кучу денег, но я не смогу работать, если...

— Хорошо, Поль, я отпущу тебе красок в кредит. Если бы я доверял людям поменьше, а ты побольше, нам обоим жилось бы куда лучше. Где твоя новая картина, которую ты мне обещал? Может быть, мне удастся ее продать и выручить деньги за свои краски.

Гоген подмигнул Винсенту.

— Я принесу тебе не одну картину, папаша Танги, а целых две, и ты повесишь их рядом. А теперь, если ты дашь мне один тюбик черной и один тюбик желтой...

— Заплати сначала по счету, тогда получишь краски!

Услышав этот окрик, все обернулись. Из задней комнаты, хлопнув дверью, в лавочку вошла мадам Танги. Это была маленькая жилистая женщина с суровым худым лицом и злыми глазами. Она ястребом налетела на Гогена:

— Уж не думаешь ли ты, что у нас благотворительное заведение? По-твоему, мы должны быть сыты папашиным коммунизмом? Плати по счету, мошенник, а то я пожалуюсь в полицию!

Гоген с самой неотразимой улыбкой поцеловал у мадам Танги руку.

— Ах, Ксантиппа, вы сегодня просто очаровательны!

Мадам Танги не понимала, почему этот по-своему красивый беспардонный наглец всегда величает ее Ксантиппой, но ей нравилось звучное имя, и она чувствовала себя польщенной.

— Ты не думай, что вскружишь мне голову, бездельник. Я загубила всю свою жизнь, растирая эти проклятые краски, а тут, представь, является какой-то проходимец и ворует их у меня на глазах!

— Бесценная моя Ксантиппа, не будьте столь жестоки! Ведь у вас душа художника. Это написано на вашем обольстительном личике.

Мадам Танги поднесла передник к лицу, словно хотела стереть с него все, что могло напомнить о художниках.

— Тьфу! — отплюнулась она. — Хватит и одного художника в доме! Наверно, он говорил тебе, что собирается жить на пятьдесят сантимов в день. А где он, по-твоему, возьмет эти пятьдесят сантимов, если я их не заработаю для него?

— Весь Париж говорит о вашей доброте и талантах, дорогая Ксантиппа.

Гоген снова склонил голову и коснулся губами узловатой, загрубелой руки мадам Танги. На этот раз она оттаяла:

— Ладно, хоть ты и мошенник, да еще и льстец, но, так и быть, возьми себе немного красок. Только смотри, чтобы по счету было уплачено!

— За такую доброту, моя милая Ксантиппа, я напишу ваш портрет. Когда-нибудь его повесят в Лувре и он увековечит наши имена.

В этот миг звякнул колокольчик входной двери. Вошел незнакомый человек.

— Я насчет той картины, которая выставлена в окне, — сказал он. — Натюрморт с яблоками. Чья эта картина?

— Это картина Поля Сезанна.

— Сезанна? Никогда не слыхал о таком художнике. Она продается?

— Ах нет, к сожалению, она уже...

Мадам Танги опустила передник, оттолкнула супруга и со всех ног кинулась к покупателю.

— Ну конечно, она продается. Какой чудесный натюрморт, не правда ли, сударь? Вам приходилось видеть когда-нибудь такие дивные яблоки? Мы продадим его совсем недорого, сударь, раз он вам так уж понравился.

— Сколько же вы просите?

— Сколько мы просим, Танги? — с угрозой в голосе спросила мадам мужа.

— Три сот... — поперхнулся папаша Танги.

— Танги!

— Две сот...

— *Танги!*

— Хорошо, сто франков.

— Сто франков? — разочарованно протянул покупатель. — Сто франков за полотно неизвестного художника? Боюсь, что это дорого. Я мог бы дать за него франков двадцать пять.

Мадам Танги сняла натюрморт с окна.

— Поглядите, сударь, это же очень большая картина. Здесь четыре яблока. Четыре яблока стоят сто франков. Вы можете потратить только двадцать пять. Так почему бы вам не купить одно яблоко?

Покупатель поглядел на картину и, подумав, сказал:

— Что ж, пожалуй. Отрежьте это яблоко во всю длину полотна — я покупаю его.

Мадам Танги кинулась к себе в комнату, принесла ножницы и отхватила крайнее яблоко натюрморта. Затем она завернула отрезанный кусок холста в бумагу, отдала его покупателю и получила двадцать пять франков. Покупатель ушел, держа сверток под мышкой.

— Мой драгоценный Сезанн! — застонал папаша Танги. — Я выставил его в окне лишь затем, чтобы люди, поглядев на него минутку, шли дальше счастливые!

Мадам положила искалеченное полотно на прилавок.

— Если в следующий раз кто-нибудь спросит Сезанна, а денег у него будет мало, продай ему одно яблоко. Возьми, сколько тебе удастся. Ему ведь эти яблоки ничего не стоят, он их напишет, если надо, хоть сотню! А ты перестань скалить зубы, Гоген, все это касается и тебя. Я вот сниму со стены твои полотна и буду продавать этих голых язычниц по пяти франков за штуку.

— Моя дорогая Ксантиппа, — отвечал ей Гоген, — как жаль, что мы познакомились слишком поздно! А то вы были бы моим партнером на бирже и мы забрали бы в свои руки весь Французский банк!

Когда мадам удалилась к себе в комнату, папаша Танги вновь обратился к Винсенту:

— Вы ведь художник, господин Ван Гог? Надеюсь, вы будете покупать краски у меня. И может быть, покажете мне свои картины?

— Буду счастлив услужить вам. Ах, какие чудесные японские гравюры! Они продаются?

— Продаются. Они вошли в моду в Париже с тех пор, как братья Гонкур начали их коллекционировать. Они сильно влияют на наших молодых художников, уверяю вас.

— Вот эти две мне особенно нравятся. Я хотел бы ими заняться. Сколько вы за них просите?

— Три франка за штуку.

— Я беру их. Ах Господи, совсем забыл! Я потратил сегодня утром последний франк. Гоген, у тебя нет шести франков?

— Не будь смешным, Винсент.

Винсент с сожалением положил гравюры на прилавок.

— Видно, придется оставить их у вас, папаша Танги.

Папаша Танги схватил гравюры, сунул их в руки Винсенту. Он глядел на Винсента и застенчиво, грустно улыбался. Его морщинистое лицо лучилось добротой.

— Вам ведь они нужны для работы. Возьмите их, пожалуйста. А расплатитесь в другой раз.

10

Тео решил устроить вечеринку и созвать друзей Винсента. Братья сварили четыре дюжины яиц вкрутую, купили бочонок пива и выставили множество подносов с бриошами и печеньем. Табачный дым плавал в воздухе такими густыми клубами, что когда могучий торс Гогена передвигался из одного угла комнаты в другой, казалось, будто океанский корабль рассекает пелену тумана. Лотрек, усевшись в сторонке, колотил яйца о подлокотник любимого кресла Тео и швырял скорлупу на ковер. Руссо никак не мог прийти в себя от того, что получил утром надушенную записку от какой-то поклонницы, которая желала с ним встретиться. Широко раскрывая изумленные глаза, он то и дело принимался говорить об этом необыкновенном событии. Сёра развивал свою новую теорию, которую он подробно растолковывал Сезанну, притиснув его к окну. Винсент цедил пиво из бочонка, хохотал над скабрезными анекдотами Гогена, недоумевал вместе с Руссо, кем могла быть его корреспондентка, спорил с Лотреком, как лучше передать цветовое впечатление — пятнами или линиями — и, наконец, вызволил Сезанна из рук неумолимого Сёра.

Все в комнате ходило ходуном, гости возбужденно шумели. Это были люди необычайно самобытные, сильные и неистово эгоистичные, все страстные иконоборцы. Тео называл их маньяками. Они любили пылко спорить, бороться, проклинать, ожесточенно отстаивая свои взгляды и предавая анафеме все остальное. Голоса у них были зычные, грубые, — они нападали буквально на все и вся. Если бы гостиная Тео была просторнее в двадцать раз, то и тогда она оказалась бы тесной для буйной энергии этих воинственных и шумных художников.

Бурное оживление, царившее в комнате, заразило и Винсента: он размашисто жестикулировал и без умолку говорил. У Тео же от всего этого раскалывалась голова. Шум и неистовство были чужды его натуре. Он души не чаял в этих людях, которые собрались в его квартире. Разве не ради них вел он свою молчаливую непрерывную борьбу с хозяевами фирмы? Но он чувствовал, что их грубоватые ухватки, их резкость и воинственный пыл ему нестерпимы. В характере Тео было много чисто женского. Тулуз-Лотрек, со свойственным ему едким юмором, сказал однажды:

— Как жаль, что Тео приходится Винсенту братом. Он был бы ему прекрасной женой!

Торгуя картинами Бугро, Тео испытывал такое же отвращение, какое испытывал бы Винсент, если бы он писал их. Однако если он продавал Бугро, Валадон позволял ему выставлять Дега. Когда-нибудь, возможно, удастся склонить Валадона выставить и работы Сезанна, а потом Гогена или Лотрека и — в конечном счете — Винсента Ван Гога...

Тео в последний раз оглядел шумную, полную горячих споров и сизого дыма комнату и незаметно вышел погулять по Монмартру. Он одиноко бродил по улицам, в задумчивости любуясь яркими огнями ночного Парижа.

Гоген препирался с Сезанном. Он размахивал яйцом и бриошью, которые сжимал в одной руке, а в другой руке держал стакан пива. Он хвастался тем, что во всем Париже он один способен пить пиво, не вынимая изо рта трубки.

— Твои полотна холодны, — кричал он, — холодны как лед! Я коченею при одном взгляде на них. Ты исписал целые мили холстов и не вложил в них ни крупицы чувства!

— Я не пытался изображать какие-то чувства, — отвечал Сезанн. — Это я предоставляю беллетристам. Я пишу яблоки и пейзажи.

— Ты не изображаешь чувства, потому что тебе это не под силу. Ты пишешь одними глазами, — вот в чем твоя беда.

— Помилуй, а чем же пишут другие?

— Да всем, чем только можно! — Гоген быстро оглядел собравшихся. — Лотрек пишет селезенкой. Винсент — сердцем. Сёра пишет мозгом, и это почти так же плохо, как и писать одними глазами, Сезанн. А Руссо пишет воображением.

— Интересно, Гоген, чем же пишешь ты?

— Я? Не знаю. Никогда не задумывался над этим.

— А я тебе скажу, чем ты пишешь, — сказал Лотрек. — Ты пишешь своим мужским естеством!

Когда хохот над этой остротой Лотрека смолк, Сёра уселся на ручку дивана и закричал:

— Можете издеваться над человеком, который пишет мозгом, но именно это позволило мне открыть, как можно усилить выразительность наших картин вдвое.

— Неужто я должен опять слушать эту чушь? — взмолился Сезанн.

— Сезанн, заткни глотку, Гоген, сядь на место и не загромождай собою всю комнату! Руссо, хватит трезвонить о своей несчастной поклоннице. Лотрек, киньте мне яйцо. Винсент, вы не передадите мне бриошь? А теперь слушайте все!

— Какая муха тебя укусила сегодня, Сёра? Я никогда не видал тебя в таком волнении с тех самых пор, как тот малый плюнул на твою картину в Салоне отверженных!

— Ну, слушайте же! Что такое современная живопись? Свет. А какой именно свет? Градуированный свет. Пятнышки красок, сливаясь друг с другом...

— Это не живопись, это пуантилизм!

— Ради Бога, Жорж, неужели ты хочешь снова мучить нас своими мудреными рассуждениями?

— Да замолчите же! Вот вы кончаете очередное полотно. Что вы делаете вслед за этим? Отдаете полотно какому-нибудь болвану, который вставляет его в отвратительную золотую раму и тем уничтожает все ваши старания. А я предлагаю вам не выпускать полотна из своих рук, пока вы не вставили его в раму сами и не покрасили ее так, чтобы она стала неотъемлемой частью картины.

— Но ведь это далеко не все, Сёра. Каждая картина должна висеть в комнате. И если стены не такого цвета, как надо, они убивают и картину и раму.

— Правильно! Но почему же не выкрасить стены так, чтобы они гармонировали с рамой?

— Прекрасная мысль! — воскликнул Сёра.

— А как тогда быть с домом, в котором помещается комната?

— И с городом, в котором помещается дом?

— Ох, Жорж, Жорж, какие дурацкие мысли приходят тебе в голову!

— Вот что получается, когда пишешь мозгом!

— А как вам, слабоумным, писать мозгом, если у вас его нет и в помине?

— Вы только гляньте на Сёра! Видали, как рассвирепел этот ученый!

— К чему вам, друзья, все время ссориться? — спросил Винсент. — Почему вы не попробуете работать сообща?

— Ты среди нас единственный коммунист, Винсент, — сказал Гоген. — Может быть, ты скажешь, что же мы выиграем, если будем работать сообща?

— Ну хорошо, скажу, — ответил Винсент, отправляя в рот яичный желток. — Я все время обдумываю один небольшой проект. Кто мы сейчас такие? Никто, безвестные люди. За нас все сделали Мане, Дега, Сислей. Они уже признаны, их полотна висят в крупнейших галереях. Они стали художниками Больших Бульваров. Ну а нам надо идти в боковые, глухие улички. Мы — художники Малых Бульваров. Почему бы нам не выставлять свои полотна в маленьких ресторанах, на скромных улицах, в кафе для рабочих? Каждый из нас выставляет, скажем, пять полотен. Каждый вечер мы будем переносить их в новое место. Мы станем продавать их за те скудные деньги, которые может дать нам рабочий. Таким образом, мы будем постоянно выставлять свои полотна для публичного обозрения и дадим возможность бедному люду Парижа любоваться хорошим искусством и дешево покупать прекрасные картины.

— Вот это да! — воскликнул Руссо, в восхищении широко раскрывая глаза. — Это чудесно!

— Чтобы написать картину, мне надо ухлопать год, — кисло заметил Сёра. — Неужто вы думаете, что я продам ее какому-нибудь дубине-плотнику за пять су?

— Вы можете выставлять небольшие этюды.

— Да, но предположим, что хозяин ресторана не захочет вывесить наши картины?

— Как это не захочет? Захочет!

— Почему бы и нет? Ему это ничего не будет стоить, а зал украсится картинами.

— Но как взяться за это? Кто нам подыщет ресторан?

— Все это я уже обдумал, — заявил Винсент. — Мы сделаем распорядителем папашу Танги. Он найдет ресторан, развесит картины и будет вести денежные дела.

— Прекрасно. Лучшего человека и не сыщешь.

— Руссо, сделай милость, сходи к папаше Танги. Скажи ему, что мы хотим поговорить с ним по важному делу.

— На меня можете не рассчитывать, — сказал Сезанн.

— Почему же? — язвительно спросил Гоген. — Боишься, что взоры рабочих осквернят твои бесценные полотна?

— Вовсе нет. К концу месяца я уезжаю в Экс.

— Ну, попробуем хоть один раз, Сезанн, — уговаривал его Винсент. — Если ничего не получится, вам от этого убытка не будет.

— Так и быть, согласен.

— Когда нам опостылеют рестораны, — сказал Лотрек, — мы можем выставляться в борделях. Я знаком почти со всеми хозяйками притонов Монмартра. Клиентура там богатая, и, мне кажется, мы заработаем больше.

Папаша Танги прибежал запыхавшись, в сильном волнении. Руссо по дороге наспех изложил ему дело и все перепутал. Соломенная шляпа Танги была сдвинута набок, а пухлое маленькое лицо горело воодушевлением. Выслушав план Винсента, он с жаром воскликнул:

— Да, да, я знаю подходящее место! Ресторан «Норвэн». Хозяин его мне приятель. Стены там совсем голые, и он будет доволен. А когда надо будет переменить место, я отведу вас в другой ресторан на улице Пьер. О, таких ресторанов в Париже тысячи!

— Когда же мы открываем первую выставку клуба Малых Бульваров? — спросил Гоген.

— А зачем откладывать! — отозвался Винсент. — Почему бы не открыть ее завтра?

Папаша Танги вскочил со стула, снял шляпу, потом опять нахлобучил ее на голову.

— Конечно, завтра! Несите мне с утра картины. К вечеру я их развешу в ресторане «Норвэн». А когда люди придут обедать и увидят нашу работу — это будет настоящая сенсация! Мы станем продавать картины, как пасхальные свечи. Что вы мне наливаете? Пиво? Прекрасно. Выпьем, господа, за коммунистический клуб искусств Малых Бульваров! За успех его первой выставки!

11

На следующий день около полудня папаша Танги пришел к Винсенту.

— Я уже побывал у всех и со всеми договорился, — заявил он. — Мы можем устроить выставку в «Норвэне» при одном условии: если мы будем там обедать.

— Ну что ж, я не возражаю.

— Вот и чудесно. Все остальные тоже согласны. Картины начнем развешивать в половине пятого. Можете вы прийти ко мне в лавку к четырем? Там мы все и соберемся.

— Хорошо, приду.

Когда Винсент подошел к голубой лавчонке на улице Клозель, папаша Танги уже укладывал картины на ручную тележку. Художники сидели в лавке, покуривая трубки и обсуждая японские гравюры.

— Ну вот! — крикнул папаша Танги. — Теперь все готово!

— Позвольте, папаша, я помогу вам везти тележку, — предложил Винсент.

— Что вы, что вы! Ведь я же распорядитель!

Он выкатил тележку на мостовую и повез ее вверх по склону. Художники следовали за ним, разбившись на пары. Первыми шли Гоген и Лотрек — они нарочно ходили вместе, зная, какой смешной и нелепый у них вид, когда они рядом. Сёра внимательно слушал излияния Руссо: Таможенник был крайне взволнован, получив в тот день второе надушенное письмо. Винсент и Сезанн, который хмурился и ворчал, что все это недостойно и неприлично, замыкали шествие.

— Эй, папаша Танги! — крикнул Гоген немного погодя. — Тебе, наверное, тяжело, ведь ты тащишь бессмертные шедевры. Дай-ка, я повезу немного тележку.

— Нет, нет, куда тебе! — отшучивался папаша. — Ведь знаменосец нашей революции я! Когда раздастся первый выстрел, я и паду первым.

Это было забавное зрелище — несхожие с виду, причудливо одетые мужчины шагали посредине улицы за самой обыкновенной ручной тележкой. Встречные бросали на них насмешливые взгляды, но художники не смущались. Они хохотали и оживленно разговаривали между собой.

— Винсент! — крикнул Руссо. — Вы знаете, я получил сегодня письмо. Опять надушенное. От той же дамы!

Он поравнялся с Винсентом и, размахивая руками, в десятый раз стал рассказывать свою историю. Когда он наконец умолк и вернулся к Сёра, Лотрек сказал Винсенту:

— А знаете, что за поклонница у Руссо?

— Нет, конечно. Откуда мне знать?

Лотрек заржал:

— Это Гоген. Он устроил для Руссо любовную интрижку. У бедного малого до сих пор не было ни одной женщины. Гоген месяца два будет бомбардировать его надушенными письмами, а потом назначит свидание. Наденет женское платье и встретится с Руссо на Монмартре в одной из тех комнат, где есть дырки для подглядывания. Мы все пойдем глядеть, как Руссо подступится в первый раз к женщине. Это будет бесподобно!

— Гоген, ты изверг!

— Не злись, Винсент, — заулыбался Гоген. — По-моему, это отменная шутка!

Но вот тележка подкатила к ресторану «Норвэн». Это был более чем скромный дом, зажатый между винной лавкой и складом шорных товаров. Снаружи ресторан был выкрашен в ярко-желтый цвет, а стены внутри оказались бледно-голубыми. В зале стояло десятка два столиков, покрытых скатертями в красную и белую клетку. У задней стены, рядом с кухонной дверью, помещалась высокая конторка для хозяина.

Битый час художники спорили, где какую картину повесить. Папаша Танги от хлопот едва не лишился рассудка. Хозяин ворчал и сердился, так как приближался час обеда, а в ресторане царил беспорядок. Сёра отказывался вывешивать свои полотна вообще, так как голубые стены будто бы съедали на его картинах небо. Сезанн не разрешал повесить свои натюрморты рядом с «жалкими афишами» Лотрека, а Руссо разобиделся, узнав, что его вещи будут висеть на задней стене, у кухни. Лотрек настаивал, чтобы одну из его больших картин отнесли в уборную.

— Нигде человек не предается столь глубокому созерцанию, как там, — утверждал он.

В отчаянии папаша Танги обратился к Винсенту:

— Возьмите, пожалуйста, эти два франка, добавьте к ним, что можете, и уведите их всех в погребок через улицу. Если меня оставят одного хоть на пятнадцать минут, я все сделаю.

Хитрость удалась. Когда художники вернулись в ресторан, выставка была готова. Они перестали спорить и уселись за большой стол возле двери. Папаша Танги расклеил по стенам объявления: *«Эти полотна продаются по дешевым ценам, обращаться к хозяину»*.

Было уже пять тридцать. Обед подавался только в шесть. Художники ерзали на своих местах, как школьники. Всякий раз, как открывалась дверь, они нетерпеливо поворачивали головы. Посетители «Норвэна» приходили ровно к шести, ни на минуту раньше.

— Взгляни на Винсента, — шепнул Гоген Сёра. — Он волнуется, как примадонна.

— Знаешь, Поль, — сказал Лотрек Гогену, — я готов поспорить с тобой на сегодняшний обед, что продам свою картину раньше, чем ты.

— Что ж, спорим!

— А что касается тебя, Сезанн, — продолжал Лотрек, — то я готов ставить три против одного!

Сезанн побагровел от обиды, а все остальные засмеялись.

— Помните, — говорил Винсент, — все переговоры о продаже ведет папаша Танги. Никто из нас не должен торговаться с покупателями.

— Что же они не приходят? — тоскливо спросил Руссо. — Ведь уж давно пора.

Стрелка на стенных часах подползала к шести. Художники нервничали все больше. Всякие шутки смолкли. Все не сводили глаз с двери, томясь тягостным ожиданием.

— У меня не было такого гнетущего чувства даже на выставке Независимых, перед всеми критиками Парижа, — шепотом признался Сёра.

— Смотрите, смотрите, — сказал Руссо. — Вон там, на улице, человек. Он идет сюда, в ресторан.

Человек прошел мимо и скрылся из виду. Часы на стене пробили шесть. С последним их ударом дверь открылась и вошел рабочий. Это был бедно одетый человек. Его поникшие плечи и сутулая спина красноречиво говорили об усталости.

— Ну вот, — сказал Винсент, — теперь посмотрим.

Рабочий тяжелой походкой подошел к столу в другом конце комнаты, швырнул свою кепку на вешалку и сел. Шестеро художников, подавшись вперед, пристально глядели на него. Рабочий внимательно прочел меню, заказал дежурное блюдо и через минуту уже хлебал большой ложкой суп. Он ни разу не поднял глаз, ни разу не оторвался от тарелки.

— Вот тебе и на! — сказал Винсент. — Это забавно.

Вошли двое жестянщиков. Хозяин поздоровался с ними, они что-то буркнули в ответ, сели за первый попавшийся столик и начали злобно ругаться по поводу каких-то своих дел.

Мало-помалу ресторан наполнялся. Пришли еще какие-то мужчины и женщины. Каждый, как видно, занимал свое привычное место, свой столик. Все первым делом смотрели меню, а когда блюда были поданы, никто уже не отрывался от них ни на секунду. Покончив с едой, посетители закуривали трубки, болтали, разворачивали вечерние газеты и читали.

— Господа, прикажете подать обед? — осведомился у художников официант, когда время приближалось к семи.

Ему никто не ответил. Официант удалился. В ресторан вошли мужчина и женщина.

Вешая шляпу, мужчина заметил на картине Руссо тигра, высунувшего морду из тропических зарослей. Мужчина указал на него своей спутнице. Художники затаили дыхание. Руссо привстал. Женщина что-то тихо сказала, потом расхохоталась. Они сели за стол и, касаясь друг друга головами, стали усердно изучать меню.

В четверть восьмого официант, уже не спрашивая позволения, подал художникам суп. К нему никто не прикоснулся. Когда суп остыл, официант молча унес тарелки. Затем он подал второе. Лотрек принялся что-то рисовать вилкой в соусе. Ел один Руссо. Все, не исключая и Сёра, выпили по графинчику кисловатого красного вина. В ресторане стоял запах еды и пота людей, целый день проработавших на солнце. Посетители один за другим платили по счету, небрежно бросали хозяину: «Всего доброго» — и уходили.

— Прошу извинения, господа, но уже половина девятого, — сказал официант. — Ресторан закрывается.

Папаша Танги снял со стен картины, вынес их на улицу и в медленно сгущавшихся сумерках покатил свою тележку домой.

12

Дух старого Гупиля и дяди Винсента Ван Гога исчез из художественных галерей навсегда. Теперь там торговали картинами так, словно это были совсем не картины, а какой-нибудь другой товар, вроде туфель или селедок. Тео весь измучился: хозяева изводили его непрестанными требованиями повысить доходы и сбывать с рук скверные полотна.

— Слушай, Тео, — говорил Винсент, — почему ты не уходишь от Гупиля?

— Другие торговцы картинами ничуть не лучше, — устало отмахивался Тео. — И потом, я так давно служу в этой фирме. Нет никакого смысла уходить...

— Ты должен уйти. Я требую, чтобы ты ушел. Тебе с каждым днем все тяжелее и тяжелее. Не беспокойся за меня! Я как-нибудь перебьюсь. Ты здесь самый известный и самый уважаемый из всех молодых торговцев картинами, Тео. Почему бы тебе не открыть свою галерею?

— Боже мой, опять та же песня. Неужели мы мало об этом говорили?

— Послушай, Тео, у меня есть замечательная мысль. Мы откроем галерею на началах коммуны. Мы будем отдавать тебе все наши полотна, а деньги, которые ты выручишь за них, станем делить поровну. Все вместе мы сумеем наскрести достаточную сумму, чтобы открыть небольшую галерею в Париже и снять дом где-нибудь в деревне — там мы все будем жить и работать. Недавно у Портье купили картину Лотрека, а папаша Танги продал уже несколько вещей Сезанна. Я уверен, что мы обратим на себя внимание молодых парижан, которые покупают картины. И нам не понадобится много денег на содержание дома в деревне. Мы будем жить сообща, вместо того чтобы оплачивать десяток квартир в Париже.

— У меня ужасно болит голова, Винсент. Я пойду лягу.

— Ничего, выспишься в воскресенье. Послушай, Тео... Да куда же ты? Ну, хорошо, раздевайся, если хочешь, но мне необходимо поговорить с тобой. Ладно, я присяду вот тут, у кровати. Так вот, если тебе тяжело у Гупиля, а все молодые парижские художники согласятся и мы соберем ту небольшую сумму...

На следующий вечер Винсент привел к себе папашу Танги и Лотрека, хотя Тео надеялся, что Винсента не будет дома. Маленькие глазки Танги так и бегали от волнения.

— Господин Ван Гог, господин Ван Гог, это блестящая мысль! Вы непременно должны согласиться. Я брошу свою лавочку и поеду с вами в деревню. Я буду тереть краски, натягивать холсты, сколачивать подрамники. Мне нужен лишь кусок хлеба и крыша над головой.

Тео со вздохом отложил книгу.

— А где вы возьмете денег, чтобы начать такое дело? Деньги, чтобы открыть галерею, деньги, чтобы снять дом в деревне, деньги, чтобы кормиться художникам?

— Да вот они, деньги, я их принес! — воскликнул папаша Танги. — Двести двадцать франков. Все, что я скопил. Возьмите их, господин Ван Гог! Для начала это сгодится.

— Лотрек, ты человек рассудительный. Что ты скажешь обо всей этой дурацкой затее?

— Я думаю, что это чертовски хорошая затея. Ведь сейчас нам приходится бороться не только со всем Парижем, но и друг с другом. А если бы мы смогли выступить единым фронтом...

— Прекрасно. Вот ты богатый человек, — ты поможешь нам деньгами?

— Ну нет! Если колония будет жить на вспомоществование, она утратит всякий смысл. Я внесу двести двадцать франков, ровно столько, сколько и папаша Танги.

— Какое безумие! Если бы вы хоть чуточку понимали, что такое торговля...

Папаша Танги бросился к Тео и схватил его за руку.

— Дорогой господин Ван Гог, не говорите, что это безумие, умоляю вас. Это великолепная идея! Вы должны, вы непременно должны...

— Теперь уже поздно идти на попятный, Тео, — сказал Винсент. — Мы все решили за тебя. Мы вот только соберем немного денег и сразу назначим тебя управляющим. Ты должен будешь распрощаться с Гупилем. Ты покончишь со своими хозяевами навсегда. Теперь ты управляешь коммуной художников.

Тео провел рукой по глазам.

— Это все равно, что управлять стаей диких зверей!

На следующий день, придя с работы, Тео увидел, что его квартира битком набита взволнованными, разгоряченными художниками. В воздухе столбом стоял синий дым, звучали громкие, тревожные голоса. Посредине комнаты на хрупком изящном столике восседал Винсент, главный церемониймейстер.

— Нет, нет! — кричал он. — Никакой платы! Никаких денег! Мы на целые годы вообще забудем, что такое деньги. Тео станет продавать наши картины, а мы — получать пропитание, жилье и материалы для работы.

— А как насчет тех художников, чьи картины никто не купит? — спросил Сёра. — До каких пор мы будем содержать их?

— До тех пор, пока они пожелают оставаться у нас и работать.

— Что ж, превосходно, — проворчал Гоген. — К нам хлынут ничтожные мазилки со всей Европы!

— А вот и господин Ван Гог, — объявил папаша Танги, увидев, как Тео тихонько вошел и прислонился к двери. — Крикнем «ура» в честь нашего управляющего!

— Ура Тео! Ура Тео! Ура Тео! — в один голос закричали художники. Все были взбудоражены до крайности. Руссо непременно хотел узнать, сможет ли он давать в колонии уроки игры на скрипке. Анкетен говорил, что он задолжал за три месяца хозяйке квартиры и что лучше бы подыскать дом в деревне не мешкая. Сезанн утверждал, что член коммуны имеет право тратить свои деньги, если они у него есть.

— Нет, это разрушит нашу коммуну! — возражал Винсент. — Мы должны делить все поровну!

Лотрек любопытствовал, можно ли будет жить в колонии с женщинами. Гоген твердил, что необходимо обязать всех членов коммуны писать хотя бы по две картины в месяц.

— Тогда я не пойду в колонию! — кричал Сёра. — Я пишу одну большую картину в год!

— А как быть с материалами? — спрашивал папаша Танги. — Давать ли мне одинаковое количество красок и холста на неделю каждому художнику?

— Что вы, что вы, конечно, нет! — воскликнул Винсент. — Все мы будем брать столько материалов, сколько потребуется, не меньше и не больше. Точно так, как хлеб, как пищу.

— Да, а куда мы станем девать денежные излишки? Потом, когда начнем продавать картины? Кто будет получать прибыль?

— Никто не будет получать прибыли, — отрезал Винсент. — Как только у нас скопится немного денег, мы снимем второй дом в Бретани. А потом еще один — в Провансе. И скоро у нас появятся дома по всей стране, мы станем переезжать с одного места на другое.

— Ну а как относительно дорожных расходов? Мы будем ездить за счет прибылей?

— И много ли мы сможем ездить? Кто будет решать это?

— А вдруг на лучший сезон в один дом съедется слишком много художников. Кому тогда убираться оттуда и ехать на север, скажите мне?

— Тео, Тео, ты — управляющий. Разъясни нам все по порядку. Все ли могут вступить в коммуну? Или же число членов будет ограничено? Должны ли мы писать по какой-нибудь единой системе? Будут ли у нас в доме натурщики?

Разошлись художники только на рассвете. Жильцы нижнего этажа выбились из сил, стуча метлой в потолок. Тео лег спать около четырех, но Винсент, папаша Танги и несколько наиболее горячих энтузиастов обступили постель Тео и убеждали его заявить Гупилю об уходе с первого числа следующего месяца.

Возбуждение росло с каждой неделей. Парижские художники разделились на два лагеря. Те, кто уже завоевал себе положение, называли братьев Ван Гог помешанными. У всех остальных только и разговоров было, что о новом эксперименте.

Винсент хлопотал дни и ночи, не зная усталости. Надо было сделать тысячу разных дел, решить, где раздобыть денег, где поместить галерею, каким образом устанавливать цены на картины, кого принимать в колонию, кого назначить управляющим дома в деревне и какие ему дать права. В эту бурную деятельность, почти против его воли, был втянут и Тео. Каждый вечер квартира на улице Лепик была полна народу. Газетные репортеры сбегались сюда в погоне за новостями. Искусствоведы и критики приходили поговорить о новом движении среди художников. Живописцы, уехавшие из Парижа, спешно возвращались, чтобы примкнуть к новому объединению.

Если Тео был королем, то Винсент был его первым министром. Он разрабатывал бесконечные проекты, конституции, бюджеты, сметы, кодексы, правила, готовил манифесты и статьи для печати, которые должны были познакомить европейскую публику с целями коммуны художников.

Он был так занят, что совсем забыл о своих полотнах.

В кассу коммуны поступило уже около трех тысяч франков. Художники тащили в нее все, что им удавалось выкроить. На бульваре Клиши была устроена ярмарка, где сами художники торговали своими полотнами. Со всей Европы приходили письма, в которые порой были вложены грязные и мятые бумажные франки. На квартиру Ван Гогов являлось множество любителей искусства — заразившись общим настроением, они бросали перед уходом несколько франков в стоявший тут же ящик-копилку. Винсент был секретарем и казначеем.

Тео был убежден, что дело можно начать, собрав не менее пяти тысяч франков. Он приискал небольшой магазин на улице Тронше, которую считал вполне подходящим местом, а Винсент нашел превосходную старую усадьбу в лесах Сен-Жермен-ан-Лэ: ее можно было снять почти за бесценок. Полотна художников, которые хотели присоединиться к коммуне, поступали на улицу Лепик непрерывно, и скоро в маленьких комнатах Ван Гогов стало негде повернуться. Посетители валили валом, сотня за сотней. Они шумели, спорили, ругались, ели, пили и отчаянно размахивали руками. Тео был предупрежден, что, если так будет продолжаться, ему предложат съехать с квартиры.

К концу месяца от мебели в стиле Луи Филиппа остались жалкие обломки.

О совершенствовании своей палитры Винсент теперь и не думал — не хватало времени. Его ждали письма, которые надо было написать, люди, с которыми надо было побеседовать, дома, которые надо было осмотреть, новые художники и любители, которых надо было воспламенить и увлечь своим планом. От непрерывных разговоров он даже охрип. Глаза у него горели лихорадочным блеском. Он ел когда придется и с трудом урывал несколько часов для сна. Он постоянно спешил, спешил, спешил.

К весне пять тысяч франков были собраны. Тео уведомил своих хозяев, что со следующего месяца он уходит. Он решил снять магазин на улице Тронше. Винсент внес небольшой задаток за поместье в Сен-Жермен. Список художников, которые должны были поселиться в колонии с самого начала, был составлен Тео, Винсентом, папашей Танги, Гогеном и Лотреком. Из кучи полотен, загромождавших квартиру, Тео отобрал картины для своей первой выставки. Руссо и Анкетен жестоко поссорились из-за того, кто из них будет расписывать магазин Тео внутри и кто снаружи. Тео уже не сердился, когда ему не давали спать по ночам. Он стал теперь таким же энтузиастом коммуны, каким был при ее зарождении Винсент. Он лихорадочно работал, делая все, чтобы к лету колония открылась. Он без конца спорил с Винсентом, где подыскивать для коммуны второй деревенский дом — на побережье Атлантики или у Средиземного моря.

Как-то раз, около четырех утра, Винсент, совершенно изнемогавший от усталости, лег спать. Тео ушел на службу, не потревожив его. Винсент проспал до полудня и встал освеженный. Он зашел в свою мастерскую. Полотно, стоявшее на мольберте, было начато уже много недель назад. Краски на палитре засохли, потрескались и покрылись пылью. По углам валялись тубы и затвердевшие от несмытой краски кисти.

Внутренний голос шептал ему с мягким упреком: «Подожди-ка минуту, Винсент. Кто же ты такой? Художник или организатор коммуны?»

Все чужие картины, загромождавшие мастерскую, Винсент решил перенести в комнату Тео и свалил их там на кровать. В мастерской остались лишь его собственные полотна. Он ставил их на мольберт одно за другим и, кусая ногти, внимательно разглядывал.

Да, он продвинулся вперед. Мало-помалу его палитра становилась светлее, приобретая чистоту и яркость. Уже не было прежней подражательности. Уже не найти следов влияния того или иного из его друзей. В первый раз он почувствовал, что у него вырабатывается своя, индивидуальная, техника. Она не похожа ни на один из тех образцов, которые он видел в своей жизни. Он и сам не знал, как ему удалось добиться этого.

Он словно пропустил импрессионистов сквозь призму своей индивидуальности и уже почти нашел собственные, оригинальные средства выражения. А потом наступила какая-то заминка.

Винсент поставил на мольберт свои работы, исполненные совсем недавно. И тут он чуть не вскрикнул от изумления. Он почти, почти уловил нечто настоящее! Полотна не оставляли сомнений в том, что у него начал складываться собственный метод, что оружие, которое он закалял в течение долгой зимы, уже было пущено в дело.

Перерыв в работе, который длился много недель, позволил ему взглянуть на свою живопись как бы со стороны. Винсент увидел, что он развивает импрессионистическую манеру на свой собственный лад.

Он внимательно поглядел на себя в зеркало. Бороду надо было подрезать, волосы подстричь, рубашка была грязная, брюки мятые, словно изжеванные. Он нагрел утюг и выгладил свой костюм, надел одну из рубашек Тео, взял из ящика пятифранковую бумажку и пошел к парикмахеру. Приведя себя в порядок, он медленно, в глубокой задумчивости направился по бульвару Монмартр, в галерею Гупиля.

— Тео, — сказал он, — ты не можешь выйти на минутку?

— Что случилось?

— Надень, пожалуйста, шляпу. Есть тут поблизости кафе, где нам никто не помешает?

Когда они уселись в укромном уголке, Тео сказал:

— Ты знаешь, Винсент, ведь мы говорим с тобой наедине впервые за целый месяц.

— Знаю, Тео. Боюсь, что все это время я был последним глупцом.

— Как так?

— Скажи мне прямо, Тео, кто я: художник или организатор коммуны?

— К чему это ты клонишь?

— Я был так занят делами коммуны, что у меня не было времени писать. С того дня как мы начали устраивать этот дом в деревне, я уже не мог выкроить ни минуты на живопись.

— Понимаю.

— Тео, я хочу писать! Не для того я затратил эти семь лет труда, чтобы стать домоправителем у других художников. Я изголодался по живописи, Тео, так изголодался, что готов сбежать из Парижа с первым поездом.

— Но, Винсент, после того как мы уже...

— Говорю тебе, я свалял дурака. Могу я признаться тебе откровенно?

— Да, конечно.

— Меня тошнит от одного вида этих художников. Я устал от их разговоров, от их теорий, от их бесконечных распрей. Ах, не смейся, Тео, я знаю, что и сам повинен в этих сварах. В этом-то все и дело. Помнишь, что говорил Мауве? «Человек может или заниматься живописью, или рассуждать о ней, но одновременно делать то и другое он не может». Неужели ты семь лет кормил меня для того, чтобы слушать, как я разглагольствую о всяких идеях?

— Ты многое сделал для колонии, Винсент.

— Да, а теперь, когда настало время ехать в колонию, я понял, что не хочу этого. Если я буду жить там, то наверняка даже не возьму кисть в руки. Не знаю, понимаешь ли ты меня, Тео... думаю, что понимаешь. Когда я жил в Брабанте и в Гааге, совсем один, я чувствовал, что я кое-что значу. Я в одиночку боролся с целым миром. Я был художником, единственным художником на всей земле. Все, что я писал, имело цену. Я знал, что у меня есть талант и что в конце концов люди скажут: «Это прекрасный живописец».

— А теперь?

— Увы, теперь я лишь один из многих. Вокруг сотни художников. Куда ни глянь, я вижу карикатуры на самого себя. Вспомни эти жалкие полотна в наших комнатах, которые прислали желающие вступить в коммуну. Ведь они тоже думали, что станут великими живописцами. Что ж, может быть, я такой же, как они. Почем я знаю? Как мне теперь поддержать в себе мужество? До приезда в Париж я и не знал, что есть на свете такие безнадежные дураки, которые тешат себя иллюзиями всю жизнь. Теперь я знаю. И это ранит мне душу.

— Но при чем же здесь ты?

— Может быть, и ни при чем. Но мне уже не избавиться от этого червя сомнения. Когда я жил один, в глуши, я забывал, что каждый день люди пишут тысячи полотен. Я воображал, что мое полотно — единственное, что оно рождается как чудесный подарок миру. Я бы не оставил свою работу, если бы даже был уверен, что мои полотна ужасны... ну, а эти... эти иллюзии художника... они помогают. Ты меня понимаешь?

— Да.

— Кроме того, я не городской художник. Я здесь чужой. Я крестьянский художник. Я хочу вернуться в свои поля. Хочу выйти на жаркое солнце, которое выжгло бы из меня все, кроме желания писать!

— Значит, ты хочешь... уехать из Парижа?

— Да. Это необходимо.

— А как же с колонией?

— Я выхожу из нее. Но ты должен продолжать дело.

Тео покачал головой:

— Нет, без тебя я все брошу.

— Почему же?

— Не знаю. Я делал это ради тебя... потому что ты хотел этого.

Несколько минут они молчали.

— Ты еще не совсем покончил со службой, Тео?

— Нет. Я собирался уйти с первого числа.

— Я думаю, мы сможем возвратить деньги тем, кто их внес?

— Конечно... Когда ты думаешь уехать?

— Не раньше, чем моя палитра станет светлой.

— Понимаю.

— А потом я уеду. На юг, вероятно. Впрочем, не знаю. Надо уехать туда, где я буду один. И писать, писать, писать. В полном одиночестве!

С грубоватой нежностью он обнял брата за плечи.

— Тео, скажи, что ты меня не презираешь. Бросить все на полпути, когда я уже втянул тебя в это дело...

— Презирать тебя?

Тео улыбнулся с бесконечной грустью. Он ласково потрепал Винсента по руке, лежавшей у него на плече.

— Нет... нет, конечно, нет. Я все понимаю. Пожалуй, ты прав. Что ж, старина... допивай-ка свой стакан. Мне пора в галерею.

13

Винсент работал еще месяц, и хотя его палитра стала такой же светлой и чистой, как и палитра его друзей, он все же не выработал той манеры выражения, которая бы его удовлетворяла. Сначала он думал, что все дело в грубости его рисунка, и старался работать медленно, с холодной рассудительностью. Писать до тонкости рассчитанными, боязливыми мазками казалось ему пыткой, а смотреть на результаты своих стараний было еще тяжелее. Он пытался скрыть мазок, делая поверхность гладкой, пытался класть краски тонким слоем, а не теми щедрыми струящимися наплывами, к каким он привык. Все было бесполезно. Вновь и вновь он чувствовал, что должен найти манеру, которая была бы не только совершенно самобытна, но и позволила ему выразить то, что он хотел. Но он никак не мог нащупать эту манеру.

— Вот, кажется, я попал почти в точку, — бормотал он себе под нос однажды вечером в мастерской. — Почти, но не в самую! Если бы только я мог понять, что мне мешает.

— А я, кажется, понимаю, — сказал Тео, взяв полотно из рук Винсента.

— Понимаешь? Тогда скажи, что же?

— Париж.

— Париж?

— Да, Париж. Он был для тебя школой. До тех пор, пока ты остаешься здесь, ты не более как ученик. Помнишь нашу школу в Голландии? Мы узнавали там, как люди делают вещи и как нужно их делать, но никогда ничего не сделали своими руками.

— Ты хочешь сказать, что здесь я не нахожу темы, к которой у меня лежало бы сердце?

— Нет, я хочу сказать, что ты здесь не можешь полностью освободиться от влияния своих учителей. Мне будет очень одиноко без тебя, Винсент, но я понимаю, что тебе надо уехать. Где-то на свете должно быть такое место, где ты станешь самим собой. Не знаю, где оно, придется тебе искать его самому. Но тебе надо оставить школу — только тогда ты обретешь зрелость.

— А знаешь, старина, о какой стране я все время думаю в последнее время?

— Нет, не знаю.

— Об Африке.

— Об Африке? Неужели?

— Да, всю эту чертовски долгую и холодную зиму я мечтал о сверкающем солнце. Под солнцем нашел свой колорит Делакруа, под солнцем, может быть, найду себя и я.

— До Африки, Винсент, так далеко, — раздумчиво произнес Тео.

— Я хочу солнца, Тео. Солнца — во всем его свирепом зное и могуществе. Я чувствовал, как солнце, словно колоссальный магнит, всю зиму тянуло меня на юг. Пока я жил в Голландии, я и не знал, что на свете существует солнце. Теперь я знаю, что без солнца нет живописи. Быть может, чтобы обрести зрелость, мне нужно лишь горячее солнце. Парижская зима проморозила меня до мозга костей, мне даже кажется, что эта стужа дохнула на мои кисти и краски, сковала их. Я не из тех людей, Тео, которые останавливаются на полдороге: уж если я попаду на африканское солнце, и оно выжжет из меня весь холод, оживит своим огнем мою палитру...

— Гм-м, — промычал Тео, — надо это обдумать. Возможно, ты и прав.

Поль Сезанн пригласил всех друзей на прощальную вечеринку. Он договорился через своего отца о покупке участка земли на горе близ Экса и готовился к отъезду в родные места строить мастерскую.

— Уезжай из Парижа, Винсент, — говорил он, — и перебирайся в Прованс. Не в Экс, конечно, — это мое владение, а куда-нибудь поблизости. Во всем мире нет солнца жарче и чище, чем солнце Прованса. Ты найдешь там такие светлые и прозрачные краски, какие тебе и не снились. Я буду жить там до конца своих дней.

— Я тоже скоро уеду из Парижа, — сказал Гоген. — Вернусь в тропики. Если ты думаешь, Сезанн, что в Провансе настоящее солнце, то непременно побывай на Маркизских островах. Свет и краски там столь же примитивны, как и люди.

— Вам, друзья, надо бы стать солнцепоклонниками, — проговорил Сёра.

— Что касается меня, — объявил Винсент, — то я, пожалуй, поеду в Африку.

— Что ж, недурно, — язвительно заметил Лотрек, — у нас будет новый маленький Делакруа.

— Так ты в самом деле едешь, Винсент? — спросил Гоген.

— Да. Конечно, не сразу в Африку. Должно быть, мне придется остановиться где-нибудь в Провансе и немного привыкнуть к солнцу.

— В Марселе тебе останавливаться нельзя, — сказал Сёра. — Этот город принадлежит Монтичелли.

— Я не могу ехать в Экс, — сказал Винсент, — потому что он принадлежит Сезанну, Моне завладел Антибами, а Марсель навеки посвящен Фада. Кто посоветует — куда же мне отправиться?

— Послушай! — воскликнул Лотрек. — Я тебе укажу самое подходящее место. Ты никогда не думал об Арле?

— Арль? Это, кажется, еще древнеримское поселение?

— Да, да. На Роне, часах в двух езды от Марселя. Я был там однажды. Колорит в этих местах такой, что африканские пейзажи Делакруа перед ним бледнеют.

— В самом деле? И там жаркое солнце?

— Солнце? Такое жаркое, что можно сойти с ума. А поглядел бы ты на арлезианок — это самые прекрасные женщины в мире. Они еще сохраняют чистые, тонкие черты своих греческих предков, и вместе с тем в них есть что-то крепкое, кряжистое, унаследованное от римских завоевателей. Но самое любопытное — в них чувствуется Восток: я думаю, это результат сарацинских набегов восьмого века. Ты знаешь, Винсент, однажды там нашли в земле настоящую Венеру. И вообрази, она была чисто арлезианского типа!

— В таком случае арлезианки должны быть обворожительны.

— Можешь не сомневаться. А вот подожди, как подует мистраль!..

— Что это такое — мистраль? — спросил Винсент.

— Поживешь — увидишь, — ответил Лотрек, криво усмехнувшись.

— А как там жизнь? Дешевая?

— Да там и деньги не на что тратить, разве только на еду и квартиру, а это стоит недорого. Если ты решишься уехать из Парижа, то почему бы тебе не побывать в Арле?

— В Арле, — пробормотал Винсент. — Арль и арлезианки. Вот бы написать такую женщину!

Париж вконец измотал Винсента. Он выпил здесь слишком много абсента, выкурил слишком много табаку, слишком много хлопотал и волновался. Он был сыт Парижем по горло. Он испытывал жгучее желание уехать и жить в одиночестве, в тишине, отдавая все душевные силы живописи. Его таланту, чтобы расцвести во всю мощь, не хватало лишь жаркого солнца. Он чувствовал, что высший его взлет, высшее напряжение творческих сил, все то, к чему он стремился все восемь долгих лет, уже близко. То, что он до сих пор создал, не имело для него ценности; может быть, впереди еще один небольшой перевал, и он сумеет написать те несколько картин, благодаря которым его жизнь будет прожита не напрасно.

Как это сказал Монтичелли? «Мы должны трудиться не щадя сил десять лет для того, чтобы в конце концов написать два или три настоящих портрета».

В Париже ему была обеспечена безбедная жизнь, дружеское участие, любовь. Здесь у него всегда был кров над головой. Брат не допустил бы, чтобы он остался без куска хлеба, не стал бы ждать, чтобы он дважды попросил денег на холсты и краски, не отказал бы ему ни в чем, что было в его силах, не говоря уже о любви и сочувствии.

Винсент знал, что, как только он уедет из Парижа, его начнут одолевать заботы. Он не умел разумно расходовать те деньги, которые давал ему Тео. Половину месяца он будет ходить голодный. Он будет вынужден целые дни просиживать в заплеванных кафе, терзаясь, что не может купить красок, и чувствуя, как слова застревают у него в горле, потому что рядом нет друга, с которым можно бы отвести душу.

— Тебе понравится Арль, — говорил Винсенту Тулуз-Лотрек на следующий день. — Там тихо, никто не будет тебе мешать. Там жарко, но воздух сухой, краски великолепные — это единственное место в Европе, где ты найдешь японскую ясность и чистоту колорита. Для живописца там сущий рай. Если бы я не был так привязан к Парижу, я бы сам поехал туда.

В тот вечер Тео и Винсент пошли на концерт слушать музыку Вагнера. Домой они вернулись рано и целый час тихо проговорили о своем детстве в Зюндерте. Утром Винсент приготовил для Тео кофе, а когда брат ушел на службу, стал прибирать квартиру и навел в ней такой блеск, какого здесь не бывало с того самого дня, как они сюда въехали. Он повесил на стену свой натюрморт с розовыми креветками, портрет папаши Танги в круглой соломенной шляпе, пейзаж с Мулен де ла Галетт, обнаженную женщину, написанную со спины, и панораму Елисейских полей.

Когда вечером Тео возвратился домой, он нашел на столе записку.

Дорогой Тео!

Я уехал в Арль; напишу тебе, как только туда доберусь.

Я повесил на стену несколько своих полотен, чтобы ты не забывал меня.

Мысленно жму руку. Винсент.

13-1648и

Книга шестая
АРЛЬ

1

Арлезианское солнце ударило Винсенту в глаза и настежь распахнуло его душу. Это был клубящийся, зыбучий шар лимонно-желтого огня, который стремительно катился по ярко-голубому небу и заливал все вокруг ослепительным светом. Нестерпимый зной и необыкновенная прозрачность воздуха делали мир новым и непривычным.

Винсент вышел из вагона третьего класса рано утром и по извилистой дороге направился с вокзала к площади Ламартина, по одну сторону которой тянулась набережная Роны, а по другую — убогие гостиницы и кафе. Арль лежал впереди, словно вмазанный в склон холма лопаткой каменщика, и дремал в лучах жаркого южного солнца.

О том, где ему поселиться, Винсент не особенно заботился. Он вошел в первую же гостиницу, которая попалась ему на площади — «Отель де ла Гар», — и занял там комнату. В номере стояла чудовищная медная кровать, треснутый кувшин с тазом, плохонький стул. Хозяин втащил туда еще некрашеный деревянный стол. Поставить мольберт здесь было негде, но Винсент собирался работать целыми днями на воздухе.

Он швырнул свой чемодан на кровать и пошел осматривать город. С площади Ламартина к центру Арля было два пути. Слева, огибая город по окраине, шла проезжая дорога — пологими извивами поднималась она мимо древнего римского форума и амфитеатра на вершину горы. Винсент выбрал более короткий путь, через лабиринт мощенных булыжником узеньких уличек. После долгого подъема он выбрался наконец на залитую знойным солнцем площадь Мэрии. По пути ему попадались дышащие прохладой каменные дворики — они словно ничуть не изменились с далеких римских времен. Чтобы в переулки не проникало палящее солнце, они были узкие, и Винсент, раскинув руки, мог коснуться стен домов по обе стороны мостовой. А для защиты от жестокого мистраля улицы были проложены по склону холма самым замысловатым образом: через каждые десять шагов они сворачивали в сторону, нередко образуя острые углы. Всюду валялись кучи мусора, около домов копошились грязные ребятишки, все вокруг выглядело мрачно и уныло.

Винсент пересек площадь Мэрии, коротким проулком вышел к большой дороге, ведущей к рынку, и, очутившись в маленьком парке, стал осторожно спускаться к арене римского амфитеатра. Прыгая, как козел, со скамьи на скамью, Винсент взобрался на самый верх. Он сел на шершавую каменную глыбу, свесил ноги на высоте десятка сажен над землей, закурил трубку и окинул взглядом владения, повелителем и господином которых он сам себя назначил.

Город, раскинувшийся под ним, будто поток рухнувших камней, круто сбегал вниз и обрывался у Роны. Кровли домов были как бы вписаны одна в другую изощренной рукой рисовальщика. Дома все как один были крыты черепицей, некогда она была красной, но постоянно паливщее солнце выжгло на ней причудливые пятна всех оттенков, от желто-лимонного и нежно-розового до ядовито-лилового и землисто-коричневого.

Широкая, быстрая Рона, подступив к подошве холма, на котором лепился Арль, делала крутой изгиб и устремлялась прямо к Средиземному морю. Оба берега были закованы в каменные набережные. На дальней стороне виднелся, будто нарисованный, городок Тренкетай. Позади Винсента раскинулась горная цепь — громадные кряжи, вершины которых уходили в прозрачную высь. Впереди открывалась широкая панорама — возделанные поля, цветущие сады, высокая гора Монмажур, плодородные долины, прочерченные тысячами глубоких борозд, сходившихся где-то в бесконечности в одной точке.

И куда ни глянь, всюду сверкали такие краски, что Винсент в удивлении тер глаза. Небо было такой напряженной, чистейшей, глубокой голубизны, что голубое уже не казалось голубым — цвет словно бы растворялся, исчезал. А зелень полей, расстилавшихся у Винсента под ногами, воплощала в себе самую душу зеленого цвета в его поистине безумной чистоте. Жгучее лимонно-желтое солнце, кроваво-красная почва, ослепительно белое одинокое облако над Монмажуром, розовый пушок, каждую весну окутывающий сады... этому отказывался верить глаз. Разве мыслимо все это написать! Разве в силах он заставить кого-нибудь поверить, что такие цвета существуют на самом деле, если его кисть и перенесет их на полотно? Лимонно-желтое, голубое, зеленое, красное, розовое — природа захлестывала его неистовой выразительностью этих пяти красок.

Винсент вернулся проезжей дорогой на площадь Ламартина, схватил мольберт, палитру и холст и пошел вдоль Роны. Всюду уже зацветал миндаль. Солнце искрилось и сверкало в воде так, что было больно глазам. Шляпу Винсент забыл в гостинице. Солнце пекло его рыжую голову, гнало прочь парижскую стужу, уныние и постылую усталость, какими измучила его столичная жизнь.

Пройдя с километр вниз по реке, Винсент увидел подъемный мост, по мосту ехала небольшая повозка, четко рисовавшаяся на фоне голубого неба. Вода была голубая, как в роднике, берега оранжевые, местами покрытые зеленой травой. Женщины в коротких кофтах и разноцветных чепчиках полоскали и колотили вальками белье в тени одинокого дерева.

Винсент установил мольберт, глубоко вздохнул и закрыл глаза. Никто не смог бы с открытыми глазами удержать в сознании такие краски. Винсент совсем забыл и Сёра с его рассуждениями о научном пуантилизме, и проповеди Гогена о декоративности примитивов, и мысли Сезанна об изображении твердых тел, и Лотрековы линии, исполненные желчи и ненависти.

Теперь существовал только он, Винсент.

В гостиницу он вернулся к обеду, сел за столик в маленьком ресторанчике и заказал абсент. Он был слишком взволнован, слишком полон впечатлений, чтобы думать о еде. Какой-то мужчина, сидевший рядом, заметил на руках, лице и одежде Винсента пятна краски и вступил с ним в разговор.

— Я парижский журналист, — представился он. — Живу в этом городке уже три месяца, собираю материал для книги о провансальском наречии.

— А я только что из Парижа, приехал сегодня утром, — сказал Винсент.

— Так я и думал. Долго собираетесь здесь прожить?

— Да, вероятно, долго.

— Послушайтесь моего совета, не делайте этого. Арль — самое нездоровое место на земле.

— Почему вам так кажется?

— Мне не кажется, я знаю это. Я наблюдал здешних людей целых три месяца и говорю вам, что все они ненормальны. Вы только посмотрите на них. Взгляните хорошенько им в глаза. Вы не найдете ни одного нормального, здорового человека во всей Тарасконской округе!

— Странно слышать это, — заметил Винсент.

— Пройдет неделя, и вы со мной согласитесь. Окрестности Арля — самые гиблые, самые проклятые места во всем Провансе. Сегодня вы почувствовали, какое тут солнце. Можете себе представить, что происходит с этими людьми, если оно палит их постоянно, день за днем? Уверяю вас, у них все мозги выжжены. А мистраль! Вы еще не нюхали мистраля? Бог мой, вот увидите. Мистраль, словно бич, обрушивается на город и не стихает двести дней в году. Если вы пытаетесь пройти по улице, мистраль швыряет вас, прижимая к стенам домов. Если вы в открытом поле, он валит вас с ног и вдавливает в землю. Он переворачивает вам все кишки, — вам уже кажется, что вот-вот всему конец, крышка. Я видел, как этот дьявольский ветер вырывает оконные рамы, выворачивает с корнями деревья, рушит изгороди, хлещет людей и животных так, что того и гляди разорвет их в клочья. Я прожил здесь лишь три месяца и уже чувствую, что сам немного рехнулся. Завтра утром я уезжаю!

— А вы не преувеличиваете? — спросил Винсент. — Арлезианцы, на мой взгляд, вполне нормальны, хотя за сегодняшний день я видел их немного.

— Вот погодите, скоро вы познакомитесь с ними поближе. Знаете, что я думаю об этом городе?

— Нет, не знаю. Не хотите ли абсента?

— Благодарю. Так вот, я думаю, что Арль — совсем как эпилептик. Он доводит себя до такого нервного возбуждения, что только и ждешь — вот-вот начнется припадок, и он будет биться в судорогах, с пеной на губах.

— Ну и что же, начинается припадок?

— Нет. И это самое любопытное. Город все время на грани припадка, но припадок никогда не начинается. Три месяца я ждал, что здесь вспыхнет революция или на площади Мэрии произойдет извержение вулкана. Десятки раз я думал, что жители внезапно сойдут с ума и перережут друг другу глотки! Но в тот самый миг, когда катастрофа была неизбежна, мистраль на пару дней стихал, а солнце пряталось за облаками.

— Ну что ж, — засмеялся Винсент, — если Арль никогда не доходит до припадка, его нельзя назвать эпилептиком, ведь правда?

— Нельзя, — согласился журналист. — Но я вправе назвать этот город эпилептоидным.

— Это еще что такое?

— Я пишу на эту тему статью для своей газеты. А мысль мне подал вот этот немецкий журнал!

Он вытащил из кармана журнал и кинул его через стол Винсенту.

— Врачи исследовали сотни больных, страдавших нервными заболеваниями, которые напоминали эпилепсию, но никогда не выливались в припадки падучей. По диаграммам вы можете проследить, как поднималась кривая нервозности и возбуждения; доктора называют это перемежающейся горячкой. Буквально во всех исследованных случаях лихорадочное возбуждение с течением времени все возрастало, пока больной не достигал тридцати пяти — тридцати восьми лет. Как правило, в возрасте тридцати шести лет у больных происходит страшный припадок падучей. А потом еще пять-шесть приступов, и через год-другой — конец.

— Это слишком ранняя смерть, — сказал Винсент. — Человек в эти годы только берется за ум.

Незнакомец спрятал журнал в карман.

— Вы собираетесь жить в этой гостинице? — спросил он. — Я почти закончил свою статью; пришлю ее вам, как только она будет напечатана. Моя точка зрения такова: Арль — эпилептоидный город. Его пульс учащается уже не одно столетие. Приближается первый припадок. Он неотвратим. И ждать его не долго. Когда он наступит, мы будем свидетелями ужасающей катастрофы. Убийства, поджоги, насилия, всеобщее разрушение! Не может этот город постоянно, из года в год, жить в такой мучительной, изнуряющей лихорадке. Что-то должно случиться, этого не избежать. Я покидаю этот город, пока люди тут еще не начали биться в падучей, с пеной на губах. Советую уехать и вам.

— Спасибо, — сказал Винсент. — Мне здесь нравится. А теперь я, пожалуй, пойду к себе. Мы увидимся завтра утром? Нет? Тогда желаю вам всего доброго. И не забудьте прислать мне вашу статью.

2

Каждое утро Винсент вставал до рассвета, одевался и шел пешком за несколько километров вниз по реке или бродил по окрестностям города, отыскивая живописные места. Каждый вечер он возвращался с готовым полотном — готовым, потому что Винсенту уже нечего было к нему добавить. Сразу после ужина он ложился спать.

Он превратился в слепую, бесчувственную машину — писал одно полотно за другим, без передышки, даже не сознавая, что он делает. Фруктовые сады стояли в полном цвету. Винсент с неудержимой страстью писал их и не мог остановиться. Он уже не думал больше о своих картинах. Он просто писал. Все восемь лет наряженного труда проявились теперь в могучем приливе творческой энергии. Порой, начиная работу с первыми проблесками зари, он заканчивал полотно уже к полудню. Тогда он возвращался в город, выпивал чашку кофе и снова шел с чистым холстом куда-нибудь в другую сторону.

Он не имел ни малейшего представления, хороши ли теперь его картины. Его это не тревожило. Он был опьянен красками.

С ним никто не разговаривал. Он тоже не заговаривал ни с кем. Те скудные силы, которые оставались у него от упорной работы, он тратил на борьбу с мистралем. Не меньше трех дней в неделю ему приходилось привязывать мольберт к вбитым в землю колышкам. Холст трепетал и бился на ветру, словно простыня на веревке. К вечеру все тело у Винсента ныло, как будто после жестоких побоев.

Винсент постоянно ходил без шляпы. От свирепого солнца волосы у него на макушке мало-помалу стали выпадать. Когда он, вернувшись в гостиницу, ложился на постель, у него было такое чувство, словно ему на голову нахлобучили горшок с горящими угольями. Солнце совсем ослепило его. Он уже не мог отличить зелень полей от голубизны неба. Но, кончив работу и принеся ее в комнату, он убеждался, что на его полотне запечатлела свое сияние и блеск сама природа.

Однажды он работал в саду с сиреневой землей, красной изгородью и двумя розоватыми персиковыми деревьями на фоне неба, где голубое чудесно сочеталось с белым.

«Пожалуй, это будет лучший пейзаж из всех, какие я написал», — сказал себе Винсент.

В гостинице его ждало письмо, извещавшее, что в Гааге скончался Антон Мауве. На полотне с персиковыми деревьями Винсент сделал надпись: «В память о Мауве. Винсент и Тео» — и послал его в дом на Эйлебоомен.

На другое утро Винсент набрел на сливовый сад, весь в цвету. Он начал писать, но тут поднялся яростный ветер, он налетал порывами, словно морской прибой. В минуты затишья солнце заливало своим сиянием сад, и белые цветы ярко сверкали в его лучах. Ветер грозил каждую минуту опрокинуть мольберт, но Винсент все писал и писал. Это напоминало ему схевенингенские времена, когда он работал под проливным дождем, в тучах песка, в соленых брызгах морской воды. Белый цвет на полотне отливал всеми оттенками желтого, голубого и сиреневого. Когда он кончил писать, то увидел на своей картине нечто такое, чего он вовсе и не думал в ней выразить, — мистраль.

— Люди подумают, что я писал ее спьяну, — рассмеялся Винсент.

Ему вспомнилась строчка из письма, которое он получил от Тео накануне. Минхер Терстех, приехав в Париж, сказал, глядя на полотно Сислея: «У меня такое чувство, что художник, написавший его, порядком выпил».

«Если бы Терстех видел мои арлезианские работы, — думал Винсент, — он решил бы, что у меня белая горячка!»

Жители Арля сторонились Винсента. Они видели, как он без шляпы еще до рассвета спешил за город, взвалив на спину мольберт, решительно выставив вперед подбородок, с лихорадочным блеском в глазах. Они видели, как он возвращался: глаза под насупленными бровями — словно два огненных круга, красное, как парное мясо, темя, сырое полотно под мышкой... Он размахивал руками и что-то бормотал себе под нос. Ему дали прозвище, которое знал весь город: «Фу-Ру!»*

— Может быть, я и в самом деле рыжий дурак, — говорил он себе, — но что же делать?

Хозяин гостиницы без зазрения совести обсчитывал Винсента при каждом удобном случае. Винсент нигде не мог прилично поесть, так как жители Арля питались дома. Цены в ресторанах были высокие.

Винсент обошел их как-то раз все до единого, спрашивал крепкого бульона, но везде получал отказ.

— Нельзя ли поджарить картошки, мадам? — спросил он в одном ресторанчике.

— Нельзя, сударь.

— В таком случае нет ли у вас риса?

— Рис будет только завтра.

— Ну а как насчет макарон?

— Для макарон у нас маловата плита.

---

* Fou-Rou — рыжий дурак *(фр.)*.

В конце концов он перестал заботиться о еде и кормился чем попало. Горячее солнце придавало ему сил, несмотря на то что он пренебрегал желудком. Вместо сытной пищи он поглощал абсент, табак и повести Доде о Тартарене. Долгие часы сосредоточенного труда за мольбертом изматывали ему нервы. Он чувствовал потребность подхлестнуть себя. Абсент взбадривал его на весь следующий день, мистраль только взвинчивал возбуждение, а солнце внедряло его в самую плоть.

Лето становилось жарче и жарче, крутом все было сожжено его дыханием. Винсент видел вокруг себя лишь тона старого золота, бронзы и меди, осененные чуть поблекшим от зноя, зеленовато-лазурным небом. От палящего солнца на всем лежал какой-то сернисто-желтый оттенок. Винсент лил на свои полотна поток яркой, сверкающей желтизны. Он знал, что желтый цвет не применялся в европейской живописи со времен Возрождения, но это не останавливало его. Тюбики с желтой краской пустели один за другим, кисть щедро наносила его на полотно. Картины Винсента были захлестнуты ослепительным солнцем, опалены им, они были насквозь пронизаны воздухом.

Винсент был убежден, что создать хорошую картину ничуть не легче, чем найти алмаз или жемчуг. Он испытывал недовольство и собой и тем, что выходило из-под его кисти, но в нем теплился луч надежды, что рано или поздно он станет писать лучше. Порою эта надежда казалась призрачной. Но, только работая, Винсент чувствовал, что он живет. Иной жизни у него не было. Он был лишь механизмом, слепым автоматом, который глотал по утрам еду и кофе, жадно хватал краски, выплескивал их на холст, а вечером приносил законченное полотно.

Для чего? Для продажи? Конечно, нет! Он знал, что никто не купит его картины. Какой же смысл торопиться? Зачем он гонит, пришпоривает себя и пишет одну за другой десятки картин, для которых уже не хватает места под его жалкой металлической кроватью?

Винсент уже не жаждал успеха. Он работал потому, что не мог не работать, потому что работа спасала его от душевных страданий и занимала его ум. Он мог обходиться без жены, без своего гнезда, без детей; мог обходиться без любви, без дружбы, без бодрости и здоровья; мог работать без твердой надежды, без самых простых удобств, без пищи; мог обходиться даже без Бога. Но он не мог обойтись без того, что было выше его самого, что было его жизнью — без творческого огня, без силы вдохновения.

3

Винсент пытался нанять натурщиков, но арлезианцы упорно отказывались. Они считали, что Винсент их уродует. Им казалось, что знакомые будут смеяться над их портретами. Винсент понимал, что если бы он писал так же слащаво, как Бугро, то арлезианцы не стыдились бы ему позировать. Пришлось оставить мысль о портретах и работать только над пейзажами.

Лето было в разгаре, стояли великолепные знойные дни, ветер совсем стих. На полотнах Винсента преобладали желтые тона — от серно-желтого до золотистого. Он часто вспоминал Ренуара, его чистые, ясные линии. В прозрачном воздухе Прованса все казалось четким и ясным, словно на японских гравюрах.

Однажды ранним утром он увидел девушку — у нее было кофейного оттенка тело, пепельные волосы, серые глаза, под бледно-розовой ситцевой кофточкой отчетливо проступали груди, твердые и маленькие. Во всем ее облике, в каждой линии ее девственной фигуры чувствовалось родство с этими знойными полями. С ней была мать, странного вида женщина. Грязновато-желтые и тускло-синие тона ее одежды в ярком солнечном свете прекрасно гармонировали с белыми и лимонно-желтыми цветами, росшими вокруг. За небольшую мзду женщины позировали ему несколько часов.

Вернувшись к вечеру в гостиницу, Винсент поймал себя на том, что думает о девушке с кофейной кожей. Заснуть он никак не мог. Он знал, что в Арле есть веселые дома, их посещали главным образом зуавы — африканцы, привезенные в Арль для обучения военному делу; за вход там брали пять франков.

Уже несколько месяцев Винсент не разговаривал ни с одной женщиной, кроме тех случаев, когда он просил чашку кофе или пачку табака. Он вспомнил сейчас, какие нежные слова говорила ему Марго, как она кончиками пальцев проводила по его лицу и быстро, страстно его целовала.

Он вскочил с кровати, выбежал на площадь Ламартина и углубился в лабиринт темных улиц. Через несколько минут, взбираясь все выше по холму, он услышал где-то впереди страшный шум. Он кинулся бежать и вскоре оказался на улице Риколетт, у входа в бордель, где полицейские укладывали в повозку двух зуавов, заколотых пьяными итальянцами. Красные фески зуавов валялись в луже крови, растекшейся по камням мостовой. Другой наряд полицейских, схватив итальянцев, тащил их в тюрьму, а за ними бушевала разъяренная толпа, крича:

— На фонарь их! На фонарь!

Винсент воспользовался суматохой и незаметно проскользнул в дом терпимости — улица Риколетт, номер один. Луи, хозяин борделя, встретил его и провел в маленькую комнату, слева от зала, в котором за столиками пили вино несколько парочек.

— У меня есть молоденькая девушка Рашель, очень милая, — сказал Луи. — Не желаете ли, сударь, ее? Если она вам не понравится, можете выбрать любую другую.

— Можно взглянуть на нее?

Винсент присел к столику и закурил трубку. Из зала донесся взрыв хохота, и в комнату танцующей походкой вошла девушка. Она уселась в кресло напротив Винсента и улыбнулась ему.

— Я Рашель, — сказала она.

— Неужели? — воскликнул Винсент. — Ведь ты еще совсем дитя.

— Мне уже шестнадцать, — с гордостью заявила Рашель.

— И давно ты в этом доме?

— У Луи? Уже год.

— Дай-ка я погляжу на тебя.

Желтая газовая лампа освещала девушку сзади, лицо ее было в тени. Она откинула голову к стене и повернулась к свету, чтобы Винсент мог ее видеть.

У нее было круглое, пухлое лицо, большие глуповатые глаза, мясистые подбородок и шея. Черные волосы были гладко зачесаны, отчего лицо казалось еще круглее. На ней было лишь легкое ситцевое платье и сандалии. Соски ее круглых грудей были нацелены прямо на Винсента, словно указующие персты.

— Ты красива, Рашель, — сказал он.

В ее пустых глазах заиграла ребячливая, веселая улыбка. Она закружилась на месте и схватила Винсента за руку.

— Как хорошо, что я тебе нравлюсь, — сказала она. — Я люблю, когда я нравлюсь мужчинам. Тогда все гораздо приятнее, не правда ли?

— Конечно. А я тебе нравлюсь?

— По-моему, ты очень смешной, Фу-Ру.

— Фу-Ру! Так ты знаешь меня?

— Я видела тебя на площади Ламартина. Зачем это ты вечно таскаешь какую-то раму на спине? И почему никогда не носишь шляпы? Разве солнце тебя не печет? Смотри, какие у тебя глаза красные. Тебе больно?

Ее детская наивность рассмешила Винсента.

— Какая ты славная, Рашель. Будешь звать меня по имени, если я скажу, как меня зовут?

— А как тебя зовут?

— Винсент.

— Нет, мне больше нравится Фу-Ру. Ты не против, если я буду звать тебя Фу-Ру? И можно мне чего-нибудь выпить? Старый Луи следит за мной из зала.

Рашель притронулась пальцами к своей шее; Винсент смотрел, как они погружались в мягкое тело. Она улыбалась своими глуповатыми голубыми глазами, и он понимал, что она улыбается в предвкушении счастья и хочет, чтобы и он был счастлив. У нее были ровные, красивые, хотя и темные зубы; полная нижняя губа слегка отвисала и почти закрывала впадинку над пухлым подбородком.

— Закажи бутылку вина, — сказал Винсент. — Но не очень дорогого — у меня мало денег.

Когда вино было подано, Рашель спросила:

— Не перейти ли нам в мою комнату? Там гораздо удобней.

— Что ж, с удовольствием.

Они поднялись по каменной лестнице и вошли в комнатку Рашели. Там стояла узкая кровать, шифоньерка, стул, на выбеленных стенах висело несколько цветных юлианских медальонок. На шифоньерке Винсент заметил две рваные, затасканные куклы.

— Я привезла их из дому, — сказала Рашель. — Возьми их, Фу-Ру. Вот это Жак, а вот это Катерина. Я играю с ними в папу и маму. Ой, Фу-Ру, почему у тебя такое смешное лицо.

Действительно, Винсент стоял посреди комнаты и глупо улыбался — в каждой руке у него было по кукле. Вдоволь нахохотавшись, Рашель отняла у Винсента и Жака и Катерину, посадила их на шифоньерку, сбросила с ног сандалии и сняла платье.

— Сядь, пожалуйста, Фу-Ру, — сказала она. — Давай играть в папу и маму. Ты будешь папа, а я мама. Ты любишь играть в папу и маму?

Это была невысокая, коренастая и крепко сбитая девушка с выпуклыми, крутыми бедрами; ее острые груди сильно выдавались вперед, а пухленький круглый живот круто сбегал к промежному треугольнику.

— Рашель, — сказал Винсент, — если ты будешь звать меня Фу-Ру, я тоже придумаю тебе имя.

Рашель захлопала в ладоши и бросилась к нему на колени.

— Ох, скажи, скажи, какое же это имя? Я люблю, когда мне придумывают новые имена.

— Я буду звать тебя Голубкой.

В светлых глазах Рашели мелькнуло недоумение и обида.

— Почему же Голубкой, папа?

Винсент легонько провел ладонью по ее круглому, девическому животу.

— Потому что ты похожа на голубку: у тебя нежные глазки и маленький толстенький животик.

— А это хорошо — быть голубкой?

— Ну конечно. Голуби очень милые, очень нежные... и ты такая же, как они.

Рашель потянулась к нему губами и поцеловала его в ухо, потом вскочила с кровати и достала два стакана для вина.

— Какие у тебя смешные уши, Фу-Ру, — сказала она между двумя глотками. Она пила, как пьют дети, сунув в стакан нос.

— Тебе нравятся мои уши? — спросил Винсент.

— Да. Они мягкие и круглые, как у щенка.

— Возьми их, раз они тебе нравятся.

Рашель громко засмеялась. Потом, поднеся стакан к губам, снова вспомнила шутку Винсента и снова засмеялась. С ее левой груди стекала тоненькая красная струйка вина и, извиваясь по животу, исчезала в темном треугольнике.

— Ты очень милый, Фу-Ру, — сказала она. — А все говорят, что ты тронутый. Ведь это неправда, верно?

Винсент пожал плечами.

— Я тронутый, но только чуть-чуть, — сказал он.

— А ты будешь моим возлюбленным? — спросила Рашель. — У меня нет возлюбленного уже больше месяца. Будешь ходить ко мне каждый вечер?

— Боюсь, что я не смогу ходить к тебе каждый вечер, Голубка.

Рашель надула губы.

— Это почему же?

— Помимо всего прочего, у меня нет денег. Понимаешь?

Рашель игриво ущипнула его за правое ухо.

— Если у тебя нет пяти франков, Фу-Ру, то, может быть, ты отрежешь свое ухо и дашь его мне? Я положила бы его на этажерку и играла с ним каждый вечер.

— А потом ты вернешь его мне, если я принесу пять франков?

— Ох, Фу-Ру, ты такой чудной и такой милый! Если бы все мужчины, которые приходят сюда, были как ты!

— Тебе здесь нравится, Рашель?

— О, конечно, здесь очень весело... и мне все нравится... кроме зуавов.

Рашель поставила стакан на столик и обняла Винсента. Он чувствовал, как она прижалась к нему своим мягким животом, а ее острые груди словно прожгли его насквозь. Она впилась губами в его рот. Он чувствовал, что целует мягкую, бархатистую изнанку ее нижней губы.

— Ты ведь придешь ко мне еще, Фу-Ру? Ты не забудешь меня и не пойдешь к другой девушке?

— Я приду к тебе, Голубка.

— Ну, а теперь мы поиграем, ладно? Будем играть в папу и маму.

Когда через полчаса Винсент вышел от Рашели, его томила страшная жажда, которую он утолил, лишь выпив множество стаканов холодной, чистой воды.

4

Винсент пришел к заключению, что чем тщательнее растерта краска, тем лучше она пропитывается маслом. Масло лишь растворяло краску; он не придавал ему особого значения, тем более что грубая фактура его картин его вполне устраивала. Вместо того чтобы покупать краски, которые были растерты в Париже на камне бог знает сколько дней назад, Винсент решил готовить их собственноручно. По просьбе Тео папаша Танги прислал Винсенту три разных хрома, малахит, киноварь, свинцовую оранжевую, кобальт и ультрамарин. Винсент растер их у себя в гостинице. Теперь краски не только обходились ему дешевле, но были более свежими и стойкими.

Затем Винсент с огорчением убедился, что его холсты недостаточно впитывают краску. Тонкий слой грунтовки, покрывавший холст, не всасывал те щедрые мазки, которые клал Винсент. Тео прислал ему рулон негрунтованного холста. Винсент разводил по вечерам в маленькой миске грунт и покрывал им полотно, на котором он собирался писать утром.

Жорж Сёра научил его тщательно подбирать раму для каждой картины. Посылая свои первые арлезианские работы в Париж Тео, Винсент давал точные указания, какую древесину надо взять для рамы и какой краской ее покрасить. Но он успокоился лишь тогда, когда сам начал делать рамы для своих картин. Он купил у бакалейщика деревянных планок, подгонял их под нужные размеры и красил в соответствующие цвета.

Он растирал себе краски, сколачивал подрамники, грунтовал холсты, писал картины, мастерил рамы и красил их.

— Жаль, что я не могу сам у себя покупать картины, — бормотал Винсент. — Тогда я был бы вполне обеспечен.

Мистраль подул вновь. Казалось, природа неистовствовала. На небе не было ни облачка. Солнце пекло и слепило, стояла страшная сушь, жару сменял пронзительный холод. Сидя в комнате, Винсент писал натюрморт: синий эмалированный кофейник, ярко-синяя, с золотом, фарфоровая чашка, белый молочник в бледно-голубых квадратиках, синий майоликовый кувшин с красными, зелеными и коричневыми узорами, два апельсина и три лимона.

Когда ветер стих, Винсент опять вышел на воздух и написал вид Роны с железным мостом на Тренкетай — небо и реку он сделал в тоне абсента, набережную написал лиловой, фигуры людей, облокотившихся на парапет, почти черными, самый мост — густо-синим, а темный фон оживал вспышкой оранжевого и яркими пятнами малахитовой зелени. Винсент пытался выразить в пейзаже бесконечную тоску, от которой сжалась бы душа зрителя.

Вместо точного воспроизведения того, что он видел, Винсент выбирал краски и писал ими так, чтобы с наибольшей силой выразить себя самого. Он убедился, как справедливы были слова, которые сказал ему Писсарро в Париже: «Вы должны смело преувеличивать тот эффект, который дают краски, гармонируя или дисгармонируя друг с другом». В предисловии Мопассана к роману «Пьер и Жан» он нашел подобную же мысль: «Реалист, если он художник, будет стремиться не к тому, чтобы показать нам банальную фотографию жизни, а к тому, чтобы дать ее воспроизведение, более полное, более захватывающее, более убедительное, чем сама действительность».

Он упорно, не разгибая спины, проработал целый день под солнцем в поле. В результате он написал полотно: широкая вспаханная нива с глыбами фиолетовой земли, уходящими к горизонту; фигура сеятеля в синих и белых тонах, вдали полоса невысокой вызревшей пшеницы; и надо всем — желтое небо с желтым солнцем.

Парижские критики сказали бы, что он пишет слишком быстро. Но Винсент думал иначе. Разве не переполнявшие его чувства, не искреннее восхищение природой двигали его кистью? А раз чувства его так сильны, что он работает, забывая о времени, раз мазок ложится за мазком легко и непринужденно, как слова в разговоре, значит, придет день, когда кисть опять будет валиться из рук и вдохновение уйдет от него. Значит, надо ковать железо, пока оно горячо, и складывать около себя готовые поковки.

Винсент закинул мольберт за спину и пошел домой по дороге мимо горы Монмажур. Он шел так быстро, что скоро нагнал мужчину и мальчика, которые потихоньку брели впереди него. Винсент узнал старика Рулена, арлезианского почтальона, и его маленького сынишку. Винсент часто сиживал с Руленом в кафе, и ему не раз хотелось заговорить с ним, но удобного случая не представлялось.

— Добрый день, господин Рулен, — сказал Винсент.

— А, это вы, господин художник! — отозвался Рулен. — Добрый день. Я вот ходил с сыном погулять — сегодня ведь воскресенье.

— Замечательный был денек, правда?

— И впрямь замечательный. Чертов мистраль наконец-то унялся. А вы сегодня написали картину?

— Да, написал.

— Я человек простой, господин художник, и ничего не понимаю в искусстве. Но вы оказали бы мне большую честь, если бы позволили взглянуть на вашу картину.

— С удовольствием.

Мальчишка, подпрыгивая, убежал вперед. Винсент и Рулен шли рядом. Пока Рулен смотрел на полотно, Винсент внимательно разглядывал его самого. На голове у Рулена была синяя форменная фуражка, глаза у него были мягкие и пытливые, а длинная и широкая волнистая борода плотно прикрывала шею и воротник, падая на темно-синюю куртку. Винсент почувствовал в этом человеке ту же мягкость и мечтательность, которая так нравилась ему в папаше Танги. Он был как-то по-семейному трогателен, и пышная древнегреческая борода не вязалась с его простым крестьянским лицом.

— Я человек простой, — повторил Рулен, — и вы уж простите меня, если я скажу что не так. Пшеница у вас совсем как живая, все равно что на том поле, которое мы прошли, — я видел, как вы там работали.

— Значит, картина вам нравится?

— Нет, я не могу сказать, что нравится. Я только чувствую, что у меня вот здесь что-то зашевелилось. — И он провел рукой по груди.

У подножия Монмажура они на минуту остановились. Красное солнце закатывалось над древним монастырем, его косые лучи падали на стволы и кроны сосен, росших среди скал, заливая деревья оранжевым огнем; а дальние сосны, как бы вписанные в нежное зеленовато-голубое небо, казалось, были нанесены берлинской лазурью. Белый песок и белые камни под деревьями будто кто-то слегка тронул синим.

— Все это тоже совсем как живое, не правда ли, господин художник? — спросил Рулен.

— Да, и останется живым, когда нас уже не будет на свете, Рулен.

Они пошли дальше, продолжая вести тихую, дружескую беседу. Рулен говорил рассудительно и спокойно. У него был простой ум, простые и вместе с тем глубокие мысли. Он жил с женой и четырьмя детьми на сто тридцать пять франков в месяц. Почтальоном он прослужил уже двадцать пять лет, не получая никакого повышения — ему лишь делали ничтожные надбавки к жалованью.

— Когда я был молод, — говорил он, — я много думал о Боге. Но с годами Бог как-то таял и таял в моей душе. Я еще могу увидеть его в поле пшеницы, которую вы писали, в закате солнца над Монмажуром, но когда думаешь о людях... и о мире, который они устроили...

— Знаю, Рулен, но я все более и более убеждаюсь, что мы не вправе судить о Боге по этому нашему миру. Мир этот — лишь неудачный набросок. Что вы делаете, когда видите в мастерской любимого художника неудавшийся набросок? Вы не пускаетесь в критику, а держите язык за зубами. Но вы вправе желать чего-нибудь получше.

— Верно, — с радостью согласился Рулен, — что-нибудь хоть чуточку получше.

— Чтобы судить о мастере, надо посмотреть и на другие его работы. Наш мир, видимо, создан в спешке, в один из тех черных дней, когда у Творца был помрачен разум.

На извилистую проселочную дорогу спускались сумерки. Пронзая плотное кобальтовое одеяло ночи, на небе затеплились первые искорки звезд. Наивные глаза Рулена смотрели Винсенту прямо в лицо.

— Значит, вы полагаете, что есть и другие миры?

— Не знаю, Рулен, я бросил размышлять обо всем этом с тех пор, как увлекся своим ремеслом. Но наша жизнь кажется мне в чем-то неполной, несовершенной. Ведь правда? Иногда мне думается, что подобно тому, как поезда и экипажи переносят нас с одного места на другое, точно так же тиф и чахотка переселяют нас из одного мира в другой.

— Да, вы, художники, о многом думаете!

— Рулен, вы не откажете мне в одном одолжении? Позвольте мне написать ваш портрет. Жители Арля не хотят мне позировать.

— Вы окажете мне честь, сударь. Но зачем вам писать меня? Ведь я так некрасив.

— Если только существует Бог, Рулен, то, по-моему, у него именно такая борода и такие глаза, как у вас.

— Вы смеетесь надо мной!

— Наоборот, я говорю серьезно.

— Приходите, пожалуйста, к нам завтра поужинать. Еда у нас очень нехитрая, но мы будем вам рады.

Жена Рулена оказалась простой крестьянской женщиной и напомнила Винсенту мадам Дени. На столе, покрытом красно-белой клетчатой скатертью, было тушеное мясо с картошкой, хлеб домашней выпечки и бутылка кислого вина. После ужина Винсент рисовал мадам Рулен, разговаривая с ее мужем.

— Во время революции я был республиканцем, — говорил Рулен, — но теперь я вижу, что мы ничего не добились. Правят ли нами короли или министры, мы, бедные люди, живем по-прежнему, ничуть не лучше. Прежде я думал, что, если у нас будет республика, мы станем все делить поровну.

— Ах, что вы, Рулен!

— Всю свою жизнь я стараюсь понять, господин Ван Гог, почему одному принадлежит больше, а другому меньше, почему человек должен тяжко трудиться, когда его сосед сидит сложа руки. Может быть, я слишком темен, чтобы разобраться, в чем тут дело. Как по-вашему, — если бы у меня было образование, я бы, наверное, понял все гораздо скорее?

Винсент бросил быстрый взгляд на Рулена, чтобы убедиться, не издевается ли над ним этот арлезианец. Лицо Рулена сохраняло то же невинное, простодушное выражение.

— Да, мой друг, многие образованные люди, кажется, все отлично понимают. Но я, как и вы, человек темный, и мне никогда не понять этого и никогда с этим не примириться.

5

Он вставал в четыре утра, часа за три добирался до какого-нибудь живописного места и работал там до самого вечера. Это было не так уж приятно — тащиться домой за десять или двенадцать километров по пустынной дороге, но сырое полотно, которое он нес под мышкой, придавало ему бодрости.

Он написал семь больших картин за семь дней. К концу недели он валился с ног от смертельной усталости. Это было чудесное лето, но работать теперь он больше не мог. Яростный мистраль поднимал клубы пыли, от которой побелели деревья. Винсент был принужден сидеть дома. Он спал по шестнадцати часов без просыпу.

Карман у него был пуст, последний сантим вышел в четверг, а письмо Тео с пятьюдесятью франками должно было прийти не раньше, чем в понедельник к обеду. Тео тут был не виноват. Каждые десять дней он присылал Винсенту пятьдесят франков, не считая материалов. Но Винсент помешался на мысли вставить свои новые картины в рамы и заказывал их столько, что его скудный бюджет этого не выдерживал. Четыре дня, оставшиеся до понедельника, он прожил на двадцати чашках кофе и буханке хлеба, которую отпустил ему в долг булочник.

Теперь он глядел на свою работу холодно и неприязненно. Ему уже не казалось, что его полотна стоят той самоотверженной доброты, которую проявлял к нему Тео. Он мечтал выручить те деньги, которые он ухлопал, и вернуть их брату. Он разглядывал свои картины одну за другой и переживал мучительное чувство стыда, думая, что они далеко не оправдали затрат. Если время от времени и получалась приличная вещь, то, по его убеждению, дешевле было бы купить такую у кого-нибудь другого.

Думы, которые подспудно тревожили Винсента все лето, теперь разом нахлынули на него. Хотя он жил в полном одиночестве, до сих пор у него не было времени хорошенько разобраться в своих чувствах и мыслях. Он вечно спешил вперед на всех парах. А теперь мозг у него раскис, словно каша, и не было ни франка, чтобы развлечься, как следует поесть или пойти к Рашели. Он решил, что все написанные им за лето полотна никуда не годятся.

— Как бы то ни было, — сказал он себе, — холст, который я закрасил, все-таки стоит дороже, чем чистый. На большее я и не претендую — в этом мое право писать, мое оправдание.

Он был убежден, что, оставаясь в Арле, он сохранит свою индивидуальную свободу. Жизнь коротка. Она быстро проходит. А раз он живописец, ему остается только писать и писать. «Эти пальцы стали гибкими и послушными, — думал он, — и они будут такими, если даже все тело начнет сдавать и разрушаться».

Он составил длинный перечень красок, которые хотел попросить у Тео. Просматривая список, он вдруг увидел, что там нет ни одной краски, которая входила бы в палитру голландцев — Мауве, Мариса или Вейсенбруха. Арль окончательно оторвал его от голландской традиции.

Когда в понедельник деньги наконец пришли, он разыскал такое место, где можно было хорошенько поесть за один франк. Это был странный на вид ресторанчик, сплошь серого цвета — пол был из серого асфальта, словно уличная мостовая, серые обои на стенах, серовато-зеленые, всегда закрытые ставни и зеленые портьеры на дверях, чтобы снаружи не залетала пыль. Тоненький ослепительный луч солнца, словно лезвие кинжала, прокалывал ставень.

Отдохнув от работы с неделю, Винсент решил попробовать писать по ночам. Он написал серый ресторан в тот час, когда посетители ужинали, а служанки сновали между столиками. На площади Ламартина он написал густое, теплое кобальтовое ночное небо, усеянное яркими звездами Прованса. Сидя на обочине дороги, он написал кипарисы, залитые лунным светом. Потом написал ночное кафе, которое не закрывалось до утра, — там отсиживались бродяги, когда у них не было денег на жилье или они бывали слишком пьяны, чтобы уйти домой.

Сначала он писал кафе с улицы, а в следующую ночь — его интерьер. С помощью красного и зеленого цветов он старался выразить дикие человеческие страсти. Интерьер кафе он написал кроваво-красным и темно-желтым, с зеленым бильярдным столом посредине. Четыре лимонно-желтые лампы были окружены оранжевым и зеленым сиянием. Самые контрастные, диссонирующие оттенки красного и зеленого боролись и сталкивались в маленьких фигурках спящих бродяг. Он хотел показать, что кафе — это такое место, где человек может покончить самоубийством, сойти с ума или совершить преступление.

Арлезианцам странно было видеть, что их Фу-Ру всю ночь работает на улице, а днем спит. Что бы Винсент ни делал, они все обращали в забаву для себя.

Когда наступило первое число, хозяин гостиницы не только повысил плату, но заявил, что будет брать деньги за чулан, в котором Винсент хранил свои полотна. Взбешенный жадностью хозяина, Винсент возненавидел гостиницу. Серый ресторанчик, где он обедал, его вполне устраивал, но ему хватало денег ходить туда лишь два или три раза в десять дней. Надвигалась зима, а мастерской для работы у него не было; номер в гостинице был мрачен, да и жить в нем казалось Винсенту унизительным. Дешевая еда, которую он наспех проглатывал в ресторанчиках, снова вконец расстроила его желудок.

Надо было найти постоянное жилище и настоящую мастерскую.

Однажды вечером, идя со стариком Руленом по площади Ламартина, он увидел на доме, выкрашенном в желтый цвет, в двух шагах от гостиницы, объявление: «Сдается внаем». Дом состоял из двух крыльев, с двором посередине. Винсент остановился, в задумчивости оглядывая его.

— Великоват немного, — сказал он Рулену. — А то я бы поселился в таком доме.

— Нет нужды снимать весь дом, господин Ван Гог. Вы можете снять, скажем, одно только правое крыло.

— Верно! Сколько, по-вашему, там комнат? Во сколько мне это обойдется?

— Кажется, там три или четыре комнаты. А обойдутся они вам очень дешево, вдвое дешевле, чем номер в гостинице. Если хотите, завтра во время обеда мы зайдем сюда и посмотрим дом. Может быть, я помогу вам сторговаться.

Наутро Винсент был так взволнован, что уже не мог ни за что взяться — он бродил по площади Ламартина и осматривал дом со всех сторон. Дом был прочный и очень светлый. При более тщательном осмотре Винсент увидел, что там имеются два отдельных входа и что левое крыло уже занято.

В обеденный час явился Рулен. Они вместе вошли в правое крыло дома. Из прихожей они попали в большую комнату, потом в другую, поменьше. Стены были чисто выбелены. Пол в прихожей и лестница, ведущая на второй этаж, были выложены гладким красным кирпичом. Наверху оказалась еще одна просторная комната и кладовая. Полы в комнатах были из красных керамических плиток, на белых стенах играло и искрилось яркое солнце.

Наверху их ждал хозяин, заранее предупрежденный запиской Рулена. Несколько минут он разговаривал с Руленом на быстром провансальском наречии, и Винсент почти ничего не понял. Потом Рулен сказал Винсенту:

— Он непременно хочет знать, на какой срок вы снимаете квартиру.

— Скажите ему, что навечно.

— Вы согласны гарантировать хотя бы шесть месяцев?

— Ну разумеется!

— В таком случае он сдаст вам квартиру за пятнадцать франков в месяц.

Пятнадцать франков! И это почти за целый дом! Всего-навсего треть того, что он платил за номер в гостинице. Даже мастерская в Гааге стоила ему дороже. Постоянное удобное жилище за пятнадцать франков в месяц! Он торопливо вынул деньги из кармана.

— Вот! Скорее же! Отдайте их ему. Дом снят.

— Хозяин хочет знать, когда вы сюда переберетесь, — сказал Рулен.

— Сегодня. Сейчас же.

— Но, господин Ван Гог, у вас нет мебели. Как вы тут устроитесь?

— Я куплю тюфяк и стул. Рулен, вы и представить себе не можете, что значит жить в проклятых гостиницах. Я должен переехать сюда немедленно.

— Что ж, как вам будет угодно.

Хозяин удалился. Рулен пошел обратно на службу. Винсент бродил из одной комнаты в другую, несколько раз поднимался и спускался по лестнице, снова и снова осматривая каждый уголок своих владений. Пятьдесят франков от Тео он получил только накануне; из них почти тридцать еще лежали у него в кармане. Он вышел на улицу, купил дешевый тюфяк и стул и принес их в дом. Он решил, что в нижней комнате у него будет спальня, а наверху — мастерская. Он кинул тюфяк на красные гладкие плиты, втащил стул в мастерскую и в последний раз пошел в гостиницу.

Хозяин гостиницы под каким-то вздорным предлогом приписал к счету лишних сорок франков. Он отказался отдать Винсенту его полотна, пока не получит денег. Чтобы вернуть полотна, Винсенту пришлось обратиться в полицию, но половину требуемых хозяином денег с него все-таки взыскали.

К вечеру ему удалось найти торговца, который согласился дать ему в кредит керосинку, два горшка и лампу. У Винсента осталось всего-навсего три франка. Он купил немного кофе, хлеба, картошки и кусок мяса на суп. Денег у него теперь совсем не осталось. В нижней маленькой комнатке он устроил кухню.

Когда над площадью Ламартина спустилась ночь, Винсент на керосинке сварил себе кофе и суп. Стола у него не было, поэтому он расстелил на тюфяке газету, поставил на нее еду и, скрестив ноги, уселся на пол ужинать. Купить нож и вилку он позабыл. Пришлось выуживать мясо и картофель из горшка рукоятью кисти. По этой причине еда слегка отдавала масляной краской.

Покончив с ужином, он взял керосиновую лампу и по красным кирпичным ступеням поднялся наверх. Мастерская была голой и пустынной, в лунном свете лишь одиноко торчал застывший мольберт. За окном темнел сад на площади Ламартина.

Винсент лег спать на тюфяке. Проснувшись утром, он отворил окно и увидел зелень сада, встающее солнце и дорогу, извивами уходящую в город. Он поглядел на гладкие красные плитки пола, на белые, без единого пятнышка, стены, на удивительно просторные комнаты. Потом сварил кофе и расхаживал по дому с чашкой в руках, обдумывая, как он обставит свое жилище, какие картины развесит на стенах и как счастливо заживет в этом чудесном доме — своем собственном доме.

На следующий день Винсент получил письмо от своего друга Поля Гогена; больной и совсем обнищавший, он застрял в грязном кафе в Понт-Авене, в Бретани. «Я не могу вырваться из этой дыры, — писал Гоген, — потому что мне нечем заплатить по счету, и хозяин держит мои картины под замком. Изо всех несчастий, какие выпадают на долю человека, ничто меня так не бесит, как безденежье. Но я чувствую себя обреченным на вечную нищету».

Винсент думал о художниках всей земли — издерганных, больных, бедствующих; все сторонятся их, насмехаются над ними, они голодают и мучаются до смертного часа. За что? В чем их вина? За какие грехи стали они отверженными? Как находят в себе силы эти парии, эти гонимые души создавать что-то хорошее? Художник будущего — ах, это будет такой колорист и такой человек, каких еще не видел мир! Он не станет жить в жалких кафе и не пойдет в бордели, где бесчинствуют зуавы.

Бедняга Гоген. Гниет заживо в какой-то поганой дыре в Бретани, хворый, не в силах работать, без друзей, которые помогли бы ему, без единого сантима в кармане, чтобы купить хлеба или позвать врача. Винсент считал Гогена великим живописцем и великим человеком. А если Гоген умрет! Или вдруг ему придется бросить работу! Это будет трагедия для искусства.

Винсент сунул письмо в карман, вышел из дома и побрел по набережной Роны. Груженная углем баржа пришвартовалась к пристани. Мокрая от прошедшего дождя, баржа вся сияла. Вода была желтовато-белой и жемчужно-серой. Сиреневое небо на западе отливало оранжевым, город казался фиолетовым. Грязные грузчики в синей и белой одежде сновали взад и вперед, таская уголь на берег.

Это был чистейший Хокусаи. И Винсенту вспомнился Париж, японские гравюры в лавочке папаши Танги... и Поль Гоген, которого он любил больше всех остальных своих друзей.

Теперь он знал, что ему делать. Его дом достаточно просторен для двоих. Каждый из них может устроить в нем отдельную спальню и отдельную мастерскую. Если они сами будут готовить себе пищу, растирать краски и беречь деньги, то смогут прожить на сто пятьдесят франков в месяц. Ведь плата за квартиру останется прежней, а расходы на еду увеличатся не намного. Как хорошо, если рядом опять будет друг, художник, который говорит на одном с тобой языке и понимает твое ремесло. А каким чудесам может научить его Гоген в живописи!

До сих пор Винсент не отдавал себе отчета, до чего он здесь одинок. Если они не сумеют прожить на сто пятьдесят франков, то, может быть, Тео согласится давать еще пятьдесят, а Гоген будет за это посылать ему каждый месяц по картине.

Да, да! Гоген должен непременно приехать сюда, в Арль. Жаркое солнце Прованса выжжет из него все недуги точно так же, как оно выжгло их из Винсента. Скоро работа у них в мастерской пойдет полным ходом. Это будет первая мастерская на юге Франции. Они продолжат традиции Делакруа и Монтичелли. Их живопись будет пронизана светом и воздухом, они раскроют людям глаза на буйные краски Юга.

Гогена нужно спасти!

Винсент повернул назад и рысцой побежал к площади Ламартина. Он открыл дверь своего дома, взобрался наверх по красной кирпичной лестнице и тут же начал обдумывать, как они разделят между собой комнаты.

«У нас с Полем будет здесь, наверху, по спальне. Нижние комнаты мы отведем под мастерские. Я куплю кровати, тюфяки, постельное белье, стулья, столы, и у нас будет настоящий дом. Я распишу его весь подсолнечниками и цветущими деревьями.

О, Поль, Поль, как чудесно, что ты опять будешь рядом со мной!»

6

На деле все оказалось не так просто, как представлялось Винсенту. Тео согласился посылать еще пятьдесят франков в месяц, но, кроме того, нужно было оплатить проезд Гогена по железной дороге, — а денег на это не оказалось ни у Тео, ни у самого Гогена. Гоген был слишком болен, чтобы действовать решительно, слишком обременен долгами, чтобы вырваться из Понт-Авена, слишком убит неудачами, чтобы горячо взяться за выполнение какого-либо плана. Письмо за письмом летело из Арля в Париж, из Парижа в Понт-Авен и обратно.

Винсент полюбил свой дом до безумия. На деньги, присланные Тео, он купил еще стол и комод.

«К концу года, — писал он брату, — я буду совсем другим человеком. Но не думай, что я опять куда-то уеду. Ни в коем случае. Я решил прожить остаток своей жизни в Арле. Я буду художником Юга. А ты всегда помни, что у тебя есть в Арле свой дом. Мне очень хочется обставить его так, чтобы ты мог приезжать сюда в отпуск».

На повседневные нужды он расходовал ничтожные средства, а все остальное вкладывал в обстановку. Каждый день ему приходилось решать, как потратить деньги — на себя или на какую-нибудь вещь для дома. Купить ли мяса на обед или приглянувшийся майоликовый кувшин? Новые башмаки или чудесное зеленое стеганое одеяло для Гогена? Заказать ли сосновую раму для картины или купить тростниковые стулья?

И всегда на первом месте был для него дом.

Он вселял в душу Винсента чувство покоя, так как все, что делалось для дома, делалось для будущего. Довольно он уже плавал по воле волн, без руля и без ветрил. Больше он не двинется с места. Когда он умрет, какой-нибудь художник продолжит начатое им дело. Он устроит постоянную мастерскую, в которой будут работать художники из поколения в поколение, — они станут живописцами Юга. Им завладела мысль расписать дом так, чтобы этот его труд оправдал все средства, затраченные на него в те годы, когда он не создал ничего достойного.

Он снова с головой ушел в работу. Он знал, что время и пристальное внимание к вещам сделали его зрелым и научили глубже понимать действительность. Раз пятьдесят ходил он к полю у подножия Монмажура и упорно вглядывался в него, не выпуская из рук кисти. Мистраль мешал ему работать свободно, одухотворяя чувством каждый мазок, а мольберт отчаянно трепетал и колыхался от ветра. Винсент работал с семи утра до шести вечера, не разгибая спины. Каждый день по картине!

— Завтра будет настоящее пекло, — сказал Рулен однажды вечером, когда уже наступила поздняя осень. Они сидели за кружкой пива в кафе на площади Ламартина. — И тем не менее зима уже на носу.

— А какая зима в Арле? — спросил Винсент.

— Скверная. Все время дожди, отвратительный ветер и холод, холод. Но все это длится очень недолго. Не больше двух месяцев.

— Значит, завтра у нас будет последний солнечный денек. В таком случае я пойду на одно место, которое мне давно хочется написать. Вообразите себе, Рулен: осенняя роща, два кипариса цвета бутылочного стекла, по форме тоже похожие на бутыли, и три невысоких каштана, листья у них табачного и оранжевого тона. Есть там еще маленький тис — крона у него бледно-лимонная, а ствол фиолетовый, и два каких-то куста с кроваво-красной, пурпурной и багряной листвой. И немного песка, травы и клочок голубого неба...

— Ах, господин Ван Гог, когда вы описываете то, что видели, я чувствую, что всю жизнь был словно слепой!

Наутро Винсент встал вместе с солнышком. У него было прекрасное настроение. Он подстриг себе бороду, причесал остатки волос, которые пощадило на его голове арлезианское солнце, надел свой единственный приличный костюм и привезенную еще из Парижа заячью шапку.

Рулен не ошибся в своем предсказании. Желтый, пышущий жаром шар солнца выкатился на небо. Заячья шапка надежно защищала голову, но не прикрывала от солнца глаза. Роща, которую облюбовал Винсент, была в двух часах ходьбы от Арля, по дороге на Тараскон. Деревья жались друг к другу, взбегая по склону холма. Винсент поставил мольберт на вспаханном поле, наискось от рощи. Он бросил на землю заячью шапку, снял куртку и укрепил на мольберте подрамник. Хотя было еще совсем рано, солнце припекало ему макушку, а глаза словно застилала танцующая огненная пелена, к которой он давно уже привык и приноровился.

Он пристально вгляделся в пейзаж, отметил про себя составляющие его цветовые компоненты и проследил его линии. Убедившись, что он понял пейзаж, Винсент размял кисти, открыл тюбики с краской и очистил нож, которым он разглаживал свои жирные мазки. Он взглянул еще раз на рощу, наметил на белом полотне углем несколько линий, смешал на палитре краски и уже занес в воздухе кисть.

— Ты так торопишься начать работу, Винсент? — услышал он голос за спиной.

Винсент резко повернулся.

— Еще очень рано, дорогой. У тебя впереди целый день.

Винсент в изумлении смотрел на незнакомую женщину. Она была совсем юная, но уже не девочка. У нее были синие-синие, как кобальтовое небо арлезианских ночей, глаза и волной спадавшие на плечи густые лимонно-желтые, словно солнце, волосы. Черты лица были нежнее и тоньше, чем у Кэй Вос, но в них чувствовалась знойная зрелость южанки. Кожа у нее была темная, золотистая, открывавшиеся меж улыбчивых губ зубы белели подобно цветку олеандра, если смотреть на него сквозь пурпуровое вино. На ней было длинное, плотно облегающее фигуру белое платье, заколотое сбоку квадратной серебряной пряжкой. На ногах у нее были простые сандалии. Охватывая ее крепкую, сильную фигуру, глаз плавно скользил по чистым, сладострастным линиям ее груди и бедер.

— Я так долго была вдали от тебя, Винсент, — сказала она.

Она встала между Винсентом и мольбертом, прислонившись к белому полотну и загораживая собой рощу. Солнце полыхало в ее лимонно-желтых волосах, огненными волнами скатываясь на спину. Она улыбалась Винсенту с такой нежностью, с такой любовью, что он провел рукой по глазам, словно стараясь убедиться, что он не бредит и не спит.

— Ты не понимаешь меня, мой дорогой, мой милый мальчик, — говорила женщина. — Как ты жил, когда я была так далеко?

— Кто ты?

— Я твой друг, Винсент. Самый лучший твой друг на свете.

— Откуда ты знаешь мое имя? Я никогда тебя не видел.

— Да, но я видела тебя много, много раз.

— А как тебя зовут?

— Майя.

— Майя — и только? И ничего больше?

— Для тебя, Винсент, я только Майя.

— Почему ты пришла за мной сюда, в поле?

— Потому же, почему я шла за тобой по всей Европе... чтобы быть с тобой.

— Ты принимаешь меня за кого-то другого. Я не тот человек, о котором ты говоришь.

Женщина положила прохладную белую ладонь на его обожженные рыжие волосы и легким движением откинула их назад. Прохлада ее руки и прохлада ее мягкого, тихого голоса были подобны свежести глубокого зеленого родника.

— На свете есть только один Винсент Ван Гог. Я никогда не спутаю его ни с кем другим.

— И давно ты знаешь меня?

— Восемь лет, Винсент.

— Но ведь восемь лет назад я был в...

— ...да, дорогой, в Боринаже.

— И ты знала меня тогда?

— Я увидела тебя впервые поздней осенью, вечером, когда ты сидел на ржавом железном колесе напротив Маркасской шахты...

— ...глядя, как углекопы расходятся по домам!

— Да. Когда я в первый раз взглянула на тебя, ты сидел там без дела. Я хотела пройти мимо. Но ты вынул из кармана мятый конверт и карандаш и начал рисовать. Я следила через твое плечо, что у тебя выходит. И когда я увидела... я полюбила тебя.

— Полюбила? Ты полюбила меня?

— Да, Винсент, мой дорогой, мой милый Винсент, я полюбила тебя.

— В ту пору я, наверно, был не так безобразен.

— Ты не был и вполовину так красив, как сейчас.

— Твой голос... Майя... он звучит так странно. Лишь однажды в жизни женщина разговаривала со мной таким голосом...

— ...и это была Марго. Она любила тебя, Винсент, и я тоже люблю тебя.

— Ты знала Марго?

— Я прожила в Брабанте два года. Я ходила за тобой по полям каждый день. Я смотрела, как ты работаешь в прачечной, около кухни. И я была счастлива, потому что Марго любила тебя.

— Значит, тогда ты меня уже не любила?

Она ласково прикоснулась кончиками прохладных пальцев к его глазам.

— Ах, что ты, я любила тебя. Я уже не могла разлюбить тебя с самого первого дня.

— И ты не ревновала к Марго?

Женщина грустно улыбнулась. По ее лицу пробежала тень бесконечной печали и сострадания. Винсент вспомнил Мендеса да Коста.

— Нет, я не ревновала к Марго. Ее любовь принесла тебе благо. Но мне не нравилась твоя любовь к Кэй. Она оскорбляла тебя.

— А знала ты меня, когда я любил Урсулу?

— Нет, это было до меня.

— Я бы тебе не понравился тогда.

— Нет.

— Я был глупцом.

— Иногда человек должен быть глупцом вначале, чтобы стать мудрым в конце.

— Но если ты любила меня в Брабанте, почему ты не пришла ко мне тогда?

— Ты еще не был готов к этому, Винсент.

— А теперь... я готов?

— Да.

— И ты все еще любишь меня? Даже теперь... сегодня... в эту минуту?

— Теперь... сегодня... в эту минуту... и вечно.

— Как ты можешь любить меня? Посмотри, мои десны сочатся кровью. У меня вставные зубы. Все волосы на моей голове выпали, их сожгло солнце. Глаза у меня красные, как у сифилитика. Все мое лицо — сплошь торчащие кости. Я безобразен. Безобразней всех на свете. У меня расстроены нервы, плоть моя бесплодна, весь я до кончиков ногтей отравлен ядом. Как можешь ты любить такого человека?

— Присядь на минуту, Винсент.

Он сел на свой складной стул. Женщина опустилась на колени, прямо в темную рыхлую глину.

— Что ты делаешь? — вскричал Винсент. — Ты запачкаешь свое платье! Позволь, я подстелю тебе куртку.

Женщина отстранила его нежнейшим прикосновением ладони.

— Много раз пачкала я свое платье, следуя за тобой, Винсент, но оно снова становилось чистым.

Своею сильной белой рукой она приподняла голову Винсента и пригладила у него прядь волос за ухом.

— Ты не безобразен, Винсент. Ты красив. Ты истерзал и измучил бедное тело, в котором заключена твоя душа, но душу ты бессилен умертвить. А ведь ее-то я и люблю. И когда ты погубишь себя своей неистовой работой, эта душа будет жить... вечно. И с нею моя любовь к тебе.

Солнце поднималось по небу все выше и выше, обрушивая яростный зной на Винсента и женщину.

— Дай я уведу тебя куда-нибудь, где прохладней, — сказал Винсент. — Вон там, неподалеку, растут кипарисы. В тени тебе будет лучше.

— Я счастлива с тобой и здесь. Солнце мне не мешает. Я привыкла к нему с детства.

— Ты давно уже в Арле?

14-1648и

— Я приехала сюда вслед за тобой из Парижа.

Винсент в гневе вскочил на ноги и опрокинул стул.

— Ты просто обманщица! Тебя подослали сюда, чтобы посмеяться надо мной. Кто-то рассказал тебе о моем прошлом, подкупил тебя, — и ты хочешь меня одурачить! Сейчас же уходи отсюда. Я не скажу тебе больше ни слова!

Женщина ответила на его гневные слова улыбкой.

— Я не обманщица, мой милый. Я — самое верное, самое настоящее, что только есть в твоей жизни. Мою любовь к тебе не убить ничем.

— Это ложь! Ты не любишь меня. Ты издеваешься надо мной. Сейчас я положу конец этой игре.

Он грубо подхватил ее на руки. Она нежно прильнула к нему.

— Сейчас я сделаю тебе больно, если ты не уйдешь отсюда и не перестанешь мучить меня.

— Сделай мне больно, Винсент. Ты делал мне больно и раньше. Нельзя любить, не испытывая боли.

— Хорошо, тогда получай!

Он крепко стиснул ее в объятиях, прижался ртом к ее рту, кусая его, с силой вдавливая в него свой поцелуй.

Женщина приоткрыла мягкие теплые губы и позволила ему пить сладость своего рта. Она прижалась к нему всем телом, всем своим существом, полностью отдавая себя в его власть.

Вдруг Винсент резко выпустил ее из рук, отшатнулся и шагнул к своему стулу. Женщина скользнула наземь рядом с ним, положила ему на колено руку и оперлась на нее подбородком. Он гладил ее пышные лимонно-желтые волосы.

— Ну, теперь ты видишь, что я говорю правду? — спросила она.

Помолчав с минуту, Винсент сказал:

— Ты приехала в Арль вслед за мной. Знаешь ли ты о Голубке?

— Рашель — прелестное дитя.

— И ты ничего не имеешь против?

— Ты мужчина, Винсент, тебе нужна женщина. А поскольку в то время еще не наступил мой срок прийти к тебе, ты был волен делать что хотел. Но теперь...

— Теперь?

— Теперь тебе нет в этом нужды. И никогда не будет.

— Ты хочешь сказать, что ты...

— Конечно, милый. Я люблю тебя...

— И за что только ты любишь меня? Женщины всегда меня презирали.

— Ты создан не для любви. Твое призвание — это работа.

— Работа? Чушь! Я был безумцем! Какой толк в этих сотнях полотен? Кому они нужны? Кто купит их? Кто скажет мне хотя бы скупое слово похвалы, кто признает, что я сумел понять природу и передал ее красоту?

— Придет день, и весь мир признает это, Винсент.

— Придет день... Это пустая мечта! Вроде мечты о том, что когда-нибудь я стану здоровым человеком, что у меня будет дом, семья, что моя живопись даст мне средства к существованию. Я пишу уже восемь долгих лет. И за это время никто не пожелал купить у меня хотя бы одну картину. Я был поистине безумцем.

— Да, но каким чудесным безумцем! Когда тебя не будет на свете, Винсент, мир поймет, что ты хотел сказать. Полотна, которые ты не можешь продать сегодня за сотню франков, будут стоить миллионы. Ах, ты смеешься, но я говорю тебе правду. Твои картины будут висеть в музеях Амстердама и Гааги, Парижа и Дрездена, Мюнхена и Берлина, Москвы и Нью-Йорка. Им не будет цены, потому что никто не захочет их продать. О твоем искусстве, Винсент, напишут целые книги, из романов и пьес люди узнают о твоей жизни. Там, где сойдутся хотя бы два человека, любящих живопись, имя Винсента Ван Гога будет священно.

— Если бы я до сих пор не чувствовал вкус твоих губ, то решил бы, что брежу или схожу с ума.

— Сядь рядом со мною, Винсент. Дай мне твою руку.

Солнце стояло у них прямо над головой. Склон холма и лощина были окутаны серно-желтой дымкой. Винсент сидел в борозде, рядом с женщиной. Шесть долгих месяцев он ни с кем не разговаривал, кроме Рашели и Рулена. В нем бурлил и бился поток слов. Женщина заглянула в глубину его глаз, и он начал говорить. Он рассказал ей об Урсуле и о том времени, когда он служил приказчиком у Гупиля. Рассказал о своих бесплодных усилиях и разочарованиях, о своей любви к Кэй, о том, как он пытался жить с Христиной, введя ее женой к себе в дом. Рассказал о надеждах, которые он возлагал на свою живопись, о брани, которой его осыпали со всех сторон, об ударах, которые наносила ему судьба, о том, почему он хотел, чтобы рисунок его был грубым, мазок легким и стремительным, колорит жарким, накаленным; обо всем, что он хотел сделать для живописи и живописцев; наконец, о том, как он довел себя до полного истощения и болезни.

Чем больше он говорил, тем больше волновался и взвинчивал себя. Слова лились из его уст, словно краски из тюбиков. В лад со словами дергалось все его тело. Он говорил пальцами, руками, локтями, плечами — вскочив на ноги, он расхаживал взад и вперед, и все его тело содрогалось. Сердце у него билось все чаще, кровь словно кипела, палящее солнце возбуждало в нем лихорадочную, яростную энергию.

Женщина слушала его не шевелясь, не упуская ни одного слова. По ее глазам он видел, что она все понимает. Она с жадностью ловила то, что он говорил, и с жадностью ждала, что он скажет еще, всеми силами стараясь проникнуться его чувствами и принять все, что рвалось из его души.

Вдруг Винсент замолчал. Он весь дрожал от возбуждения. Лицо и глаза у него налились кровью, ноги ослабели. Женщина притянула его к себе и усадила рядом.

— Поцелуй меня, Винсент, — сказала она.

Он поцеловал ее в губы. Они уже не были теперь прохладными. Винсент лег рядом с женщиной на жирную, рыхлую глину. Она целовала его глаза, уши, ноздри, целовала ложбинку на его верхней губе, прикасалась своим сладким, нежным языком к его языку и нёбу, трепещущими пальцами ласкала его заросшую волосами шею и плечи, гладила под мышками.

Ее поцелуи пробудили в нем мучительную страсть, какой он не испытывал никогда в жизни. Каждая частица его тела томилась и ныла тупой болью плоти, которую была уже не способна насытить и успокоить одна только плоть. Никогда еще женщина не отдавалась ему с поцелуем горячей любви. Он прижимал ее к себе, ощущая, как под мягким белым платьем струится по ее жилам жаркая кровь.

— Подожди, — сказала она.

Она отстегнула серебряную пряжку на бедре и сбросила с себя платье. Ее тело отливало таким же темным золотом, как и лицо. Это было девственное тело, девственное до последней жилки. Он и не подозревал, что женское тело может быть вылеплено с таким совершенством. Он и не знал, что страсть может быть такой чистой, такой чудесной и опаляющей.

— Ты весь дрожишь, дорогой, — сказала она. — Прижмись ко мне крепче. Не бойся, мой дорогой, мой милый мальчик. Делай со мной все, что хочешь.

Солнце достигло зенита и стало спускаться по небосклону. От свирепых солнечных лучей земля за день накалилась, как печь. Она источала запахи того, что было посеяно, выросло и созрело в ней, а потом было сжато и снова умерло. Она пахла жизнью — острым, пряным запахом жизни, которая непрерывно рождалась и вновь обращалась в прах, готовый для нового творения.

Возбуждение Винсента все возрастало. В нем бился и трепетал каждый фибр, и где-то внутри, в какой-то одной точке, этот трепет пронзал его резкой болью. Женщина открыла Винсенту свои объятия, отдавая ему весь свой пыл и принимая его мужскую ласку, она впивала его всепоглощающую страсть, которая все более и более переполняла его существо, и своими нежными объятиями, каждым своим движением вела его к сладкому беспамятству созидательных судорог последнего мгновения.

Обессиленный, он уснул на ее груди.

Когда Винсент проснулся, он был уже один. Солнце закатилось за горизонт. Пока Винсент лежал, зарывшись лицом в землю, на щеке у него налипла лепешка глины. Земля теперь похолодела, от нее шел запах полусгнивших, погребенных в ней растений. Он надел куртку и заячью шапку, взвалил на спину мольберт и взял полотно под мышку. По темной дороге он побрел к дому.

Придя к себе, он кинул мольберт и чистое, пустое полотно на тюфяк и вышел на улицу, чтобы выпить где-нибудь чашку кофе. Облокотившись на холодный каменный столик и уткнув лицо в ладони, он мысленно вновь переживал все то, что произошло с ним в этот день.

— Майя, — шептал он, — Майя... Слышал ли я когда-нибудь это имя?.. Оно значит... оно значит... что же оно значит?

Он заказал еще чашку кофе. Через час он потащился по площади Ламартина обратно к дому. Дул холодный ветер. Вот-вот должен был хлынуть дождь.

Полтора часа назад, войдя в спальню и швырнув мольберт на тюфяк, он даже не зажег свою керосиновую лампу. Теперь он чиркнул спичкой и поставил горящую лампу на стол. Желтое пламя осветило комнату. Уголком глаза Винсент заметил на тюфяке что-то цветное, яркое. Пораженный, он шагнул к тюфяку и взял в руки полотно, с которым ходил сегодня работать.

В великолепии дивного солнца перед ним сияла осенняя роща — два зеленых, цвета бутылочного стекла, кипариса, похожие по форме на бутыли; три невысоких каштана, листья у них табачного и оранжевого тона; тис с бледно-лимонной кроной и фиолетовым стволом; два куста с кроваво-красной, пурпурной и багряной листвой; впереди немного песка, травы, и над всем — голубое-голубое небо с витым шаром серно-лимонного огня.

Несколько минут он стоял, остолбенев, и смотрел на картину. Потом осторожно повесил ее на стену. Отойдя к тюфяку, он сел, скрестив ноги, и стал смотреть на полотно, криво улыбаясь.

— Это хорошо, — сказал он вслух. — Это сделано хорошо.

7

Наступила зима. Целыми днями Винсент сидел в своей теплой, уютной мастерской. Тео писал, что Гоген, на один день приехавший в Париж, был в тяжелом состоянии духа и всеми силами сопротивлялся поездке в Арль. В мечтах Винсента его дом был не просто пристанищем для двух человек, а постоянной мастерской для всех художников Юга. Он обдумывал планы, как вместе с Гогеном они расширят жилую площадь в доме и наладят свою работу. Всякий художник, который захочет жить с ними, будет желанным гостем; вместо платы за приют он должен будет посылать Тео одну картину в месяц. Как только у Тео скопится достаточно полотен импрессионистов, он уйдет от Гупиля и откроет в Париже галерею Независимых.

В своих письмах Винсент давал ясно понять, что Гоген будет распорядителем мастерской и старшиной всех художников, которые захотят тут работать. Винсент старался сберечь каждый франк, чтобы получше обставить свою спальню. Стены он выкрасил в бледно-фиолетовый цвет. Пол был из красных плиток. Он купил тонкие зеленовато-лимонные простыни и наволочки, ало-красное одеяло и окрасил деревянную кровать и стулья в цвет свежего сливочного масла. Туалетный столик он покрыл оранжевой, таз голубой, а дверь лиловой краской. Он повесил на стену несколько своих картин, открыл ставни и, написав комнату, послал полотно Тео, чтобы брат знал, какая у него уютная спальня. Он написал ее в легких прозрачных тонах, как на японских гравюрах.

С комнатой Гогена дело обстояло иначе. Украшать дешевыми, случайными вещами комнату распорядителя мастерской Винсент не хотел. Жена Рулена говорила, что ореховая кровать, которую ему так хотелось купить для Гогена, обойдется не дешевле трехсот пятидесяти франков, а таких денег у Винсента не было. Тем не менее он постоянно покупал мелкие вещи для комнаты друга и тем ставил свой бюджет на грань катастрофы.

В те дни, когда у Винсента не было денег на модель, он, стоя перед зеркалом, снова и снова писал автопортреты. Приходила позировать ему и Рашель; однажды воскресным вечером побывала у него вместе со своими детьми мадам Рулен; мадам Жину, жена владельца кафе, куда постоянно ходил Винсент, позировала ему в своем арлезианском костюме. Он закончил ее портрет в один час. Фон он написал бледно-лимонным, лицо серым, платье черным, с пятнами берлинской лазури. Сидела мадам Жину в специально взятом для этого случая у соседей оранжевом деревянном кресле, облокотившись на зеленый стол.

Молодой зуав, совсем мальчик, с мелкими чертами лица, с бычьей шеей и глазами тигра согласился позировать Винсенту совсем за пустячную сумму. Винсент написал его по пояс, в голубой — цвета эмали — форме зуавов, с красновато-оранжевыми шнурами и двумя бледно-лимонными звездами на груди. На его бронзовой кошачьей головке лихо сидела красная феска, фон на портрете Винсент сделал зеленым. Получилось дикое сочетание самых несовместимых цветов — резких, грубых, кричащих, — но характер зуава это вполне выражало.

Винсент часами сидел у окна с карандашом и бумагой, отрабатывая рисунок, — ему хотелось несколькими штрихами очертить фигуру мужчины, женщины, ребенка, лошади или собаки так, чтобы голова, туловище и ноги составляли единое органическое целое. Он сделал копии многих своих летних картин, прикидывая в уме, что если бы он продавал в год пятьдесят полотен по двести франков за штуку, то мог бы есть и пить, не краснея, — у него было бы на это полное право.

За зиму он сделал для себя массу удивительных открытий: он узнал, что, изображая тело, ни в коем случае нельзя применять берлинскую лазурь, ибо тело тогда становится безжизненным, словно деревянным; что тона на его полотнах должны быть гораздо плотнее и резче, чем теперь; что самый существенный элемент живописи на Юге — это контрасты красного и зеленого, оранжевого и голубого, серно-желтого и сиреневого; что своими полотнами он хотел сказать людям что-то утешительное, нечто такое, что есть в музыке; что он стремился вложить в образы мужчин и женщин нечто божественное — то, что обычно символически обозначают нимбом вокруг головы и что он пытался выразить сиянием и трепетом своих красок; и, наконец, он понял, что для того, чьим уделом с рождения стала нищета, она неизбывна вовеки.

Один из дядей Ван Гогов скончался и оставил Тео маленькое наследство. Зная о страстном желании Винсента жить вместе с Гогеном, Тео решил половину этого наследства потратить на обстановку гогеновской спальни и на его переезд в Арль. От радости Винсент был на седьмом небе. Он начал обдумывать, как еще лучше украсить свой дом. Ему хотелось написать дюжину панно с изображением великолепных арлезианских подсолнечников — симфонию голубого и желтого.

Возможность переехать в Арль на деньги Тео Гогена, видимо, даже не обрадовала. В силу каких-то непонятных для Винсента причин Гоген предпочитал околачиваться в Понт-Авене.

Винсент рвался поскорее и получше украсить дом, чтобы к приезду старшины мастерская была готова.

Наступила весна. Кусты олеандра на заднем дворе расцвели с таким невероятным буйством, что Винсент лишь диву давался. Рядом с только что распустившимися цветами на склоненных от тяжести ветках были уже увядшие, а молодые побеги, словно брызги зеленых струй, множились с неистощимой силой.

Снова Винсент закинул мольберт за спину и снова отправился в поле — ему хотелось найти подсолнухи для задуманных двенадцати панно. Вспаханная земля была приглушенно-мягких тонов и напоминала цветом крестьянские сабо, по голубому, как незабудки, небу плыли хлопья белых облаков. Несколько подсолнухов Винсент написал на месте еще ранним утром, в самом стремительном темпе, а часть сорвал, унес домой и писал их в зеленой вазе. Стены дома снаружи Винсент, к немалой потехе обитателей площади Ламартина, заново выкрасил желтой краской.

Когда все работы были закончены, пришло лето. Вместе с ним вернулся изнуряющий зной, и упорный мистраль, и беспокойство, которым был заражен самый воздух, и мучительный, тягостно-унылый вид окрестностей и самого городка, прилепившегося к склону холма.

Тем временем приехал Гоген.

Он сошел с поезда до рассвета и дожидался утра в маленьком ночном кафе. Хозяин кафе взглянул на него и воскликнул:

— Да вы ж и есть тот самый его приятель! Я сразу признал вас.

— О каком, черт подери, приятеле ты толкуешь?

— Господин Ван Гог показывал мне портрет, который вы прислали. Вы на нем точь-в-точь как вылитый.

Гоген отправился будить Винсента. Встреча их была шумной и сердечной. Винсент показал Гогену дом, помог ему распаковать чемодан, расспрашивал о парижских новостях. Они без умолку разговаривали несколько часов.

— Собираешься сегодня работать, Гоген?

— Ты что, принимаешь меня за Каролюса-Дюрана? Вот я только-только сошел с поезда, схватил кисть и тут же увековечил прекрасный закат?

— Нет, что ты, я просто так спросил...

— Тогда не задавай дурацких вопросов.

— Я тоже устрою себе сегодня праздник. Пошли, я покажу тебе город.

Он повел Гогена по холму, через раскаленную солнцем площадь Мэрии; скоро они были уже на проезжей дороге, в другом конце городка. Зуавы маршировали взад и вперед по полю перед своими казармами; их красные фески горели на солнце. Винсент повел Гогена через небольшой парк к римскому форуму. Навстречу то и дело попадались арлезианки, вышедшие подышать свежим воздухом. Винсент с восхищением заговорил о том, как они красивы.

— Ну, что ты скажешь об арлезианках, Гоген? — допытывался он.

— Если хочешь знать, я от них не в таком уж восторге.

— Ты не смотри на формы, ты погляди, какой у них цвет кожи. Полюбуйся, какой колорит придало им солнце.

— А как тут насчет борделей, Винсент?

— Ах, нет ничего приличного — только пятифранковые заведения для зуавов.

Они вернулись домой и принялись обсуждать распорядок жизни. В кухне они прибили к стене ящик и положили в него половину наличных денег — столько-то на табак, столько-то на непредвиденные расходы, столько-то на квартиру. На крышку был положен лист бумаги и карандаш — записывать каждый франк, который берется из ящика. В другой ящик они положили остальные деньги, на еду, разделив их на четыре части — на неделю каждая.

— Ты ведь хороший повар — правда, Гоген?

— Превосходный! Научился, когда плавал в море.

— Ну, тогда ты и будешь стряпать. Но сегодня по случаю твоего приезда я сварю суп сам.

Когда вечером Винсент подал суп, Гоген не смог его есть.

— Не понимаю, как это ты умудрился сварить такую адскую бурду. Сказать по правде, это похоже на ту мешанину красок, которая у тебя на картинах.

— А что тебе не нравится на моих картинах?

— Дорогой мой, ты все еще барахтаешься в волнах неоимпрессионизма. Лучше бы тебе бросить этот метод. Он не отвечает твоей натуре.

Винсент резко отодвинул тарелку.

— И у тебя хватает смелости судить так с первого взгляда? Да ты, я вижу, заправский критик!

— А ты посмотри сам. Ведь не слепой же ты, правда? Эти бешеные желтые цвета, например, они же совершенно беспорядочны.

Винсент взглянул на свои панно.

— И это все, что ты можешь сказать о моих подсолнухах?

— Нет, дорогой друг, в них есть еще много такого, что можно критиковать.

— Что же, к примеру?

— Да, к примеру, их дисгармоничность. Они однообразны и незаконченны.

— Это ложь!

— Ах, сядь, пожалуйста, Винсент. И не гляди на меня так, как будто ты собираешься меня пристукнуть. Я много старше тебя, и у меня более зрелые взгляды. Ты все еще пробуешь, все еще ищешь себя. Слушайся моих советов, они принесут тебе пользу.

— Извини меня, Поль. Я бы очень хотел, чтобы ты помог мне.

— Прежде всего ты должен начисто выбросить из головы всякую чепуху. Ты целыми днями бредишь о Мейссонье и Монтичелли. Оба они ни к черту не годятся. Пока ты восхищаешься такого рода живописью, тебе не написать ни одного хорошего полотна.

— Монтичелли был великим художником. Он так понимал колорит, как ни один его современник.

— Твой Монтичелли был кретин и пьяница, вот кто!

Винсент вскочил на ноги и метнул свирепый взгляд на Гогена. Тарелка с супом упала на красные плитки пола и разбилась вдребезги.

— Ты не смеешь так говорить о Фада! Я люблю его почти как брата! Все эти разговоры о том, что он был пьяница и не в своем уме, — все это злостная клевета. Хотел бы я видеть, как это пьяница напишет такие картины, как Монтичелли! Напряженная работа, чтобы согласовать шесть основных цветов, глубочайшая сосредоточенность, тонкий расчет, умение решить тысячу вопросов в какие-нибудь полчаса — да тут необходим самый здравый ум! И притом абсолютно трезвый! А ты, повторяя сплетни о Фада, поступаешь ничуть не лучше, чем та баба, которая их распустила!

— *Тю-тю! Нашелся дурак, да не впору колпак!*

Винсент отшатнулся, словно ему выплеснули в лицо стакан холодной воды. Его душил гнев. Он пытался подавить свою ярость, но не смог. Хлопнув дверью, он ушел к себе в спальню.

8

Наутро ссора была забыта. Они вместе напились кофе и пошли в разные стороны искать мотивы для пейзажа. Когда Винсент, страшно уставший от того, что он называл согласованием шести основных цветов, вернулся к вечеру домой, он увидел, что Гоген уже готовит ужин на керосинке. Они начали тихо и мирно беседовать; скоро разговор коснулся живописцев и живописи — единственного предмета на свете, в котором они были страстно заинтересованы.

И схватка началась.

Тех художников, которыми восхищался Гоген, Винсент презирал. Кумиры Винсента были в глазах Гогена исчадием ада. Они расходились буквально во всем, что касалось их ремесла. Любую тему они могли обсуждать спокойно, дружески, пока речь не заходила о самом для них дорогом — о живописи. Каждый отстаивал свою точку зрения до изнеможения, до хрипоты. Грубой физической силы у Гогена было вдвое больше, но бешеная страстность Винсента уравнивала их шансы в борьбе.

Даже в том случае, когда они заговаривали о вещах, по поводу которых у них не было разногласий, доводы их звучали слишком запальчиво. К концу разговора головы у них раскалялись, как раскаляются пушки после баталии.

— Тебе не бывать художником до тех пор, пока ты не привыкнешь, взглянув на натуру, уходить в мастерскую и писать ее с совершенно холодной душой, — говорил Гоген.

— А я не хочу писать с холодной душой! Неужели ты так глуп, что не понимаешь этого? Я хочу писать горячо, страстно. Для этого я и приехал в Арль.

— Все твои полотна — это лишь рабское подражание натуре. Ты должен научиться писать отвлеченно!

— Отвлеченно! Боже милостивый!

— И еще одно: тебе бы следовало поуважительней прислушиваться к Сёра. Живопись — это абстракции, мой мальчик. В ней нет места для разных басен и для поучений, которыми ты тычешь в нос.

— Я тычу в нос поучениями? Да ты рехнулся!

— Если хочешь читать проповеди, Винсент, иди-ка ты обратно в священники. Живопись — это цвет, линия, форма и ничего более. Художник может воспроизвести декоративность природы — и точка.

— Декоративность! — фыркнул Винсент. — Если ты хочешь брать в природе только декоративность, возвращайся на биржу.

— Если я вернусь на биржу, то буду ходить по воскресеньям слушать твои проповеди. Но что же стремишься брать в природе ты, мой дорогой командир?

— Движение, Гоген, движение и ритм жизни.

— Ну вот, додумался!

— Когда я пишу солнце, я хочу, чтобы зрители почувствовали, что оно вращается с ужасающей быстротой, излучает свет и жаркие волны колоссальной мощи! Когда я пишу поле пшеницы, я хочу, чтобы люди ощутили, как каждый атом в ее колосьях стремится наружу, хочет дать новый побег, раскрыться. Когда я пишу яблоко, мне нужно, чтобы зритель почувствовал, как под его кожурой бродит и стучится сок, как из его сердцевины хочет вырваться и найти себе почву семя!

— Сколько раз я тебе говорил, Винсент, что художник не должен забивать себе голову теориями.

— Возьмем этот пейзаж с виноградником, Гоген. Ты только взгляни! Эти гроздья вот-вот готовы лопнуть и брызнуть соком прямо тебе в глаза. Или посмотри на этот овраг. Я стремился показать зрителю все те миллионы тонн воды, которые бились о его обрывы. А когда я пишу человека, мне надо передать весь поток его жизни, все, что он повидал на своем веку, все, что совершил и выстрадал!

— К чему ты, черт возьми, клонишь?

— А вот к чему, Гоген. Нива, которая прорастает хлебным колосом, вода, которая бурлит и мечется по оврагу, сок винограда и жизнь, которая кипит вокруг человека, — все это, по сути, одно и то же. Единство жизни — это лишь единство ритма. Того самого ритма, которому подчинено все: люди, яблоки, овраги, вспаханные поля, телеги среди вздымающейся пшеницы, дома, лошади, солнце. Та плоть, из которой состоишь ты, Гоген, завтра будет трепетать в виноградной ягоде, ибо ты и виноградная ягода суть одно и то же. Когда я пишу крестьянина, работающего в поле, я стараюсь написать его так, чтобы тот, кто будет смотреть картину, ясно ощутил, что крестьянин уйдет в прах, как зерно, а прах снова станет крестьянином. Мне хочется показать людям, что солнце воплощено и в крестьянине, и в пашне, и в пшенице, и в плуге, и в лошади, так же как все они воплощены в самом солнце. Как только художник начинает ощущать ритм, которому подвластно все на земле, он начинает понимать жизнь. В этом, и только в этом есть Бог.

— *Мой командир, да ты, я вижу, голова!*

Винсент дрожал с ног до головы, как в лихорадке. Слова Гогена ожгли его, будто пощечина. Он стоял, глупо разинув рот, и не мог вымолвить ни слова.

— Нет, ты объясни мне, что ты хочешь сказать, что это значит?

— Это значит, что время перебираться в кафе и выпить абсента.

Через две недели Гоген сказал:

— Давай-ка сегодня вечером сходим в тот самый дом, о котором ты говорил. Может быть, я найду там симпатичную толстушку.

— Только, пожалуйста, не бери Рашель. Она моя.

Они прошли через лабиринт мощенных камнем проулков и оказались в доме терпимости. Услышав голос Винсента, Рашель вприпрыжку выбежала из зала и бросилась к нему на шею, Винсент познакомил Гогена с Луи.

— Господин Гоген, — сказал Луи, — вы ведь художник. Вы не выскажете свое мнение о двух новых картинах, которые я купил в прошлом году в Париже?

— С удовольствием. Где именно вы их купили?

— У Гупиля, на площади Оперы. Они вот здесь, в первой гостиной. Заходите, господин Гоген.

Рашель провела Винсента в комнатку налево, усадила его в кресло, стоявшее у одного из столиков, и забралась к нему на колени.

— Я хожу сюда уже полгода, и Луи ни разу не спросил моего мнения об этих картинах, — обиженно сказал Винсент.

— Он не считает тебя художником, Фу-Ру.

— Что ж, может быть, он и прав.

— Ты меня больше не любишь, — сказала Рашель, надувая губы.

— Почему ты так думаешь, Голубка?

— Ты не приходил ко мне уже несколько недель.

— Я был очень занят, Голубка, готовил дом к приезду своего друга.

— Значит, ты любишь меня, даже когда не приходишь ко мне?

— Даже когда не прихожу.

Она ущипнула Винсента за его маленькие круглые уши и поцеловала их оба, одно за другим.

— Чтобы доказать свою любовь, Фу-Ру, отдай мне твои смешные маленькие уши. Ты ведь обещал!

— Если ты можешь оторвать их, они твои.

— Ох, Фу-Ру, если бы они были у тебя пришиты, как у моей куклы.

Из гостиной донесся шум, там кто-то завизжал — это был не то смех, не то крик боли. Винсент столкнул Рашель с колен и кинулся через зал в гостиную.

Гоген, скорчившись, сидел на полу и весь дрожал, по лицу его текли слезы. Луи, с лампой в руках, смотрел на него, совершенно ошарашенный. Винсент нагнулся и потряс Гогена за плечи:

— Поль, Поль, что с тобой?

Гоген пытался что-то сказать, но не мог.

— Винсент, — через минуту заговорил он, задыхаясь. — Винсент, наконец-то мы... отомщены... глянь... на стене... две картины... Луи купил их у Гупиля... для гостиной своего борделя. И только подумай, обе — *работы Бугро*!

Гоген вскочил и бросился к двери.

— Обожди минутку! — крикнул Винсент, устремляясь за ним. — Куда ты?

— На почту. Я должен сейчас же сообщить об этом по телеграфу в клуб «Батиньоль».

Лето было в разгаре, ужасающе знойное, ослепительное. В окрестностях Арля пылали неистовые краски. Зеленые и синие, желтые и красные, они были так резки и напряженны, что ломило в глазах. К чему бы ни прикасалось солнце, его лучи прожигали все насквозь. Долина Роны словно колыхалась в набегающих зыбких волнах зноя. Солнце безжалостно обрушивалось на двух художников, палило и истязало их, лишая человеческого облика и отнимая последние силы. Мистраль сек их тела, выматывая душу, рвал голову с плеч, так что казалось, он вот-вот разнесет их на куски. И все же каждое утро с рассветом они выходили из дому и работали до тех пор, пока нестерпимая синева дня не сгущалась в нестерпимую синеву ночи. Между Винсентом и Гогеном назревала решительная схватка; один из них был подобен грозному вулкану, а другой — лаве, клокочущей под земной корой. По ночам, когда они бывали слишком измучены, чтобы спать, и слишком взвинчены, чтобы сидеть спокойно, все свое внимание они сосредоточивали друг на друге. Денег у них оставалось мало. Развлечься было совершенно нечем. Они давали выход своим чувствам, постоянно задирая друг друга. Гоген не упускал случая взбесить Винсента, а когда Винсент доходил до белого каления, бросал ему в лицо: «Мой командир, да ты, я вижу, голова!»

— Неудивительно, Винсент, что ты не можешь писать. Посмотри, какой беспорядок у тебя в мастерской. Посмотри, какой хаос у тебя в ящике для красок. Господи Боже, если бы твои голландские мозги не были так забиты этими Доде и Монтичелли, может быть, ты взялся бы за ум и навел хоть какой-нибудь порядок в своей жизни.

— Это тебя не касается, Гоген. Здесь моя мастерская. Наводи порядок у себя, если хочешь.

— Раз уж мы заговорили об этом, я тебе скажу, что в голове у тебя такая же каша, как и в твоем ящике. Ты восхищаешься последним пачкуном, рисующим почтовые марки, и тебе никак невдомек, что Дега...

— Дега! Разве он написал хоть одну вещь, которую можно было бы поставить рядом с картинами Милле?

— Милле! Этот сентиментальный болван, этот...

Слыша, как Гоген поносит Милле, Винсент доходил до исступления: Милле он считал своим учителем и духовным отцом. Он бросался на Гогена и бегал за ним из комнаты в комнату. Гоген отступал. Дом был невелик. Винсент кричал, брызгал слюной, размахивая кулаками перед внушительной физиономией Гогена. В глухой час душной южной ночи между ними разыгрывались жестокие ссоры.

Они оба работали как черти, высекая из своих сердец и из природы искру созидания. День за днем сражались они со своими огненно-яркими, полыхающими палитрами, и ночь за ночью — друг с другом. В те вечера, когда не вспыхивали злобные перебранки, их дружеские споры приобретали такой накал, что после них было невозможно заснуть. Пришли деньги от Тео. Они тут же потратили их на табак и абсент. Стояла такая жара, что о еде не хотелось и думать. Им казалось, что абсент успокоит их нервы. На деле он их только расстроил еще больше.

Подул отвратительный, свирепый мистраль. Он приковал Винсента и Гогена к дому. Гогену не работалось. Он коротал время, издеваясь над Винсентом и вызывая в нем постоянное негодование. Никогда еще он не видывал, чтобы человек приходил в такое бешенство, споря об отвлеченных вещах. Для Гогена препирательства с Винсентом были единственным развлечением. И он без зазрения совести пользовался всяким случаем, чтобы вывести его из себя.

— Если бы ты так не горячился, Винсент, тебе же было бы лучше, — сказал он на шестой день мистраля. Он уже довел своего друга до такого состояния, что по сравнению с бурей, бушевавшей в их доме, мистраль казался легким ветерком.

— Погляди-ка лучше на себя, Гоген.

— А знаешь, Винсент, те люди, которые часто бывали в моем обществе и имели обыкновение со мной спорить, — все они как один сошли с ума.

— Это что же, угроза?

— Нет, просто предостережение.

— Можешь оставить свои предостережения при себе.

— Хорошо, в таком случае не пеняй, если что стрясется.

— Ох, Поль, Поль, хватит нам ссориться. Я знаю, что ты талантливее, чем я. Знаю, что ты многому можешь меня научить. Но я не хочу, чтобы ты презирал меня, — слышишь? Я работал как каторжный девять долгих лет, и, клянусь Богом, у меня есть что сказать этими проклятыми красками! Разве не так? Ну ответь же, Гоген!

— *Мой командир, да ты голова!*

Мистраль мало-помалу утих. Арлезианцы осмелились снова выйти на улицу. Вновь пылало сумасшедшее солнце. В воздухе было что-то лихорадочное, неудержимо тревожное. У полиции прибавилось работы — всюду начались насилия и дерзкие преступления. В глазах прохожих таилось беспокойство. Никто не смеялся. Никто не разговаривал. Черепичные крыши плавились под солнцем. На площади Ламартина возникали драки, сверкали ножи. Назревала катастрофа. Арль задыхался, выносить такое напряжение он был больше не в силах. Казалось, долина Роны вот-вот взлетит на воздух, брызнув миллионом осколков.

Винсент вспомнил слова парижского журналиста.

«Что же будет? — спрашивал он себя. — Землетрясение или революция?»

Вопреки всему он по-прежнему работал в поле без шляпы. Ему нужен был этот белый ослепительный зной, чтобы растопить ужасающие страсти, обуревавшие его душу. Мозг его был словно жаркий тигель, выплавлявший одно докрасна раскаленное полотно за другим.

С каждой новой картиной он все острее чувствовал, что девять лет труда во всю силу сказались только теперь, в эти тяжелые недели, сделав его на короткий срок могучим и совершенным живописцем. Он теперь далеко превзошел то, что создал в прошлое лето. Никогда уж потом не написать ему полотен, столь полно выражающих существо природы и его самого!

Он работал с четырех утра до позднего вечера, пока сумерки не скрадывали пейзаж. Он писал две, а порой и три картины в день. Каждое полотно, которое он создавал единым судорожным порывом, отнимало у него целый год жизни. Продолжительность его существования на земле не интересовала Винсента, для него важно было лишь то, как он распорядится отпущенными ему днями. Время для него измерялось лишь полотнами, которые выходили из-под его кисти, а не шелестом отрываемых листков календаря.

Он понимал, что его искусство достигло наивысшего расцвета, что наступил зенит его жизни, его час, к которому он стремился многие годы. Он не знал, как долго это продлится. Он знал одно — он должен писать и писать, полотно за полотном, полотно за полотном... Этот зенит жизни, этот краткий миг в бесконечности времен надо удержать, продлить, растянуть до тех пор, пока он не создаст все то, чем переполнена его душа.

Трудясь без устали целыми днями, ссорясь и ругаясь по ночам, не зная сна, довольствуясь самой скудной пищей, упиваясь солнцем, красками, возбуждением, табаком и абсентом, терзаемые стихиями и творческим жаром, изводя себя яростными нападками и злобой, друзья все больше и больше ненавидели друг друга.

Их палило солнце. Их бичевал мистраль. Им слепили глаза краски. Абсент обжигал их пустые желудки. Душной, тягостной ночью, когда разражалась буря, их дом стонал и содрогался.

Гоген написал портрет Винсента, пока тот рисовал в поле плуги. Винсент долго смотрел на этот портрет. В первый раз он ясно понял, что думает о нем Гоген.

— Это, конечно, я, — сказал он. — Я, но только сумасшедший!

Вечером они пошли в кафе. Винсент заказал себе легкого абсента. Вдруг он швырнул свой налитый до краев стакан Гогену в лицо. Гоген увернулся. Он схватил Винсента и на руках перенес его через всю площадь Ламартина. Винсент опомнился уже в кровати. Он тотчас же уснул.

— Мой милый Гоген, — сказал он утром тихим и спокойным голосом, — мне смутно помнится, что вчера вечером я оскорбил тебя.

— Я прощаю тебя от всего сердца, — отозвался Гоген, — но вчерашняя сцена может повториться. Если бы стакан попал мне в лицо, я мог бы потерять самообладание и задушить тебя. Поэтому позволь мне написать твоему брату, что я уезжаю отсюда.

— Нет, нет! Поль, ты не уедешь! Неужели ты бросишь наш дом? Все, что я сделал здесь, я сделал для тебя.

Спор не утихал целый день. Винсент горячо уговаривал Гогена остаться. Гоген отвергал каждый его довод. Винсент упрашивал, льстил, ругался, грозил, даже плакал. И на этот раз он одержал верх. Он чувствовал, что вся его жизнь зависит от того, останется ли его друг в доме. К вечеру Гоген изнемог и еле стоял на ногах. Он сдался лишь затем, чтобы немного отдышаться.

Во всем доме воздух трепетал и содрогался, словно насыщенный электричеством. Гоген был не в силах заснуть. Он задремал лишь под утро, на заре.

Странное ощущение заставило его проснуться. Открыв глаза, он увидел, что над его кроватью стоит Винсент и пристально смотрит на него из темноты.

— Что с тобой, Винсент? — сурово спросил Гоген.

Винсент вышел из комнаты, лег в постель и забылся тяжелым сном.

На следующую ночь Гоген был разбужен тем же самым ощущением. У его кровати стоял Винсент и пристально смотрел на него из темноты.

— Винсент! Иди ложись!

Винсент повернулся и вышел.

На другой день за ужином у них вспыхнула жестокая ссора из-за супа.

— Ты бухнул в него краски, Винсент, стоило мне зазеваться! — крикнул Гоген.

Винсент расхохотался. Он подошел к стене и, взяв мел, написал:

Je suis Saint Esprit.
Je suis sain d'esprit*.

---

* Я святой дух,
У меня здоровый дух *(фр.)*.

Несколько дней он вел себя очень тихо. Вид у него был унылый и угнетенный. С Гогеном он едва обмолвился словом. Он не брал в руки кисть. Не читал. Он сидел на стуле и упорно смотрел прямо перед собой, в пространство.

На четвертый день, когда дул свирепый мистраль, он попросил Гогена пойти с ним прогуляться.

— Идем в парк, — сказал он, — я хочу тебе кое-что сказать.

— Разве ты не можешь сказать это дома, ведь здесь нам гораздо уютнее.

— Нет, я не могу говорить сидя в четырех стенах. Мне надо пройтись.

— Ну что ж, пусть будет по-твоему.

Они пошли по проезжей дороге, которая огибала левую окраину города. Чтобы сделать шаг, им приходилось наклоняться вперед всем телом и пробивать мистраль, словно он был чем-то твердым и упругим. Кипарисы в парке гнулись под ветром почти до земли.

— Что ты хотел сказать мне? — спросил Гоген.

Он должен был кричать Винсенту прямо в ухо. Ветер уносил его слова раньше, чем Винсент успевал их расслышать.

— Поль, я все думал эти последние дни. У меня родилась замечательная идея.

— Извини, пожалуйста, но я побаиваюсь твоих замечательных идей.

— Мы все зашли в тупик в своей живописи. А знаешь, почему?

— Что, что? Не слышу ни слова. Крикни мне на ухо!

— ЗНАЕШЬ, ПОЧЕМУ МЫ ВСЕ ЗАШЛИ В ТУПИК В СВОЕЙ ЖИВОПИСИ?

— Нет. Почему?

— Потому, что мы пишем в одиночку!

— Что за чепуха!

— Кое-что мы пишем хорошо, кое-что — плохо. И вот, представь, мы соединяем свои силы в одном полотне.

— *Мой командир, я ловлю каждое твое слово!*

— Помнишь ты братьев Бот? Голландских живописцев? Одному удавался пейзаж. Другой был силен в изображении человеческой фигуры. Они писали картину совместно. Один делал пейзаж. Другой вписывал в него фигуры. И они превосходно работали.

— Короче говоря, к чему это ты клонишь?

— Что? Я не слышу. Подойди поближе.

— Я ГОВОРЮ – ПРОДОЛЖАЙ!

— Поль, именно так и должны делать мы. Ты и я. Сёра, Сезанн, Лотрек, Руссо. Мы все должны работать совместно над одними полотнами. Это будет истинная коммуна художников. Мы будем вносить в картину все лучшее, на что каждый из нас способен. Сёра — воздух. Ты пейзаж. Сезанн предметы. Лотрек фигуры. Я — солнце, луну и звезды. Все вместе мы составим одного великого живописца. Что ты скажешь?

— *Тю-тю! Нашелся дурак, да не впору колпак!*

Гоген разразился хриплым, неистовым хохотом. Ветер швырял его хохот прямо в лицо Винсенту, как швыряет пену с морской волны.

— Командир, — сказал Гоген, когда, насмеявшись, он перевел наконец дух, — если твоя идея не самая величайшая из всех идей в мире, то провалиться мне на месте! А пока, извини меня, я посмеюсь еще немного.

И он пошел по тропинке, хватаясь за живот и корчась от хохота.

Винсент не шевелясь стоял на месте.

Целая туча черных птиц стремительно опускалась на Винсента с неба. Тысячи черных птиц, крича, летели на него и били крыльями. Они кружились над ним, хлестали его, накрывали с головой своими черными телами, лезли ему в волосы, врывались в уши, в глаза, в ноздри, в рот, погребая его под плотным, траурно-черным, душным облаком трепещущих крыл.

Гоген вернулся назад.

— Слушай, Винсент, давай-ка пойдем отсюда прямо к Луи. По-моему, необходимо отпраздновать рождение твоей восхитительной идеи.

Винсент молча потащился за Гогеном на улицу Риколетт.

Гоген ушел наверх с одной из девушек.

Рашель села к Винсенту на колени тут же в зале.

— Ты не пойдешь ко мне, Фу-Ру? — спросила она.

— Нет.

— Почему же?

— У меня нет пяти франков.

— Тогда, может быть, ты отдашь мне вместо этого свое ухо?

— Отдам.

Гоген скоро вернулся. Они медленно пошли вниз по холму к своему дому. Гоген наскоро проглотил ужин. Затем, не говоря ни слова, он вышел из дома. Он пересек уже почти всю площадь Ламартина, когда услышал за спиной знакомые шаги — короткие, торопливые, сбивчивые.

Он обернулся.

Винсент догонял его, в руках у него была открытая бритва.

Гоген стоял, не двигаясь, не спуская с Винсента глаз.

Винсент остановился в двух шагах от него. Он пристально смотрел на Гогена из темноты. Потом он понурил голову, повернулся и побежал обратно к дому.

Гоген пошел в гостиницу. Он снял там комнату, запер на замок дверь и лег в постель.

Винсент вернулся домой. Он поднялся по красным кирпичным ступенькам в спальню. Взял в руки зеркало, перед которым столько раз писал свой автопортрет. Поставил его на туалетный столик, прислонив к стене.

Он увидел в зеркале свои красные, налитые кровью глаза.

Это конец. Его жизнь прошла. Он читал это по своему лицу.

Лучше свести все счеты сейчас же.

Он поднял бритву. Он почувствовал, как острая сталь прикоснулась к горлу.

Чьи-то голоса шептали ему странные, небывалые слова.

Арлезианское солнце метнуло между его глазами и зеркалом вал ослепительного огня.

Одним движением бритвы он отхватил правое ухо.

На голове осталась лишь узкая полоска мочки.

Он выронил бритву из рук. Обмотал голову полотенцем. Кровь большущими каплями падала на пол.

Он вынул ухо из таза. Обмыл его. Завернул в несколько листков бумаги, потом упаковал сверток в газету.

Он натянул на обмотанную голову баскский берет. Спустился по лестнице к двери. Перешел площадь Ламартина, поднялся на холм, позвонил у входа в дом номер один на улице Риколетт.

Служанка открыла дверь.

— Позови мне Рашель.

Через минуту вышла Рашель.

— Ах, это ты, Фу-Ру! Чего тебе надо?

— Я принес тебе кое-что.

— Мне? Подарок?

— Да, подарок.

— Как это мило с твоей стороны, Фу-Ру.

— Смотри, береги его. Это подарок на память от меня.

— А что это такое?

— Разверни — увидишь.

Рашель развернула бумагу. Она в ужасе уставилась на ухо. Потом как мертвая рухнула на плиты тротуара.

Винсент поплелся прочь. Он шел вниз по склону холма. Пересек площадь Ламартина. Потом затворил за собой дверь и лег в кровать.

Когда Гоген утром в половине восьмого пришел к дому Винсента, там у дверей была уже толпа народу. Рулен в отчаянии ломал руки.

— Что вы сделали со своим товарищем, сударь? — спросил Гогена какой-то человек в котелке, похожем на дыню. Тон у него был резкий и суровый.

— Право, не знаю...

— Ну нет... вы прекрасно знаете... он мертв.

Прошло довольно много времени, прежде чем Гоген вновь обрел способность соображать. Взгляды, которые бросала на него толпа, словно разрывали его на части, стискивали ему горло.

— Пройдемте наверх, сударь, — сказал он запинаясь. — Там мы сможем спокойно поговорить.

В нижних комнатах на полу валялись мокрые полотенца. Ступеньки лестницы, которая вела в спальню Винсента, были запачканы кровью. Винсент лежал на кровати, плотно укрытый простынями, скрюченный, словно ружейный курок. Жизнь, казалось, покинула его. Осторожно, очень осторожно Гоген коснулся тела Винсента. Оно было теплое. Гоген почувствовал, как к нему внезапно возвращается прежняя бодрость и энергия.

— Будьте любезны, сударь, — сказал он ровным, тихим голосом полицейскому комиссару, — разбудите этого человека как можно осторожнее. Если он спросит обо мне, скажите ему, что я уехал в Париж. Встреча со мной может оказаться для него губительной.

Полицейский комиссар послал за доктором и каретой. Винсента повезли в больницу. Рулен, тяжело вздыхая, брел рядом.

9

Доктор Феликс Рей, молодой врач Арльской больницы, был коренастый, приземистый человек со скуластым лицом, острым подбородком и стоявшими дыбом жесткими черными волосами. Он перевязал Винсенту рану и поместил его в комнату, напоминавшую келью, из которой было вынесено все лишнее. Уходя, он запер дверь на ключ.

Вечером, когда он щупал у Винсента пульс, больной проснулся. Он посмотрел неподвижным взглядом на потолок, потом на выбеленные известкой стены, потом на синевшее в окне вечернее небо. Наконец глаза его остановились на лице доктора Рея.

— Здравствуйте, — сказал он тихо.

— Здравствуйте, — ответил доктор Рей.

— Где я?

— Вы в Арльской больнице.

— Ох!

Лицо Винсента побледнело от боли. Он поднес руку к тому месту, где у него было правое ухо. Доктор Рей остановил его.

— Трогать нельзя, — сказал он.

— Да... Я припоминаю... теперь я припоминаю...

— Рана у вас, друг мой, хорошая, чистая. Я вас поставлю на ноги за несколько дней.

— А где мой приятель?

— Он уехал в Париж.

— Понимаю... Можно мне покурить трубку?

— Не сейчас, друг мой.

Доктор Рей промыл и перевязал рану.

— Это совсем пустяковый случай, — говорил он. — В конце концов, человек ведь слышит не этой капустой, которая у него прилеплена снаружи. На слух это не повлияет.

— Вы очень добры, доктор. Почему эта комната... такая голая?

— Я велел вынести все лишнее, чтобы защитить вас.

— Защитить меня? От кого?

— От самого себя.

— Да... понимаю...

— Ну, мне пора идти. Я пришлю к вам служителя с ужином. Постарайтесь лежать совершенно спокойно. Потеря крови очень ослабила вас.

Когда утром Винсент проснулся, у его кровати сидел Тео. Лицо у Тео было бледное, перекошенное, глаза покраснели.

— Тео, — сказал Винсент.

Тео соскользнул со своего стула, встал у кровати на колени и взял Винсента за руку. Он плакал, не стараясь сдержаться и не стыдясь своих слез.

— Тео... вот так всегда... когда я просыпаюсь... и ты мне очень нужен... ты рядом.

Тео не мог вымолвить ни слова.

— Это жестоко... погнать тебя в такую даль. Как ты узнал?

— Вчера я получил телеграмму от Гогена. Успел сесть на вечерний поезд.

— Напрасно Гоген ввел тебя в такие расходы. Ты сидел тут всю ночь, Тео?

— Да, Винсент.

Они помолчали.

— Я разговаривал с доктором Реем, Винсент. Он говорит, что это солнечный удар. Ты все время работал на солнце без шляпы, Винсент, ведь правда?

— Да.

— Вот видишь, старина, этого не надо было делать. Теперь ты должен всегда надевать шляпу. Здесь, в Арле, у стольких людей бывает солнечный удар.

Винсент с нежностью пожал брату руку. У Тео застрял комок в горле, и он никак не мог его проглотить.

— У меня есть одна новость, Винсент, но, я думаю, лучше нам подождать несколько дней.

— Хорошая новость, Тео?

— Надеюсь, что тебя она обрадует.

В комнату вошел доктор Рей:

— Ну, как сегодня чувствует себя больной?

— Доктор, брат хочет сообщить мне хорошую новость. Можно?

— Полагаю, что можно. Обождите — минуточку, минуточку. Позвольте, я взгляну. Что ж, отлично, прямо-таки отлично! Теперь рана быстро начнет затягиваться.

Когда доктор вышел, Винсент попросил Тео рассказать новость.

— Винсент, — сказал Тео, — я... ну, как тебе сказать... я встретил девушку.

— Правда, Тео?

— Да. Она голландка. Иоганна Бонгер. Очень похожа на нашу мать, Винсент.

— Ты ее любишь, Тео?

— Да. Я был одинок без тебя в Париже, Винсент. Раньше, до твоего приезда в Париж, мне никогда не бывало так плохо, но после того, как мы прожили вместе целый год...

— Со мной нелегко было жить, Тео. Боюсь, я доставил тебе много хлопот!

— Ох, Винсент, если бы ты знал, как часто я мечтал войти в квартиру на улице Лепик и опять увидеть твои башмаки у порога и сырые полотна на моей кровати! Однако хватит нам болтать. Тебе нужен покой. Я только посижу рядышком с тобой — вот и все.

Тео пробыл в Арле два дня. Он уехал лишь после того, как доктор Рей заверил его, что Винсент быстро поправится и что он, доктор, будет заботиться о нем не только как о своем пациенте, но и как о друге.

Рулен навещал Винсента каждый вечер и приносил цветы. По ночам Винсента мучили галлюцинации. Чтобы избавить его от бессонницы, доктор Рей пропитывал его подушку и матрац камфарой.

На четвертый день, убедившись, что Винсент вполне в здравом рассудке, доктор перестал запирать дверь и велел внести в комнату мебель.

— Можно мне встать и одеться, доктор? — спросил Винсент.

— Если вы чувствуете себя достаточно крепким, Винсент. Когда пройдетесь и немного подышите свежим воздухом, зайдите ко мне в кабинет.

Арльская больница помещалась в двухэтажном доме, построенном в виде четырехугольника, с двориком посредине, где было множество великолепных цветов и папоротников, а дорожки были посыпаны гравием. Винсент медленно прошелся по двору и через несколько минут был уже в кабинете доктора Рея, на первом этаже.

— Ну, как вы себя чувствуете, встав с постели? — спросил доктор.

— Очень хорошо.

— Скажите, Винсент, зачем вы это сделали?

Винсент долго молчал.

— Не знаю, — ответил он наконец.

— Что вы думали, когда вы это делали?

— Я... я не думал, доктор.

Прошло несколько дней, Винсент быстро набирал силы. Однажды утром, когда Винсент разговаривал с доктором Реем в его кабинете, он взял с умывальника бритву и открыл ее.

— Вам надо побриться, доктор, — сказал он. — Хотите, я вас сейчас побрею?

Доктор Рей попятился в угол и заслонил лицо ладонью.

— Нет, нет, не надо! Положите бритву!

— Но я в самом деле превосходный цирюльник, доктор. Я могу вас побрить отличнейшим образом.

— Винсент! Положите бритву на место!

Винсент засмеялся, закрыл бритву и положил ее на умывальник.

— Не пугайтесь, доктор. С этим теперь покончено.

В конце второй недели доктор Рей разрешил Винсенту работать. Служитель сходил к нему домой и принес мольберт и холсты. Чтобы развлечь Винсента, доктор Рей согласился ему позировать. Винсент писал его медленно, по нескольку минут в день. Когда портрет был готов, Винсент преподнес его доктору.

— Я хочу, чтобы вы хранили его в память обо мне, доктор. У меня нет другой возможности выразить вам свою благодарность за вашу доброту.

— Вы очень любезны, Винсент. Я весьма польщен.

Доктор унес портрет домой и прикрыл им трещину в стене.

Винсент пробыл в больнице еще две недели. Он писал дворик, залитый солнцем. Работал он теперь в широкополой соломенной шляпе. Больничный дворик с его цветами доставил ему материал для работы на эти две недели.

— Вы должны заходить ко мне каждый день, — говорил доктор Рей, пожимая Винсенту руку у ворот больницы. — И помните, никакого абсента, никаких волнений, никакой работы на солнце без шляпы.

— Обещаю вам, доктор. И большущее спасибо за все.

— Я напишу вашему брату, что вы совершенно здоровы.

Винсент узнал, что хозяин его квартиры намерен расторгнуть с ним контракт и сдать его комнаты какому-то торговцу табаком. Винсент был всей душой привязан к дому. Именно здесь пустил он корни в землю Прованса. Он расписал его весь, до последнего дюйма, внутри и снаружи. Он сделал его пригодным для жилья. Несмотря на все происшедшее, он считал этот дом своим на всю жизнь и был полон решимости бороться за него всеми средствами.

Сначала он боялся ложиться спать в одиночестве, так как его мучила бессонница, перед которой была бессильна даже камфара. Чтобы избавить Винсента от невыносимых галлюцинаций, пугавших его, доктор Рей дал ему бромистого калия. В конце концов голоса, шептавшие ему на ухо странные, небывалые слова, смолкли, чтобы зазвучать вновь только во время ночных кошмаров.

Он был еще слишком слаб и не отваживался работать на открытом воздухе. Но ум его, хоть и медленно, обретал ясность. Кровь струилась по жилам все живее, появился аппетит. Винсент с удовольствием пообедал в ресторане с Руленом, шутил и смеялся, уже не боясь новых страданий. Потихоньку он приступил к работе над портретом жены Рулена, который был начат еще до болезни. Ему нравилось, как теплые красноватые тона переходили на его полотне от розового к оранжевому, как желтое переливалось в лимонное, как ложились светло-зеленые и темно-зеленые краски.

Здоровье Винсента мало-помалу крепло, работа шла все быстрее. Он знал, что можно сломать руку или ногу и после этого вылечиться, но был очень удивлен, убедившись, что можно вылечить даже и голову, мозг.

Однажды вечером он пошел справиться о здоровье Рашели.

— Голубка, — сказал он, — мне очень жаль, что я причинил тебе столько огорчений.

— Пустяки, Фу-Ру, не беспокойся. В нашем городе это дело обычное.

Знакомые и друзья тоже уверяли его, что в Провансе каждый страдает или лихорадкой, или галлюцинациями, или сходит с ума.

— Тут нет ничего особенного, Винсент, — говорил Рулен. — Здесь, на земле Тартарена, все мы немножко сумасшедшие.

— Что ж, — отвечал Винсент, — значит, мы понимаем друг друга, как понимают друг друга члены одной семьи.

Прошло еще несколько недель. Винсент уже достаточно окреп, чтобы работать весь день у себя в мастерской. Он теперь не думал ни о сумасшествии, ни о смерти. Он чувствовал себя почти нормальным.

Наконец он осмелился выйти с мольбертом за город.

Под знойным солнцем спелая пшеница полыхала чудесным желтым пламенем. Но Винсент уже не мог передать эти тона на полотне. Он вовремя ел, вовремя ложился спать, избегал волнений и сильного душевного напряжения.

Он чувствовал себя настолько нормальным, что не мог писать.

— Вы неврастеник, Винсент, — говорил ему доктор Рей. — Нормальным вы никогда и не были... И знаете, нет художника, который был бы нормален: тот, кто нормален, не может быть художником. Нормальные люди произведений искусства не создают. Они едят, спят, исполняют обычную, повседневную работу и умирают. У вас гипертрофированная чувствительность к жизни и природе; вот почему вы способны быть их толкователем для остальных людей. Но если вы не будете беречь себя, эта гипертрофия чувствительности вас погубит. В конце концов она достигает такого напряжения, что влечет за собой смерть.

Винсент знал: чтобы уловить эту предельно высокую ноту желтого, которая преобладала в его арлезианских картинах, нужно все время скользить над пропастью, быть в непрерывном возбуждении, мучительно напрягать все свои чувства, обнажить каждый нерв.

Если он позволит такому состоянию духа вновь овладеть собой, он снова сможет писать так же блестяще, как раньше. Но этот путь приведет его к гибели.

«Художник — это человек, который призван делать свое дело, — бормотал он про себя. — Как было бы глупо с моей стороны жить на свете, если бы я не мог писать так, как хочу».

Он стал ходить в поле без шляпы, впитывая в себя могучую силу солнца. Он упивался безумными тонами неба, желтым солнечным шаром, зеленью полей, красками распускающихся цветов. Его сек мистраль, душило плотное ночное небо, подсолнухи лихорадили и воспламеняли его мозг. По мере того как росло его возбуждение, у него пропадал аппетит. Он снова держался на одном кофе, абсенте и табаке. Ночи напролет он лежал без сна, и глубокие краски окрестных пейзажей проходили перед его налитыми кровью глазами. В конце концов он вскидывал на спину мольберт и опять отправлялся в поле.

Творческие силы вновь вернулись к нему — вернулось чувство единого ритма всей природы, способность написать большое полотно буквально в несколько часов и напоить его ослепительным, сверкающим солнцем. С каждым днем появлялась новая картина, с каждым днем его лихорадило все сильнее. Он написал тридцать семь полотен без передышки, без единой паузы.

Однажды он проснулся в состоянии полной апатии. Он не мог работать. Он праздно сидел на стуле, упершись взглядом в стену. За весь день он едва пошевельнулся. Опять в его ушах зазвучали голоса, нашептывая ему странные, небывалые слова. Когда опустились сумерки, он пошел в серый ресторан, сел за столик и заказал себе супу. Служанка поставила перед ним тарелку. Вдруг над его ухом явственно прозвучал чей-то предостерегающий голос.

Он швырнул тарелку с супом на пол. Она раскололась на мелкие кусочки.

— Вы хотите отравить меня! — взвизгнул Винсент. — Вы подсыпали в этот суп яду!

Он вскочил на ноги и стал колотить кулаками по столу. Кое-кто из посетителей бросился к выходу. Другие смотрели на него, разинув в изумлении рты.

— Вы все хотите отравить меня! — кричал он. — Вы хотите убить меня! Я видел, как вы сыпали яд в этот суп!

Явились двое полицейских и на руках отнесли Винсента в больницу.

Через сутки он уже был совсем спокоен и обсуждал происшедшее с доктором Реем. Он работал потихоньку каждый день, ходил на прогулку за город, а к ужину возвращался в больницу и ложился спать. Бывали дни, когда он страшно тосковал, иногда же ему казалось, что все тяготы и несчастья вот-вот рассеются в мгновение ока.

Доктор Рей снова разрешил ему работать. Винсент написал персиковые деревья у дороги, на фоне Альп; рощицу олив, у которых листья были цвета старого серебра с зеленым и голубым отливом, а позади олив — вспаханное оранжевое поле.

Прошло три недели, и Винсент возвратился в свой дом. Теперь жители всего города, и в особенности те, кто жил на площади Ламартина, ополчились против него. Отрезанного уха и истории с отравленным супом было более чем достаточно, чтобы возмутить арлезианцев. Они были твердо убеждены, что живопись сводит человека с ума. Когда Винсент шел по улице, они пялили на него глаза, отпускали вслух обидные замечания, подчас переходили на другую сторону, чтобы избежать встречи с ним.

Ни в один ресторан его не пускали с парадного хода.

Дети толпами собирались под окнами дома и потешались, изводя Винсента.

— Фу-Ру! Фу-Ру! — кричали они. — Отрежь себе второе ухо!

Винсент наглухо закрывал окна. Но крики и хохот детей все равно проникали к нему в комнату.

— Фу-Ру! Фу-Ру!

— Полоумный! Полоумный!

Они сочинили песенку и распевали ее у него под окном:

Фу-Ру, Фу-Ру, Фу-Ру
С ума сошел в жару.
Себе отрезал ухо,
Совсем лишился слуха!

Чтобы скрыться от них, Винсент уходил из дома. Но они бежали за ним по пятам, шли в поле — веселая ватага хохочущих и распевающих во все горло сорванцов.

День ото дня их становилось все больше. Винсент затыкал уши ватой. Он сидел у мольберта и работал, делая копии своих полотен. Крики детей проникали сквозь щели в стенах. Они жгли ему мозг.

Мальчишки наглели с каждым днем. Они, как обезьяны, карабкались вверх по водосточным трубам, усаживались на карниз, прижимали лица к стеклам, заглядывая в комнату, и орали за спиной у Винсента:

— Фу-Ру, отрежь себе второе ухо! Дай нам твое второе ухо!

Волнение на площади Ламартина все возрастало. Мальчишки приставляли к стене доски и добирались по ним до второго этажа. Они били стекла, просовывали внутрь головы, кидали в Винсента всякой всячиной. Толпа снизу подзадоривала их, подхватывая их песенки и крики.

— Дай нам второе ухо! Дай второе ухо!

— Фу-Ру! Хочешь конфетку? Только смотри, она с ядом!

— Фу-Ру! А не хочешь супу? Гляди, туда подсыпан яд!

Фу-Ру, Фу-Ру, Фу Ру
С ума сошел в жару.

15-1648и

Себе отрезал ухо,
Совсем лишился слуха!

Сидевшие на подоконнике мальчишки весело дирижировали, толпа внизу распевала хором. Песенка звучала все громче.

— Фу-Ру, Фу-Ру, брось нам свое ухо, брось нам ухо!

— ФУ-РУ, ФУ-РУ, БРОСЬ НАМ СВОЕ УХО, БРОСЬ НАМ УХО!

Винсент, шатаясь, встал из-за мольберта. На подоконнике сидели три сорванца и распевали во всю мочь. Он кинулся на них с кулаками. Те стремглав соскользнули вниз по доскам. Толпа на улице заревела. Винсент стоял у окна и глядел вниз.

Целая туча черных птиц стремительно спускалась на Винсента с неба, тысячи черных птиц. Они покрыли площадь Ламартина, кружились над Винсентом, хлестали его, заполнили всю комнату, накрыли его с головой своими черными телами, лезли ему в волосы, врывались в уши, в глаза, в ноздри, в рот, погребая его под плотным, траурно-черным, душным облаком трепещущих крыл.

Винсент вскочил на подоконник.

— Пошли прочь! — закричал он. — Пошли прочь, изверги! Бога ради, оставьте меня в покое!

— ФУ-РУ, ФУ-РУ, БРОСЬ НАМ СВОЕ УХО, БРОСЬ НАМ УХО!

— Идите к дьяволу! Оставьте меня! Слышите, оставьте меня в покое!

Он схватил со стола умывальный таз и швырнул его в толпу. Таз со звоном ударился о булыжник. Винсент в бешенстве метался по комнате, хватая все, что попадалось под руку, и швыряя на площадь Ламартина. Стулья, мольберт, зеркало, стол, одеяло и простыни, панно с подсолнухами — все летело в толпу мальчишек. И с каждой вещью, которая падала на мостовую, в его мозгу вспыхивало воспоминание о том, как он жил в этом доме, какие жертвы принес, покупая по мелочам всю эту нехитрую обстановку, чтобы украсить дом, где он собирался работать до конца своих дней.

Когда швырять за окно было уже нечего, он остановился, глядя на площадь: каждый его нерв, каждая жилка дрожала от возбуждения. Он упал грудью на подоконник. Голова его свесилась вниз, к булыжникам площади.

10

Площадь Ламартина сразу же обошла петиция. Ее подписали девяносто мужчин и женщин.

Мэру города Тардье:

Мы, нижеподписавшиеся жители Арля, твердо убеждены, что Винсент Ван Гог, проживающий на площади Ламартина, дом 2, — буйнопомешанный и не может быть оставлен на свободе.

Ввиду этого мы просим вас как мэра посадить названного сумасшедшего под замок.

В Арле скоро должны были состояться выборы. Мэр Тардье отнюдь не желал терять столько голосов. Он приказал комиссару полиции арестовать Винсента.

Полицейские нашли его на полу, у самого окна. Они отвезли Винсента в тюрьму. Там его заперли в камере. У двери был поставлен стражник.

Как только Винсент очнулся, он попросил свидания с доктором Реем. Ему отказали. Тогда он попросил карандаш и бумагу, чтобы написать Тео. Ему отказали и в этом.

В конце концов доктор Рей добился разрешения навестить Винсента.

— Старайтесь сдержать свое негодование, Винсент, — сказал он, — иначе они признают вас опасным сумасшедшим, и тогда вам конец. Кроме того, сильное волнение лишь усугубит болезнь. Я напишу вашему брату, и — пусть только это останется между нами — мы вас отсюда вызволим.

— Прошу вас, доктор, сделайте так, чтобы Тео не приезжал сюда. Он как раз собрался жениться. Это омрачит ему всю свадьбу.

— Я напишу, чтобы он не приезжал. Я, кажется, придумал, как нам быть с вами, и, по-моему, неплохо придумал.

Два дня спустя доктор Рей снова пришел к Винсенту. Стражник все еще стоял у двери его камеры.

— Послушайте, Винсент, — сказал доктор Рей, — я только что видел, как из дома выносили ваши вещи. Хозяин свалил всю мебель в подвале одного кафе, а картины запер в чулан. Говорит, что не отдаст их, пока вы не расплатитесь сполна за квартиру.

Винсент молчал.

— Поскольку вы уже не сможете вернуться в дом, я полагаю, что вам лучше всего послушаться моего совета. Трудно сказать, как часто могут повторяться у вас эти припадки эпилепсии. Если вы будете жить тихо, в спокойной обстановке, не взвинчивая себя, вы, пожалуй, и совсем излечитесь. С другой стороны, припадки могут повторяться и каждый месяц или два. А поэтому, чтобы обезопасить и себя и других... по-моему, было бы разумно... жить...

— В сумасшедшем доме?

— Да.

— Значит, вы считаете, что я...

— Нет, мой милый Винсент, вовсе нет. Можете сами убедиться, что вы такой же нормальный, здравомыслящий человек, как и я. Но эти приступы эпилепсии все равно что приступы лихорадки. Человек теряет всякий рассудок. И когда наступает нервный кризис, он, естественно, совершает неразумные поступки. Вот почему вы должны жить в лечебнице, где за вами будут присматривать.

— Понятно.

— Есть одно хорошее местечко в Сен-Реми, всего в двадцати пяти километрах отсюда. Это приют Святого Павла Мавзолийского. Там принимают пациентов в отделения первого, второго и третьего разряда. Третий разряд обходится в сто франков в месяц. Вам это будет по средствам. Приют стоит у самых предгорий, в прошлом там был монастырь. Там очень красиво, Винсент, и тихо, ах, как тихо. У вас будет врач, который всегда сможет вам помочь, и сестры — они будут заботиться о вас. Пища там простая и хорошая. Вы отлично поправите свое здоровье.

— А позволят мне там писать?

— Ну конечно, мой дорогой. Вы сможете делать все, что угодно... если только это не пойдет вам во вред. Это все равно что лечиться в санатории. Если вы проживете там год тихо и спокойно, то можете совсем выздороветь.

— Ну а как я вырвусь из этой тюрьмы?

— Я уже говорил с комиссаром полиции. Он согласен отпустить вас в приют Святого Павла, если я поеду вместе с вами.

— И вы говорите, это действительно красивое место?

— Очаровательное, Винсент. Для вашей живописи там уйма сюжетов.

— Вот это хорошо! Сто франков в месяц — не такие уж большие деньги. Может быть, год тишины и покоя — это все, что мне нужно, чтобы прийти в себя.

— Ну конечно! Я уже сообщил вашему брату, как обстоит дело. Я написал ему, что при теперешнем состоянии здоровья вам не следует уезжать далеко, тем более в Париж. А еще я написал, что, на мой взгляд, лучше лечебницы Святого Павла для вас не найти.

— Что ж, если Тео согласен... Что угодно, лишь бы не доставлять ему новых огорчений...

— Я жду от него ответа с часу на час. Как только получу письмо, приду к вам сразу же.

У Тео не было выбора. Ему пришлось согласиться. Он выслал денег, чтобы заплатить долги брата. Доктор Рей повез Винсента на вокзал, где они сели на тарасконский поезд. Из Тараскона они поехали в Сен-Реми; поезд шел по извилистой железнодорожной ветке, поднимаясь по зеленой плодородной долине.

Чтобы добраться до приюта Святого Павла, надо было проехать через сонный городок и подняться на два километра вверх по крутой горе. Винсент и доктор Рей наняли повозку. Дорога шла прямо к голому черному отрогу. Скоро в долине у подножия гор Винсент разглядел землисто-коричневые стены монастыря.

Повозка остановилась. Винсент и доктор Рей вылезли из нее. Справа от них было открытое круглое плоскогорье, где стояли храм Весты и Триумфальная арка.

— И откуда только они здесь взялись? — удивился Винсент.

— Тут было большое поселение римлян. Река, которую вы видите внизу, когда-то заливала всю долину. Она текла по тому самому месту, где вы стоите. По мере того как река отступала, город рос и спускался все ниже по склону горы. Теперь от него не осталось ничего, кроме вот этих каменных сооружений да монастыря.

— Интересно.

— Идем, Винсент, доктор Пейрон ожидает нас.

Они свернули с дороги и через сосновый лесок дошли до ворот монастыря. Доктор Рей дернул за железную ручку, и во дворе раздался громкий удар колокола. Вскоре ворота отворились, и вышел доктор Пейрон.

— Как поживаете, доктор Пейрон? — приветствовал его доктор Рей. — Я привез вам моего друга, Винсента Ван Гога, как было условлено. Не сомневаюсь, что вы обеспечите ему самый внимательный уход.

— Да, доктор Рей, мы обеспечим ему самый внимательный уход.

— Вы меня простите, доктор, но я пойду: надо успеть к тарасконскому поезду, а времени у меня в обрез.

— Пожалуйста, доктор Рей. Я вас отлично понимаю.

— До свидания, Винсент, — сказал доктор Рей. — Будьте счастливы, поправляйтесь. Я постараюсь навещать вас как можно чаще. Пройдет год — и, я уверен, вы станете совершенно здоровым человеком.

— Спасибо вам, доктор. Вы очень добры. До свидания.

— До свидания, Винсент.

Доктор Рей повернулся и скоро исчез среди сосен.

— Ну, пойдемте, Винсент, — сказал доктор Пейрон, пропуская его вперед.

Винсент прошел мимо доктора.

Ворота лечебницы для душевнобольных тотчас захлопнулись за ним.

Книга седьмая
СЕН-РЕМИ

1

Палата, в которой жили больные, напоминала зал для пассажиров третьего класса на какой-нибудь захолустной станции. Обитатели палаты всегда были в шляпах, очках, с тростями, в дорожных плащах, будто собирались куда-то ехать.

Сестра Дешанель провела Винсента через длинную, как коридор, комнату и указала ему свободную кровать.

— Вы будете спать здесь, сударь, — сказала она. — На ночь можете опускать вот этот полог. Доктор Пейрон просит вас зайти к нему в кабинет, как только вы устроитесь.

Одиннадцать человек, сидевшие вокруг холодной печки, не обратили на Винсента внимания и не сказали ни слова. Когда сестра Дешанель в своем накрахмаленном белом платье и черной пелерине выходила из палаты, черная вуаль важно колыхалась за ее спиной.

Винсент поставил чемодан и огляделся. Вдоль стен палаты двумя рядами стояли кровати, их изголовья были приподняты, и над каждой кроватью висел на металлической раме грязноватый кремовый полог. Потолок был из грубых балок, стены выбелены известкой, а посреди палаты стояла печка с изогнутой под углом трубой, вставленной с левой стороны. Во всей комнате была одна-единственная лампа, которая висела над печкой.

Винсент удивился тихому поведению больных. Они не разговаривали друг с другом. Они не читали, не играли ни в какие игры. Опираясь на свои трости, они сидели вокруг печки и глядели на огонь.

У изголовья кровати к стене был прибит ящик, но Винсент предпочел оставить свои вещи в чемодане. В ящик он положил только трубку, табак, книжку, задвинул чемодан под кровать и пошел в сад. Он шел по коридору мимо пустых, запертых, темных келий.

На монастырском дворе не было ни души. Здесь росли высокие сосны, зеленела густая нетронутая трава и буйный сорняк. Все было залито жгучим солнечным светом. Винсент свернул налево и постучал в дверь домика, где жил доктор Пейрон со своим семейством.

Доктор Пейрон некогда был морским врачом в Марселе, потом окулистом. Жестокая подагра заставила его поступить в эту лечебницу для умалишенных, чтобы жить в спокойном, глухом уголке.

— Вот видите, Винсент, — говорил доктор, положив руки на край стола, — раньше я исцелял тело, а теперь исцеляю души. Это ведь одно и то же ремесло.

— Вы имеете дело с нервными болезнями, доктор. Можете вы объяснить мне, почему я отрезал себе ухо?

— С эпилептиками это бывает, Винсент. Я сталкивался с подобными случаями дважды. Слуховые нервы приобретают обостренную чувствительность, и больному кажется, что если он отрежет ушную раковину, то галлюцинации прекратятся.

— Так... понимаю. Ну а как насчет лечения?..

— Лечения? Что ж... ах да... вам надо принимать горячие ванны не меньше двух раз в неделю. Это будет действовать на вас успокаивающе.

— А что еще я должен делать, доктор?

— Сохранять полное спокойствие. Не волноваться. Не работать, не читать, не спорить, не расстраиваться.

— Я знаю... Теперь я слишком слаб, чтобы работать.

— Если вы хотите остаться в стороне от религиозной жизни приюта, я скажу сестрам, чтобы они вас не принуждали. Если вам что-нибудь понадобится, приходите ко мне.

— Благодарю вас, доктор.

— Ужин в пять. Вы услышите колокол. Постарайтесь поскорее привыкнуть к здешнему распорядку, Винсент. Это будет способствовать вашему выздоровлению.

Винсент пересек заросший травой садик и, войдя под полуразрушенный каменный свод, где помещалось отделение третьего разряда, прошел мимо темных пустых келий. Добравшись до своей палаты, он сел на кровать. Одиннадцать человек по-прежнему молчали, уставясь глазами в печку. Скоро в соседней комнате послышался шум. Одиннадцать человек вскочили и с мрачной решимостью ринулись из палаты. Винсент последовал за ними.

Комната, служившая столовой, была без окон, с земляным полом. Посредине стояли длинный, грубо сколоченный деревянный стол и деревянные скамейки. Тарелки с едой подавали сестры. Еда попахивала плесенью, словно в каком-нибудь дрянном пансионе. На первое был подан суп с черным хлебом; увидя в супе тараканов, Винсент с тоской вспомнил парижские рестораны. На второе подали месиво из гороха, бобов и чечевицы. Больные ели с отменным аппетитом, собирая на ладонь крошки черного хлеба и слизывая их языком.

После ужина одиннадцать больных из палаты Винсента уселись на те же стулья вокруг печки и стали сосредоточенно переваривать пищу. Посидев немного, они один за другим поднимались с места, раздевались, опускали полог и ложились спать. Винсент не слышал, чтобы за все это время они обменялись хоть одним словом.

Солнце уже закатывалось. Винсент стоял у окна и смотрел на зеленую долину. На фоне чудесного бледно-лимонного неба четким кружевом темнели кроны печальных сосен. Ничто не шевельнулось в душе Винсента, ничто не вызвало у него желания взяться за кисть.

Он стоял у окна до тех пор, пока густые южные сумерки не стерли лимонные отсветы на небе и не поглотили все цвета. Лампу в палате никто не зажигал. Оставалось только лечь в постель и думать о своей жизни.

Винсент разделся и лег. Он лежал с открытыми глазами и смотрел на грубые балки потолка. То и дело он съезжал вниз, потому что изголовье кровати было приподнято. Он вспомнил, что у него есть книга Делакруа. Он пошарил в ящике, нашел ее и прижал кожаный переплет к сердцу. Книга его ободрила. Он был не в лечебнице, среди помешанных, он был с великим живописцем, чье мудрое и утешительное слово проникало сквозь твердый переплет прямо в его измученное сердце.

Скоро Винсент заснул. Его разбудили приглушенные стоны на соседней койке. Они становились все громче и громче, потом раздались крики, перемежаемые бессвязными, лихорадочными речами.

— Отойди, отойди! Зачем ты шпионишь за мной? Зачем? Я не убивал его! Нет, ты меня не одурачишь. Я знаю, что ты за птица. Ты из тайной полиции! Что ж, можешь шпионить сколько угодно. Я не крал этих денег. Он сам покончил с собой в среду! Проваливай! Оставь меня в покое!

Винсент вскочил и откинул полог. Кричал светловолосый молодой человек, лет двадцати трех; он метался на койке, вцепившись зубами в свою рубашку. Увидев Винсента, он встал на колени, судорожно ломая руки.

— Господин Муне-Сюлли, не забирайте меня отсюда! Я не виноват, уверяю вас! Я не педераст! Я юрист! Я выиграю все ваши дела, господин Муне-Сюлли, только не арестовывайте меня. Я не мог убить его в среду! У меня и денег никаких нет. Взгляните, у меня нет ни одного су!

Он сорвал с себя одеяло и стал биться в страшном припадке, все время крича и протестуя против тайной полиции и против обвинений, которые на него возводились. Винсент не знал, что делать. Остальные обитатели палаты, казалось, крепко спали.

Винсент бросился к ближайшей кровати, откинул полог и стал трясти спящего за плечо. Тот открыл глаза и глупо уставился на Винсента.

— Встаньте, пожалуйста, и помогите мне успокоить его, — сказал Винсент. — А то я боюсь, что он нанесет себе какое-нибудь увечье.

Человек, которого разбудил Винсент, глядел на него и пускал слюни. Потом он что-то жалобно замычал, в этом мычании нельзя было разобрать ни слова.

— Скорей! — торопил его Винсент. — Вдвоем мы с ним справимся.

Вдруг он почувствовал, что кто-то положил ему на плечо руку. Он обернулся. За спиной у него стоял какой-то старик.

— Бесполезно будить этого человека, — сказал старик. — Он идиот. С тех пор, как его привезли сюда, он не сказал ни слова. Пойдемте, мы уймем того парня.

Светловолосый юноша, стоя на четвереньках, рвал ногтями матрац и вытаскивал из него солому. Увидев Винсента, он снова начал кричать, сыпя юридическими терминами. Он упирался и толкал Винсента в грудь.

— Да, да, я убил его! Убил! Но не за педерастию! Нет, совсем не за это, господин Муне-Сюлли! И не в среду! Я убил его из-за денег! Гляньте! Они у меня здесь, все целехоньки! Я спрятал бумажник в матрац. Я сейчас его найду. Только пусть тайная полиция перестанет меня преследовать! Я могу оставаться на свободе, даже если я убил его! Я приведу прецеденты... Вот! Я откопаю бумажник в этом матраце!

— Берите его за другую руку, — сказал старик Винсенту.

Они силой уложили юношу на кровать, но тот бредил и метался еще не меньше часа. Наконец он совсем обессилел, бормотание его становилось все неразборчивее и глуше, и он забылся лихорадочным сном. Старик присел на кровать Винсента.

— Этот парень учился, хотел стать адвокатом, — сказал он. — И вот перетрудил себе голову. Такие припадки бывают с ним каждые десять дней. Но он ни разу никого не обидел. Ну, спокойной ночи, сударь.

Старик лег на свою кровать и через пять минут уже крепко спал. Винсент снова подошел к окну, из которого открывался вид на долину. До восхода солнца было еще далеко, и во тьме горела лишь одна утренняя звезда. Ему вспомнилось полотно Добиньи, где была и утренняя звезда, и дух великого покоя, обнимавший вселенную... и чувство тоскливого одиночества, которое охватывает человека, жадно вглядывающегося в эту звезду.

2

Утром, после завтрака, больные вышли в сад. За дальней стеной высилась цепь пустынных, голых гор, никем не тревожимых с того самого времени, когда через них прошли римляне. Винсент смотрел, как больные лениво играли в крокет. Сидя на каменной скамье, он переводил взгляд с могучих, увитых плющом деревьев на росшие вокруг барвинки. Сестры, принадлежавшие к ордену Святого Иосифа Обенского, медленно прошли к древнеримской часовне; похожие на мышей, все в черном и белом, с глубоко запавшими глазами, они перебирали четки и бормотали утренние молитвы.

Молча поиграв с час, больные вернулись в свою прохладную палату. Там они уселись вокруг печки. Их полнейшая праздность приводила Винсента в изумление. Он не мог понять, почему эти люди хотя бы не почитают газету.

Когда это зрелище ему опостылело, он снова вышел в сад. Даже солнце в убежище Святого Павла казалось умирающим.

Древний монастырь был построен в традиционной форме четырехугольника: с северной стороны находилось отделение третьего разряда; с востока — дом доктора Пейрона, часовня и собор десятого века; с юга — отделения первого и второго разряда; с запада — двор для буйнопомешанных и длинная глухая кирпичная стена. Единственные ворота были всегда на запоре. Гладкие, без малейшего выступа стены достигали в высоту полутора метров, перелезть через них было невозможно.

Винсент вернулся к каменной скамье у куста шиповника и сел на нее. Ему хотелось разобраться в происшедшем и понять, как он попал в убежище Святого Павла. Глубокое уныние и страх сжали ему сердце и спутали мысли. В душе его уже не было ни надежд, ни желаний.

Он поплелся в свою палату. У входа он услышал какой-то странный собачий визг. Винсент не успел войти в дверь, как собачий визг перешел в волчий вой.

Винсент пересек палату. В самом дальнем ее углу, оборотясь лицом к стене, сидел старик, его ночной знакомец. Задрав голову вверх, он выл во всю мощь своих легких, со зверским выражением на лице. Потом волчий вой сменился совершенно невероятным воплем, какой можно услышать только в джунглях. Этот зловещий вопль гулко прокатился по всей палате.

«Боже, в какой зверинец меня посадили!» — воскликнул про себя Винсент.

Обитатели палаты сидели вокруг печки, не обращая на старика внимания. Его звериный вой становился все громче и тоскливее, в нем звучало безысходное отчаяние.

— Надо что-то сделать, — громко сказал Винсент.

Светловолосый юноша остановил его.

— Самое лучшее — не трогать старика, — объяснил он. — Если вы заговорите с ним, он придет в бешенство. А так он повоет час или два и утихнет.

Стены в монастыре были толстые, но и во время второго завтрака Винсента терзали чудовищные завывания несчастного человека, громко раздававшиеся в мертвой тишине. Винсент ушел в самый глухой уголок сада, стараясь скрыться от этих диких звуков.

В тот же вечер, за ужином, один молодой человек, у которого левая рука и плечо были парализованы, схватил со стола нож, вскочил на ноги и приставил нож к сердцу.

— Час настал! — кричал он. — Я кончаю с собой.

Больной, сидевший справа от него, устало поднялся и отвел руку с ножом в сторону.

— Не сегодня, Раймонд, — сказал он. — Сегодня ведь воскресенье.

— Нет, нет, сегодня! Сейчас же! Не хочу жить! Я отказываюсь жить! Пусти мою руку! Я хочу убить себя!

— Завтра, Раймонд, завтра. Сегодня неподходящий день.

— Пусти! Я хочу вонзить этот нож в сердце! Говорю тебе, я решил покончить с собой!

— Знаю, знаю, но не теперь. Не сегодня.

Он отобрал у Раймонда нож и увел его, рыдающего от бессильного гнева, в палату.

Винсент повернулся к своему соседу, который трясущейся рукой старался поднести ко рту ложку супа, глядя на нее своими красными глазами.

— Что с ним такое? — спросил Винсент.

Сифилитик опустил ложку и ответил:

— Вот уж целый год не проходит дня, чтобы Раймонд не пытался покончить самоубийством.

— Но зачем же он делает это здесь, за столом? — удивился Винсент. — Почему он не спрячет нож и не заколет себя ночью, когда все спят?

— Наверное, ему не хочется умирать, сударь.

На следующий день Винсент снова сидел во дворе и смотрел, как больные играют в крокет. Вдруг один из них упал наземь и начал биться в страшных судорогах.

— Живо! — крикнул кто-то. — Это припадок падучей!

— Держите его за руки и за ноги!

Четыре человека схватили эпилептика за руки и за ноги. Он дергался и бился так, что казалось, силы его удесятерились. Светловолосый юноша вытащил из кармана ложку и стал разжимать стиснутые зубы припадочного.

— Эй, поддержите ему голову! — крикнул он Винсенту.

Судороги усиливались, потом затихали и возобновлялись, терзая беднягу еще яростнее. Больной закатил глаза, в углах его рта выступила пена.

— Зачем вы засунули ему в рот ложку? — проворчал Винсент.

— Чтобы он не откусил себе язык.

Через полчаса эпилептик впал в забытье. Винсент и еще двое больных отнесли его на кровать. Этим все и кончилось; никто больше не вспоминал и не заговаривал об эпилептике.

За две недели Винсент нагляделся, как все одиннадцать больных впадали в ту или иную форму сумасшествия: один буйствовал, рвал на себе одежду и кидался на всякого, кто попадался ему на глаза; другой выл, словно зверь; двое болели сифилисом; Раймонд вечно помышлял о самоубийстве; паралитиков по временам охватывала невероятная ярость; эпилептик бился в судорогах; шизофреник страдал манией преследования; светловолосый юноша панически боялся тайной полиции.

Каждый день с кем-нибудь случался припадок; каждый день Винсента звали успокоить кого-нибудь из больных. Пациентам третьего разряда приходилось заменять друг другу и врачей и сиделок. Пейрон заглядывал сюда раз в неделю, а смотрители заботились лишь о пациентах первого и второго разряда. Больные из палаты Винсента держались дружно, помогали друг другу во время припадков и обнаруживали при этом бесконечное терпение; каждый прекрасно знал, что наступит и его черед, когда ему понадобится помощь и терпеливая забота соседей.

Это было настоящее братство сумасшедших.

Винсента радовало, что он попал в это братство. Воочию наблюдая жизнь душевнобольных, он уже не чувствовал смутного страха перед сумасшествием. Мало-помалу он пришел к мысли, что это такая же болезнь, как и все другие. На третьей неделе он решил, что этот недуг не более ужасен, чем, например, чахотка или рак.

Он часто заговаривал с идиотом, лишившимся дара речи. Тот отвечал ему лишь бессвязным мычанием, но Винсент чувствовал, что несчастный понимает его и разговор доставляет ему радость. Сестры заговаривали с больными лишь по необходимости. Каждую неделю Винсент вел пятиминутную беседу с доктором Пейроном, и этим ограничивалось его общение с нормальными людьми.

— Скажите мне, доктор, — спрашивал Винсент, — почему больные не разговаривают друг с другом? Некоторые из них, когда чувствуют себя хорошо, вполне разумны.

— Они не могут разговаривать, Винсент. С первой же минуты они начинают спорить, волнуются, воспламеняются, и с ними начинаются припадки. Они поняли, что единственный способ избегнуть всего этого — вести себя спокойно и не разговаривать.

— По-моему, это все равно что не жить.

Пейрон пожал плечами.

— Но, дорогой Винсент, можно по-разному смотреть на вещи.

— Ну а почему они по крайней мере не читают? Мне кажется, что книги...

— Чтение возбуждает их мозг, Винсент, а это, как известно, влечет за собой буйный припадок. Нет, мой друг, они должны жить только в своем внутреннем мире. И не стоит особенно их жалеть. Помните, что писал Драйден? «Есть радость в сумасшествии самом, она лишь сумасшедшему известна».

Прошел месяц. Винсент ни разу не испытал желания куда-нибудь уехать. Не замечал он такого желания и у своих соседей. Он знал, что это вызвано сознанием полной непригодности к жизни во внешнем мире.

В палате стоял тлетворный запах заживо разлагающихся людей.

Винсент старался не унывать, ожидая того дня, когда желание и способность работать вновь вернутся к нему. Его товарищи прозябали в безделье, думая лишь о еде. Чтобы не поддаться их влиянию и взять себя в руки, Винсент отказывался есть тухлую и даже чуть несвежую пищу. Он жил на одном черном хлебе и супе. Тео прислал ему однотомное издание Шекспира; он прочел «Ричарда II», «Генриха IV» и «Генриха V», мысленно переносясь в другие времена и страны.

Он стойко противился мраку и тоске, не давая им застояться в его душе, подобно воде в болоте.

Тео к тому времени уже женился. Винсент часто получал письма от него и его жены Иоганны. У Тео было плохо со здоровьем. Винсент беспокоился о брате больше, чем о себе. В письмах он просил Иоганну кормить Тео здоровыми голландскими кушаньями — ведь он десять лет питался в одних только ресторанах.

Винсент знал, что работа для него — лучшее средство рассеяться, и если бы он мог отдаться ей со всем своим пылом, то, вероятно, вскоре был бы здоров. Ведь у этих людей в палате нет ничего, что могло бы спасти их от разложения и смерти, а у него есть живопись — она выведет его из лечебницы для умалишенных здоровым и счастливым!

В конце шестой недели доктор Пейрон отвел Винсенту маленькую комнату под мастерскую. Комнатка была оклеена серо-зелеными обоями, там висели две занавеси цвета зеленой морской воды с бледными набивными розами. Эти занавеси и старое кресло, обитое яркой, напоминавшей картины Монтичелли тканью, остались от одного богатого пациента, который здесь скончался. Из окна было видно сбегающее по склону горы пшеничное поле — видна была свобода. Но окно было забрано крепкой черной решеткой.

Винсент единым духом написал открывшийся перед ним пейзаж. На переднем плане было поле пшеницы, прибитой к земле недавней грозой. Межевая каменная стена шла вниз по склону, за ней виднелась серая листва олив, несколько хижин и голубеющие горы. В чистую синеву неба Винсент вписал большое серое, с белой каймою, облако.

Возвращаясь в свою палату к ужину, он ликовал. В нем живы еще творческие силы. Он снова выдержал встречу с природой. Желание работать не покинуло его, он снова будет творить.

Он не погибнет теперь в этой лечебнице. Он на пути к выздоровлению. Через несколько месяцев он отсюда уедет. Если он захочет, то сможет вернуться в Париж, к старым друзьям. Его жизнь начнется снова. Он написал длинное бурное письмо Тео, требуя красок, холстов, кистей и хороших книг.

Наутро взошло солнце, желтое и горячее. В саду трещали цикады — с ними не сравнились бы и целые полчища сверчков. Винсент вынес во двор свой мольберт и писал сосны, кусты, дорожки. Его соседи по палате подходили к нему, заглядывали через плечо, но хранили уважительное молчание.

«Манеры у них гораздо лучше, чем у добрых горожан Арля», — улыбаясь, бормотал про себя Винсент.

Вечером он пошел к доктору Пейрону.

— Я превосходно себя чувствую, доктор, и прошу вас разрешить мне писать за стенами лечебницы.

— Да, вы, несомненно, выглядите лучше, Винсент. Ванны и покой помогли вам. Но вы не думаете, что выходить за ворота вам еще опасно?

— Опасно? Нет, почему же? Я не думаю.

— Ну а предположим, что вы... что с вами приключится припадок... где-нибудь в поле?

Винсент рассмеялся:

— У меня не будет больше никаких припадков, доктор. С ними покончено. Я теперь здоровее, чем до того как они начались.

— Но, Винсент, я все же опасаюсь...

— Ах, пожалуйста, доктор. Поймите, что если я смогу ходить, куда хочу, и писать то, что мне нравится, то буду чувствовать себя гораздо лучше.

— Ну хорошо, если уж вам непременно хочется работать...

Так перед Винсентом распахнулись ворота лечебницы. Он закинул мольберт за спину и отправился искать мотивы для своих картин. Целыми днями бродил он по горам, окружавшим приют Святого Павла. Его воображением завладели кипарисы, росшие близ Сен-Реми. Ему хотелось написать их с той же силой, как когда-то подсолнухи. Он дивился, почему никто до сих пор не написал кипарисы так, как он их теперь видел. Очертания и пропорции этих деревьев казались ему прекрасными, словно у египетских обелисков: всплески черного на залитом солнцем фоне.

К нему вернулись прежние арлезианские привычки. Каждое утро с рассветом он уходил из лечебницы, взяв чистый холст; к заходу солнца на нем уже был запечатлен кусок природы. Если Винсент и переживал какой-то упадок творческих сил, то не замечал этого. С каждым днем он чувствовал себя все более крепким, восприимчивым к впечатлениям и уверенным в себе.

Теперь, когда он вновь стал хозяином своей судьбы, он уже не боялся есть за больничным столом. Он с жадностью поглощал все, что там подавали, даже съедал до последней ложки суп с тараканами. Чтобы работать во всю силу, ему нужна была еда. Он уже ничего теперь не боялся. Он отлично владел собой.

Когда Винсент пробыл в приюте Сен-Реми три месяца, он нашел такой живописный мотив с кипарисами, который поднял его над всеми горестями и заботами, заставил забыть все пережитые страдания. Кипарисы были большие, могучие. Передний план заполняли низкие кусты ежевики. За деревьями проступали фиолетовые горы, виднелось зеленое и розовое небо с тонким серпом луны. Кусты ежевики на переднем плане Винсент написал жирными мазками с искрой желтого, фиолетового и зеленого. Глядя на это полотно, он понял, что окончательно выкарабкался из бездны и опять стоит на твердой земле, обратив взор к солнцу.

Радость переполняла его, он вновь видел себя свободным.

Тео прислал денег немного больше обычного, и Винсент испросил разрешения съездить в Арль и выручить там свои полотна. Люди на площади Ламартина были с ним учтивы, но при виде своего дома ему стало дурно. Он боялся, что вот-вот упадет в обморок. Вместо того чтобы зайти к Рулену и к доктору Рею, как он думал сделать раньше, Винсент отправился на поиски хозяина дома, у которого остались картины.

Винсент не вернулся в тот вечер в приют, как обещал. На следующий день его нашли между Тарасконом и Сен-Реми: он лежал, свесив голову в канаву.

3

Жар словно облаком заволакивал его мозг целых три недели. Товарищи по палате терпеливо ухаживали за ним, — ведь он и сам всегда жалел их, когда с ними случались припадки. Оправившись немного и осознав, что с ним произошло, он повторял про себя: «Это ужасно! Ужасно!»

К концу третьей недели, когда Винсент начал ходить по голой, похожей на коридор палате, сестры привели нового пациента. Новичок покорно прошел к указанной ему кровати, но стоило сестрам выйти, как он впал в настоящее бешенство. Он сорвал с себя всю одежду и растерзал ее на мелкие клочья, он вопил истошным голосом, не давая себе передышки ни на минуту. Он исступленно царапал ногтями матрац, отодрал от стены прибитый у изголовья ящик, сорвал полог вместе с рамой, а свой чемодан растоптал, превратив в бесформенный ком.

Больные к новичкам никогда не прикасались и пальцем. В конце концов пришли два служителя и увели помешанного. Его заперли в отдельной келье. Он ревел там, как дикий зверь, целых две недели. Винсент слышал этот рев днем и ночью. Потом крики внезапно стихли. Винсент видел, как служители похоронили несчастного на маленьком кладбище за часовней.

Ужасная подавленность овладела Винсентом. Чем крепче становилось его здоровье, чем яснее и хладнокровнее он мог мыслить, тем глупее и нелепее казалась ему дальнейшая работа, потому что она давалась ему так дорого и ничего не приносила взамен. Но если бы он перестал писать, он не мог бы жить.

Доктор Пейрон посылал ему со своего стола немного вина и мяса, но не разрешал и близко подходить к мастерской. Пока Винсент был слаб, он мирился с этим, но когда к нему вернулись силы и он увидел, что обречен на такое же постыдное безделье, как и его товарищи, он поднял бунт.

— Доктор Пейрон, — сказал он, — для того чтобы я выздоровел, мне необходимо работать. Если вы заставите меня сидеть сложа руки, как этих помешанных, я скоро ничем не буду отличаться от них.

— Я знаю, Винсент, но ведь именно напряженная работа и вызвала припадок. Я обязан ограждать вас от волнений.

— Нет, доктор, дело тут не в работе. Я свалился от того, что поехал в Арль. Пока я не увидел площадь Ламартина и свой дом, все было в порядке. А если я больше туда не поеду, у меня не будет никаких припадков. Пожалуйста, пустите меня в мастерскую.

— Я не хочу брать на себя такую ответственность. Я напишу вашему брату. Если он согласится, я снова позволю вам работать.

В письме, которое Тео прислал доктору Пейрону, прося разрешить Винсенту работать, была потрясающая новость. Тео должен был стать отцом. Винсент почувствовал себя таким счастливым и сильным, словно недавнего припадка и не бывало. Он тут же сел за стол и написал ликующее письмо Тео.

Знаешь, о чем я мечтаю, Тео? Чтобы семья стала для тебя тем, чем для меня природа — глыбы земли, травы, желтые колосья хлебов и крестьяне. Ребенок, которого тебе подарит Иоганна, заставит тебя по-настоящему ощутить подлинную реальность, которую в огромном городе иным путем и не ощутишь. Ты и сейчас поставлен лицом к лицу с природой, поскольку Иоганна, по твоим словам, уже чувствует, как ребенок шевелится в ней.

Винсент снова вернулся в свою мастерскую и писал пейзаж, открывавшийся из зарешеченного окна: поле пшеницы с маленькой фигуркой жнеца и огромным солнцем в небе. Все полотно было желтым, кроме межевой стены, круто сбегавшей вниз по склону, и заднего плана, где виднелись горы, подернутые фиолетовой дымкой.

Доктор Пейрон уступил настояниям Тео и разрешил Винсенту работать за стенами приюта. Винсент писал кипарисы — они фонтанами били из земли, словно упираясь в желтую кровлю солнца. Писал женщин, собирающих маслины: земля на переднем плане была лиловая, а на заднем — цвета желтой охры, стволы у олив бронзовые, листва серо-зеленая; небо и фигуры трех женщин он написал в глубоком розовом тоне.

Бродя с мольбертом за спиной, Винсент часто останавливался и разговаривал с людьми, работавшими в поле. В своем собственном мнении он ставил себя гораздо ниже этих крестьян.

— Вот видите, — говорил он одному из них, — я тоже вспахиваю, только не ниву, как вы, а свои холсты.

Поздняя осень сияла во всей своей красе. Земля Прованса раскрывала целую гамму фиолетовых тонов, в саду среди выгоревшей под солнцем травы пылали алые лепестки цветов; желтая листва всех оттенков подчеркивала блеклую зелень небосвода.

В эти осенние дни талант Винсента достиг полного своего расцвета. Он видел, что его работы становятся все совершеннее. Вновь в его голове один за другим рождались замыслы; воплощая их на полотне, он был счастлив. Он жил здесь уже достаточно долго и начал чувствовать своеобразие этих мест. Они мало походили на Арль. Зверскую силу мистраля укрощали защищавшие долину горы. Солнце было не так ослепительно. Теперь, когда Винсент понял всю прелесть окрестностей Сен-Реми, ему совсем не хотелось покидать лечебницу. В первое время, когда он только попал сюда, он молил Бога, чтобы за год жизни в приюте не лишиться рассудка. Сейчас, уйдя с головой в работу, он уже не сознавал, где он находится — в больнице или в гостинице. И хотя он чувствовал себя вполне здоровым, ему казалось глупым перебираться куда-то в другое место и убивать еще шесть месяцев на ознакомление с новым ландшафтом.

Письма из Парижа подбадривали его. Жена Тео стряпала мужу домашние блюда; здоровье его быстро поправлялось. Беременность Иоганны протекала легко, без осложнений. Каждую неделю Тео присылал брату табак, шоколад, краски и бумажку в десять или двадцать франков.

Воспоминание о припадке, случившемся во время поездки в Арль, постепенно стерлось. Винсент вновь и вновь уверял себя, что если бы он не поехал в этот проклятый город, то целых шесть месяцев наслаждался бы отличным самочувствием. Когда его этюды с кипарисами и сливовыми рощами хорошенько просохли, он, чтобы снять лишнее масло, промыл их водой, добавив туда немного вина, и послал Тео. Получив известие, что Тео предложил несколько его работ на выставку Независимых, Винсент огорчился: он чувствовал, что настоящие его шедевры еще впереди. Ему хотелось бы держаться в тени до тех пор, пока его техника не достигнет совершенства.

Тео в письмах уверял брата, что его мастерство стремительно растет. Винсент уже подумывал о том, чтобы, прожив в лечебнице год, найти себе кров в городке Сен-Реми и продолжать работать на Юге. Он снова ощущал ту ликующую радость творчества, которую испытывал в Арле до приезда Гогена, замышляя панно с подсолнухами.

Как-то к вечеру, спокойно работая в поле, он почувствовал, что начинает бредить. Ночью служители лечебницы нашли его в нескольких километрах от мольберта. Он лежал, обвившись телом вокруг ствола кипариса.

4

К исходу пятых суток он был уже в полном сознании. Больше всего его расстроило то, что другие больные восприняли этот новый припадок как нечто неизбежное.

Наступила зима. У Винсента не хватало воли подняться с кровати. Печка, стоявшая посреди палаты, теперь была раскалена докрасна. Больные сидели вокруг нее, храня ледяное молчание, с утра до вечера. Окна в палате были узкие и высокие — света они пропускали мало. Печка нагревала воздух, распространяя запах тления. Сестры, еще глубже надвинув на головы свои черные чепцы и капюшоны, бродили по палате и, трогая пальцами кресты, шептали молитвы. Обнаженные горы высились вдали, словно зловещие черепа.

Винсент лежал, не смыкая глаз, на своей кровати. Что внушала ему когда-то схевенингенская картина Мауве? «Savoir souffrir sans se plaindre». Учиться страдать не жалуясь, смотреть на страдание без ужаса... да, но как легко может закружиться голова! Если он поддастся этой боли, этому чувству безнадежности — это убьет его. В жизни каждого человека наступает время, когда он должен стряхнуть, сбросить с себя страдание, словно забрызганный грязью плащ.

Проходили дни, похожие друг на друга как две капли воды: у Винсента уже не было ни мыслей, ни надежд. Он слушал, как сестры рассуждали о его занятиях; они не могли решить, то ли он пишет от того, что помешался, то ли помешался от того, что пишет.

Идиот часами сидел на кровати Винсента и что-то тоскливо мычал. Винсент чувствовал, что несчастный видит в нем друга, и не гнал его. Нередко он и сам заговаривал с идиотом, так как никто другой не стал бы его слушать.

— Они думают, что меня свела с ума живопись, — сказал он идиоту однажды, глядя на проходящих сестер. — Я знаю, что, в сущности, так оно и есть; художник — это человек, который слишком поглощен тем, что видит его глаз, а потому не может найти в себе силы для всех остальных дел. Но разве это лишает его права на существование?

Собеседник в ответ лишь пускал слюни.

Одна строчка из книги Делакруа, которую Винсент постоянно читал, заставила его наконец собраться с духом и встать с постели. «Я открыл живопись, — писал Делакруа, — когда у меня уже не было ни зубов, ни здоровья».

Несколько недель Винсент не чувствовал ни малейшего желания выйти хотя бы на дворик, в сад. Он сидел в палате у печки и читал книги, которые ему присылал из Парижа Тео. Когда однажды с его соседом случился припадок, Винсент даже не взглянул на него и не поднялся со стула. Безумие для него стало естественным состоянием, ненормальное нормальным. С тех пор как он покинул общество нормальных, здравомыслящих людей, прошла целая вечность — теперь нормальными людьми были для него его товарищи по палате.

— Мне очень жаль, Винсент, — сказал доктор Пейрон, — но я не могу больше выпускать вас за ворота лечебницы. Вы должны постоянно находиться здесь.

— А работать в мастерской я могу?

— Советую вам не делать этого.

— Значит, вы хотите, чтобы я покончил самоубийством, доктор?

— Ну, так и быть, в мастерской можете работать. Но только понемногу, час-два в день.

Даже вид мольберта и кистей не мог вывести Винсента из оцепенения. Он сидел в кресле с обивкой под Монтичелли и тупо глядел сквозь железные прутья на пустые поля.

Через несколько дней Винсента позвали в кабинет доктора Пейрона — надо было расписаться в получении заказного письма. Вскрыв конверт, Винсент обнаружил чек на четыреста франков, выписанный на его имя. Такой крупной суммы у него еще не было ни разу в жизни. Он недоумевал: чего ради вздумалось Тео посылать ему столько денег?

Дорогой Винсент!

Наконец-то! Одно из твоих полотен продано за четыреста франков! Это «Красный виноградник», который ты написал в Арле прошлой весной. Купила его Анна Бок, сестра голландского художника.

Поздравляю тебя, старина! Скоро я буду продавать твои картины по всей Европе! Воспользуйся этими деньгами, чтобы вернуться в Париж, если доктор Пейрон не будет возражать.

Недавно я познакомился с замечательным человеком, доктором Гаше, у которого есть дом в Овере на Уазе, всего в часе езды от Парижа. Все знаменитые живописцы, начиная с Добиньи, работали в его доме. Он уверяет, что ему вполне ясен характер твоей болезни и что в любое время, когда ты пожелаешь приехать в Овер, он возьмется за твое лечение.

Завтра же напишу тебе еще.

Тео.

Винсент показал письмо доктору Пейрону и его жене. Пейрон прочитал письмо, задумался, потрогал чек. Потом он поздравил Винсента с удачей. Когда Винсент шел через двор, мозг его снова ожил и лихорадочно заработал. Дойдя до середины двора, он заметил, что держит в руке один лишь чек, а письмо Тео забыл в кабинете доктора. Он повернул назад и быстро зашагал к домику Пейрона.

Только он хотел постучать, как услышал, что за дверью произнесли его имя. Мгновение он колебался, не зная, как быть.

— Тогда зачем же, по-твоему, он это сделал? — спрашивала госпожа Пейрон.

— Наверное, думал, что это пойдет брату на пользу.

— Да, но если у него мало денег?..

— Мне кажется, он готов на любые жертвы, лишь бы Винсент выздоровел.

— Значит, ты уверен, что все это чистый обман?

— Дорогая Мари, а как же иначе? Эта женщина даже будто бы сестра какого-то художника. Но подумай только, разве может нормальный человек...

Винсент побрел прочь от двери.

Во время ужина он получил телеграмму от Тео.

Мальчика назвали в честь тебя. Иоганна и Винсент чувствуют себя превосходно.

Продажа картины и радостная телеграмма от Тео сделали Винсента за ночь здоровым человеком. Рано утром он был уже в мастерской, промывал кисти и разбирал картины и этюды, стоявшие у стены.

«Если Делакруа смог открыть живопись, когда у него не было больше ни зубов, ни здоровья, я могу ее открыть теперь, когда у меня нет ни зубов, ни рассудка».

Он набросился на работу с глухой яростью. Он сделал копию «Доброго самаритянина» Делакруа, «Сеятеля» и «Землекопа» Милле. Он решил принимать свое недавнее несчастье со спокойствием истинного северянина. Искусство не дается даром, оно пожирает художника; он знал это, когда только вступал на стезю живописца. Зачем же жаловаться теперь, когда дело зашло так далеко?

Ровно через две недели после получения чека на четыреста франков неожиданно пришел по почте январский номер журнала «Меркюр де Франс». Винсент увидел, что Тео отчеркнул для него в оглавлении статью, называвшуюся «Одинокие».

«Для всех полотен Винсента Ван Гога, — читал он, — характерен избыток силы и страстность выражения. В его настойчивом подчеркивании сущности и характера взятого объекта, в его зачастую слишком дерзком упрощении форм, в его отважном желании взглянуть на солнце широко раскрытыми глазами, в напряженности его рисунка и колорита — всюду видна могучая рука, настоящий мужчина, смельчак, который бывает порой зверски груб, а порой — удивительно нежен.

Живопись Ван Гога уходит своими корнями в великое искусство Франса Хальса. Его реализм намного превзошел ту верность жизни, которую мы находим в работах его предшественников — знаменитых малых голландских мастеров, столь крепких и столь уравновешенных. Его картины несут на себе печать осознанного стремления постигнуть и раскрыть характер, печать неутолимой жажды выразить сущность изображаемого, печать глубокой, почти детски-наивной любви к природе и истине.

Этот сильный, правдивый художник с горячей душой — вкусит ли он когда-нибудь радость признания среди широкой публики? Едва ли. С точки зрения нынешнего буржуа, Ван Гог слишком прост и в то же время слишком тонок. Он никогда не будет понят до конца никем, кроме его же собратьев-художников.

Ж. Альбер Орье».

Доктору Пейрону эту статью Винсент не показал.

Снова вернулась к нему вся его творческая мощь, вся его жажда жизни. Он писал палату, в которой жил, писал смотрителя лечебницы и его жену, сделал еще несколько копий с картин Милле и Делакруа — все его дни и ночи были наполнены лихорадочной работой.

Вспоминая во всех подробностях течение своей болезни, он ясно видел, что припадки носили у него циклический характер, повторяясь каждые три месяца. Что же, теперь он знает, когда их ждать, и может принять меры предосторожности. Когда наступит черед нового приступа, он прекратит работу, ляжет в постель и приготовится перенести в ней это короткое недомогание. Через несколько дней он снова встанет на ноги как ни в чем не бывало, словно после легкой простуды.

Единственное, что теперь раздражало Винсента, — это религиозный дух, царивший в лечебнице. Ему казалось, что с наступлением сумрачных зимних дней сестры сами стали страдать припадками истерии. Глядя, как они бормочут молитвы, прикладываются к кресту, перебирают четки, прогуливаются, не поднимая глаз от Библии, ходят на молебны в часовню пять-шесть раз в день, Винсент нередко дивился: кто же в этой лечебнице больные и кто — медицинский персонал? С тех памятных дней, которые Винсент пережил в Боринаже, он испытывал ужас перед всяким религиозным исступлением. Бывали минуты, когда фанатизм сестер выводил его из себя. Он с еще большим рвением отдавался работе, стараясь выбросить из головы эти зловещие фигуры с их черными капюшонами и крестами.

Когда до конца третьего месяца оставалось два дня, Винсент лег в постель совершенно здоровый, в твердом рассудке. Он опустил полог, чтобы всякие проявления религиозной экзальтации, в которую сестры впадали все чаще и чаще, не нарушали его покоя.

Наступил день, когда должен был начаться припадок. Винсент ждал его с нетерпением, почти с радостью. Часы тянулись один за другим. Никакого припадка не последовало. Винсент был удивлен, затем раздосадован. Прошел еще один день. Он чувствовал себя вполне нормальным. Когда и на третий день ожидания ничего не случилось, он сам посмеялся над собой. «Я свалял дурака. Тот припадок был последним, вот и все. Доктор Пейрон ошибается. Отныне мне нечего бояться. Я только потерял время, валяясь в постели. Завтра утром я встаю и иду работать».

Глубокой ночью, когда все крепко спали, он тихонько сполз со своей кровати. Босой, пошел он по каменному полу палаты. В темноте он добрался до двери подвала, где хранили уголь. Он встал на колени, набрал пригоршню угольной пыли и размазал ее по лицу.

— Мадам Дени, вы видите? Они признали меня! Теперь я такой же, как они. Они не доверяли мне раньше, а теперь я тоже стал чернорожий. Теперь-то углекопы согласятся, чтобы я нес им слово Божье.

Смотрители нашли его в подвале вскоре после рассвета. Он бормотал бессвязные молитвы, твердил отрывочные фразы из Писания, откликался на голоса, которые нашептывали ему на ухо странные, небывалые слова.

Эти религиозные галлюцинации длились у него несколько дней. Когда помрачение прошло и к нему вернулся рассудок, он послал одну из сестер за доктором Пейроном.

— Мне думается, доктор, что никакого припадка у меня бы не было, — сказал он, — если бы я не видел вокруг себя этой дурацкой религиозной истерии.

Доктор Пейрон пожал плечами, склонился над кроватью и опустил за собой полог.

— А что я могу поделать, Винсент? Здесь так уж заведено, это бывает каждую зиму. Я не одобряю этого, но и запретить не могу. Что там ни говори, сестры делают полезное дело.

— Все это, может быть, и так, — согласился Винсент, — но ведь трудно сохранить рассудок, если вокруг тебя одни сумасшедшие, а тут еще это религиозное помешательство! Время, когда у меня должен был быть припадок, прошло...

— Винсент, не обманывайте себя. Припадок должен был случиться. Ваша нервная система испытывает кризис каждые три месяца. Если бы у вас не было религиозных галлюцинаций, то были бы какие-нибудь другие.

— Если со мной случится подобное еще раз, доктор, я попрошу брата взять меня отсюда.

— Как вам угодно, Винсент.

Он вернулся к работе в мастерской в первый же по-настоящему весенний день. Он снова писал пейзаж, открывавшийся за окном, — поле, покрытое желтой стерней, которое уже опять вспахивали. Лиловые пласты перевернутой плугом земли резко контрастировали на его полотне с щетинистыми желтыми клочьями жнивья, а вдалеке виднелись горы. Всюду зацветал миндаль, и небо на закате, как прежде, светилось бледно-лимонными красками.

Извечное возрождение природы на этот раз не придало сил Винсенту. Впервые, с тех пор как он поселился в приюте, идиотский лепет его сотоварищей и постоянные припадки, валившие их с ног, начали отравлять ему существование. И нигде не мог он укрыться от этих похожих на мышей, вечно молящихся существ в черно-белых одеждах. При одном взгляде на них Винсент содрогался от отвращения.

«Тео, — писал он брату, — мне очень не хотелось бы уезжать из Сен-Реми; здесь еще уйма интересной работы. Но если со мной снова случится припадок на почве религии, знай, виной этому здешний приют, а не мои нервы. Двух-трех таких припадков достаточно, чтобы убить меня. Имей в виду, если у меня снова начнутся религиозные галлюцинации, я приеду в Париж, как только встану с постели, не медля ни минуты. Может быть, переезд на север пойдет мне на пользу, там можно рассчитывать хоть на какой-то минимум душевного здоровья.

Как насчет этого твоего доктора Гаше? Согласится ли он лечить меня?»

Тео отвечал, что он разговаривал с доктором Гаше еще раз и показал ему кое-какие полотна Винсента. Доктор приглашает Винсента в Овер и готов предоставить ему возможность работать в своем доме.

«Он не только специалист по нервным болезням, но и знаток живописи. Я убежден, что лучшего врача тебе не найти. Как только ты решишься, телеграфируй мне, и я сразу же выеду в Сен-Реми».

Наступили первые жаркие дни ранней весны. В саду зазвенели цикады. Винсент писал портик у входа в отделение третьего разряда, садовые дорожки, деревья и, пользуясь зеркалом, свой автопортрет. Он работал, глядя одним глазом на полотно, а другим — на календарь.

Очередной припадок должен был произойти в мае.

В пустых коридорах он слышал какие-то голоса, раздававшиеся над самым ухом. Он отзывался на них, и эхо его собственного голоса вновь возвращалось к нему, словно злобный оклик судьбы. Теперь его нашли без сознания в часовне. Оправился он от религиозных галлюцинаций, помрачивших его ум, только к середине мая.

Тео непременно хотел сам приехать в Сен-Реми и увезти Винсента. Но Винсент решил ехать один, на тарасконский поезд его должен был посадить смотритель.

Дорогой Тео!

Я еще не калека и не свирепый зверь, опасный для окружающих. Позволь мне доказать себе и тебе, что я нормальный человек. Если я выберусь из этого приюта самостоятельно, на собственных ногах, и начну новую жизнь в Овере, то, может быть, я найду в себе силы победить болезнь.

Это будет последняя попытка. Я уверен, что, выйдя из этого сумасшедшего дома, я опять стану разумным, нормальным существом. Судя по тому, что ты пишешь, Овер тихое и красивое место. Если я буду соблюдать осторожность и жить под присмотром доктора Гаше, то, без сомнения, мне удастся одолеть свой недуг.

Я сообщу тебе по телеграфу, когда мой поезд отходит из Тараскона. Встречай меня на Лионском вокзале. Я хочу выехать в субботу, чтобы провести воскресенье дома вместе с тобой, Иоганной и малышом.

Книга восьмая
ОВЕР

1

От волнения Тео не спал всю ночь. За два часа до прибытия поезда, с которым ехал Винсент, он был уже на Лионском вокзале. Иоганне пришлось остаться дома с ребенком. Она стояла на балконе их квартиры на четвертом этаже, в Ситэ-Пигаль, и вглядывалась в даль сквозь листву огромного темного дерева, скрывавшего весь фасад дома. Она с нетерпением ждала, когда с улицы Пигаль завернет экипаж и подкатит к их дому.

От квартиры Тео до Лионского вокзала было далеко. Иоганне казалось, что ее ожиданию не будет конца. Она уже начала беспокоиться, не случилось ли с Винсентом в дороге несчастье. Но вот из-за угла улицы Пигаль вынырнул открытый фиакр, двое мужчин приветливо улыбались ей и махали руками. Иоганна горела нетерпением поскорее взглянуть на Винсента.

Ситэ-Пигаль, небольшой тупик, упирался в крыло каменного здания с двором, засаженным деревьями. По обеим сторонам этого тупика стояло по два внушительных дома. Тео жил в доме восемь, втором от угла. Перед домом зеленел садик, а вдоль него был настлан тротуар. Через несколько минут фиакр уже подкатил к большому темному дереву и остановился у подъезда.

Винсент побежал наверх по лестнице, Тео не отставал от него. Иоганна готовилась увидеть инвалида, но у мужчины, который схватил ее в объятия, был прекрасный цвет лица, широкая улыбка и открытый решительный взгляд.

«Да он выглядит совершенно здоровым. С виду он гораздо крепче, чем Тео», — подумала Иоганна в первую же секунду.

Но она никак не могла заставить себя посмотреть на его ухо.

— Ну, Тео! — воскликнул Винсент, держа Иоганну за руки и глядя на нее с восхищением. — Жену ты себе выбрал очаровательную!

— Спасибо, Винсент, — смеясь сказал Тео.

Иоганна во многом напоминала их мать. У нее были карие, такие же ласковые, как и у Анны-Корнелии, глаза, те же мягкие манеры, то же сочувственное и внимательное отношение к людям. Теперь, когда у нее родился ребенок, материнство уже наложило на нее свою печать. Это была полная женщина с правильными чертами овального, почти бесстрастного лица и густыми светло-каштановыми волосами, которые были скромно зачесаны назад, открывая высокий, как у всех голландок, лоб. Свою любовь к Тео она переносила и на Винсента.

Тео потащил Винсента в спальню, где спал в кроватке малыш. Братья молча смотрели на него, и на глазах у них выступили слезы. Иоганна поняла, что лучше оставить их наедине друг с другом; она тихонько пошла к двери. Но не успела она взяться за дверную ручку, как ее окликнул Винсент и, указывая на вышитое одеяльце, с улыбкой сказал:

— Не надо так кутать малыша, сестрица.

Иоганна бесшумно затворила за собой дверь. Винсент, снова залюбовавшись ребенком, почувствовал страшную тоску бобыля, которому суждено умереть, не оставив после себя потомства.

Тео как будто прочел его мысли.

— У тебя есть еще время, Винсент. В один прекрасный день ты найдешь себе подругу, которая будет любить тебя и разделит все невзгоды твоей жизни.

— Ах нет, Тео, теперь уже поздно!

— Совсем недавно я столкнулся с женщиной, которая словно создана для тебя.

— Правда? Кто ж это такая?

— Это девушка из романа Тургенева «Новь». Ты ее помнишь?

— Ты говоришь о той, которая дружила с нигилистами и переправляла опасные бумаги через границу?

— О той самой. Твоя жена должна быть похожа на нее, Винсент, она должна быть из тех, кто прошел через все несчастья и горести жизни...

— Ну а что она найдет во мне? В человеке об одном ухе?

Маленький Винсент, проснувшись, открыл глазки и улыбнулся. Тео взял ребенка из кроватки и передал его Винсенту.

— Он такой мягкий и тепленький, словно щенок, — сказал Винсент, прижимая его к груди.

— Слушай ты, медведь, разве так держат младенца.

— Да, боюсь, что я умею держать только кисть и палитру.

Тео взял ребенка на руки и бережно прижал его к плечу, касаясь щекой каштановых локонов мальчика. И дитя, и Тео на миг показались Винсенту как бы высеченными из одного куска камня.

— Ну что ж, Тео, — сказал Винсент со вздохом, — у каждого человека своя дорога. Ты создал живое существо... а я создаю картины.

— Да, Винсент, видно, так уж тому и быть.

В тот же вечер у Тео собрались друзья Винсента по случаю его приезда в Париж. Первым пришел Орье, изящный молодой человек с волнистыми волосами и бородой, которая росла у него по обе стороны выбритого подбородка. Винсент провел его в спальню, где у Тео висел натюрморт Монтичелли — букет цветов.

— Вы пишете в своей статье, господин Орье, что я единственный художник, который улавливает в колорите вещей металлическое звучание, блеск драгоценного камня. Но посмотрите на этот натюрморт. Фада достиг этого за много лет до того, как я приехал в Париж.

Однако вскоре Винсент оставил споры с Орье и в знак благодарности за статью преподнес ему одно из своих полотен с кипарисами, написанных в Сен-Реми.

Ввалился Тулуз-Лотрек, запыхавшийся после шести маршей лестницы, но, как всегда, говорливый и в любую минуту готовый отпустить непристойную шутку.

— Винсент, — воскликнул он, пожимая приятелю руку, — знаешь, там, на лестнице, я видел гробовщика. Как по-твоему, кого он дожидается, тебя или меня?

— Тебя, Лотрек! На мне он много не заработает.

— Предлагаю небольшое пари, Винсент. Спорим, что твое имя будет занесено в его приходную книгу раньше моего.

— Идет! А на что мы спорим?

— На обед в кафе «Афины» и билет в Оперу.

— Я бы просил вас, ребята, шутить чуточку повеселей, — слабо улыбнулся Тео.

Вошел какой-то незнакомый человек, поглядел на Лотрека и уселся на стуле в самом дальнем углу. Все ждали, что Лотрек представит его, но тот продолжал разговаривать как ни в чем не бывало.

— Познакомь же нас со своим другом, — сказал Лотреку Винсент.

— А он мне не друг, — расхохотался Лотрек. — Это мой сторож!

В комнате наступила напряженная тишина.

— Разве ты не знаешь, Винсент? Месяца два я был non compos mentis*. Говорят, что это от злоупотребления спиртным, так что теперь я пью только молоко. Я пришлю тебе пригласительный билет на мою очередную вечеринку. На нем ты увидишь любопытный рисунок — я дою корову, да только вымя у нее не на том месте, где надо.

Иоганна подала угощение. Все говорили одновременно, перебивая друг друга, в воздухе плавал табачный дым. Это напомнило Винсенту прежние парижские времена.

— А как поживает Жорж Сёра? — спросил он Лотрека.

— Жорж! Неужели ты ничего не знаешь?

— Тео не писал мне о нем, — сказал Винсент. — А что такое?

— Жорж умирает от чахотки. Доктор говорит, что он не дотянет и до дня своего рождения — ему скоро исполнится тридцать один.

— От чахотки? Как же это, ведь Жорж был такой крепкий! Какого же черта...

— Он слишком много работал, Винсент, — объяснил Тео. — Ведь ты не видел его уже два года. Жорж трудился как вол. Спал два-

* Не в здравом рассудке *(лат.)*.

три часа в сутки, остальное время работал с дьявольским ожесточением. Даже его добрая мамаша была не в силах спасти его.

— Значит, Жоржа скоро не станет, — задумчиво произнес Винсент.

Явился Руссо, притащив Винсенту кулек своего печенья. Папаша Танги, все в той же круглой соломенной шляпе, преподнес Винсенту японскую гравюру и сказал горячую речь по поводу того, как они все рады снова видеть Винсента в Париже.

В десять часов Винсент, несмотря на протесты друзей, сходил в лавку и купил большую банку маслин. Он заставил есть эти маслины всех, даже незнакомца, пришедшего с Лотреком.

— Если бы вы хоть раз увидели, как прекрасны серебристо-зеленые рощи олив в Провансе, — восторженно говорил он, — право же, вы ели бы маслины до конца своих дней!

— Кстати, если уж речь зашла об оливовых рощах, Винсент, — сказал Лотрек, — как тебе понравились арлезианки?

Утром Винсент вынес коляску на улицу и поставил ее около дома, чтобы малыш мог полежать часок на солнышке под присмотром Иоганны. Затем Винсент вернулся в квартиру, скинул пиджак и долго стоял, оглядывая стены. Они были украшены его картинами. В столовой, над камином, висели «Едоки картофеля», в гостиной «Вид в окрестностях Арля» и «Рона ночью», в спальне «Фруктовый сад в цвету». К отчаянию горничной, под кроватями, под диваном, под буфетом, в чулане были свалены целые кучи полотен, еще не вставленных в рамы.

Однажды Винсент искал что-то в письменном столе Тео и увидел толстую пачку писем, перевязанных крепкой бечевкой. Он очень удивился, обнаружив, что это его собственные письма. Тео тщательно хранил каждую строчку, написанную ему братом с того самого времени, как, двадцать лет назад, Винсент уехал из Зюндерта в Гаагу и поступил к Гупилю. В общей сложности у него накопилось семьсот писем. Винсент изумлялся: чего ради брат бережет эти древние пожелтевшие листки?

В другом ящике Винсент нашел рисунки, которые он посылал Тео последние десять лет, — все они были аккуратнейшим образом разложены по периодам его жизни. Вот углекопы Боринажа, их жены, собирающие терриль; вот землепашцы и сеятели в полях близ Эттена; вот старики и старухи, нарисованные в Гааге; вот землекопы Гееста, рыбаки Схевенингена; едоки картофеля и ткачи Нюэнена; вот рестораны и уличные сцены Парижа; вот самые первые подсолнухи и наброски фруктовых садов Арля; а вот двор с высокими деревьями в лечебнице Сен-Реми.

— Сейчас я устрою свою собственную выставку! — сказал Винсент.

Он снял все картины со стен, разложил перед собой рисунки и вытащил все холсты из-под кроватей и прочей мебели. Он тщательно распределил свои работы по периодам. Потом выбрал рисунки и полотна, в которых ему удалось наиболее верно выразить дух изображаемых мест.

В прихожей, куда прежде всего попадал всякий, кто приходил к Тео, Винсент развесил около тридцати своих ранних этюдов: боринажские углекопы около шахт, возле овальных печурок, за ужином в своих жалких лачугах.

— Это будет зал рисунка углем, — объявил Винсент сам себе.

Он осмотрел остальные комнаты и решил, что теперь лучше всего приняться за ванную. Он встал на стул и ровными рядами развесил на всех четырех стенках свои эттенские наброски, изображавшие брабантских крестьян.

— А это будет у нас зал рисунка плотничьим карандашом.

Затем Винсент перешел в кухню. Здесь он поместил гаагские и схевенингенские этюды — вид из окна мастерской на дровяной склад, песчаные дюны, баркасы, которые рыбаки вытаскивают на берег.

— Зал номер три, — провозгласил Винсент. — Зал акварелей.

В крохотном чуланчике он повесил картину, изображавшую его добрых друзей де Гроотов — «Едоки картофеля»; это была первая его картина маслом, в которой он полностью себя выразил. Вокруг нее он поместил множество этюдов — нюэненские ткачи, крестьяне в траурной одежде, кладбище за отцовской церковью, тонкий, изящный шпиль колокольни.

Свою собственную комнату Винсент отвел под полотна, написанные маслом в Париже, те самые, что он развесил у Тео на улице Лепик, перед тем как уехать в Арль. В гостиной он повесил свои сияющие яркими красками арлезианские полотна. Спальню Тео Винсент украсил картинами, написанными в приюте Сен-Реми.

Кончив работу, он подмел полы, надел пальто и шляпу, спустился по лестнице и покатил маленького тезку по солнечной стороне Ситэ-Пигаль, а Иоганна шла рядом, держа Винсента за руку и болтая с ним по-голландски.

В начале первого из-за угла улицы Пигаль появился Тео; счастливо улыбаясь, он помахал им рукой, подбежал к коляске и любовно вынул оттуда младенца. Они оставили коляску у консьержки и, оживленно разговаривая, стали подниматься по лестнице. Когда они были уже у дверей квартиры, Винсент остановил их.

— Сейчас я покажу вам выставку Ван Гога, — сказал он. — Тео и Ио, приготовьтесь к суровому испытанию.

— Выставку, Винсент? — удивился Тео. — Где же она?

— Зажмурьтесь! — скомандовал Винсент.

Он распахнул дверь настежь, и трое Ван Гогов вошли в прихожую. Тео и Иоганна, пораженные, глядели во все глаза.

— Когда я жил в Эттене, — говорил Винсент, — отец сказал однажды, что зло не может породить добро. Я возразил ему, что оно не только может, но и должно породить добро, особенно в искусстве. Если вы не против, дорогие мои брат и сестра, я расскажу вам историю жизни человека, который начал с неуклюжих, грубых рисунков, словно неловкий ребенок, и за десять лет постоянного труда добился того... впрочем, вы сами увидите, чего он добился.

И он повел их из комнаты в комнату, строго соблюдая временну́ю последовательность. Они стояли перед полотнами, словно экскурсанты в музее, и глядели на труд целой человеческой жизни. Они видели, как медленно, ценой тяжких мучений созревал живописец, как он на ощупь, вслепую искал верных и совершенных средств выражения, видели, какой переворот пережил он в Париже, с какой страстью зазвучал его могучий голос в Арле, когда в едином порыве дали себя знать все труды прежних лет... а потом... катастрофа... полотна, написанные в Сен-Реми... отчаянные усилия поддержать творческий жар и медленное падение вниз... вниз... вниз...

Они смотрели на выставку глазами случайных, сторонних посетителей. За какие-то полчаса перед ними прошел весь земной путь человека.

Иоганна приготовила настоящий брабантский завтрак. Винсент с удовольствием снова отведал голландской пищи. После того как Иоганна убрала со стола, братья закурили трубки и начали разговор.

— Винсент, ты должен во всем слушаться доктора Гаше.

— Да, Тео.

— Понимаешь, он специалист по нервным болезням. Если ты будешь выполнять его указания, то непременно вылечишься.

— Хорошо, Тео.

— Кроме того, Гаше занимается и живописью. Он каждый год выставляет свои работы у Независимых под именем П. ван Рэйсела.

— А хорошие у него картины, Тео?

— Нет, я бы не сказал. Но он из тех людей, у которых настоящий талант распознавать таланты. Двадцатилетним юношей он приехал в Париж изучать медицину и подружился с Курбе, Мюрже, Шанфлери и Прудоном. Он частенько заходил в кафе «Новые Афины» и скоро близко сошелся с Мане, Ренуаром, Дега, Дюраном и Клодом Моне. Добиньи и Домье работали в его доме задолго до того, как появился импрессионизм.

— Да неужели?

— Почти все полотна, которыми он владеет, написаны или у него в саду, или в гостиной. Писсарро, Гийомен, Сислей, Делакруа — все они жили и работали в Овере у Гаше. У него ты увидишь также полотна Сезанна, Лотрека и Сёра. Уверяю тебя, Винсент, с середины этого века не было ни одного талантливого живописца, который не дружил бы с доктором Гаше.

— Да неужели? Довольно, Тео, ты меня совсем запугал! Я ведь не принадлежу к этой блестящей плеяде. А видал он хоть одно мое полотно?

— Ну и болван же ты! А как, по-твоему, почему ему так хочется, чтобы ты приехал в Овер?

— Убей меня Бог, если я знаю.

— Да потому, что он считает твои арлезианские ночные картины лучшим, что только было на последней выставке Независимых. Клянусь тебе, когда я показал ему панно с подсолнухами, которые ты написал в Арле для Гогена, у него слезы навернулись на глаза. Он посмотрел на меня и сказал: «Господин Ван Гог, ваш брат — великий художник. За всю историю живописи еще никто не находил такого желтого цвета, как на этих подсолнухах. Одни эти полотна сделают имя вашего брата бессмертным».

Винсент почесал в затылке и смущенно улыбнулся.

— Хорошо, — сказал он, — если доктор Гаше такого мнения о моих подсолнухах, то мы с ним поладим.

2

Доктор Гаше встретил Тео и Винсента на станции. Это был суетливый, нервный, порывистый человечек с тревожной грустью в глазах. Он с жаром пожал руку Винсенту.

— Да, да, наши места — просто клад для художника. Вам понравится здесь. Я вижу, вы прихватили с собой мольберт. А красок вы взяли достаточно? Вам надо приниматься за работу, не теряя времени. Сегодня вы обедаете у меня. Привезли вы какие-нибудь новые полотна? Боюсь, у нас вам не найти арлезианских желтых тонов, зато тут есть кое-что другое, да, да, кое-что другое. Вы должны писать у меня в доме. Я покажу вам вазы и столы, которые писали все художники — от Добиньи до Лотрека. Как вы себя чувствуете? Вид у вас прекрасный. Ну что, нравится вам здесь? Да, да, мы займемся вами. Мы сделаем из вас здорового человека!

Еще с железнодорожной платформы Винсент увидел рощу, мимо которой по благодатной долине текла зеленая Уаза. Он даже отошел немного в сторону, чтобы лучше охватить взглядом пейзаж. Тео тихонько заговорил с доктором Гаше.

— Прошу вас, следите за братом как можно внимательней, — сказал он. — Если заметите, что приближается кризис, немедленно телеграфируйте мне. Я должен быть около него, когда он... ему нельзя позволять, чтобы... говорят, что он...

— Ну, ну! — прервал его доктор Гаше, пританцовывая на месте и теребя свою козлиную бородку. — Разумеется, он сумасшедший. Но что вы хотите? Все художники сумасшедшие. Это самое лучшее, что в них есть. Я это очень ценю. Порой мне самому хочется быть сумасшедшим. «Ни одна благородная душа не лишена доли сумасшествия». Знаете, кто это сказал? Аристотель — вот кто.

— Прекрасно, доктор, — заметил Тео. — Но Винсент еще молод, ему всего тридцать семь лет. Лучшие годы жизни у него впереди.

Доктор Гаше сорвал с головы свою забавную белую фуражку и несколько раз провел рукой по волосам без всякой надобности.

— Предоставьте все мне. Я знаю, как обращаться с художниками. Он у меня через месяц будет здоровым человеком. Я заставлю его работать. Это его живо излечит. Я предложу ему писать мой портрет. Сейчас же. Сразу после обеда. Я исцелю ему мозг, можете быть уверены.

Подошел Винсент, полной грудью вдыхая чистый деревенский воздух.

— Ты должен привезти сюда Ио вместе с малышом, Тео. Это преступление — держать детей в городе.

— Да, да, вы должны приехать сюда на воскресенье и провести с нами весь день! — воскликнул Гаше.

— Спасибо, спасибо. Это будет прекрасно. А вот и мой поезд. До свидания, доктор Гаше, благодарю вас за заботу о брате. Винсент, пиши мне каждый день.

У доктора Гаше была привычка брать спутника за локоть и тащить его за собой. Подталкивая Винсента вперед, он так и сыпал словами, перескакивал с предмета на предмет, сам отвечал на свои вопросы и резким, пронзительным голосом произносил длинные монологи.

— Вон та дорога ведет в поселок, — говорил Гаше, — та, длинная и прямая. Но сейчас я поведу вас другой дорогой на вершину холма — оттуда видна вся окрестность. Ничего, что вы тащите мольберт? Вам не тяжело? Вон там, слева, католическая церковь. Вы заметили, что католики всегда строят свои церкви на холмах, чтобы они были хорошо видны? Ох Господи, должно быть, я старею, этот подъем кажется мне все круче и круче с каждым годом. Видите, какие там прелестные хлебные поля? Весь Овер окружен ими. Вы непременно должны их написать. Конечно, они не такие желтые, как в Провансе... а вон там, справа, — кладбище... оно на самой вершине холма, над рекой и над всей долиной... как вы полагаете, разве не все равно мертвым, где лежать?.. а мы отдали им лучшее место во всей долине Уазы... Может быть, зайдем туда? Ниоткуда так хорошо не видно реки, как с кладбища... ведь там увидишь все вплоть до Понтуаза... да, да, ворота не заперты, надо только толкнуть их... вот так... Ну разве тут не чудесно? Эти высокие стены мы выстроили, чтобы защищаться от ветра... мы хороним здесь и католиков и протестантов...

Винсент скинул с плеч мольберт и, чтобы отдохнуть от речей доктора Гаше, прошел немного вперед. Кладбище имело форму квадрата и занимало не только вершину холма, но и часть склона. Винсент дошел до задней стены, откуда была прекрасно видна расстилавшаяся внизу долина Уазы. Холодная зеленая лента реки красиво вилась среди изумрудных берегов. Справа выглядывали тростниковые крыши какой-то деревни, а чуть подальше — другой холм, на котором возвышался старинный замок. Лучи яркого майского солнца заливали кладбище, густо поросшее весенними цветами. А над ним, сияя, опрокинулся нежно-голубой купол неба. Здесь царил удивительный, невозмутимый, почти неземной мир и покой.

— Вы знаете, доктор Гаше, — сказал Винсент, — это очень хорошо, что я побывал на юге. Теперь я гораздо лучше вижу север. Посмотрите, какая лиловость на том, дальнем, берегу реки, где трава еще не тронута солнышком.

— Да, да, лиловость, именно лиловость, иначе не скажешь.

— И каким здесь веет здоровьем, — задумчиво продолжал Винсент. — Какой тут покой, какая тишина.

Они спустились с холма, миновали пшеничное поле, церковь и вышли на прямую дорогу, которая вела в поселок.

— Мне, право, жаль, что я не могу поместить вас у себя в доме, — сказал доктор Гаше, — но, увы, у нас нет ни одной свободной комнаты. Я укажу вам хорошую гостиницу, а вы каждый день станете приходить ко мне писать и будете чувствовать себя как дома.

Доктор схватил Винсента за локоть и потащил его мимо мэрии к реке, где была летняя гостиница. Он поговорил с хозяином, и тот согласился предоставить Винсенту комнату и стол за шесть франков в день.

— Ну вот, можете устраиваться, — весело сказал Гаше. — А в час приходите ко мне обедать. И тащите свой мольберт и краски. Вы должны написать мой портрет. А еще принесите показать ваши новые работы. Мы там вволю поболтаем. Идет?

Как только доктор скрылся из виду, Винсент взял свои пожитки и поплелся к выходу.

— Постойте! — окликнул его хозяин. — Куда же вы?

— Я рабочий, а не капиталист, — ответил ему Винсент. — Я не могу платить вам шесть франков в день.

Он вернулся на площадь и разыскал там маленькое кафе, как раз напротив мэрии. Называлось оно по фамилии хозяина — Раву, там Винсент договорился, что будет платить за комнату и стол три с половиной франка в день.

Кафе Раву было излюбленным местом встречи крестьян и рабочих, живших близ Овера. Войдя в него, Винсент увидел справа небольшую стойку, все остальное пространство сумрачного, унылого зала было заставлено грубыми деревянными столами и скамьями. В углу, за стойкой, виднелся бильярдный стол с грязным и рваным зеленым сукном. Стол этот был гордостью и украшением кафе. В дальнем конце зала была дверь на кухню, а сразу же за дверью — витая лестница, которая вела наверх, где были три комнатки с кроватями. Из своего окна Винсент видел шпиль католической церкви и кусок кладбищенской стены — в мягком свете оверского солнца ее коричневый тон был чист и нежен.

Винсент взял мольберт, краски и кисти, захватил портрет арлезианки и отправился на поиски дома Гаше. Та же дорога, что вела со станции к кафе Раву, у площади круто сворачивала на запад и шла вверх по склону. Скоро Винсент очутился у развилки. Правая дорога поднималась к холму с замком, а левая через зеленое поле гороха уходила к реке. Гаше велел ему идти прямо, оставляя холм в стороне. Винсент медленно шел и думал о докторе, заботам которого его поручил Тео. Он заметил, что домики с тростниковыми крышами сменились богатыми виллами и поселок приобрел совсем другой вид.

Винсент потянул медную ручку звонка, торчавшую в высокой каменной стене. На звон колокольчика выбежал Гаше. Он повел Винсента по крутой каменной лестнице на террасу, где был разбит цветник. Дом был трехэтажный, прочный, удобный и красивый. Доктор взял Винсента под руку и вывел на задний двор, где у него жили утки, куры, индейки, павлины и множество кошек.

— А теперь идемте в гостиную, Винсент, — сказал Гаше, поведав Винсенту во всех подробностях историю каждой птицы.

Гостиная, занимавшая переднюю часть дома, была просторная, с высоким потолком, но в ней было всего-навсего два маленьких окна, выходивших в сад. Эта большая комната была так заставлена мебелью, антикварными редкостями и всякой рухлядью, что у стола, стоявшего посередине, едва хватало места для двух человек. Окна пропускали очень мало света, и Винсенту показалось, что все вещи в гостиной черные.

Гаше метался по комнате, то и дело хватал какой-нибудь предмет, совал его Винсенту и вырывал из рук, раньше чем тот успевал что-либо рассмотреть.

— Поглядите. Видите букет на той картине? Делакруа держал цветы вот в этой вазе. Можете ее потрогать. Разве вы не чувствуете, что это та самая вещь? Видите это кресло? На нем сидел у окна Курбе, когда писал мой сад. А эти красивые блюда? Их привез мне Демулен из Японии. Одно из этих блюд брал для своего натюрморта Клод Моне. Натюрморт наверху. Идемте, я покажу.

За обедом Винсент познакомился с сыном Гаше, Полем, живым и красивым пятнадцатилетним мальчиком. Несмотря на то что Гаше страдал желудком, обед у него был из пяти блюд. Винсент, привыкнув в Сен-Реми к одной чечевице да черному хлебу, спасовал уже после третьего блюда.

— А теперь нам надо поработать! — воскликнул доктор. — Вы будете писать мой портрет, Винсент; я буду позировать вот так, как сижу сейчас, хорошо?

— Мне сначала надо бы узнать вас поближе, доктор, а то, боюсь, портрет выйдет очень поверхностный.

— Ну что ж, возможно, вы правы, возможно, и правы. Но что-нибудь вы все-таки напишете? Позвольте мне посмотреть, как вы работаете. Мне так хочется посмотреть!

— Я видел в саду место, которое стоило бы написать.

— Чудесно! Чудесно! Сейчас мы поставим вам мольберт. Поль, вынеси господину Винсенту мольберт в сад. Вы мне покажите это место, и я скажу, писал ли его кто-нибудь из художников.

Пока Винсент работал, доктор бегал вокруг него, размахивая руками и выражая восторг, ужас, удивление. Винсент слышал за своей спиной тысячу советов, возгласов и всевозможных наставлений.

— Да, да, это у вас получилось хорошо. Вот, вот, красный краплак. Осторожнее! Вы испортите все дерево. Ага, сейчас в самый раз... Нет, нет! Хватит, оставьте в покое кобальт. Это вам не Прованс. Теперь, по-моему, хорошо. Да, да, просто прекрасно! Осторожней, осторожней, Винсент. Сделайте, пожалуйста, желтое пятнышко на этом цветке. Да, да, вот здесь. Как сразу все оживает и играет! У вас прямо-таки животворная кисть. Нет, нет! Умоляю вас, не надо! Легче, легче! Не так энергично. А, да, да, теперь я понял. Merveilleux!*

Винсент терпел кривлянье и болтовню доктора, сколько хватило сил. Потом он обернулся и сказал:

— Дорогой друг, вам не кажется, что такое волнение может вредно отразиться на вашем здоровье? Вы медик и должны знать, как важно держать себя в руках и не волноваться.

Но когда кто-нибудь писал на глазах у Гаше, он не мог не волноваться.

Закончив этюд, Винсент вместе с доктором Гаше вернулся в дом и показал ему портрет арлезианки, который он принес. Доктор прищурил один глаз и насмешливо посмотрел на полотно.

* Восхитительно! *(фр.)*

Он долго что-то бормотал, пререкаясь сам с собой насчет достоинств и недостатков портрета, и наконец изрек:

— Нет, этого я не могу принять. Не могу согласиться с ним полностью. Не вижу, что вы хотели сказать в этом портрете.

— Я и не старался ничего сказать, — заметил Винсент. — Это, если угодно, обобщенный портрет арлезианки. Я просто хотел выразить красками арлезианский характер.

— Увы, — промолвил доктор скорбным тоном. — Я не могу с ним полностью согласиться.

— Вы не возражаете, если я посмотрю ваши коллекции?

— Конечно, конечно, смотрите сколько угодно. А я тем временем посижу около этой дамы и подумаю, могу ли я принять ее.

В сопровождении услужливого Поля Винсент бродил по комнатам целый час. В каком-то пыльном углу он наткнулся на небрежно брошенное полотно Гийомена: нагая женщина, лежащая на кровати. Картина валялась без всякого присмотра и начала уже трескаться. Пока Винсент разглядывал ее, в комнату взволнованно вбежал доктор Гаше и засыпал Винсента вопросами относительно арлезианки.

— Неужели вы смотрели на нее все это время? — изумился Винсент.

— Да, да, она постепенно до меня доходит, она доходит, я уже начинаю чувствовать ее.

— Извините меня, доктор Гаше, за нескромный совет, но это великолепный Гийомен. Если вы не вставите его в раму, он погибнет.

Гаше даже не слушал Винсента.

— Вы утверждаете, что следовали в рисунке Гогену... Я не могу согласиться с вами... эти резкие контрасты цвета... Они убивают всю ее женственность... нет, не то чтобы убивают, но... да, да, пойду посмотрю на нее снова... она постепенно доходит до меня... понемногу... вот-вот, кажется, и сойдет с полотна!

Весь остаток дня Гаше метался около арлезианки, тыкал в нее пальцем, всплескивал руками, без умолку тараторил, задавал бесчисленные вопросы и сам же отвечал на них, принимая все новые позы. Когда наступил вечер, арлезианка окончательно завоевала его сердце. На доктора снизошло радостное успокоение.

— Ах, как она трудна — простота, — произнес он, стоя перед портретом, умиротворенный и измученный.

— Да, трудна.

— А эта дама прекрасна, прекрасна! Никогда я не чувствовал характер так глубоко.

— Если она вам нравится, доктор, — она ваша. И этюд, который я написал сегодня в саду, тоже ваш.

— Но зачем же вы дарите мне картины, Винсент? Ведь это ценность.

— Скоро наступит время, когда вам, может быть, придется заботиться обо мне, лечить меня. У меня не будет денег, чтобы заплатить вам. Вместо денег я плачу вам полотнами.

— Но я и не хочу лечить вас ради денег, Винсент. Я сделаю это из дружбы к вам.

— Значит, так тому и быть! Я тоже дарю вам эти картины из дружбы.

3

Так Винсент снова вступил на стезю живописца. Он лег спать в девять, вдоволь насмотревшись, как под тусклой лампой кафе Раву рабочие играли в бильярд. Встал он в пять утра. Погода была чудесная, солнце светило мягко, долина сияла свежей зеленью. Долгий недуг и вынужденная праздность в приюте Святого Павла давали себя чувствовать: кисть выскальзывала у Винсента из пальцев.

Винсент попросил Тео прислать ему книгу Барга, чтобы упражняться, копируя оттуда рисунки, так как боялся, что, если он не будет опять постоянно изучать пропорции обнаженного тела, ему это даром не пройдет. Винсент все время присматривался, нельзя ли найти в Овере маленький домик и поселиться тут навсегда. Ему не давала покоя мысль: а вдруг Тео был прав, когда говорил, что где-то на свете есть женщина, которая соединила бы с ним свою судьбу. Он вынул несколько своих полотен, написанных в Сен-Реми, и кое-где тронул их кистью, стараясь довести до совершенства.

Но эта внезапная вспышка энергии скоро угасла — то был лишь рефлекс организма, еще слишком крепкого, чтобы поддаться разрушению.

Теперь, после долгого заключения в лечебнице, дни казались Винсенту неделями. Он не знал, чем их заполнить, так как писать с утра до вечера он уже не мог. Да у него уже и не было такого желания. Пока не стряслась беда в Арле, ему не хватало для работы и суток, теперь же время тянулось бесконечно.

Из того, что он видел, лишь немногое заставляло его взяться за кисть, а начав работать, он испытывал странное спокойствие, почти безразличие. Лихорадочной страсти писать всегда, каждую минуту, писать горячо и самозабвенно Винсент уже не испытывал. Он работал теперь словно бы для провождения времени. И если к вечеру полотно бывало не окончено... что ж, это его уже не трогало.

Доктор Гаше по-прежнему был единственным его другом в Овере. Гаше, проводивший почти все дни в своем врачебном кабинете в Париже, по вечерам нередко заглядывал в кафе Раву посмотреть на новые полотна. Винсент часто задумывался, видя в его глазах глубокую, безысходную печаль.

— Отчего вы так несчастны, доктор Гаше? — спрашивал он.

— Ах, Винсент, я работал столько лет... и так мало сделал хорошего. Врач видит только одно страдание, страдание и страдание...

— Я охотно поменялся бы с вами профессией, — сказал Винсент.

В грустных глазах Гаше блеснуло восхищение.

— Ах, что вы, Винсент, призвание живописца — самое прекрасное на свете. Всю жизнь я хотел быть художником... но я мог уделять этому час-другой лишь изредка, урывками... вокруг так много больных людей, которым я нужен.

Доктор Гаше встал на колени и вытащил из-под кровати Винсента груду полотен. Он поставил перед собой пылающий желтый подсолнух.

— Если бы я написал хоть одно такое полотно, Винсент, я считал бы, что моя жизнь не прошла даром. Я потратил долгие годы, облегчая людские страдания... но люди в конце концов все равно умирают... какой же смысл? Эти подсолнухи... они будут исцелять людские сердца от боли и горя... они будут давать людям радость... много веков... вот почему ваша жизнь не напрасна... вот почему вы должны быть счастливым человеком.

Спустя несколько дней Винсент закончил портрет доктора в его белой фуражке и темно-синей куртке, на чистом кобальтовом фоне. Лицо доктора было написано в очень красивых, светлых тонах, кисти рук были тоже светлые. Доктор Гаше сидел, облокотившись на красный стол, на столе лежала желтая книга и веточка наперстянки с лиловыми цветами. Когда портрет был готов, Винсент подивился тому, как разительно он напоминает его автопортрет, написанный в Арле еще до приезда Гогена.

Доктор влюбился в портрет до безумия. Никогда еще Винсенту не доводилось выслушивать столь пылкие похвалы и шумные восторги. Гаше настаивал, чтобы Винсент сделал для него копию. Когда Винсент согласился, радости доктора не было границ.

— Вы должны воспользоваться моим печатным станком, Винсент, — с жаром говорил доктор. — Мы привезем из Парижа все ваши полотна и сделаем с них литографии. Это не будет вам стоить ни одного сантима. Идемте, вы сейчас увидите мою печатню.

Они поднялись по приставной лестнице, открыли люк и влезли на чердак. Мастерская Гаше была набита такими таинственными, фантастическими инструментами, что Винсенту показалось, будто он попал в лабораторию средневекового алхимика.

Спускаясь вниз, Винсент увидел, что нагая женщина Гийомена по-прежнему валяется без всякого присмотра.

— Доктор Гаше, — сказал он, — я просто настаиваю, чтобы вы вставили эту картину в раму. Вы губите шедевр.

— Да, да, я давно собираюсь заказать для нее раму. Так когда же мы поедем в Париж за вашими полотнами? Вы можете печатать литографии в любом количестве. Я вам дам все материалы.

Май незаметно прошел, наступил июнь. Винсент писал католическую церковь на холме. К вечеру он сильно утомился и забросил полотно, не закончив. Огромным усилием воли он заставил себя написать поле пшеницы; он писал его лежа, почти зарывшись в пшеницу головой. Кроме того, он завершил большое полотно — дом госпожи Добиньи; изобразил на фоне ночного неба еще один дом — белый, с оранжевыми огнями в окнах, с темной зеленью деревьев и травы вокруг — все это было пронизано минорной нотой розового; вечерний мотив был и на другом этюде — два совершенно черных грушевых дерева с желтоватым небом на заднем плане.

Но живопись уже не приносила ему радости. Он работал по привычке, так как ему нечего было больше делать. Могучая инерция десяти лет огромного труда еще влекла его вперед. Но если прежде при виде живой природы его бросало в трепет, то теперь он оставался холодным и равнодушным.

— Я писал это столько раз, — бормотал он себе под нос, шагая по дороге с мольбертом за спиной в поисках мотива. — Мне нечего больше к этому добавить. Зачем повторять самого себя? Отец Милле был прав. «Я скорее предпочел бы вовсе ничего не делать, чем выразить себя слабо».

Но его любовь к природе еще не умерла — просто исчезла непреодолимая, жгучая потребность с жадностью наброситься на открывшийся пейзаж и воссоздать его на холсте. Он уже отгорел. За весь июнь он написал только пять полотен. Он устал, несказанно устал. Он чувствовал себя измученным, обессиленным, опустошенным — словно каждая из тех сотен рисунков и картин, которые одна за другой выходили из-под его руки в последние десять лет, отнимала у него по искорке жизни.

Теперь он работал уже только потому, что считал себя обязанным как-то рассчитаться с Тео за его долголетнюю денежную помощь. И все же, когда он однажды, доведя очередной этюд до половины, сообразил, что тех полотен, которыми набита квартира Тео, не распродать и за десять человеческих жизней, легкая тошнота сдавила ему горло и он с отвращением оттолкнул мольберт.

Винсент знал, что следующий припадок будет в июле, через три месяца после предыдущего. Он очень боялся, что во время приступа он сделает что-нибудь дикое и восстановит против себя весь поселок. Уезжая из Парижа, он не условился с Тео о деньгах и теперь лишь гадал, сколько же франков в месяц будет ему присылать брат. Глаза Гаше, в которых то таилась бесконечная печаль, то горел восторг, раздражали его все больше.

В довершение всего заболел ребенок Тео.

Винсент совсем потерял голову от беспокойства за своего тезку. Он крепился, сколько мог, потом, не выдержав, поехал в Париж. Его неожиданное появление в Ситэ-Пигаль лишь увеличило смятение в доме. Тео осунулся, вид у него был нездоровый. Винсент всеми силами старался ободрить его.

— Меня беспокоит не только малыш, Винсент, — признался он наконец.

— Кто же еще, Тео?

— Валадон. Он грозит меня уволить.

— Как он может, Тео? Ты служишь у Гупиля уже шестнадцать лет!

— Я знаю. Но он говорит, что я пренебрегаю своими обязанностями, увлекаясь импрессионистами. А я их продаю очень немного и всегда по дешевке. Валадон заявил, что моя галерея за последние годы приносит только убытки.

— И он действительно может выгнать тебя?

— Почему же нет? Паи Ван Гогов давно уже все распроданы.

— Что же ты тогда будешь делать, Тео? Откроешь собственную галерею?

— Где уж тут! У меня были кое-какие сбережения, но я все потратил на жену и ребенка.

— Вот если бы ты не тратил на меня попусту тысячи франков...

— Оставь, пожалуйста, Винсент. Это не имеет никакого отношения к делу. Ты знаешь, что я...

— Но как же ты теперь, Тео? У тебя ведь Ио и малыш.

— Да, да. Ну что ж... я, право, не знаю... сейчас меня больше всего тревожит ребенок.

Винсент прожил в Париже несколько дней. Он старался поменьше бывать дома, чтобы не беспокоить ребенка. Париж и старые друзья растревожили его. Он чувствовал, как к нему подкрадывается болезнь. Когда маленький Винсент начал понемногу выздоравливать, он сел в поезд и уехал в тихий Овер.

Но оверская тишина не принесла исцеления. Винсент терзался, одолеваемый заботами. Что с ним будет, если Тео потеряет место? Неужели он окажется на улице, как последний нищий? А как же Ио с малышом? Что, если ребенок умрет? Он знал, что Тео с его хрупким здоровьем не вынесет этого удара. И кто будет кормить их всех, пока Тео подыщет новое место? И найдет ли он в себе силы, чтобы обивать пороги?

Винсент часами сидел в темном зале кафе Раву. Здесь все напоминало ему кафе на площади Ламартина — и запах перекисшего пива и едкий дым табака. Он вяло гонял бильярдным кием по столу обшарпанные шары. У него не было денег, чтобы выпить. Не было денег ни на краски, ни на холст. В такое трудное время он не мог попросить у Тео ни сантима. И он холодел от страха при мысли, что, если в июле с ним случится припадок, он натворит в безумии что-нибудь такое, что вовлечет Тео в новые хлопоты и расходы.

Он старался работать, но это не приносило облегчения. Он уже написал все, что хотел написать. Он уже сказал все, что хотел сказать. Природа больше не возбуждала в нем творческой страсти, и он знал, что все лучшее в нем уже умерло.

Шли дни. Наступила середина июля, а с нею зной и духота. Тео, постоянно живший под угрозой лишиться куска хлеба, мучимый тревогами за ребенка, осаждаемый счетами врачей, все же выкроил пятьдесят франков и послал их брату. Винсент расплатился этими деньгами с Раву. Теперь он мог жить здесь до конца июля. А потом... что потом? Ему уже не приходилось больше рассчитывать на помощь Тео.

Он подолгу лежал на спине в пшеничном поле, близ кладбища, на самом солнцепеке. Он бродил по берегам Уазы, вдыхая запах холодной воды и пойменных трав. Он шел обедать к Гаше и набивал живот едой, уже не чувствуя ее вкуса, не в состоянии ее переварить. Когда доктор восторгался его полотнами, Винсент думал: «Он говорит не обо мне. Эти картины, должно быть, не мои. Я никогда не написал ни одного полотна. Я даже не узнаю свою подпись на холсте. Я не помню, чтобы я хоть раз прикоснулся кистью к этим полотнам. Видно, их написал кто-то другой!»

Лежа в своей темной комнате, он говорил себе: «Предположим, Тео не потеряет работы. Предположим, он сможет посылать мне сто пятьдесят франков в месяц. Что мне тогда делать? Я держался все эти тяжкие годы потому, что мне надо было писать, надо было выразить то, что горело в моей душе и жгло меня. Но теперь во мне все угасло. Я сейчас словно пустая раковина. Так стоит ли мне прозябать в безделье, подобно тем несчастным из приюта Святого Павла, ожидая, пока какая-нибудь случайность сотрет меня с лица земли».

Были дни, когда Винсент беспокоился только о Тео, Иоганне и малыше: «Пусть даже силы ко мне вернутся, дух окрепнет, и я снова захочу писать. Как я смогу брать деньги у Тео, когда они нужны ему для Иоганны и ребенка? Он не должен разориться из-за меня. Он должен отправить свою семью в деревню, там мальчик будет расти здоровым и крепким. Я и так сидел у Тео на шее десять долгих лет. Разве этого мало? Не пора ли освободить его от такого бремени, чтобы он мог подумать о будущем. Нет, я решил твердо: теперь все должно принадлежать малышу!»

В основе всех этих мыслей лежал гнетущий страх перед возможными последствиями эпилепсии. Теперь он в полном разуме, он может распоряжаться своей жизнью. А вдруг следующий припадок превратит его в помешанного, в безумца? Вдруг мозг не выдержит напряжения? Вдруг он станет беспомощным, слюнявым идиотом? Что тогда делать бедному Тео? Запереть его в лечебницу для безнадежно больных?

Он преподнес доктору Гаше еще два полотна и стал допытываться у него правды.

— Нет, Винсент, — сказал доктор, — припадков у вас больше не будет. Отныне вы здоровый человек. Но далеко не все эпилептики так счастливы.

— А что в конце концов бывает с ними, доктор?

— Порой, если припадки следуют один за другим, они полностью лишаются рассудка.

— И уже никак не могут излечиться?

— Нет. Это для них конец. Правда, они могут протянуть несколько лет в какой-нибудь лечебнице, но здравый рассудок к ним уже не возвращается.

— А как же можно определить, доктор, выздоровеют они после очередного приступа или совсем свихнутся?

— Этого определить нельзя, Винсент. Но послушайте, к чему нам говорить о таких печальных вещах? Давайте-ка поднимемся в мастерскую и напечатаем несколько литографий.

Четыре следующих дня Винсент не выходил из своей комнаты. Мадам Раву каждый вечер подавала ему туда ужин.

«Сейчас я здоров и в полном рассудке, — твердил он себе. — Я хозяин своей судьбы. Но когда начнется этот припадок... разум мой помрачится... я буду уже не в состоянии убить себя... а это — конец, смерть заживо. Ох, Тео, Тео, что же мне делать?»

На четвертый день, после обеда, он пошел к доктору Гаше. Доктор был в гостиной. Винсент направился прямо в кабинет, где он несколько дней назад оставил нагую женщину Гийомена. Он взял полотно в руки.

— Я говорил вам, что нужно вставить эту картину в раму, — сказал он доктору.

Доктор Гаше посмотрел на него с удивлением.

— Конечно, Винсент. На следующей неделе я закажу здешнему столяру деревянную раму.

— Ее надо вставить в раму сейчас же! Сегодня! Сию минуту!

— Винсент, Винсент, не говорите глупости!

Винсент свирепо посмотрел на доктора, шагнул к нему с угрожающим видом, потом сунул руку в карман куртки. Доктору показалось, что в кармане у Винсента револьвер и что он наставил его сквозь куртку прямо ему в грудь.

— Винсент! — закричал он.

Винсент вздрогнул. Он опустил глаза, вынул руку из кармана и кинулся бежать прочь.

Наутро он взял мольберт и холсты, пошел по длинной дороге к станции, взобрался на холм за католической церковью и сел писать среди желтой пшеницы, напротив кладбища.

Когда близился полдень и неистовое солнце безжалостно жгло Винсенту голову, вдруг целая туча черных птиц стремительно опустилась с неба. Птицы заполнили воздух, заслонили солнце, окутали Винсента тяжелым покровом тьмы, лезли ему в волосы, врывались в уши, в глаза, в ноздри, в рот, погребая его под траурно-черным облаком плотных, душных, трепещущих крыл.

Винсент продолжал работать. Он писал черных птиц над желтым полем пшеницы. Он не знал, сколько времени это длилось, а когда увидел, что картина закончена, сделал в углу надпись: «Стая ворон над хлебным полем», — закинул мольберт за спину, добрался до кафе Раву, упал навзничь поперек кровати и заснул.

На следующий день, после обеда, он снова вышел из дома, но направился с площади Мэрии в другую сторону. Он поднялся на холм, обогнув замок. Один крестьянин видел, как он сидел на дереве.

— Это немыслимо! Я больше не могу! — услышал крестьянин его слова.

Немного погодя Винсент слез с дерева и вышел на вспаханное поле позади замка. Теперь это был уже конец. Он знал это еще в Арле, в тот первый раз, когда он почувствовал, что с ним творится неладное, но не нашел тогда в себе силы разом свести все счеты.

Ему хотелось сказать миру свое «прости». Несмотря ни на что, это все-таки чудесный мир. Как говорил Гоген: «Кроме яда, есть и противоядие». И теперь, покидая этот мир, Винсент хотел проститься с ним, хотел проститься со всеми друзьями, которые помогли ему найти свой путь, — проститься с Урсулой, чье презрение заставило его порвать с обыденной жизнью и стать отверженным; с Мендесом да Коста, который вселил в него веру в то, что рано или поздно он сумеет выразить себя и что именно это будет оправданием его жизни; с Кэй Вос, чье «Нет, никогда! Никогда!» глубоко врезалось ему в душу; с мадам Дени, Жаком Вернеем и Анри Декруком, которые научили его любить презренных и сирых; с преподобным Питерсеном, в доброте своей не смутившимся ни лохмотьями Винсента, ни его мужицкой грубостью; со своими родителями, которые, как могли, старались его любить; с Христиной, его единственной женой, которой судьба благоволила наградить его; с Мауве, который был его учителем в течение немногих незабываемых недель; с Вейсенбрухом и де Боком, своими первыми друзьями-художниками; с дядей Винсентом, Яном, Корнелисом Маринюсом и Стриккером, которые называли его паршивой овцой в семействе Ван Гогов; с Марго, единственной женщиной, которая любила его и которая хотела убить себя из-за этой любви; со своими друзьями-художниками в Париже; с Лотреком, который вновь был заперт в лечебнице, теперь уже до конца своих дней; с Жоржем Сёра, умершим в возрасте тридцати одного года от переутомления; с Полем Гогеном, нищенствовавшим в Бретани; с Руссо, который заживо гнил в своей грязной конуре близ площади Бастилии; с Сезанном, ожесточенным отшельником, уединившимся на холмах Экса; с папашей Танги и Руленом, раскрывшими ему красоту простых душ; с Рашелью и доктором Реем, согревшими его своей добротой, в которой он так нуждался; с Орье и доктором Гаше, этими единственными людьми, которые считали его великим живописцем; и, наконец, с дорогим братом Тео, так много страдавшим, так много любившим, с самым лучшим, самым нежным из всех братьев на свете.

Но Винсент никогда не умел выражать свои чувства словами. Ему пришлось бы сказать свое «прости» красками.

Но сделать это не дано никому.

Он поднял голову и посмотрел на солнце. Он прижал револьвер к боку. Он спустил курок. Он упал, зарываясь лицом в жирную, пряно пахнувшую землю, которая мягко и упруго подалась под ним, словно он снова возвращался в материнское чрево.

4

Через четыре часа он, шатаясь, прошел по темному залу кафе. Мадам Раву кралась вслед за ним до самой двери и увидела кровь на куртке. Она тут же кинулась к доктору Гаше.

— Ох, Винсент, Винсент, что вы наделали! — простонал Гаше, вбегая в комнату.

— Мне кажется, я плохо сделал свое дело. Как по-вашему?

Гаше осмотрел рану.

— Ох, Винсент, бедный мой друг, как вам было тяжело, если вы решились на это! Почему вы ничего не сказали мне? Почему вы хотите оставить нас, когда мы все вас так любим? Подумайте о чудесных картинах, которые вы еще напишете и подарите миру!

— Не будете ли вы любезны дать мне трубку — она в кармане куртки.

— Ну конечно же, мой друг.

Он набил табаком трубку и вставил ее Винсенту в зубы.

— Огня, пожалуйста, огня.

— Ну конечно, мой друг.

Винсент спокойно раскурил трубку.

— Винсент, сегодня воскресенье, и ваш брат не на службе. Дайте мне его адрес.

— Его-то я как раз и не дам.

— Нет, вы должны его дать, Винсент! Нам надо снестись с ним как можно скорее!

— Нельзя беспокоить Тео в воскресенье. Он устал, у него столько огорчений. Ему необходимо отдохнуть.

Винсент остался глух ко всем уговорам и адреса дома в Ситэ-Пигаль так и не сказал. Доктор Гаше сидел у него до поздней ночи, следя за состоянием раны. Потом он ушел домой отдохнуть и оставил Винсента на попечении своего сына.

Винсент всю ночь лежал с открытыми глазами и не сказал Полю ни слова. Он то и дело набивал трубку и курил не переставая.

Когда Тео пришел в понедельник на службу, его ждала там телеграмма от Гаше. Он сел на первый же поезд, шедший в Понтуаз, а затем в пролетке примчался в Овер.

— Ну вот, Тео... — только и сказал Винсент.

Тео опустился на колени и взял Винсента на руки, словно малого ребенка. Он не мог вымолвить ни слова.

Когда пришел доктор, Тео тронул его за локоть и вывел за дверь. Гаше печально покачал головой:

— Друг мой, надежды нет. Делать операцию, чтобы извлечь пулю, я не могу — он слишком слаб. Если бы не железный организм, он умер бы там же, в поле.

Весь долгий день Тео сидел у кровати Винсента, держа его за руку. Когда наступила ночь и братья остались одни, они начали тихо говорить о своем детстве в Брабанте.

— Ты помнишь мельницу в Рэйсвейке, Винсент?

— Такая чудесная старая мельница, правда, Тео?

— Мы все бродили там по тропинке около запруды и мечтали, как будем жить.

— А когда мы играли летом во ржи — рожь была высокая-высокая, — ты всегда держал меня за руку, вот так, как сейчас держишь. Помнишь, Тео?

— Помню, Винсент.

— Когда я жил в больнице в Арле, я часто вспоминал Зюндерт. Хорошее у нас с тобой было детство, Тео. Бывало, мы играем в саду за кухней, под акациями, а мама готовит нам на завтрак пудинг.

— Как давно это было, Винсент.

— Давно... ну что ж... жизнь велика. Тео, послушай, береги себя, ради Бога. Следи за своим здоровьем. Ты должен думать об Ио и о малыше. Отправь их куда-нибудь в деревню, чтобы они поправились и окрепли. И уходи от Гупиля, Тео. Твои хозяева отняли у тебя всю жизнь... и не дали взамен ничего.

— Я собираюсь открыть небольшую собственную галерею, Винсент. И прежде всего я устрою там одну персональную выставку. Полное собрание работ Винсента Ван Гога... в точности так, как ты делал это в нашей квартире... своими руками.

— Ах да, моя работа... Я пожертвовал ради нее жизнью... и почти лишился рассудка.

Комнату наполнила глубокая тишина оверской ночи.

В начале второго Винсент слегка повернул голову и прошептал:

— Мне хотелось бы теперь умереть, Тео.

Через несколько минут он закрыл глаза.

Тео чувствовал, что брат покидает его, покидает навеки.

5

На похороны приехали из Парижа Руссо, папаша Танги, Орье и Эмиль Бернар.

Двери кафе Раву были закрыты, на окнах опущены жалюзи. У подъезда ждали черные похоронные дроги, запряженные вороными лошадьми.

Гроб Винсента был поставлен на бильярдный стол.

Тео, доктор Гаше, Руссо, папаша Танги, Орье, Бернар и Раву молча стояли вокруг гроба. Они не могли взглянуть друг другу в глаза.

Никто и не подумал позвать священника.

Кучер слез с дрог и постучался в дверь.

— Уже пора, господа, — сказал он.

— Господи Боже, да разве так его надо бы провожать! — воскликнул Гаше.

Он бросился наверх, в комнату Винсента, и вынес оттуда все его полотна, потом послал сына Поля домой за остальными картинами.

Шесть человек стали развешивать картины по стенам кафе.

Тео один стоял у гроба.

Солнечные полотна Винсента словно превратили тускло-коричневое, унылое кафе в сверкающий кафедральный собор.

Теперь снова все они стояли вокруг бильярдного стола. Один только Гаше нашел в себе силы сказать прощальное слово.

— Мы, друзья Винсента, не должны предаваться отчаянию. Винсент не умер. Он не умрет никогда. Его любовь, его гений, та великая красота, которую он создал, будут жить вечно, обогащая мир. Не проходит часа, чтобы я не посмотрел на его полотна и не обрел в них новой веры, нового смысла жизни. Это был титан... великий художник... великий философ. Он пал жертвой своей любви к искусству.

Тео пытался поблагодарить его:

– Я... я...

Слезы душили его. Он не мог говорить.

Гроб Винсента накрыли крышкой...

Шестеро друзей подняли гроб с бильярдного стола. Они вынесли его из маленького кафе. Они осторожно поставили его на черный катафалк.

Они медленно шли за катафалком по залитой солнцем дороге. Они миновали крытые тростником домики и маленькие редкие виллы.

У станции дроги свернули налево и стали подниматься по склону холма. Вот уже осталась позади католическая церковь, дорога вилась по желтому полю пшеницы.

Черные дроги остановились у ворот кладбища.

Шесть человек на руках понесли гроб к могиле. Тео один шел сзади.

Доктор Гаше выбрал для Винсента место упокоения там, где они стояли в первый день, оглядывая зеленую долину Уазы.

Тео еще раз попытался что-то сказать. Но он не мог вымолвить ни слова.

Они опустили гроб в могилу, забросали ее и прибили землю лопатами.

Потом все семеро повернулись, вышли за кладбищенскую ограду и стали спускаться с холма.

Через несколько дней доктор Гаше вновь пришел на кладбище и посадил вокруг могилы подсолнухи.

Тео уехал в Париж. Горе терзало его непрестанно, каждую минуту, днем и ночью.

Его рассудок не выдержал напряжения.

Иоганна отвезла его в дом для умалишенных в Утрехт, тот самый, куда когда-то поместили Марго.

Полгода спустя, после того как умер Винсент, почти день в день, Тео скончался. Его похоронили в Утрехте.

А вскоре Иоганна, читая для утешения Библию, обратила внимание на слова во «Второй Книге царств»: *«Не разлучились они и в смерти своей».*

Она перевезла тело мужа в Овер и похоронила его рядом с Винсентом.

Когда горячее солнце Овера палит своими лучами еле приметное среди полей пшеницы кладбище, Тео спокойно спит в прохладной тени буйных Винсентовых подсолнухов.

ОТ АВТОРА

Читатель, быть может, захочет узнать, насколько эта повесть соответствует истине. Должен сказать, что все диалоги мне пришлось придумывать; есть в книге и чистый вымысел, например, сцена с Майей, — это читатель без труда определит и сам; в одном или двух случаях я описал мелкие эпизоды, в истинности которых я убежден, хотя и не могу подтвердить это документами, — в частности, короткую встречу Ван Гога с Сезанном в Париже. Кое-где я прибег к умышленным упрощениям — так, описывая скитания Винсента по Европе, я всюду беру лишь одну денежную единицу — франк; кроме того, я опустил некоторые маловажные обстоятельства жизни Ван Гога. Если не считать этих беллетристических вольностей, то в остальном книга полностью соответствует фактам.

Главным источником для меня послужило трехтомное издание писем Винсента Ван Гога к его брату Тео (Houghton, Mifflin 1927—1930). Бóльшую часть материалов я собрал в Голландии, Бельгии и Франции, посетив все те места, где бывал Винсент.

С моей стороны было бы неблагодарностью не выразить свою признательность множеству друзей и почитателей Ван Гога в Европе — они щедро отдавали мне свое время и делились материалами. В их числе Колин ван Осс и Луи Брон из «Гаагше пост», Иоганн Терстех из галереи Гупиль в Гааге; семья Антона Мауве из Схевенингена; господин и госпожа Жан-Батист Дени из Малого Вама; семья Хофке из Нюэнена; Ж. Барт де ла Фай из Амстердама; доктор Феликс Рей из Арля; доктор Эдгар Леруа из приюта Св. Павла Мавзолийского; Поль Гаше из Овера на Уазе, который и поныне остается самым преданным другом Винсента в Европе.

Я весьма обязан Лоне Моск, Алисе и Рею Браунам и Жану Фактору за их помощь в издании книги. И наконец, я хотел бы выразить глубокую благодарность Руфи Алей, которая первой прочла эту книгу в рукописи.

И.С.
6 июня 1934

Содержание

Литературно-художественное издание

Стоун Ирвинг
Жажда жизни
Биографический роман о Винсенте Ван Гоге

Компьютерная верстка: Р.В. Рыдалин
Технический редактор О.В. Панкрашина

Подписано в печать 02.03.11.
Формат 84x108 1/32. Усл. печ. л. 26,88.
С.: Зарубежная классика. Доп. тираж(4-й) 2000 экз. Заказ № 1648и.
С.: Биографии. Доп. тираж(4-й) 2000 экз. Заказ № 1648и.

Общероссийский классификатор продукции
ОК-005-93, том 2; 953000 – книги, брошюры

ООО «Издательство АСТ».
141100, Россия, Московская обл., г. Щелково, ул. Заречная, д. 96.
Наши электронные адреса: WWW.AST.RU E-mail: astpub@aha.ru

Широкий ассортимент электронных и аудиокниг
ИГ АСТ Вы можете найти на сайте www.elkniga.ru

ООО «Издательство «Астрель».
129085, г. Москва, пр-д Ольминского, д. 3а

ОАО «Владимирская книжная типография»
600000, г. Владимир, Октябрьский проспект, д. 7.
Качество печати соответствует качеству предоставленных диапозитивов